La Médecine traditionnelle chinoise pour les nuls

La Médecine traditionnelle chinoise pour les nuls

Jean Pélissier

La Médecine traditionnelle chinoise pour les Nuls
« Pour les Nuls » est une marque déposée de John Wiley & Sons, Inc.
« For Dummies » est une marque déposée de John Wiley & Sons, Inc.

© Éditions First, un département d'Édi8, Paris, 2018. Publié en accord avec John Wiley & Sons, Inc.

Éditions First, un département d'Édi8
12, avenue d'Italie
75013 Paris – France
Tél. : 01 44 16 09 00
Fax : 01 44 16 09 01
Courriel : firstinfo@editionsfirst.fr
Site Internet : www.pourlesnuls.fr

ISBN : 978-2-412-03120-9
Dépôt légal : janvier 2018

Imprimé en Espagne

Correction : Florence Le Grand
Édition : Christine Cameau
Indexation : Muriel Mekies
Couverture et maquette intérieure : KN Conception
Illustrations de parties : Stéphane Martinez
Illustrations intérieures : Nathalie Boileau

Tous droits réservés. Toute reproduction, même partielle, du contenu, de la couverture ou des icônes, par quelque procédé que ce soit (électronique, photocopie, bande magnétique ou autre) est interdite sans autorisation par écrit d'Édi8.

Limites de responsabilité et de garantie. L'auteur et l'éditeur de cet ouvrage ont consacré tous leurs efforts à préparer ce livre. Édi8 et les auteurs déclinent toute responsabilité concernant la fiabilité ou l'exhaustivité du contenu de cet ouvrage. Ils n'assument pas de responsabilité pour ses qualités d'adaptation à quelque objectif que ce soit, et ne pourront être en aucun cas tenus responsables pour quelque perte, profit ou autre dommage commercial que ce soit, notamment mais pas exclusivement particulier, accessoire, conséquent, ou autre.

Marques déposées. Toutes les informations connues ont été communiquées sur les marques déposées pour les produits, services et sociétés mentionnés dans cet ouvrage. Édi8 décline toute responsabilité quant à l'exhaustivité et à l'interprétation des informations. Tous les autres noms de marques et de produits utilisés dans cet ouvrage sont des marques déposées ou des appellations commerciales de leur propriétaire respectif. Édi8 n'est lié à aucun produit ou vendeur mentionné dans ce livre.

Dédicaces

Je désire dédier ce livre à Frédérique, ma compagne qui a su me suivre et m'aider au quotidien dans cette aventure.

Mais aussi à mes enfants et petits-enfants pour que le savoir des anciens reste pour eux le plus grand héritage que je puisse leur léguer.

À tous ceux qui désirent profiter pleinement de la vie, le plus longtemps possible, en pleine santé physique et mentale. Puisse-t-il alors se mettre à l'écoute de leur âme et la nourrir jusqu'à la fin de leur vie terrestre.

Enfin une dernière attention pour Sophie Rouanet, responsable éditoriale aux éditions First-Gründ qui m'a entièrement fait confiance pour diriger un tel travail de synthèse de la médecine traditionnelle chinoise et à Christine Cameau pour ses patientes relectures et mises en forme.

À propos de l'auteur

Jean Pélissier a été praticien en médecine chinoise pendant plus de trente-trois ans. Né en 1952 en Algérie, passionné d'ethnomédecine, kinésithérapeute de formation, il a commencé des études de médecine traditionnelle chinoise en 1981 auprès du Pr Leung Kok Yuen, et ce, pendant plus de onze années.

Sa devise : « Le corps n'a pas été construit pour tomber malade, mais pour s'autoguérir en permanence. »

Conférencier reconnu, il propose sur son site www.jeanpelissier.com des enregistrements intégraux concernant les différentes facettes de la prévention, ainsi que de très nombreux cours sur les différents aspects de la médecine traditionnelle chinoise.

Auteur de deux livres à succès aux éditions Albin Michel : *Vieillir en bonne santé et prévenir Alzheimer*, et *Prévenir le cancer avec la médecine chinoise*, il dirige un mensuel : *Les Cahiers de sinobiologie* apprécié dans le monde médical et paramédical pour la profondeur des enseignements qui y sont donnés.

Son projet actuel est de mettre en place à Ouagadougou, au Burkina Faso, une structure de soins et de prévention en médecine traditionnelle chinoise pour tous les enfants parrainés au sein de l'association AIDE, dont il est l'un des cofondateurs.

Sommaire

INTRODUCTION 1

    À propos de ce livre 2
    Les conventions 3
    Comment ce livre est organisé 3
        Première partie : Les fondamentaux de la médecine traditionnelle chinoise 4
        Deuxième partie : Les méthodes de diagnostic 4
        Troisième partie : Les grandes causes de maladie 5
        Quatrième partie : Les grandes méthodes de traitement .. 5
        Cinquième partie : La diététique de longue vie 6
        Sixième partie : La partie des Dix 6
        Septième partie : Annexes 6
    Les icônes utilisées dans ce livre 7

PARTIE 1 : LES FONDAMENTAUX DE LA MÉDECINE TRADITIONNELLE CHINOISE 9

    CHAPITRE 1 : Les origines 11
        Les livres fondateurs 11
        Les grands points de repère 12
            Le Dao 12
            La Tradition 13
            La multiplicité des théories 14
        Dans la pure tradition de la transmission orale ? 16
        Qui était le Pr Leung Kok Yuen ? 17
            Portrait 17
            Œuvre 17

    CHAPITRE 2 : Une vision holistique du corps humain 19
        Le corps ordinateur 19
            Les logiciels organes 20
            Le Qi, l'énergie 20
        La batterie de l'organisme 22
            Comment ça marche ? 23
        Les cinq logiciels organes 24

　　　　Le concept des méridiens 26
　　　　　　D'où provient l'énergie ? 27
　　　　　　Quel est le rôle d'un méridien ? 27
　　　　　　La théorie des méridiens 28
　　　　　　Le cycle circadien 31
　　　　　　Les points d'acupuncture 31
　　　　Les trois strates d'énergie 32
　　　　Prédire l'évolution d'une pathologie 34

CHAPITRE 3 : Les grands concepts de la médecine traditionnelle chinoise 35

　　　　Le médecin chinois : un détective en puissance ou histoire d'un simple champignon 35
　　　　Le concept du Yin-Yang 36
　　　　　　Ce que le Yin-Yang n'est pas ! 36
　　　　　　Tentative de définition 36
　　　　　　Les origines du concept 37
　　　　　　Le Tai Ji, le Un enferme en lui toutes les possibilités 38
　　　　　　Ne pas se perdre dans le dédale du Yin-Yang 39
　　　　Le Qi, l'énergie 39
　　　　　　D'où vient-elle ? 40
　　　　　　Comment les aliments se transforment-ils en énergie ? .. 40
　　　　　　Qu'est-ce que l'énergie droite ? 40
　　　　　　Quels sont les organes les plus importants dans la production du Qi ? 41
　　　　La grande triade Hun-Po-Shen 41
　　　　　　L'âme spirituelle, le Hun 41
　　　　　　L'âme corporelle, le Po 42
　　　　　　L'esprit, le mental, le Shen 44
　　　　　　Pour résumer 45
　　　　Le San Jiao, les Trois Foyers et les Trois Trésors 46
　　　　Les Ba Gang, ou les « huit règles » 47

CHAPITRE 4 : Les relations de l'Homme et l'univers 49

　　　　Les cinq énergies du ciel et de la terre 49
　　　　　　Les cinq éléments de la nature 50
　　　　　　Les sens et les émotions au rythme de la nature 51
　　　　　　Le cycle de vie 53
　　　　Les cinq éléments, Wu Xing 54
　　　　　　Les quatre éléments et l'Homme au centre 54
　　　　　　Le pentagramme 56
　　　　　　Classification des cinq éléments 57

PARTIE 2 : LES MÉTHODES DE DIAGNOSTIC ... 61

CHAPITRE 5 : Les quatre méthodes ... 63
Les quatre méthodes de diagnostic ... 63
    Une véritable enquête ... 64
Les quatre points auxquels doit veiller le praticien. ... 64
    Apprécier si les symptômes sont normaux ... 65
    Distinguer quels sont les symptômes principaux des symptômes secondaires ... 65
    Prédire l'évolution de la maladie ... 66
    Évaluer la force des combattants en présence ... 66

CHAPITRE 6 : L'observation ... 69
Indices donnés par l'étude du Shen ... 69
    Comment observer le Shen Qi ? ... 70
    Ou observe-t-on le Shen de l'Homme ? ... 70
Indices donnés par l'étude des couleurs ... 72
Indices donnés par l'étude de la morphologie ... 73
    À quel morphotype suis-je apparenté ? ... 74
    Quelle est ma personnalité ? ... 76
L'observation du visage ... 79
    Ai-je un bon teint ? ... 80
    Et ces « boutons » qui dérangent ... 81
    Que dire des rides ? ... 81
    Tu as de beaux yeux ! ... 82
    Et le nez ? ... 83
    Les oreilles ne passent pas inaperçues ! ... 84
    Les lèvres sans Botox ! ... 85
    Le coin des dentistes ! ... 86
Très important, l'examen de la main ... 88
    L'éminence thénar ... 88
    Les doigts ... 89
    Quel est votre type de main ? ... 89
    Examen de l'index chez l'enfant ... 92

CHAPITRE 7 : L'interrogatoire ... 95
Ne pas tomber dans certains pièges ... 96
Les conditions de l'interrogatoire ... 96
Les cinq questions du praticien ... 97
    L'origine ... 97
    La profession ... 98

Les habitudes de vie... 98
L'état affectif.. 99
L'origine de la maladie 100
L'interrogatoire sur les symptômes ou « la chanson
des dix questions »... 100
La question sur le froid et la chaleur...................... 102
La question sur la transpiration............................ 102
La question sur les douleurs................................ 104
La question sur les selles et les urines 107
La question sur l'appétit et les saveurs buccales 110
La question sur les sensations au niveau du thorax
et de l'abdomen... 111
La question sur l'ouïe, les acouphènes, la vue et les
vertiges 113
La question sur la soif 114
La question sur le sommeil et les rêves 114
La question sur les comportements gynécologiques.... 117

CHAPITRE 8 : La prise des pouls et l'observation de la langue................................. 119

Emplacement des pouls... 120
Méthode de prise des pouls 121
Le pouls normal... 123
Les 27 sortes de pouls 125
L'étude de la langue 128
Technique d'observation 129
Les cinq parties de la langue............................... 129
Observation du corps de la langue 130

PARTIE 3 : LES GRANDES CAUSES DE MALADIE................. 135

CHAPITRE 9 : Différencier maladies internes et externes................................... 137

La faute à qui ?.. 137
Pourquoi certains développent-ils une allergie
et d'autres non ?.. 138
Maladie interne ou maladie externe ?............................ 139
Les causes externes... 139
Les causes internes 140

CHAPITRE 10 : Les causes internes 143

La décharge de la batterie du Rein 143
La stagnation de sang et d'énergie 144
    Que se passe-t-il quand cela stagne ? 144
    La stagnation de Qi, d'énergie 145
    Le blocage du Qi ou Qi Zi 146
    La stagnation de sang, Yu Xue 148
    Déficience simultanée de sang et d'énergie 149
Les dérèglements émotionnels 150
    Les caractères innés 152
Le déséquilibre des désirs 154
    Le désir matériel 154
    Le désir de gloire 155
    Le désir de possession 155
    Le désir aveugle 155
    Le désir sexuel 156
    Les désirs illusoires 156
Les déséquilibres alimentaires 157
    La diététique du juste milieu 157
Le surmenage et la fatigue 158
Les irrégularités du sommeil 159

CHAPITRE 11 : Les causes externes 161

Les six climats 161
    Les six énergies perverses 161
    Le vent, Feng 162
    Le froid, Han 165
    La chaleur, Re 166
    L'humidité, Shi 168
    La sécheresse, Zao 169
    Le feu, Huo 170
Les facteurs environnementaux 171
    Pollution 172
    Radioactivité 172
Le Tan, les déchets 174
    Qu'est-ce que le Tan ? 174
    Le concept de la maladie « eau-boisson », Jue Yin 175
    Différence entre les maladies « eau-boisson » et le Tan 176

PARTIE 4 : LES GRANDES MÉTHODES DE TRAITEMENT ... 179

CHAPITRE 12 : Les grands principes ... 181

Les disciplines ... 182
    Les quatre disciplines principales ... 182
    Les méthodes complémentaires ... 182
Doit-on traiter en premier la cime ou la racine d'une maladie ? ... 183
    Que doit-on traiter en premier ? ... 184
Trois grands types de traitement ... 185
    Une même formule pour plusieurs affections ... 185
    Différents traitements pour une même pathologie ... 185
    Type « soutenir et éliminer » ... 186

CHAPITRE 13 : La véritable acupuncture traditionnelle ... 187

Les huit méthodes thérapeutiques ... 188
    La technique ... 189
Les neuf aiguilles selon le *Nei Jing* ... 190
    Aiguille n° 1, aiguille Chan ... 190
    Aiguille n° 2, aiguille Yuan ... 191
    Aiguille n° 3, aiguille Ti ... 192
    Aiguille n° 4, aiguille Feng ... 192
    Aiguille n° 5, aiguille Pi ... 192
    Aiguille n° 6, aiguille Yuan Li ... 193
    Aiguille n° 7, aiguille Hao ... 193
    Aiguille n° 8, aiguille Chang ... 194
    Aiguille n° 9, aiguille Da ... 195
La méthode « juste » selon le *Nei Jing* ... 195
    Premier point : la bonne position du patient ... 196
    Deuxième point : la bonne attitude du praticien ... 196
    Troisième point : l'insertion de l'aiguille ... 197
    Quatrième point : L'obtention du Qi ... 197
    Les cinq défauts et les quatre manquements du praticien selon le *Nei Jing* ... 199
Le trajet des méridiens pour les Nuls ... 201
    Méthode de visualisation des six méridiens du pied ... 202
    Méthode de visualisation des six méridiens de la main ... 203
    Les deux méridiens antérieurs et postérieurs ... 204
Les points d'acupuncture ... 205
    À propos des mesures corporelles de référence ... 205
    Les différentes catégories de points ... 206

CHAPITRE 14 : La digitoponcture pour tous 225

Se créer une « main de masseur » 226
    Nécessité d'ouvrir le point Lao Gong,
    au centre de la main. 226
    Tonifier sa main et éliminer les blocages 228
La véritable technique traditionnelle 230
    Comment se préparer à une séance. 230
    Ne pas se perdre dans le dédale des 10 000 techniques . 231
    Comment créer sa propre formule ?. 232
    Un point central : la notion d'intention 233
    Saisir l'énergie 235
    Comment procéder 236
    Quelques conseils supplémentaires 238
Quelques grandes combinaisons de points. 241
    Formule 1 : tonification générale 241
    Formule 2 : tonification générale 242
    Formule 3 : anti-fatigue et pour les neurasthéniques . . . 243
    Formule 4 : anti-angoisse 243
    Formule 5 : grande formule pour booster la sexualité . . 244

CHAPITRE 15 : La moxibustion pour tous 247

Qu'est-ce que la moxibustion ?. 247
    Mode de fabrication 248
    Action et indications de la moxibustion 248
Les différentes techniques 249
    La moxibustion directe 249
    La moxibustion indirecte 250
Que pratiquer à chaque changement de saison ? 251
    La moxibustion de longue vie. 251
    Quelques précautions 253
Contre-indications. 253

CHAPITRE 16 : Éléments de pharmacopée 255

La théorie des signatures 256
Nature, saveur et lieu d'action 258
    Les quatre natures 258
    Les cinq saveurs 259
    Différence entre saveur et nature 260
    Lieu d'action. 261
Élaboration d'une formule. 261
    Les huit méthodes thérapeutiques 261
    Les quatre rôles d'une plante. 268

Les sept types d'ordonnance 269
    Action unique et action multiple 270
    Exemple d'une formule : un simple rhume 270
Les formes galéniques des prescriptions 272
    La décoction. 272
    Les pilules. 273
    Les poudres 273
    Les pâtes médicinales 274
    Les vins médicinaux 274

CHAPITRE 17 : La respiration au centre de toutes les pratiques 277

Pourquoi respirer ? 277
    Quelques points de repère 278
Respiration consciente et inconsciente. 278
    La respiration abdomino-diaphragmatique 280
    Si on parlait du diaphragme ? 281
Les vertus de la respiration ventrale 282
Les trois exercices du Pr Leung. 283
    La respiration pour se réveiller en pleine forme le matin 283
    La respiration pour les insomniaques. 284
    La respiration pour gérer ses émotions 286
Pourquoi et comment la pleine conscience ? 287

CHAPITRE 18 : Le dao yin ou exercices de santé 291

Le concept d'exercice en MTC. 291
Qu'est-ce que le dao yin ? 293
    Les différents types de dao yin. 293
L'art du qi gong 296
    Buts de la pratique des qi gong 296
    Faut-il avoir peur des qi gong ? 299
    Le cavalier de fer, entre qi gong calme et actif 300
La méditation pour tous. 301
    Méditation, mode d'emploi 301
    Points de repère pour une bonne méditation. 303

CHAPITRE 19 : Les vertus méconnues du sommeil 305

Pourquoi dort-on ? 305
Conseils pour bien dormir. 306
    Quelle position prendre ? 306
    Durée du sommeil 307

Les meilleurs créneaux horaires 307
Qu'est-ce qu'un sommeil idéal ?. 308
Comment se préparer à un bon sommeil 309
Que faire si vous n'arrivez pas à vous endormir ?. 309
La relaxation au secours du sommeil 310

PARTIE 5 : LA DIÉTÉTIQUE DE LONGUE VIE 313

CHAPITRE 20 : Les neuf règles 315

Règle n° 1 : Faire la différence entre repas de fête et repas quotidiens. 317
Règle n° 2 : Connaître les grands interdits 318
    Vous avez dit lait de vache ? 318
    Qu'en est-il des graisses saturées ?. 322
    Pourquoi fuir les sucres rapides ? 323
    Saveurs en excès, danger ! 325
Règle n° 3 : Adopter l'assiette unique 327
Règle n° 4 : Connaître la loi de la transformation des céréales par la mastication 329
Règle n° 5 : Composer l'assiette unique 330
Règle n° 6 : Apprendre à bien manger 332
Règle n° 7 : Retenir la règle des trois heures 335
Règle n° 8 : Suivre la loi des neuf jours 336
Règle n° 9 : Hydrater son corps sans fatiguer ses reins. . . . 343
    Quel est le rôle de la boisson ?. 343
    La grande règle 344
    Les différents types de boisson 346

CHAPITRE 21 : Les thés chinois, la boisson de longue vie. 349

Les catégories 349
    Verts, noirs, oolong. 350
    Un thé pour chaque moment. 350
Leurs vertus 351
    Le thé fait « monter l'esprit ». 351
    Le thé élimine les déchets. 352
    Le thé hydrate 353
Mode de préparation du thé. 353
    Quelle eau choisir ?. 353
    Quel récipient ?. 354
    Comment le préparer ? 354
    Comment le déguster ? 355
    Quelques conseils supplémentaires 355

PARTIE 6 : LA PARTIE DES DIX 357

CHAPITRE 22 : La charte en dix points pour apprendre à gérer nos émotions 359
Relativiser 359
Sortir de la scène de théâtre 360
Attendre que l'orage passe 360
Travailler le pardon 361
Dissoudre la peur de la mort 362
Atteindre la pleine conscience 363
Ne pas se perdre dans les méandres du jugement négatif. . 364
Recharger la batterie du Rein 364
Adopter le sourire intérieur 365
Adopter une nouvelle philosophie de vie 365

CHAPITRE 23 : Les dix pratiques quotidiennes de longévité en MTC 367
La respiration consciente au centre des pratiques 368
Le sommeil, l'autre facette de la vitalité 368
La relaxation au secours des coups de barre 368
Le mouvement, c'est la vie 368
Massez-vous encore et encore 369
La méditation pour se mettre à l'écoute de son âme ... 369
La régularité, mot-clé de la longévité 369
Un bon tonus musculaire au quotidien 370
La marche de longue vie 370
Le retour du printemps 370

CHAPITRE 24 : Les dix raisons pour se mettre à mâcher .. 373
Une action directe sur l'énergie du corps 373
L'analyse du bol alimentaire 374
La salive transforme les céréales en sucres lents 374
La salive, grand nettoyeur du bol alimentaire 374
Mâcher favorise le renouvellement des liquides organiques 375
La salive, un puissant lubrifiant 375
Lutter contre la dépression ! 375
Perdre du poids 376
Mâcher éloigne du dentiste 376
Un acte de pleine conscience 376

PARTIE 7 : ANNEXES 377

ANNEXE A : **La technique de poncture
du Pr Leung Kok Yuen** 379
La profondeur de l'insertion 379
Technique de travail de l'aiguille...................... 380
Durée de la poncture 381
Ordre de la poncture 382

ANNEXE B : **La méthode de choix des points
selon le Pr Leung Kok Yuen** 385
Le mode d'emploi 385
Les 57 points du Pr Leung Kok Yuen 386
Allons plus loin dans la méthode 388
    Pour résumer.. 389
    La méthode appliquée à différentes pathologies 391
    Exemples de pathologies types 393

ANNEXE C : **Lexique** 401

ANNEXE D : **Adresses utiles** 405
Quelques bonnes écoles de MTC 405
Pour la pratique des qi gong........................... 405
Un praticien à côté de chez vous ? 405
Les sites d'enseignement de l'auteur 405

INDEX 407

Introduction

La médecine chinoise fait partie de ces médecines traditionnelles qui viennent de la nuit des temps, à l'instar des médecines indienne, africaine, arabe, grecque. Mais seule la médecine traditionnelle chinoise, que l'on abrégera MTC, a su traverser le temps. C'est un système médical complet comme nous allons le voir.

Ces médecines avaient toutes un point commun, une vision non parcellaire de l'être humain, mais bien au contraire une vision holistique. Vivre en harmonie avec la nature, mettre l'accent sur la prévention autant que le curatif, demander à son patient de se prendre en charge. C'est Hippocrate qui au ve siècle av. J.-C. disait dans son livre *L'Art médical, sciences et doctrine* : « L'art est long, la vie courte, l'occasion passe vite. L'épreuve est trompeuse. Le jugement difficile. Non seulement le médecin doit faire ce qu'il faut, mais le malade aussi. »

La MTC est une médecine totale où corps et esprit ne sont pas séparés. Médecine holistique par excellence, elle considère que l'homme et la nature ne font qu'un. Médecine écologiste bien avant l'heure, elle met en évidence les interférences existant entre notre environnement et le fonctionnement de l'organisme. Mais c'est aussi une médecine de l'âme, capable de traiter la racine même du dysfonctionnement du corps humain.

En Occident, nous avons une vision très étroite de cette médecine traditionnelle en la réduisant à une acupuncture symptomatique.

Un praticien en MTC doit être un excellent « détective » capable grâce à l'observation, l'interrogatoire, la prise de pouls et l'étude de la langue, de découvrir l'origine du déséquilibre, de savoir où en est son patient et quel va être son devenir.

Une fois que toutes ces investigations ont abouti, il doit être un praticien multicarte. Il est aussi bien acupuncteur, pharmacologue, chiropraticien, professeur de gymnastique, psychothérapeute, masseur, diététicien. Il doit savoir jongler avec toutes ces méthodes thérapeutiques propres à la MTC. Il doit être à même de trouver la bonne clé qui correspond à son patient.

La médecine occidentale, à certains égards, pourrait être qualifiée de médecine d'urgence. Elle obtient des résultats très intéressants sur des symptômes ou des maladies aiguës. Mais dès qu'il s'agit de chronicité, elle perd souvent pied faute d'appréhender l'exacte genèse de la pathologie. Cette médecine a été bâtie sur un modèle mécaniste, où chaque organe est un rouage du corps humain. Si l'un d'eux vient à tomber en panne, il « suffit » de le réparer pour que la machine retrouve son fonctionnement normal. C'est cette vision qui fait que la médecine moderne a tendance à se tourner uniquement vers le traitement des symptômes, à traiter plus souvent l'effet que la cause, certains maux revenant alors de manière récurrente.

La MTC au contraire met l'accent sur l'interdépendance de tous les organes. Elle considère que l'énergie se situe en amont de la matière. Dès qu'un dérèglement énergétique apparaît, un symptôme signal d'alarme informe le praticien ou le patient qu'un déséquilibre s'installe. La plupart du temps, ce symptôme ne sera pas tout de suite ciblé. Il disparaîtra de lui-même quand la cause profonde du dérèglement aura été traitée. Si le déséquilibre n'est pas corrigé, petit à petit, ce seront les organes physiques, vitaux, qui seront atteints.

Une des grandes caractéristiques de la MTC est de ne pas différencier l'équilibre psychologique, de l'équilibre global du corps humain. Physique, mental et émotion sont en relation très étroite. Depuis plus de 3 000 ans, la MTC explique que chaque organe est un organe « pensant ». Nous verrons d'ailleurs que les déséquilibres émotionnels sont les causes premières de quasi toutes les pathologies internes.

Un autre trait marquant, pour ne pas dire essentiel de cette médecine, est de ne pas se cantonner seulement à des remèdes, des techniques pour contrer la maladie. Elle préconise avant tout une certaine qualité de vie qui tient lieu de prévention. « Prévenir vaut mieux que guérir » est l'axiome de base de la MTC. Nous verrons que toutes les techniques curatives enseignées dans ce livre pourront aussi devenir éléments de prévention.

À propos de ce livre

La médecine traditionnelle chinoise, vieille de ses 3 000 ans, reste une médecine moderne et jeune qui a de plus en plus d'adeptes à l'aube de ce XXIe siècle. Bien que très complexe par ses nombreuses théories et écoles, elle découle souvent du bon sens et de l'observation de notre environnement. Elle permet de se recentrer sur soi et d'être à l'écoute de notre corps.

« Le corps n'a pas été construit pour tomber malade, mais pour s'autoguérir en permanence. » Encore faut-il lui en redonner les moyens ! C'est tout l'objet de ce livre.

Dans cet ouvrage, écrit à la manière d'un enseignement oral, j'ai voulu démystifier la médecine traditionnelle chinoise et la rendre abordable à tout un chacun. Ce livre s'adresse donc à un très large public.

- » Au profane qui n'a le plus souvent qu'une vision parcellaire de cette médecine. Tout au long de ces pages, les pièces du puzzle seront reconstituées. Il aura entre les mains tous les outils nécessaires pour mettre en place une véritable politique de prévention. La santé et la longévité sont des états qui se méritent. Dans une société qui nous incite en permanence à devenir des assistés, apprendre à s'autodéterminer demande des efforts, certes, mais ils seront rapidement récompensés. La mise en pratique de techniques, toutes décrites dans ce livre, comme la digitoponcture, la moxibustion, les massages, la diététique, la respiration, la gymnastique de longue vie au travers des qi gong, la psychothérapie lui permettront de retrouver cet équilibre tant recherché sur le « câble de vie ».

- » À l'étudiant ou au futur étudiant qui désire se lancer dans de telles études. Il trouvera là un livre de référence sur l'ensemble des facettes de la MTC, puisé à la source même de la Tradition. Il se rendra très vite compte que la MTC ne se borne pas à quelques recettes ou à l'acupuncture. C'est une Médecine de toute une vie. Il n'aura de cesse, jusqu'à la fin de ses jours, d'apprendre encore et encore. Ce livre multifacettes sera autant de portes à ouvrir pour sa propre évolution.

- » Au praticien confirmé. Il trouvera en particulier en annexes des enseignements rarement donnés en Occident. Entre autres, les techniques ancestrales d'acupuncture et de digitoponcture, et la « grille de choix des points », applicables à toutes les pathologies. Tout cela tiré des enseignements d'un des plus grands maîtres modernes en MTC, le Pr Leung Kok Yuen.

Les conventions

- » Plutôt que de répéter à chaque fois « médecine traditionnelle chinoise », il sera utilisé l'abréviation MTC au long de cet ouvrage.

- » Lorsque nous parlons d'un organe, il faut avant tout d'appréhender l'énergie qui sous-tend le fonctionnement de l'organe. C'est pour cette raison que tous les organes, comme le Foie, le Cœur, etc. seront précédés d'une majuscule.

Comment ce livre est organisé

La Médecine traditionnelle chinoise pour les Nuls se compose de cinq parties thématiques plus la sixième partie des Dix bien connue de la collection.

Première partie : Les fondamentaux de la médecine traditionnelle chinoise

Cette partie vous permet tout d'abord d'appréhender les sources mêmes de cette médecine, loin des dérives modernes. Elle vous donnera une vision holistique du corps humain. Tout un chapitre vous permettra de dégrossir le terrain et d'avoir une vision profonde de la MTC. À ce titre, le chapitre 2 est incontournable : il pourra être lu en priorité. Ensuite vous aurez l'exacte définition et la compréhension des concepts propres à la MTC, comme les notions de Yin-Yang, de Qi (énergie), de Hun (âme spirituelle), de Po (âme corporelle) et bien d'autres encore. Cette partie nous enseigne aussi la relation très étroite entre l'Homme et l'Univers, véritable écologie avant l'heure. Tout cela débouchant sur le concept des cinq éléments, la notion de méridiens et de points énergétiques.

Deuxième partie : Les méthodes de diagnostic

Cette partie explique en détail les différentes méthodes d'observation en MTC. L'étude du morphotype, du visage avec sa forme et ses couleurs, des yeux, des mains... permet très rapidement d'avoir une idée précise quant au passé et au devenir pathologique d'un individu.

Vous tirerez grand profit à vous imprégner du chapitre sur l'interrogatoire et de la « chanson des dix questions » : elle vous permettra d'analyser et de comprendre l'origine de tous vos maux (maux de tête, douleurs, insomnies...), et de les considérer au départ comme des symptômes signaux d'alarme et non comme des pathologies à part entière.

Et pour aller plus loin, vous deviendrez imbattable (ou presque) dans les techniques de prise de pouls et l'étude de la langue. Dans la pratique, un praticien « voit » son patient, a déjà quelques intuitions, lui pose des questions bien précises après s'être enquis de son CV. Ensuite, il conforte son diagnostic par la prise des pouls et l'étude de la langue. Un praticien de haut niveau, après avoir vu, pris les pouls et « étudié la langue », aura déjà posé le diagnostic. Le patient ne pourra alors que répondre « oui » aux questions qui lui seront posées.

Troisième partie : Les grandes causes de maladie

On peut pas à pas se créer une maladie dite « interne » par méconnaissance du fonctionnement de notre corps énergétique. Ignorer les signaux d'alarme qu'émet l'organisme, ne pas pratiquer au quotidien les méthodes Yang Sheng Fa, de prévention, peut faire qu'un déséquilibre énergétique au départ se transforme en pathologie organique en fin de chaîne. Ne pas oublier que l'énergie est en amont de la matière.

Mais cette faiblesse de l'interne favorisera aussi la pénétration des « agents pervers » vecteurs de maladies (virus, microbe, vent, froid, humidité...). C'est ce que la MTC appelle les maladies externes.

Cette partie est essentielle pour comprendre que nous sommes la plupart du temps à l'origine de l'apparition de nos maux. Vous ne pourrez plus dire : c'est la faute « à pas de chance », ou celle des « autres ».

Quatrième partie : Les grandes méthodes de traitement

Dans cette partie sera abordé le très large éventail des techniques thérapeutiques et préventives enseignées par la MTC. On y trouvera des méthodes réservées au praticien comme l'acupuncture ou l'utilisation des plantes dans la pharmacopée traditionnelle. Au moins, vous saurez le pourquoi du comment quand on vous fait une séance d'acupuncture !

En bonus, vous trouverez une méthode très simple pour apprendre en quelques minutes la localisation et le trajet global des 12 méridiens énergétiques.

Mais cette partie s'adresse essentiellement à tous les « Nuls » que nous sommes : comment réellement s'occuper de sa santé, « sans peur et sans reproche », en évitant tout radicalisme et tout excès ? Vous apprendrez en effet à respirer, à dormir, à vous relaxer, à vous automasser, à bouger votre corps, à méditer. Une large place sera donnée à la technique ancestrale de digitoponcture, avec quelques grandes formules de points praticables par tout un chacun.

Cinquième partie : La diététique de longue vie

Cette partie dédiée à la diététique du juste milieu va vous apprendre à devenir le chef d'orchestre de votre alimentation, avec des aliments de saison et de région. Pas question de « s'enchinoiser » outre mesure. Et ce, au travers de « neuf règles incontournables » qui bien comprises et appliquées le plus régulièrement possible, permettront non seulement de « faire maigrir les gros et grossir les maigres », mais surtout d'arrêter de fatiguer inutilement votre organisme et de retrouver un état d'équilibre, de bonne santé sur votre câble de vie. Tout un chapitre sera consacré au problème si controversé de l'hydratation du corps. Les données de la MTC en la matière vont vous aider à vous départir des erreurs véhiculées dans notre monde moderne.

Sixième partie : La partie des Dix

La vie ne peut être que si nous respirons, si nous mangeons et si nous pensons. Ce sont là les trois grands piliers de la vitalité. Nous allons donc diviser cette partie en trois fois dix commandements, conseils ou règles qui vous permettront de retrouver un nouvel équilibre et un nouvel élan sur votre câble de vie. Nous commencerons par une charte en dix points pour apprendre à gérer nos émotions. Ensuite ce que devons mettre en place du matin au soir pour recharger en permanence la batterie du Rein. Quant à la diététique, nous en verrons un aspect essentiel, à savoir les dix raisons pour lesquelles il convient d'apprendre à mâcher. Vous pouvez avoir la meilleure des diététiques, mais si vous ne mâchez pas votre bol alimentaire, elle finit par perdre toute sa valeur.

Septième partie : Annexes

Le début de cette partie est réservé aux praticiens, ou futurs praticiens de la MTC. Le Pr Leung Kok Yuen a légué à ses élèves sa technique de poncture la plus proche de la Tradition. N'oublions pas qu'il était grand maître en acupuncture et considéré comme tel en Chine, puis aux États-Unis. Mais aussi la grille de choix des points qui vous permettra de faire face à quelques situations pathologiques qui soient. Si vous avez la vision profonde, vous verrez que cet enseignement constitue un véritable trésor.

Vous trouverez également dans cette partie des adresses utiles et un lexique.

Les icônes utilisées dans ce livre

Vous trouverez en marge du texte des icônes qui vous aiguilleront dans votre lecture et vous permettront de repérer facilement les informations que vous recherchez en priorité. Suivez le guide !

Le saviez-vous

Souvent, certaines incompréhensions proviennent de la méconnaissance de concepts pourtant fondamentaux. Cette icône permettra de répondre à vos interrogations.

À retenir

Si vous n'avez qu'une seule chose à retenir, c'est bien ce point-là : mettre le doigt sur l'essentiel.

En pratique

C'est le passage de la théorie à la pratique. Rien ne sert d'avoir un cerveau encyclopédique aux « dix mille connaissances », encore faut-il passer à l'acte.

Spiritualité

Certaines données de la MTC vont bien au-delà du matérialisme actuel. Plus qu'une philosophie, cette médecine touche à l'essence même du « pourquoi ». Certains aspects y procèdent de la pure métaphysique.

Attention

Cette icône vous met en garde contre certaines dérives, certaines pratiques ou idées reçues qui peuvent, à plus ou moins long terme, mettre en danger votre propre santé. Donc, « attention ».

PARTIE 1
LES FONDAMENTAUX DE LA MÉDECINE TRADITIONNELLE CHINOISE

DANS CETTE PARTIE…

Cette première partie aborde les fondamentaux de la MTC. On ne peut pas comprendre cette médecine holistique sans quelques notions de base sur les principes métaphysiques qui la sous-tendent. C'est ce qu'aborde le chapitre 1. Cependant, si vous n'accrochez pas tout de suite, vous pouvez en réserver la lecture à la fin de ce livre.

Si vous n'avez aucune connaissance de la MTC, c'est par le chapitre 2 qu'il convient de commencer. Il vous donnera tous les tenants et aboutissants de cette médecine.

Dans le chapitre 3, il est temps d'aller plus loin et d'appréhender tous les grands concepts qui font la richesse de cette médecine.

Et si vous voulez savoir ce que votre praticien fait pendant une consultation, ou si vous désirez vous lancer dans l'étude de la MTC, rendez-vous au chapitre 4 pour approfondir, avec les différentes méthodes de diagnostics, détaillées pas à pas.

Chapitre 1
Les origines

DANS CE CHAPITRE :

» Les livres fondateurs de la médecine traditionnelle chinoise

» Le principe du Dao et de l'unicité

» Pourquoi y a-t-il tant de théories ?

» À la rencontre du Pr Leung Kok Yuen, père de la MTC moderne

Les livres fondateurs

La véritable médecine chinoise remonte à la nuit des temps. Nous avons déjà abordé le sujet dans la préface : elle est loin de se résumer uniquement à l'acupuncture. C'est une médecine totale, aussi bien préventive que curative qui touche à tous les domaines de vie.

LE *HUANGDI NEIJING*, 黄帝内经, OU *CLASSIQUE DE LA MÉDECINE INTERNE*

Il est attribué à l'Empereur jaune (Huang, 黄 voulant dire jaune). C'est le plus ancien manuel de médecine chinoise qui a servi de base théorique à tous les développements ultérieurs de la MTC. Il remonte à plus de 2 500 ans. Il se compose de 19 chapitres divisés en deux parties, le *Su Wen* et le *Ling Shu*.

L'ouvrage se présente sous forme d'un dialogue entre l'empereur jaune et son ministre Qi Bo. Le premier pose généralement des questions et le second émet des réponses qui sont en réalité de longs développements. La cosmologie, la philosophie, la morale sont abordées en relation avec la médecine chinoise.

Nous allons voir que les développements théoriques issus de ces écrits et élaborés sous les HAN reposent sur la théorie du Yin, 阴 et du Yang, 阳, les deux éléments antithétiques connus de tous, et la fameuse théorie des cinq éléments et les éléments numériques qui leur correspondent. Nous y reviendrons longuement bien sûr.

Le saviez-vous

Les premières traces de cette approche holistique du corps humain remontent à plus de 5 000 ans, et c'est l'apparition du *Yi King* qui est peut-être le premier livre fondateur de cette médecine. 2 500 ans plus tard, le *Nei Jing* qui en réalité porte le nom de Huangdi *Nei Jing* ou « classique interne de l'Empereur jaune » fit son apparition. Il comporte deux parties, le *Su Wen* et le *Ling Shu*.

Les grands points de repère

Pour mieux comprendre tout ce qui va être dit par la suite, il est important d'avoir quelques points de repère qui vont nous permettre d'appréhender les fondements même de la MTC.

On pourrait partir ainsi de cette phrase très célèbre du Dao De Jing, écrit en 600 av. J.-C. par Lao Tseu, fondateur du taoïsme : « Le Dao engendre Un. Un engendre Deux. Deux engendre Trois. Trois engendre les 10 000 êtres. »

Le Dao

D'aucuns disent que le Dao, symbole du Zéro, n'est qu'une invention récente des mathématiciens. En réalité, cette notion du zéro a toujours été présente, de manière informelle. Dans une phrase, il était tout simplement représenté par un vide. Ce n'est ni un symbole ni un concept. Il procède de la métaphysique pure et ne peut être appréhendé que par l'intuition qui embrasse tous les mots qui serviraient à le définir. Dans la cosmologie moderne, il est situé avant le mur de Planck qui est la frontière entre le monde physique et le monde mathématique pur. Il est situé avant le départ du Bing Bang. Le zéro est encore appelé le Wu Ji, le « non-être ». Pour faire court, trop court peut-être, c'est lui qui est à l'origine du Un.

Le Un est représenté par le symbole du Tai Ji, connu de tous, mais trop souvent mal interprété.

On est encore dans la métaphysique pure. C'est le principe à partir duquel tout peut apparaître, mais c'est aussi l'affirmation du zéro, du Wu Ji. Dans la théorie du Big Bang, le Un représente une extraordinaire concentration d'énergie, infiniment petite, qui va être à l'origine des « 10 000 choses », du Tout.

Je vous rappelle que lorsqu'on emploie l'aphorisme « 10 000 », cela signifie qu'on ne peut plus dénombrer, un peu comme les « 10 000 grains de sable » sur une plage. Si on devait faire un parallèle avec l'être humain, c'est l'ovule pénétré du spermatozoïde : le programme n'est pas encore en marche. Tout est en devenir.

Ensuite, viens le Deux : c'est l'explosion primordiale, la première division cellulaire, l'apparition de la dualité Yin-Yang (voir chapitre 3). Mettons de côté pour le moment le Trois, la trilogie ciel-homme-terre, le San Bao, à savoir les « trois trésors ». Et plus on s'éloigne de l'unicité, plus l'affirmation prend forme. On passe très rapidement aux 8 trigrammes, aux 64 hexagrammes du *Yi King* et ensuite au chiffre symbolique « 10 000 ».

Le big-bang procède de la même symbolique. Après l'explosion primordiale, il y a expansion de l'univers avec l'apparition des « 10 000 galaxies » qui s'éloignent de plus en plus rapidement du Un.

Et comme nous vivons en symbiose avec notre environnement, nous sommes à l'image de ce big-bang. Nos sociétés modernes s'éloignent de plus en plus vite du Un, de l'origine.

Il est important de comprendre ces notions de base, car nous sommes à l'heure actuelle dans la phase de « l'explosion du Yang ». Nous avons perdu la vision globale de l'organisme, l'unité qu'elle forme, en symbiose avec son environnement. Plus nous avançons, plus nous nous perdons dans les « 10 000 détails » et plus la médecine éclate dans « 10 000 disciplines ». Et pour le sujet qui nous intéresse ici, à savoir la MTC, il en est de même. On finit par perdre pied face à une quantité incroyable de techniques qui, mises bout à bout, finissent par se contredire entre elles.

La Tradition

Il faut savoir que le taoïsme, courant de pensée issu de la Tradition, qui est à l'origine de la médecine Traditionnelle chinoise, avec un T majuscule est à la base pure métaphysique et non pas comme on l'entend dire trop souvent une philosophie.

La métaphysique est unique, commune à toutes les Traditions. Elle ne se discute pas, mais se digère au gré de l'évolution de notre âme. C'est comme cela et pas autrement. Par nature, elle peut difficilement être exprimée par des mots. Peut-être par des idéogrammes, mais encore. Ces mots sont obligatoirement réducteurs et ne sont en quelque sorte que « parcelles », pour ne pas dire miettes de la métaphysique pure.

La métaphysique procède de ce qu'on pourrait appeler l'intuition, la « vision profonde ». Et nous allons voir que l'intuition et l'expérience intérieure jouent le premier rôle dans la démarche du praticien qui pratique certaines techniques comme la digitoponcture ou l'acupuncture.

Mais avec l'explosion du Yang, la multiplicité des « ego », la perte progressive de l'enseignement oral qui par essence procède du domaine de l'anonymat, sont apparues « les philosophies ». Une définition évidemment réductrice de ce mot : C'est, au départ de la métaphysique dans lequel on rajoute un zeste, quand ce n'est pas une giclée de sentimentalisme.

DIFFÉRENCE ENTRE UN IDÉOGRAMME ET L'ÉCRITURE ALPHABÉTIQUE

Lorsque vous lisez un mot, votre cerveau va appréhender des lettres de l'alphabet. Pris hors contexte ou comme un mot inconnu, ce mot ne vous dira pas grand-chose. Alors qu'un idéogramme est une image, un concept intuitif. Dans notre langage moderne, nous pourrions dire que le premier type d'écriture fait avant tout travailler notre cerveau gauche, le cerveau analytique, celui qui dissèque, décortique, épluche, liste. *A contrario*, la lecture d'un idéogramme active plutôt notre cerveau droit, le cerveau de la conceptualisation, du recul vis-à-vis de l'événement. Il traite l'information de manière holistique. Il embrasse plus qu'il ne dissèque. Un exemple : l'idéogramme signifiant l'arbre, le bois est 木, des branches en haut, des racines vers le bas et le trait vertical, des racines se transformant en branche. Et savez-vous par quel idéogramme on représente un bosquet : 林. Et la forêt ? 森林. Nous, nous lisons f.o.r.ê.t : cela ne représente rien. Tandis que plusieurs arbres réunis font bien une forêt.

Qu'on ne s'y trompe pas. Quand on parle de personnages mythiques, comme Shen Nong, le « Divin Laboureur », ou Huang Di « l'Empereur jaune », nous sommes dans la métaphysique sans ego, nous sommes dans l'unicité. Shen Nong n'a aucune importance en tant que personne. Il s'agit d'ailleurs très souvent d'un courant de pensée, d'un ensemble d'individus ayant eu des parcelles de révélation, qui ont parlé du même sujet à la même époque. Il faut prendre conscience du fait suivant : dès qu'une idée, une théorie, un postulat procède d'un individu en chair et en os et qui plus est, lui donne son nom, c'est de la philosophie. On pourrait aller jusqu'à dire qu'il y a une seule métaphysique et autant de philosophes que de personnes qui se posent des questions sur le sens de la vie.

Et qu'arrive-t-il quand on s'éloigne de l'unicité ? On assiste alors à une multiplicité de théories, et comme il est dit plus haut, des techniques qui finissent par devenir totalement contradictoires.

La multiplicité des théories

Si nous prenons par exemple la théorie de l'acupuncture donnée par le *Nei Jing*, elle est très simple. Peut-être même trop simple. Nous aurons évidemment l'occasion d'y revenir (voir chapitre 13). Il est dit clairement que lorsqu'on veut faire une tonification par exemple, l'insertion de l'aiguille doit être lente. Elle se fait au moment où le patient expire. Et le retrait à l'inspire se fait rapidement. Il est dit aussi que cette puncture, quel que soit le point choisi, doit se faire perpendiculairement sur le plan de la peau. Pour la sédation, c'est l'inverse : l'insertion est rapide et le retrait lent, toujours en insertion perpendiculaire et toujours rythmée sur la respiration du patient.

Quelques centaines d'années plus tard est apparu le Nan Jing, « classique des difficultés » qui est un commentaire du *Nei Jing*. Ce livre a tenté d'apporter sa pierre à l'édifice. Certains passages sont cohérents, mais d'autres commencent à entrer en contradiction avec le texte fondateur. Du XIIe au XVIe siècle, on ne compte plus alors la quantité de nouvelles théories. Sans parler évidemment des temps modernes où nous sommes passés à l'hyper multiplicité. On se trouve en face d'une pluralité de théories de plus en plus complexes et même les plus érudits finissent par y perdre leur latin.

Nous allons nous servir tout au long de ce livre de la théorie du rasoir d'Occam qui considère que l'explication simple d'un fait a plus de chance d'être vraie qu'une explication compliquée.

À retenir

Oui, mais voilà, cette simplicité n'est qu'apparente, car elle va sous-entendre un changement total de point de vue et de comportement d'un praticien. En effet le praticien devra totalement s'investir, mais aussi se donner les moyens de cet investissement pour éviter d'être lui-même déséquilibré sur son câble de vie. Dans la trilogie ciel-homme-terre, il devra petit à petit devenir un médiateur, et en même temps un transmetteur et régulateur d'énergie pour traiter son patient.

Il existe une autre difficulté et non des moindres quant à la compréhension de l'acupuncture, et par extension de la digitoponcture. Même si on s'en réfère exclusivement au *Nei Jing*, ce manuscrit, à force d'être recopié par des copistes qui n'avaient pas forcément la connaissance, ces mêmes copistes finissaient par y introduire des erreurs. Certaines de ces erreurs pour un érudit étaient flagrantes, mais par respect vis-à-vis des ancêtres, confucianisme aidant, ces erreurs n'étaient corrigées que dans l'oralité. Mon maître, le Pr Leung Kok Yuen faisait partie de ces maîtres capables de pointer du doigt, à chaque début de cours, de telles erreurs de copiste. Or, les Occidentaux non avertis, on finit par faire de ces erreurs des théories à part entière et même parfois à donner leur nom à ces théories erronées. On s'éloigne évidemment à grands pas de la vérité primordiale.

Et pour corser l'affaire, la plupart des idéogrammes composant le *Nei Jing* sont à trois niveaux de lecture, qui vont d'un plan l'horizontal pour le profane à la verticalité métaphysique pure pour le lettré en passant par un niveau moyen. Bref, tout cela est un peu compliqué, et heureux ceux qui ont eu la chance d'avoir accès à la véritable tradition orale quant à l'enseignement de la médecine chinoise donnée par les possesseurs même de cette médecine, à savoir les anciens Chinois.

Tout au long de ce livre, nous allons nous efforcer de revenir à ce que nous pourrions appeler « l'unicité », à revenir aux véritables techniques ancestrales avant que celle-ci n'ait été « pervertie » par l'explosion du matérialisme ambiant.

Dans la pure tradition de la transmission orale ?

Une particularité de la MTC est d'avoir comme courroie de transmission l'oralité. À l'origine, il y a les textes sacrés retranscrits sur des supports très variés (carapace de tortue, papier de soie, lamelles de bambou, pierre, jade…). Ce sont des phrases, ou plutôt des idéogrammes, aux significations très concises beaucoup plus proches du symbolisme que d'une explication de texte.

Les textes fondateurs, leurs enseignements étant très hermétiques, seul un maître, au travers de l'oralité pouvait l'expliquer à ses élèves. Ainsi, dans le *Nei Jing*, vous trouvez la phrase suivante : « L'eau du Rein nourrit le bois du Foie et calme le feu du Cœur. » Uniquement sur ce concentré de phrase, un maître est capable de vous enseigner des jours entiers pour vous faire comprendre le contenu métaphysique de tels propos et tout ce qui en découle dans la pratique de la MTC.

Le saviez-vous DANS L'INITIATION, QUELLE DIFFÉRENCE Y A-T-IL ENTRE ÉCOUTER ET LIRE ?

En MTC, les oreilles sont l'ouverture du Rein et l'énergie du Rein (la « Mer des moelles ») a un lien direct avec la mémoire centrale de l'ordinateur, le cerveau. Quand vous écoutez un cours, à condition que vous soyez concentré, toutes les données vont être stockées dans la mémoire centrale qui est aussi sous la dépendance de l'esprit, du Shen. Nous verrons aussi que l'énergie de la Rate a un relationnel direct avec la concentration, mais elle est en même temps la « gare de triage des informations ». Les yeux sont l'ouverture du Foie, et le Foie est le « logis du Hun », de l'âme spirituelle. Lorsque vous lisez un texte qui est en adéquation avec votre ressenti le plus profond, vous « nourrissez en quelque sorte votre âme ». Bien sûr pas un texte de magazine, mais un texte qui vous ramène à l'essence même d'un concept. Quel plus bel exemple que la lecture d'une poésie qui crée un entonnoir direct entre conscient et subconscient le plus profond ! Donc un enseignement complet doit procéder de l'oralité, mais aussi avoir un support écrit pour vous permettre à loisir de méditer dessus.

Qui était le Pr Leung Kok Yuen ?

Le Pr Leung Kok Yuen fut un des premiers à enseigner la véritable médecine traditionnelle en Occident. Alors que dans les années 1950, la médecine chinoise n'était connue en Occident qu'au travers de travaux d'ethnologues de renom (citons entre autres le révérend père Claude Larre et bien d'autres à sa suite) nous assistons à un renversement de situation. Ce fut un des premiers maîtres chinois à enseigner la véritable MTC des origines en corrigeant toutes les erreurs issues d'une incompréhension des textes fondateurs.

Portrait

Il est né en Chine en 1922. Issu de 13 générations de médecins de père en fils, il faisait partie des plus grands maîtres actuels de médecine traditionnelle chinoise encore en vie. Il détenait le titre de « Shih I » attribué aux médecins chinois dont la famille perpétue une tradition médicale depuis plusieurs générations. Il commença l'étude de la Médecine traditionnelle à l'âge de 5 ans en accompagnant son père dans ses longues tournées de soins chez l'habitant, au sud de Canton. Durant ces randonnées, il apprenait par cœur des comptines et des chansons dans lesquelles sont placées les clés de la médecine traditionnelle chinoise (méthode mnémotechnique très efficace : étudier en s'amusant...).

Plus tard, son père lui expliquait ce que ces chansons et comptines signifiaient en termes médicaux. À l'âge de 11 ans, il était capable de réciter deux livres rédigés par Zhang Zhongjing par cœur : le *Jin Kui Yao Lüe* et le *Shang Han Lun*. Il commença à faire ses premiers soins à l'âge de 16 ans ! Il a pu observer toutes les pratiques que son père utilisait et la façon d'aborder le malade et la maladie. Lorsqu'il devint majeur, il fut dirigé vers un autre maître pour parfaire son éducation médicale.

De 1952 à 1970, il enseigna l'acupuncture dans les écoles suivantes : Modern Chinese Medical Research Institute et Kowloon Association of Chinese Medical Practitioners à Hong Kong. De 1956 à 1970, il est président du Chinese Acuponcture Institute de Hong Kong et de la Chinese Acuponcture Association. En 1970, il immigre au Canada et fonda le North American College of Acupuncture à Vancouver. De là et grâce entre autres à l'Université européenne de médecine traditionnelle chinoise, il a transmis son savoir à ses élèves occidentaux, dont j'ai eu la chance de faire partie.

Œuvre

Son œuvre pédagogique est considérée de loin comme la plus complète. Acupuncture, moxibustion, pharmacopée, psychothérapie, massage, médecine préventive, qi gong, sont autant de disciplines que ses élèves ont travaillées et approfondies. Le

Pʳ Leung Kok Yuen disait lui-même que ce savoir était universel, qu'il n'était que la courroie de transmission d'un savoir remontant à des millénaires. Il a cessé son activité d'enseignant depuis qu'il a pris sa retraite en 1992 et nous a quittés à un âge symbolique, 90 ans, le 11 mai 2013. Toute la base de son enseignement très rigoureux était issue de l'explication pas à pas du *Nei Jing*. C'est ce qu'il appelait l'enseignement orthodoxe. Et dans tout son enseignement, il a su mettre en avant les méthodes Yang Sheng Fa, à savoir comment « cultiver et nourrir la vie ».

Il était l'un des plus grands exégètes du *Huang Di Nei Jing*. Ses autres livres de référence étaient :

- Le *Nan Jing* (難經), *Classique des difficultés* (220-280) qui traite des théories classiques fondamentales et expose les points principaux du *Nei Jing*.
- *Jin Kui Yao* (金匱要略), *Bréviaire du coffre d'or* de Zhang Zhongjing (début IIIᵉ siècle) qui traite principalement des maladies diverses de la médecine interne, d'une partie de la médecine chirurgicale et des maladies de la femme. Il y a 25 chapitres, incluant 262 prescriptions.
- *Shang Han Za Bing* (傷寒雜病論), *Traité des maladies fébriles* de Zhang Zhongjing (an 160) : ce livre explique comment une perversité peut traverser les « six couches énergétiques » de l'organisme.
- *Qian Jin Fang* (千金方), *Prescription valant mille pièces d'or* de Sun Si Miao (Fin VIIᵉ siècle) en 30 volumes, avec une introduction générale, prescriptions variées telles que la diététique, la pulsologie, l'acupuncture, etc.

Chapitre 2
Une vision holistique du corps humain

DANS CE CHAPITRE :

» Une médecine énergétique, qui permet de retrouver son équilibre sur son câble de vie

» Les cinq organes phares : foie, cœur, rate, poumon et rein

» Le concept des méridiens et la circulation de l'énergie

» La vision de l'évolution d'une pathologie

Ce chapitre a pour vocation de « dégrossir » le terrain. Entrer trop rapidement dans les détails risquerait de nous faire perdre l'immense portée de cette médecine.

Le corps ordinateur

Avant d'étudier à la loupe les différents éléments qui sous-tendent le fonctionnement du corps en MTC, prenons donc un peu de recul et comparons l'organisme humain à un ordinateur. Comparaison d'autant plus aisée que nous avons inventé cette machine pour pallier les insuffisances de nos capacités mentales à calculer et à mémoriser. Les Chinois ont le boulier, nous nous avons nos kilos bits de données.

Dans un ordinateur, nous avons une mémoire centrale où sont stockées toutes les données. Des logiciels pour accéder et agir sur ce disque dur. Un processeur qui est derrière pour diriger tout cela. Et une prise de courant pour que la machine fonctionne. Enfin une batterie pour que notre ordinateur fonctionne en autonomie. Notre organisme est tout à fait assimilable à ce mode de fonctionnement.

La mémoire centrale, c'est le cerveau avec ses milliards de connexions et ses possibilités infinies dont on n'utilise qu'une toute petite partie.

Les logiciels organes

À retenir

Pour accéder à cette mémoire centrale, nous avons cinq logiciels que sont les Foie, Cœur, Rate, Poumon et Rein. Le terme logiciel nous arrange ici. En effet, quand nous parlons du Foie par exemple, il ne faut pas tout de suite voir le Foie en tant qu'organe physique, mais l'énergie qui sous-tend le fonctionnement de cet organe. Ne pas perdre de vue que la médecine chinoise est avant tout une médecine énergétique.

Ces cinq logiciels organes ne peuvent fonctionner indépendamment l'un de l'autre. Nous verrons ainsi qu'il existe des cycles spécifiques qui relient entre eux ces différents logiciels et tout l'art du diagnostic est de découvrir celui qui a été déséquilibré en premier.

À retenir

La force de cette médecine, ce qui la différencie de toutes les autres, c'est de pouvoir relier l'apparition d'un symptôme ou d'une maladie obligatoirement à un de ces cinq logiciels organes, que ce soit un symptôme physique, mental ou émotionnel. Il n'y a pas de symptômes orphelins.

On a ainsi à peu près 900 symptômes « signaux d'alarme » possibles : un mal de tête à tel ou tel endroit, une insomnie, une douleur, un état nerveux, etc. Répétons-le : ce n'est pas encore une maladie, mais un symptôme énergétique d'abord, puis physique par la suite qu'émet l'organisme. À nous, grâce aux connaissances qui vont suivre d'apprendre à le reconnaître, surtout de ne pas l'occulter toute de suite et prendre les mesures adéquates de prévention pour retrouver son équilibre sur son câble de vie.

La médecine chinoise consiste non pas à traiter la cime de la maladie, le symptôme, mais la cause profonde. Le symptôme disparaîtra alors de lui-même, n'ayant plus de raison d'être.

Le Qi, l'énergie

Pour fonctionner, cette machine a besoin d'énergie. L'énergie, le Qi comme nous le verrons au chapitre 3. Pour faire court nous pouvons la scinder en deux parties :

> » Une énergie innée que les Chinois appellent « le ciel antérieur » ;
> » Une énergie acquise, ou « le ciel postérieur ».

Chacune de ces énergies se subdivise aussi en plusieurs parties.

L'énergie innée

Ainsi, l'énergie innée procède en premier du legs de nos ancêtres, du patrimoine génétique. La MTC remonte en règle générale à trois générations antérieures. Exemple : si vous êtes issu de trois générations plutôt portées sur la bouteille, il y a de grandes chances que vous héritiez d'une énergie du Foie « tendue », et donc d'un tempérament inné de nerveux, coléreux, tableau pouvant facilement déboucher plus tard sur de l'hypertension. Cependant, la médecine chinoise considère que ce ne sont là que des prédispositions, et si on les connaît à temps (c'était le rôle du médecin d'informer les parents), elles ne vont pas « remonter à la surface ». La deuxième partie s'appelle Ling en chinois. Elle tient compte par exemple de la position des étoiles au moment de la naissance.

L'énergie innée procède aussi d'une énergie infiniment plus subtile qui sera développée plus loin, à savoir l'âme qui se scindera au moment de son incarnation en « âme spirituelle », le Hun « logé » dans le Foie et l'âme corporelle, le Po, logé dans le Poumon (voir chapitre 3).

Le saviez-vous

Cette énergie innée peut être comparée à une lampe à huile (le microprocesseur de l'ordinateur). Cette « huile énergétique » nous permet en tant qu'être humain de vivre théoriquement 120 ans. C'est notre potentiel vital de naissance qui s'use plus ou moins vite au regard de la combustion de la mèche. Il y a là une relation directe avec notre mode de vie, notre hygiène physique et mentale. Cette petite mèche a un nom en chinois, c'est le « feu de Ming Men ». L'huile c'est le Yuan Qi, l'énergie originelle.

L'énergie acquise

Ce sont des prises de courant qui nous relient directement à notre environnement. Elle peut être divisée en trois parties :

- **L'énergie de l'air** est une prise directe avec notre environnement et dans l'instantanéité, la plus vitale des énergies. Le Pr Leung Kok Yuen (voir chapitre 1) disait : « Si mit bout à bout, vous ne respirez pas en pleine conscience tout au long de la journée deux à trois cents fois, toutes les autres pratiques ne servent quasiment à rien. »
- **L'énergie des aliments**. Encore faut-il que nos aliments soient chargés énergétiquement, et surtout que le logiciel Rate, chef d'orchestre de la digestion du bol alimentaire soit en mesure de donner les bonnes directives pour digérer ce bol alimentaire. Une des causes de la dépression est un effondrement de l'énergie de la Rate. La dépression favorise l'accumulation des déchets alimentaires dans l'organisme.
- **L'énergie émotionnelle**. Nous verrons plus tard que chaque émotion impacte directement la circulation de sang et d'énergie dans l'organisme.

DE L'IMPORTANCE DE LA RESPIRATION

Les trois piliers de la vitalité sont la respiration, l'alimentation et nos états mentaux et émotionnels. Nos émotions déséquilibrées peuvent raccourcir notre espérance de vie, mais cela demande des mois, voire des années pour se créer pas à pas un cancer, ou se jeter volontairement de son câble de vie. Arrêter de manger et surtout de boire, on vit encore une dizaine de jours. Arrêter de respirer, c'est trois minutes qu'il nous reste à vivre !

La batterie de l'organisme

En dehors de ces « prises de courant » qui nous font vivre en symbiose avec notre environnement, notre corps-ordinateur a une certaine autonomie de fonctionnement que nous pouvons assimiler à une batterie. Nous verrons qu'elle est située virtuellement dans le bas-ventre, « entre les deux Reins ». En Occident, on commence à appréhender l'importance des défenses immunitaires. La MTC va beaucoup plus loin.

Cette batterie représente l'immense capacité d'autoguérison de l'organisme, mais aussi ses capacités totalement insoupçonnées d'adaptation. À condition évidemment que cette batterie soit quotidiennement rechargée à son maximum par la pratique des méthodes Yang Sheng Fa, de prévention, que nous verrons tout au long de ce livre.

Nous pouvons dire que, d'une certaine façon, votre organisme deviendra son propre médecin référent :

>> **Un poison vient à pénétrer *via* votre bol alimentaire dans votre estomac ?** S'il est trop violent, votre organisme va se servir d'une des sept méthodes thérapeutiques mises à sa disposition, à savoir la « vomification ». Vous allez tout de suite ou dans les heures qui suivent le rejeter. Si ce sont des poisons à bas bruit comme des pesticides ou autres produits chimiques, notre organisme les rejette le lendemain par les selles. Ils n'ont pas le temps de retourner dans l'organisme. Ceci n'est vrai que si la batterie est complètement rechargée. Certes, il convient le plus possible de « manger propre », mais on ne pas tout contrôler. Cette vision des choses nous permet d'enlever certaines de nos peurs.

>> **Une émotion extrême vient à surgir sur votre câble de vie.** Votre organisme doit être capable de mettre très rapidement en place ce qu'on appelle « la résilience », une chape de plomb pour éviter que cette émotion ne désorganise le fonctionnement de votre corps. Dans un deuxième temps, il la phagocyte définitivement, évitant ainsi qu'elle ne devienne « déchet émotionnel » capable de resurgir à tout moment de votre vie.

Comment ça marche ?

C'est cette batterie qui sera à même de vous envoyer des « symptômes signaux d'alarme » quand un des cinq logiciels commence à être déséquilibré.

En cas de brusque changement climatique, dans les périodes épidémiques, elle donnera des ordres adéquats pour vous protéger de toutes les attaques dites externes.

Nous verrons que chaque émotion est à mettre en relation avec un logiciel organe spécifique. L'émotion la plus dévastatrice à laquelle nous sommes confrontés est la peur. Elle « vidange » littéralement la batterie. Elle joue aussi un rôle d'aimant : elle attire l'objet de notre propre peur. La batterie rechargée à bloc, les émotions sont régulées et la peur disparaît.

Cette batterie quotidiennement rechargée nous permet de ne pas puiser dans notre huile ancestrale. Nous évitons ainsi de vieillir précocement. C'est le grand enseignement de la MTC quant à la longévité et le fait de pouvoir mourir à un âge certain « en bonne santé ».

Figure 2-1   Les différentes énergies de l'organisme.

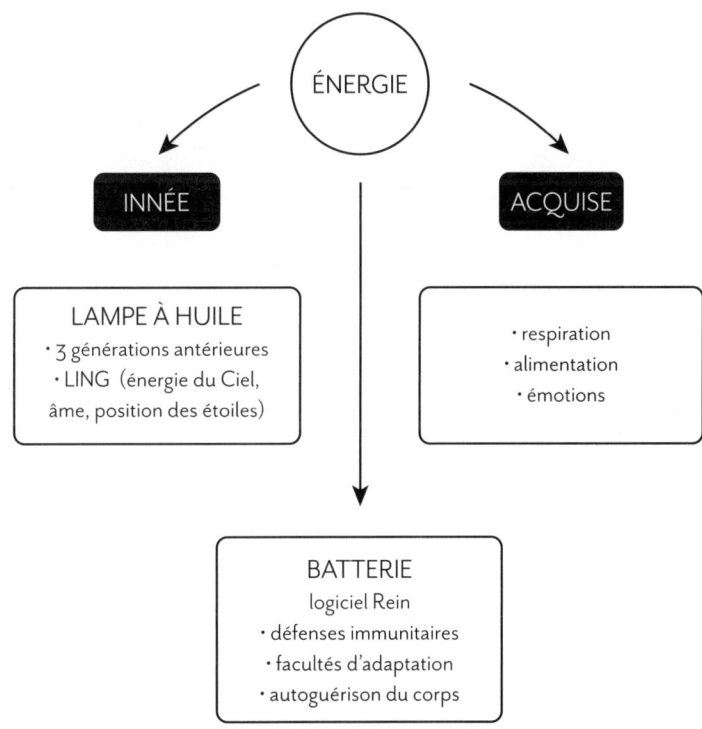

En pratique

COMPRENDRE LES ÉNERGIES, OU LA PETITE HISTOIRE DU DEMI-MARATHONIEN DU DIMANCHE

Il se lève le matin à l'issue d'une nuit plus ou moins réparatrice. Personne ne l'a obligé à courir : son énergie mentale est là et l'aide à recharger sa batterie. Il a suivi les conseils de diététique (mélange de sucres lents et de sucres rapides) pour lui donner du carburant. Bref, il démarre avec son « énergie du jour ». La course débute. Il se sent fort et puissant. Mais au bout de quelques kilomètres, sa machine commence à donner des signes de défaillance. Un signal d'alarme est émis : la fatigue. Un sage taoïste aurait alors pris un peu de repos pour repartir. Irréalisable sous peine de devenir la risée du troupeau. Il continue. Que fait son organisme ? Il se branche sur sa batterie, pas forcément rechargée totalement. Il se sent de nouveau en forme. Mais cette batterie a tôt fait de se décharger complètement. Un grand signal d'alarme apparaît : la grosse fatigue. Son formatage médiatique, son petit démon lui glisse au creux de l'oreille : « Continue, défonce-toi, prouve que tu es un homme mon fils. » Comme on dit dans certains pays « Y'a pas de problème. » Il continue. Mais à ce moment-là, son organisme se met en prise directe avec sa lampe à huile, son essence vitale, celle qui lui permet de vivre plus que centenaire. Non seulement cette huile s'épuise, mais son énergie du Foie, celle qui sécrète des endotoxines assimilables à une drogue participe à l'état suivant : la grande fatigue passée, il va se sentir un surhomme et pourrait même continuer après la ligne d'arrivée. Oui, mais à quel prix ! Il vient de puiser inutilement dans ses réserves. Il vient de courir... à sa perte. Un très sage taoïste n'aurait pas participé à cette course...

Les cinq logiciels organes

Nous étudierons en détail au chapitre 3 les liens de ces cinq « logiciels organes » avec différentes fonctions, symptômes ou dysfonctionnements. Nous ferons ici simplement connaissance avec ces organes.

À retenir

Nous avons cinq logiciels organes, à savoir ceux du Foie, du Cœur, de la Rate-pancréas, du Poumon et du Rein. Une convention très importante : quand nous parlons d'un organe, nous parlons de l'énergie de cet organe, énergie qui précède rappelons-le la matière, la structure.

Chaque logiciel organe comprend en son sein deux organes :

> **» Un organe « plein », que nous appellerons organe Yin.** C'est lui qui, en tant qu'organe vital, sera atteint en dernier dans l'évolution d'une pathologie. On ne peut vivre sans Cœur, Foie, Rate-Pancréas, Rein, Poumon. Et si une pathologie vient à atteindre directement un de ces organes, elle peut devenir très rapidement une pathologie mortelle.
>
> **» Un organe « creux », réceptacle, qui au regard de l'organe Yin sera appelé Yang.** « Le Yang protège le Yin » : il a comme rôle de protéger l'organe Yin vital. Et c'est lui qui sera à la source des premiers symptômes signaux d'alarme. Une particularité : on peut enlever tout ou partie de cet organe comme la Vésicule biliaire, l'Estomac, la Vessie... et continuer à vivre.

Quels sont ces organes ? Trois couples sont faciles à retenir :

À retenir

> **» Le Foie (Yin) couplé avec la Vésicule biliaire (Yang) ;**
>
> **» La Rate-pancréas (Yin) couplée avec l'Estomac (Yang) ;**
>
> **» Le Rein (Yin) couplé avec la Vessie (Yang).**

Il convient de faire un effort de mémorisation avec les deux autres logiciels organes que sont :

> **» Le Poumon (Yin) couplé avec le Gros Intestin (Yang) :** ainsi pour des problèmes de constipation, nous serons amenés à prendre des points sur le méridien du Poumon, l'inverse étant tout aussi vrai.
>
> **» Le Cœur (Yin) est couplé à l'Intestin grêle (Yang).** On dit que l'énergie de l'Intestin grêle dirige la « voie des eaux ». Une insuffisance de l'énergie du Cœur pour facilement déboucher sur un OAP, un œdème aigu du poumon.

Pour le moment, nous en sommes à dix organes. Or, l'énergie du Cœur est considérée comme le Maître des organes, le Cœur Empereur. Si votre cœur s'arrête de battre, vous mourrez. C'est lui qui doit avoir un maximum de protections. Il va avoir deux organes de protection supplémentaires, n'ayant pas de réels supports anatomiques. On se situe ici sur une protection purement énergétique. Ce sont :

> **» Le Péricarde,** encore appelé le Constricteur du Cœur (éviter de l'appeler comme on le trouve trop souvent le Maître Cœur, car le Cœur n'a pas de maître), qui sera le côté Yin.
>
> **» Le Trois Foyers,** considéré comme un organe énergétique à part entière qui est le côté Yang. Nous y reviendrons dans le chapitre 3.

Nous sommes donc en présence de 12 organes, six organes Yin et six organes Yang. Ces 12 organes comme nous allons à présent le voir sont mis en relation avec la surface du corps au travers du système des méridiens.

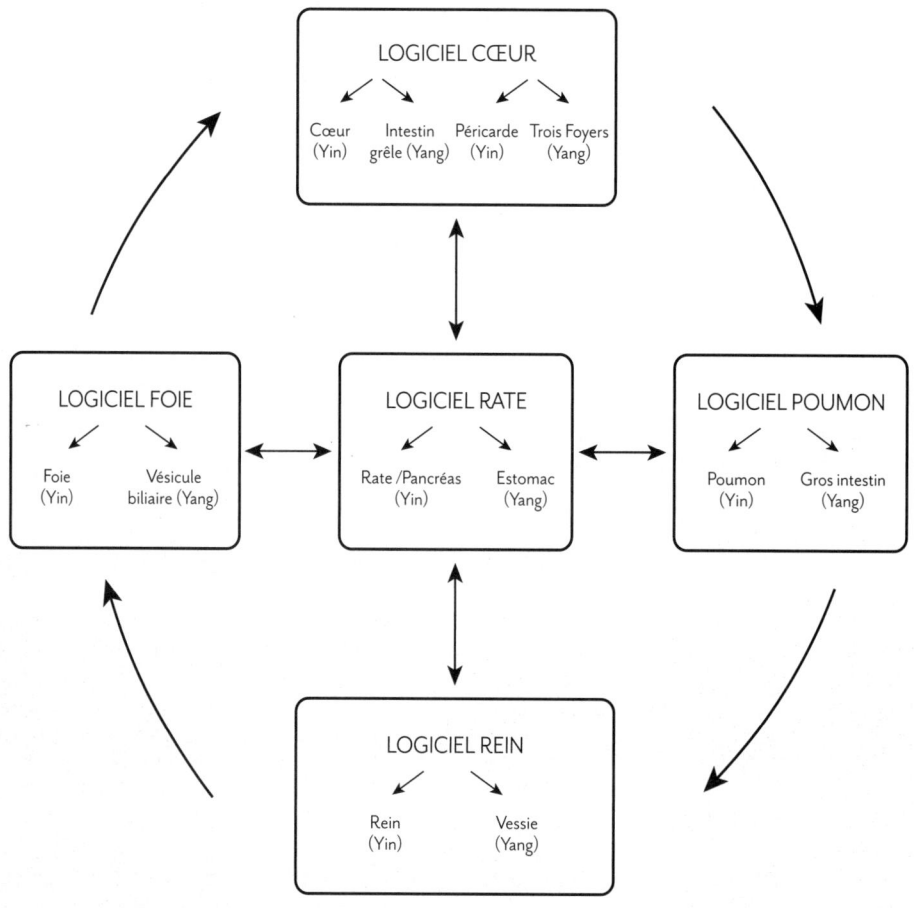

Figure 2-2   Les cinq logiciels organes.

Le concept des méridiens

C'est l'élément phare de la médecine chinoise. Il s'agit de trajets, de canaux où circule une énergie très subtile bien au-delà de la matérialité. Notre maître insistait sur le fait qu'aucun appareil, aucun détecteur n'avait la possibilité de la mettre en évidence. On ne mesurerait alors qu'une différence de potentiel, aspect grossier de l'énergie.

D'où provient l'énergie ?

Il s'agit d'un mélange très subtil entre la quintessence de l'énergie de l'air et la quintessence énergétique de la digestion du bol alimentaire. L'aspect « grossier » de ce mélange est représenté par l'atome d'oxygène (air) qui se fixe sur le globule rouge (alimentation) pour donner l'hémoglobine, qui permet le transport de l'énergie dans le corps. Nous nous situons ici en deçà, au niveau de la pure énergie, celle qui circule donc dans les méridiens.

Quel est le rôle d'un méridien ?

À retenir

Mettre en relation la surface du corps avec les organes internes. Étant donné qu'il y a 12 organes énergétiques fondamentaux, nous aurons 12 méridiens :

> » Six méridiens au niveau des jambes (trois méridiens Yin et trois méridiens Yang) ;
> » Six méridiens au niveau des bras (Trois Yin et trois Yang).

Dans le chapitre sur l'acupuncture, vous aurez un moyen mnémotechnique imparable pour apprendre à retenir sans difficulté le trajet de 12 méridiens en quelques minutes.

Il existe un axe de symétrie dans le corps objectivé par la colonne vertébrale : les méridiens seront doubles par rapport à cet axe. Nous aurons ainsi deux méridiens du Gros Intestin, du Cœur, de l'Estomac, etc. Ces méridiens forment un cycle continu. Ils sont parcourus par des puits, des nœuds, des concentrations énergétiques : ce sont les fameux points d'acupuncture ou de digitoponcture. Je vous renvoie aux chapitres sur l'acupuncture et la digitoponcture (voir chapitres 13 et 14).

Il existe deux autres méridiens qui seront très utiles dans nos traitements : c'est le Vaisseau de Conception ou Ren Mai et le Vaisseau Gouverneur ou Du Mai. Ces méridiens grâce à leurs points spécifiques sont directement reliés aux six organes Yin et aux six organes Yang et par là même aux 12 méridiens du corps. Situés sur l'axe médian antérieur et postérieur du tronc, ils seront uniques. Ainsi nous aurons un seul point 4RM ou 14DM.

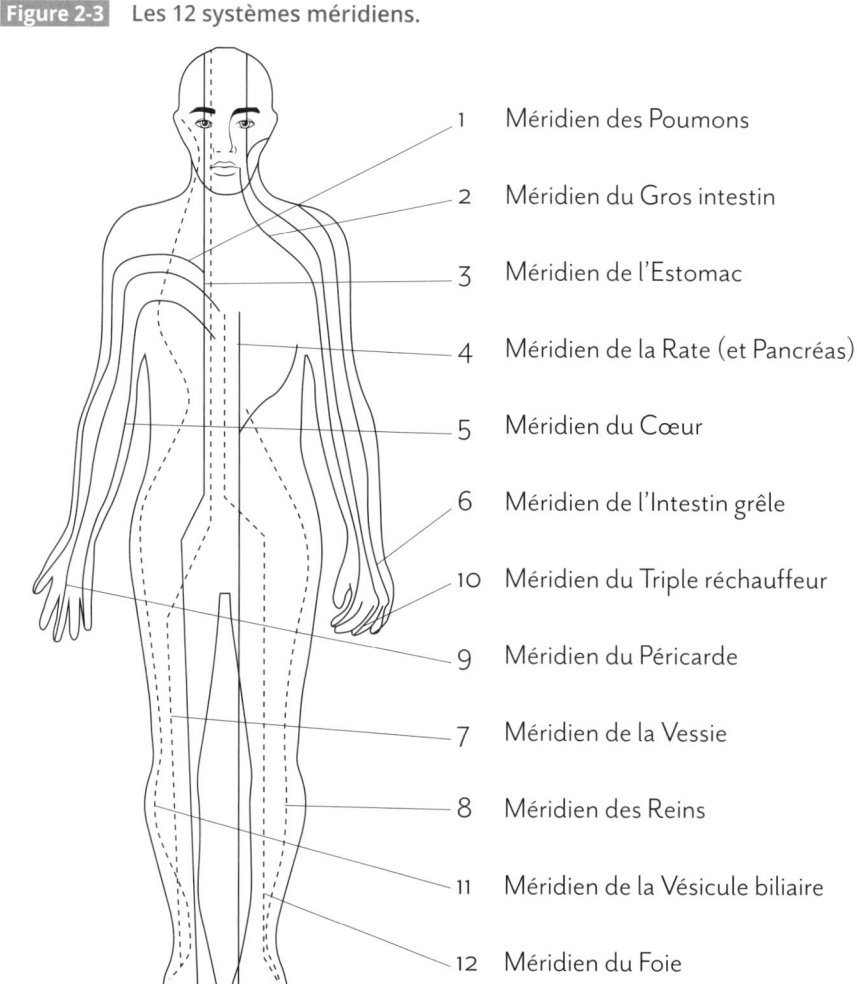

Figure 2-3 Les 12 systèmes méridiens.

1 Méridien des Poumons
2 Méridien du Gros intestin
3 Méridien de l'Estomac
4 Méridien de la Rate (et Pancréas)
5 Méridien du Cœur
6 Méridien de l'Intestin grêle
10 Méridien du Triple réchauffeur
9 Méridien du Péricarde
7 Méridien de la Vessie
8 Méridien des Reins
11 Méridien de la Vésicule biliaire
12 Méridien du Foie

La théorie des méridiens

Les méridiens, leur action et leur localisation sont le fruit de milliers d'années d'observation et d'expérience. De nos jours, malgré l'ensemble des recherches, la nature de ces méridiens et le mode de transmission de l'énergie de l'externe vers l'interne et inversement reste encore mystérieuse. Mais ça marche ! Il faut les étudier dans leurs applications pratiques, à travers leur relation avec les organes et leur intérêt en pathologie.

Le système des méridiens

Le système des méridiens se compose de deux voies de circulation fondamentales :

> » Les voies de circulation principales appelées Jing ;
> » Les Luo, vaisseaux reliant les Jing entre eux et vaisseaux servant de « capillaires » pour les méridiens principaux.

Ils forment un réseau ininterrompu qui rejoint toutes les parties du corps. Parmi eux, le 12 Jing principaux qui sont à mettre avec les 12 organes sont les plus importants.

Les noms de méridiens sont dérivés des anciennes divisions du Yin-Yang. Les sages, dès l'Antiquité, ont observé les interférences entre le Yin et les Yang. Ils ont distingué en toute évolution trois phases Yin et trois phases Yang appelées successivement Shao Yin, Tai Yin, Jue Yin et Shao Yang, Yang Ming et Tai Yang.

À retenir

Ils ont observé que les Jing allant des mains vers le tronc sont Yang. Ceux qui vont dans le sens contraire sont Yin. Au contraire, sur les membres inférieurs les méridiens Yin partent des pieds et rejoignent le thorax alors que les méridiens Yang partent de la tête et rejoignent les pieds.

Les méridiens Yin correspondent aux organes pleins, vitaux et les méridiens Yang aux organes creux, réceptacles.

On a six méridiens au niveau de main (Poumon, Gros Intestin, Cœur, Intestin grêle, Péricarde, Trois Foyers) et six méridiens au niveau des pieds (Rein, Vessie, Rate, Estomac, Foie, Vésicule biliaire).

Classification des méridiens

Nous avons :

Les méridiens Jing

> » 12 méridiens Jing, les Jing Mai, entre l'os et le muscle très en profondeur.
> » 12 Jing Bie, branches internes des Jing, se dirigeant vers l'intérieur du corps et les différents organes.
> » 8 Jing « particuliers », ou Qi Jing Ba Mai, en relation plus aléatoire avec les Jing principaux.
> » 15 vaisseaux Luo reliant entre eux les Jing principaux qui se divisent en Luo superficiels croisant les membres et le corps transversalement pour nourrir les tissus et le Luo capillaires, vaisseaux minuscules formant un réseau complet à travers le corps tout entier.

>> Ce réseau très complexe est en liaison avec l'interne, les 12 organes qui sont à l'origine des Jing Mai par 12 Jing Jin ou 12 méridiens tendino-musculaires et avec l'externe, les zones cutanées ou Pi Bu.

Retenons l'essentiel :

Tableau 2-1 Les 12 méridiens principaux.

Membre inférieur	Membre supérieur
Zu Tai Yang ou méridien de Vessie	Shou Tai Yang ou méridien de l'Intestin grêle
Zu Shao Yang ou méridien de V.B.	Shou Shao Yang ou méridien des Trois Foyers
Zu Yang Ming ou méridien de Vessie	Shou Yang Ming ou méridien de Gros Intestin
Zu Tai Yin ou méridien de Rate	Shou Tai Yin ou méridien du Poumon
Zu Shao ou méridien Yin de Rein	Shou Shao Yin ou méridien de Cœur
Zu Jue Yin ou méridien de Foie	Shou Jue Yin ou méridien de Péricarde

Tableau 2-2 Les huit méridiens particuliers.

Ren Mai, vaisseau Conception	Gouverne le Yin et le sang
Du Mai, vaisseau Gouverneur	Gouverne les méridiens Yang
Chong Mai, vaisseau Vital	Mer des 12 méridiens. Régit le sang
Dai Mai, vaisseau de ceinture	Relie tous les méridiens du tronc
Yang Wei Mai, relatif au Yang	Régit la protection
Yin Wei Mai, relatif au Yin	Régit les émotions, relie les Yin
Yang Qiao Mai, relatif au Yang	Contrôle chaînes neuromusculaires Yin
Yin Qiao Mai, mouvement Yin	Contrôle chaînes neuromusculaires Yang

Les 12 méridiens principaux, ainsi que les vaisseaux Gouverneur et de Conception ont leurs points propres. On les rassemble sous l'appellation : « les quatorze méridiens ». Les six autres méridiens n'ont pas de points propres. Ils empruntent leurs points aux quatorze méridiens.

Le cycle circadien

La circulation du flux d'énergie à travers les méridiens subit un phénomène de marée au cours de 24 heures de la journée. Cette caractéristique est quelquefois utilisée dans le traitement des maladies rebelles. Chaque méridien subit une intensification du flux énergétique qui dure deux heures. Cela peut servir au diagnostic. Par exemple les maladies du cœur s'aggravent généralement vers midi, celles des poumons avant l'aurore...

La circulation commence au méridien du Poumon, puis on a successivement P – GI – E – Rte – C – IG – V – R – MC – TR – VB – F – P.

Tableau 2-3 Créneaux horaires.

Poumon	3-5 heures
Gros Intestin	5-7 heures
Estomac	7-9 heures
Rate-Pancréas	9-11 heures
Cœur	11-13 heures
Intestin grêle	13-15 heures
Vessie	15-17 heures
Rein	17-19 heures
Péricarde	19-21 heures
Trois Foyers	21-23 heures
Vésicule biliaire	23-1 heure
Foie	1-3 heures

Attention

Si votre praticien vous donne rendez-vous à 3 heures du matin pour traiter votre foie, méfiez-vous quand même. C'est un peu louche...

Les points d'acupuncture

Et qu'y a-t-il sur le trajet des méridiens ? Les fameux points d'acupuncture. Dans l'Antiquité, ils portaient tous des noms hautement symboliques expliquant leurs propriétés et leurs caractéristiques. De nos jours, on a attribué des numéros aux points, et ce, en tenant compte du sens de la circulation de l'énergie dans chaque méridien.

Dans les textes classiques, le nombre total de points était de 365. De nos jours, on rajoute de très nombreux points dits hors méridien, ce qui en augmente grandement le nombre. Mais le retour vers l'unicité s'impose. Ne dit-on pas que bien choisi, et surtout bien piqué ou massé, un seul point suffit à traiter un patient ?

À retenir

En réalité, une soixantaine de points suffisent largement à traiter et à prévenir quelques pathologies que ce soit. Nous y reviendrons dans le chapitre sur l'acupuncture (voir chapitre 13).

Le saviez-vous

QU'EST-CE QU'UN POINT ?

Appelé Xue Wei, c'est l'endroit où le praticien plante son aiguille, masse ou chauffe avec un bâton d'armoise. Nous pouvons considérer que c'est un lieu de pose dans une circulation continuelle d'énergie. C'est un endroit où converge et émerge l'énergie.

Et comme nous sommes microcosme dans le macrocosme qui nous entoure, ce sont ces mêmes caractéristiques du point qu'on retrouvera dans le Feng Shui. Ces points permettent donc d'harmoniser l'énergie. Une belle définition de Cyrille Javary, dans *Le Discours de la tortue* (Albin Michel, 2003) : « *C'est un lieu d'échange subtil n'existant pas par lui-même. Il n'est que station d'échange, un peu à la manière des regards dans un réseau de canalisations, dans le cadre d'un maillage vectorisé par le cheminement du souffle-énergie à l'intérieur du corps humain.* »

Les trois strates d'énergie

Comparables à une canalisation d'eau dans un immeuble, où les grosses arrivées à forte pression se trouvent en profondeur, pour se réduire ensuite à l'eau qui sort du robinet, nous avons trois niveaux de circuit énergétique à la surface de notre organisme :

À retenir

>> **Le méridien** à proprement parler, la grosse canalisation énergétique, située très en profondeur entre l'os et le muscle. C'est une des raisons pour laquelle l'acupuncteur utilise des aiguilles très fines pour agir sur les points situés sur ce « conduit ».

>> **Un niveau moyen**, entre la chair et le muscle. Ce sont des ramifications du méridien principal, des canalisations beaucoup plus petites qui sont accessibles par la digito-poncture (voir chapitre 14), ou le massage ponctuel profond.

>> **Un niveau superficiel**. Ce sont, à l'instar des vaisseaux sanguins, des capillaires énergétiques situés à la surface de la peau. On ne parle plus de méridiens, mais de zone Yin ou Yang. En surface de peau, nous assistons à un enchevêtrement des méridiens Yin et des méridiens Yang. Nous accédons à cette zone grâce à toutes les techniques de massage superficiel du corps.

En pratique — MÉTHODE SIMPLE POUR RECONNAÎTRE LES ZONES YIN ET YANG DU CORPS

Il suffit de se mettre à quatre pattes, les mains tournées vers l'extérieur. Toutes les zones cachées, situées à l'intérieur (abdomen, thorax, face interne des membres inférieurs et membres supérieurs) sont les zones Yin. Elles sont dirigées vers l'intérieur ou vers la terre qui est Yin. À l'opposé, le dos, la face externe des membres supérieurs, là où sont situés les poils, la face postéro-externe des jambes sont dites « zones Yang ». Ces zones sont donc dirigées vers l'extérieur ou vers le ciel qui est lui-même de polarité Yang.

Un axiome de base en MTC : « Le Yang protège le Yin ». Dans la pratique des arts martiaux, quand on succombe au nombre, on apprend à se mettre en boule et à créer une sorte d'armure énergétique, en bandant tous ses muscles. Ce sont les zones Yang qui sont atteintes par les coups, entre autres le dos, mais le côté Yin où se trouvent les organes vitaux est préservé, protégé. En revanche, un coup sur la poitrine ou le ventre peut être mortel.

Le saviez-vous — DE LA FRAGILITÉ DE L'ÊTRE HUMAIN

Alors que la plupart des animaux célestes ou terrestres ont leur côté Yang du corps tourné vers le ciel, leur côté Yin est vers la terre. Nous nous sommes redressés, exposant notre côté Yin, thorax-abdomen, là où se trouvent nos 12 organes vitaux, nos organes « pensant » vers l'avant, ouvert à l'autre. C'est à double tranchant.

En tant qu'être émotionnel, nous recevons en « plein ventre » les émotions négatives des autres. Mais nous pouvons aussi plus facilement donner cette même énergie émotionnelle pour guérir l'autre. C'est notre faiblesse, mais aussi notre force.

Prédire l'évolution d'une pathologie

Une pathologie interne ne peut apparaître inopinément, « à l'insu de son plein gré ». Lorsque nous chutons, recevons un choc, nous savons pourquoi nous avons mal. Mais avant de déclencher un rhumatisme, un diabète, une maladie cardio-vasculaire, une dépression, un cancer, nous aurons eu, plusieurs mois, voire plusieurs années avant de très nombreux signaux d'alarme qu'il conviendra de ne pas occulter.

En pratique

La MTC va nous permettre de prévoir l'évolution d'une pathologie grâce à la connaissance de ces symptômes.

Dans un cas idéal, une pathologie commencera à émettre ces signaux :

> » Sur le méridien Yin ou Yang à l'opposé de l'organe incriminé. Par exemple un cancer du sein lié à des blocages émotionnels, faisant stagner l'énergie au niveau du Foie, commencera sur le sein gauche côté externe, là où passe le méridien de la Vésicule biliaire.
>
> » Sur le méridien Yang avant le méridien Yin (le Yang protège le Yin). Quand un méridien Yang est atteint, le symptôme apparaît plutôt en haut du corps, côté ciel, Yang pour progresser ensuite vers le bas du corps, côté terre, Yin. Ce sera l'inverse pour les méridiens Yin.

Si on ne change rien à nos habitudes de vie, la pathologie va progresser et atteindre l'organe Yang qui protège l'organe Yin.

Enfin, ce n'est qu'en dernier lieu que l'organe Yin, vital, est atteint.

Chapitre 3
Les grands concepts de la médecine traditionnelle chinoise

DANS CE CHAPITRE :

» Le concept du Yin-Yang

» Le Qi, l'énergie

» La grande triade Hun-Po-Shen

» Les Trois Foyers, San Jiao

Nous verrons qu'en MTC, chaque élément de la nature est à mettre en relation avec un logiciel organe.

Le médecin chinois : un détective en puissance ou histoire d'un simple champignon

Par exemple, l'énergie de la Rate-Pancréas est à mettre en relation avec la terre. Dans la nature, quand la terre est chaude et humide, il y a multiplication de petites bestioles et fabrication de fumier. Dans notre organisme, nous assistons au même phénomène. Il est dit : « la Rate déteste l'humidité ». Quels sont les facteurs qui favorisent cet état : l'excès de sucres rapides, de graisses saturées, de lait, de beurre, de fromages, de boissons, l'exposition à l'humidité externe et..., l'excès de pensées et de réflexions ! Toutes causes confondues, quand cet état s'installe dans l'organisme, il va « exporter » à distance des symptômes signaux d'alarme. Sur le pied d'un patient, nous observons « des champignons » sous l'ongle du gros orteil. Nous verrons que les méridiens Yin du Foie et de la Rate commencent à ce niveau. Nous pressentons un problème lié à l'humidité. On recherche quelques indices supplémentaires (marque des dents sur une langue épaisse, prise de poids par rétention de liquides, menton plus sombre que le reste du visage, etc.). Le diagnostic est posé : excès d'humidité au niveau de la Rate. Si le praticien n'a pas cette vision profonde du symptôme, il prescrit un antifongique (ou, anecdotiquement, un verni spécial pour cacher la mycose). On vient juste d'occulter un symptôme signal d'alarme. Le patient est relâché dans la nature et persiste dans ses déséquilibres, faute d'avoir été « éduqué ». La pathologie va progresser vers l'interne de mois en mois : sécrétions vaginales blanches, sensation de lourdeur, fatigue, absence de goût, présence d'oxyures, démangeaisons anales, etc.

Si on ne fait que traiter ces différents symptômes, les pathologies vont finir par atteindre l'Estomac (organe Yang) et en dernier le Pancréas (organe Yin) vital. S'installent alors progressivement les différentes étapes du diabète, et dans les cas ultimes, la pancréatite ou le cancer du pancréas. Avec la connaissance et la mise en pratique des méthodes de prévention, tout ceci aurait pu être évité !

Le concept du Yin-Yang

Ce que le Yin-Yang n'est pas !

Le Yin-Yang ne se résume surtout pas, comme on le voit trop souvent, en deux listes qui se font face où nous verrons d'un côté blanc, de l'autre noir, oui-non, haut-bas, etc. Ce type de vision risque de nous faire croire que la MTC est manichéenne. Le oui ou le non bien tranché de notre langue n'existe pas dans la vision chinoise. L'idéogramme signifie « oui, mais... » ou « non, mais... ».

Tentative de définition

Issue du Un, du Tai Ji, c'est la dualité qui est la base de tous les aspects possibles de la vie, telle que nous l'appréhendons. Un concept, quel qu'il soit, ne peut exister sans que son opposé complémentaire n'existe. Ainsi, on ne pourrait pas savoir que le jour existe si la nuit ne lui été pas associée. Le oui sans le non, le haut sans le bas, l'homme sans la femme, l'amour sans la haine... Nous pourrions la faire à la Prévert pendant tout le restant de ce livre.

Une des grandes particularités de cette dualité est la capacité d'être en même temps en opposition (tout en sachant que chacun d'eux porte en lui le germe de l'autre), en interdépendance (l'un ne pouvant se concevoir sans l'autre) et en relation d'engendrement (la nuit laisse petit à petit la place au jour).

Les origines du concept

Nous avons vu que le *Nei Jing*, ouvrage médical par excellence, était vieux de 2 500 ans (voir chapitre 1). Mais, il faut savoir qu'avant le *Nei Jing*, 2 500 ans avant, existait le *Yi Jing*, c'est-à-dire il y a 5 000 ans. Ce livre est le fondement, le début de l'ensemble de la culture chinoise. Le *Yi Jing* traite avant tout de l'astrologie, de la cosmogonie, de ce qui se passe entre le ciel et la terre. Mais aussi de Feng Shui, de biologie et de médecine. C'est cette partie qui est reprise dans le *Nei Jing*.

Dans le *Yi Jing*, on trouve cette phrase fondamentale qui se divise en trois parties : « Tai Ji est la source des deux opposés qui sont eux-mêmes la source des quatre phénomènes, qui engendrent les huit Gua, les Ba Gua. »

LA TÊTE À L'ENVERS

Il est fondamental d'apprécier les différences qu'il existe entre la pensée chinoise et la pensée occidentale. Si nous prenons par exemple l'écriture, elle se fait de la gauche vers la droite pour les Occidentaux, alors qu'en Chine, elle se fait de la droite vers la gauche. Voilà pourquoi les orients, les points d'orientation sont différents.

En Occident, l'est est à droite, l'ouest à gauche, le nord en haut et le sud en bas. Alors qu'en Chine, l'ouest sera à droite, l'est à gauche, le nord en bas et le sud en haut. Si on ne connaît pas ces différences, on peut faire de graves erreurs d'interprétation des textes anciens.

Si nous prenons le cas de l'Homme. L'Homme vit entre le ciel et la terre. Depuis sa naissance, il va observer au-dessus de sa tête le ciel et en dessous de lui, il verra la terre. La lumière et l'obscurité, le ciel et la terre, dans la pensée chinoise représentent deux opposés et sont censés être contenus en toute chose. Nous assistons là à l'élaboration du concept du Yin-Yang. Au début de la journée, nous voyons que le ciel est clair. Au fur et à mesure que le soleil disparaît, le ciel s'obscurcit, le soleil décline. Au coucher du soleil, l'univers est plongé dans l'obscurité. La lune s'élève dans le ciel obscur et l'homme réalise alors que le soleil est vraiment la source de lumière.

Par ailleurs, on peut voir que le soleil est à l'origine de l'apparition de l'ombre. Si nous prenons l'exemple d'un arbre, quand le soleil darde ses rayons, l'arbre produit une ombre. La nuit, après le coucher du soleil, on peut aussi observer que la lune répand une lumière et qu'elle peut également projeter une légère ombre. Mais il est évident que la lune est beaucoup moins lumineuse que le soleil et l'on voit souvent des nuages passer devant elle et l'obscurcir.

À retenir

Tous ces phénomènes servent à comprendre que Tai Ji, l'Un, le Vide est à l'origine de la dualité. Entre le ciel et la terre, il n'y avait rien, puis les deux opposés sont apparus. Le premier est appelé Yang, qui est donc la lumière que répand le soleil et qui illumine la terre. La nuit appartient au Yin. Ces phénomènes contrastés, cette opposition est appelé Yin-Yang. D'où la première phrase : « *L'un produit deux.* »

Le Tai Ji, le Un enferme en lui toutes les possibilités

Pour faire simple, le Tai Ji, le Un enferme en lui toutes les possibilités de réalisation.

> » À gauche, « la virgule Yang », c'est la vitalité sous l'emblème du feu, la montée, l'accélération, les fonctions qui génèrent la chaleur, l'extraversion, le principe masculin, la force centrifuge. Symboliquement, il est représenté par un trait continu : ———
>
> » À droite, le Yin lui représente la vitalité sous l'emblème de l'eau : c'est la descente, l'introversion, le ralentissement, le principe féminin, la force centripète. Il est représenté par un trait discontinu : — — —

Or, comme rien n'est tout blanc ou tout noir, dans la partie Yang, nous aurons une petite sphère Yin et inversement du côté Yin où nous aurons un peu de Yang. Si tel n'était pas le cas, tout serait figé sur cette terre.

En pratique

UNE PISTE DE MÉDITATION : QU'EST-CE QUE LE TEMPS ?

Avant la naissance, il n'y a pas de temps, de même après la mort. Chez l'être humain, nous pouvons dire que le temps n'apparaît qu'au moment de la première division cellulaire, la première dualité, au sein de la matrice. Le temps n'existe que parce qu'il y a un avant et un après. Par convention, ce qui est avant sera appelé Yin et ce qui est après, Yang. Or, comme il y a un peu de Yang dans le Yin et un peu de Yin dans le Yang, cela rend le temps « flexible » : une minute peut nous paraître éternité et inversement.

Existe-t-il un non-temps dans notre vie terrestre ? Les neurobiologistes définissent le temps comme une succession permanente de pensées. Mais celles-ci ne peuvent se chevaucher. Entre deux pensées, il existe quelques millisecondes. Les méditants confirmés essayent d'augmenter ce temps entre deux pensées : c'est le non-temps. Et s'ils arrivent à entrer dans la brèche, c'est l'éveil.

Ne pas se perdre dans le dédale du Yin-Yang

À force de faire travailler excessive notre cerveau gauche, à classifier à outrance, à lister, nous n'arrivons pas à comprendre qu'un même concept peut être tantôt Yin, tantôt Yang. Tout est une question de référent et de référer, du point de vue auquel on se situe. Ainsi, nous dirons que tous les thés chinois sont Yin, puisqu'ils viennent de la terre. Mais si on s'attache à en étudier les différentes catégories, thés verts, oolong ou noirs, nous serons amenés à dire que le thé noir est Yang au regard du thé vert qui sera plutôt Yin.

Dans les textes, il est dit que « le Yin pur, et le Yang pur ne font pas partie du domaine de la réalisation ». Il est dit quand le Yin devient extrême, il se transforme en Yang : lorsque vous touchez un glaçon (Yin), il finit par vous brûler les doigts (Yang).

Le saviez-vous POURQUOI DISONS-NOUS YIN-YANG ET NON PAS YANG-YIN ?

Il est dit que tout commence par un temps Yin. La première manifestation lors de la sortie du ventre de notre mère, c'est l'inspiration qui est caractérisée par le retour, une force centripète, une concentration d'air à l'intérieur. C'est un acte Yin. L'inverse se produira d'ailleurs au moment du passage. C'est la dernière expiration, la fuite du Yang.

Le Qi, l'énergie

Le Qi, l'énergie, est à la base même de la compréhension de la MTC. Rien dans l'organisme ne pourrait fonctionner s'il n'y avait pas cette énergie sous-jacente. En étudiant l'idéogramme qui le définit, on peut déjà avoir une vision profonde quant à sa signification :

Il se décompose en trois parties : en haut, le fumet, la vapeur, au milieu, la transformation et en bas une botte de riz. Ce caractère présente donc une vapeur qui s'échappe d'une céréale qui cuit.

D'où vient-elle ?

Dans le corps humain, le Qi qui entretient la vitalité s'appelle Zhen Qi, le Qi originel, l'énergie originelle. Il provient de l'énergie dont nous héritons (on remonte à trois générations antérieures), mais aussi de l'énergie du ciel et de la terre, appelée Ling Qi. Dès la naissance, ces deux énergies constituent un capital inné qui va se trouver logé dans le Rein. Ce capital énergétique s'appelle alors le Yuan Qi, le Qi fondamental, le Qi de démarrage dans la vie (ce que nous avions appelé la « lampe à huile » précédemment).

Après la conception, les poumons commencent à respirer. Nous captons l'énergie de l'air, l'air du ciel appelé Yang Qi. Nous avons également besoin de l'énergie des aliments. En chinois nous parlons de Shui Gu, terme signifiant « l'eau et les céréales ». C'est l'énergie de la Rate qui a pour fonction d'absorber l'essence des aliments, appelée Ku Qi. Le Yang Qi de l'air et le Ku Qi se mélangent pour former Zhong Qi, le Qi du Centre encore appelé Qi du Foyer moyen.

Comment les aliments se transforment-ils en énergie ?

En pratique

La transformation du Qi des céréales se fait sous l'action réchauffante du Yuan Qi stocké dans le Rein. Ce feu réchauffant est appelé feu de Ming Men (la petite flamme de la lampe à huile). C'est la présence de ce feu qui déclenche l'action de la Rate (une digestion commence à 38 degrés !). Nous pourrions comparer cela à la veilleuse d'une chaudière. À partir de là, la Rate se met à transformer le bol alimentaire en Ku Qi pour l'envoyer vers le Poumon. C'est à cet endroit que Ku Qi, l'énergie des aliments et le Qi de l'air s'assemblent pour former Zhong Qi.

Qu'est-ce que l'énergie droite ?

Quand le Zhong Qi s'unit au Yuan Qi, au Qi fondamental, il va former le Zhen Qi, l'énergie droite, l'énergie de défense. Cette énergie va atteindre toutes les zones de l'organisme, même les plus éloignées. Elle traverse tous les organes et tous les méridiens et leurs ramifications. Elle a comme propriété remarquable d'être en permanence renouvelée, car elle se dissipe en continu dans l'organisme. Voilà pourquoi nous avons régulièrement faim et soif et tout le temps besoin de respirer.

Un aspect plus matériel qu'énergétique se retrouve dans les fameux globules blancs qui protègent le corps et nous retrouvons dans toutes les régions de l'organisme.

Il faut en permanence que l'organisme ait à sa disposition une quantité suffisante d'énergie droite, de Zhen Qi. Celle qui n'est pas utilisée tout de suite est mise en réserve dans le Rein (batterie de l'organisme). On l'appelle alors Jing Qi qui est le surplus de Zhen Qi, l'énergie droite. N'oubliez pas : nous sommes ici dans l'énergétique pure !

Quels sont les organes les plus importants dans la production du Qi ?

Le Qi vient principalement du logiciel Rein, de la Rate et du Poumon, la part la plus importante étant assurée par le Rein. En effet, ils contiennent deux énergies, le Yuan Qi inné et le Jing Qi acquis (ce que les Chinois appellent « énergie du ciel antérieur » et « énergie du ciel postérieur »).

Nous reviendrons sur ce concept de Qi dans l'étude des « Trois Foyers », plus bas dans ce chapitre.

La grande triade Hun-Po-Shen

Spiritualité

La MTC tire toute sa cohérence dans l'existence d'un concept au-delà de l'énergie, que nous pouvons qualifier d'âme et qui échappe à notre esprit matérialiste occidental.

Nous avons vu précédemment que la dualité était inhérente à la vie. Mais qu'avant la Vie et après le Passage, nous venions et retournions à l'unicité. L'âme n'échappe pas à cette règle. Quand elle va « s'incarner », elle va devenir duelle. Nous aurons ainsi une âme dite « spirituelle » ou « éthérée », appelée Hun et une âme « corporelle » qui prendra le nom de Po. Ces deux entités immatérielles vont être les « exécutants » de la vitalité encore appelée Shen Ming. Or, dans notre époque dite « moderne », il est totalement fait abstraction de ces entités. C'est un peu comme si on visionnait un film sur grand écran. On dissèque les images, on pense que ce que l'on voit est la réalité et on ne pense pas qu'il y a un projecteur par-derrière et qu'avant, une caméra a filmé ces prises de vues. Et *quid* du réalisateur !

Le Pr Leung disait : « Le Hun est le principe céleste, à vocation céleste et le Po est le principe céleste, à vocation terrestre. »

L'âme spirituelle, le Hun

D'un point de vue médical, c'est une entité immatérielle qui vient de l'univers. C'est le côté intuitif et non rationnel de la nature humaine.

Il n'a pas de couleur, pas de forme, pas de saveur. Il est invisible. Il n'a aucun lien avec la matière. À ce titre, **on l'assimile au Yang**.

Il est dit que **le Hun est logé dans le Foie**, et plus précisément dans la couche Yin du Foie.

À retenir

Il va jouer un rôle très important dans le maintien de notre équilibre émotionnel, à condition que l'énergie du Foie soit bien régulée. Si par exemple la couche Yin du Foie est en insuffisance, qu'elle ne reçoit pas assez de sang, on dit que le Hun perd sa demeure et peut se mettre à errer sans but. C'est une grande cause d'insomnie où les rêves sont très nombreux.

> » Si le sang vient à stagner au niveau du Foie, il y a ce que l'on appelle une entrave au mouvement de va-et-vient du Hun : la personne perd sa capacité à planifier, elle devient désorientée. C'est la porte ouverte à la dépression.
>
> » Si, au contraire, le Yang du Foie est en excès, il y a une hyperactivité du Hun qui donne trop d'information au Cœur, au Shen. Celui-ci devient hyperactif. Ceci est à l'origine de très nombreuses pathologies mentales et émotionnelles, comme l'autisme, la bipolarité, les troubles comportementaux et en ligne de mire la maladie d'Alzheimer, appelée une demi-mort en MTC : le Hun, l'âme spirituelle, se détache du corps.

Il existe indépendamment de l'esprit. C'est le dépositaire des idées, des aspirations, de la créativité, des rêves de vie, des intuitions. L'âme sait tout : ne dit-on pas « être à l'écoute de son âme ».

L'âme spirituelle ne pense pas, mais elle ressent et elle sait.

C'est le Hun qui va être à l'origine de la création de l'esprit, du Shen, l'ego, les facultés cognitives, les émotions.

Spiritualité

ÊTRE À L'ÉCOUTE DE SON ÂME

Quand le corps est en parfaite harmonie, quand le Shen, l'esprit, notre conscient ne prend pas en permanence le devant de la scène, lorsque nous ne sommes pas en « excès de pensées », alors le Hun peut se révéler à nous sous forme de rêves, d'intuition, de « fulgurances psychiques ».

Une des grandes finalités des méthodes Yang Sheng Fa, de préservation de la vie en MTC est de mettre au repos notre Shen, l'esprit, pour permettre à notre âme de s'exprimer. Et le but de la pleine conscience est de se mettre à l'écoute du « chuchotement de l'âme ».

L'âme corporelle, le Po

Po désigne ce qui existe avant la vie. C'est le support de la matière vivante. C'est quelque chose qui n'est pas observable.

C'est le centre de toutes les fonctions automatiques du corps, de « tout ce qui se passe à l'insu de notre plein gré ». Il permet aussi le passage d'une étape à l'autre et de créer de nouvelles structures du corps. Si nous enlevons la moitié du Foie, c'est le Po qui l'aide à « repousser ». C'est lui aussi qui gouverne les cellules-souches.

Il a sous sa dépendance tous les instincts primaires, de succion, de déglutition, mais aussi l'instinct de conservation.

C'est la partie de l'âme qui est indissolublement attachée au corps et retourne à la terre (Yin au regard du ciel qui est Yang) après la mort. C'est en cela qu'il aura la polarité Yin en face du Hun qui est Yang.

Spiritualité

Dans la tradition, il est dit que l'âme corporelle pénètre dans le corps trois jours après la conception, alors que le Hun vient prendre place dans sa maison au moment de la rupture du cordon ombilical.

Il est assimilable à un programme informatique véhiculé par le code génétique. Si nous prenons l'exemple d'un appareil photo, quand la pellicule est insolée, nous obtenons un négatif qui, s'il n'est pas tiré sur papier, ne donne pas une image fidèle du sujet. C'est une image potentielle, une image en devenir.

À retenir

Le Po est sous l'emblème du Poumon, cela veut dire que les troubles fondamentaux du Poumon vont rejaillir sur le Po dans sa vocation en engendrer le Jing, l'essence.

La peau fait donc partie du logiciel Poumon en MTC. Quand des tensions émotionnelles affectent le Poumon, comme un excès de tristesse, des dermatoses « psychosomatiques » peuvent apparaître.

> » Quand le Poumon est déficient, nous disons que le Po s'appauvrit. L'individu perd son instinct de conservation. La mélancolie s'installe comme un deuil qui ne s'achève jamais. C'est la dépression et l'autodestruction qui est au bout du chemin.
>
> » Si c'est le Po qui prend la gouvernance du corps, il va tout mettre en œuvre pour que celui-ci retourne le plus rapidement à la terre. C'est l'explosion des maladies auto-immunes, d'autodestruction (cancer, rhumatismes, diabète, maladies mentales et émotionnelles, etc.) qui signent toutes un raccourcissement de l'espérance de vie.

Le saviez-vous **« LA RESPIRATION EST LA PULSATION DU PO »**

La respiration est directement liée au Poumon. Toutes les méditations qui consistent à se concentrer sur la respiration apaisent le Po. Le Shen, l'esprit devient calme et vide. Le Hun, l'âme éthérée peut s'ouvrir et entrer en contact avec l'âme universelle.

L'esprit, le mental, le Shen

Le Shen, l'esprit, possède une partie innée. Si vous naissez de trois générations d'alcooliques, comme tous nos organes sont pensants, il y a de grandes chances que vous ayez un tempérament colérique. Mais il est avant tout nourri en permanence par le Hun, l'âme spirituelle. Et comme le Hun est logé dans le Foie, il est dit que le « Foie est l'origine des émotions et le Cœur gouverne les émotions ».

Le Shen, l'esprit et les activités mentales sont en relation avec le Yang. Le Cœur est dit Yang dans le Yang.

Il comprend l'intelligence innée, les sentiments, l'affectivité, l'attraction-répulsion et le caractère inné. En effet dès la naissance, nous avons en nous une intelligence, une affectivité et un caractère.

Ensuite ce Shen va se combiner aux connaissances acquises pour former notre conscience appelée Yi Shi en chinois. Quand le Cœur est en contact avec un élément extérieur, il engendre une activité appelée « pensée ». Et c'est cette activité mentale qui va provoquer une émotion.

À retenir

Le Shen, l'esprit gère la réception des informations et la mise en mémoire. Mais aussi la pensée, la réflexion et la décision. Il est en relation directe avec notre conscience.

Le Shen est le maître de toutes les émotions. Chaque excès émotionnel pourra donc toucher l'esprit.

> » L'excès de désir fatigue le Cœur, et par là même le Shen.
>
> » Si on étudie et si on pense de manière raisonnable et modérée, c'est le Cœur et le Shen qui en bénéficient. En revanche, un afflux d'informations finit par blesser le Shen.
>
> » Il est dit quand le Yang s'échappe du Cœur (le Shen), l'homme perd sa lucidité. C'est aussi une cause de maladie d'Alzheimer. Mais avant d'en arriver à cette extrémité, il y aura eu bien des symptômes avant-coureurs. Le grand symptôme d'échappement du Yang est l'excès de pensées, donc l'insomnie.

Où observe-t-on le Shen ? Avant tout dans les yeux. Si ceux-ci sont fixes, s'ils ont perdu leur mobilité (comme dans une dépression), nous disons que la personne a perdu son Shen. De même, si le teint de son visage est terne ou si les mouvements du corps sont lents.

Spiritualité

« Si l'on se laisse entraîner par le démon du Cœur, on risque de continuer à agir de façon aberrante, et à épuiser notre Jing Shen, notre vitalité, de même que notre force physique. Notre santé se ruine alors à cause de cela. C'est la raison pour laquelle il faut faire des exercices souvent pour calmer le Shen du Cœur afin que celui-ci ne soit pas entraîné par un démon. Ainsi notre esprit en général, notre Jing Shen ne sera pas épuisé » (Pr Leung Kok Yuen).

Pour résumer

Enfonçons le clou, car toutes ses notions sont fondamentales.

À retenir

L'embryon est donc formé de deux entités, le Hun et le Po. Le Hun est le Yang originel. Il est porteur « des vertus des ancêtres », de l'intelligence innée.

Après la naissance, grâce entre autres à l'éducation et à l'expérience données par les yeux et les oreilles, nous allons avoir la formation du Shen, de l'esprit. Le Po est le Yin originel. C'est le support matériel, la forme du futur homme. Après la naissance, grâce aux aliments ingérés et l'air respiré par le nez et la bouche, le Po devient le Jing, l'essence.

Le Jing, l'essence, la batterie, gouverne les cinq logiciels organes, les Trois Foyers, les méridiens, les vaisseaux sanguins et les liquides nourriciers. Ensuite, la réunion du Shen, de l'esprit et du Jing, l'essence forme ce qu'on appelle Zhen Qi, l'énergie véritable. C'est l'énergie dont le corps a besoin pour assurer toutes ses fonctions. On voit là l'impact du mental, des émotions sur le fonctionnement des organes.

En pratique

L'EXEMPLE DE LA BOUGIE

» Le Po, c'est la matière organique, la matière première qui a servi à modeler cette bougie : c'est la cire.

» Le Hun correspond à la flamme, qui est Yang comme le « feu du ciel ».

» La partie la plus importante de la bougie est le point de combustion, la jonction entre le Hun et le Po. S'il n'y a pas la cire de la bougie, la flamme ne peut apparaître. Le Hun a besoin d'un support anatomique, le Po, pour se manifester, s'incarner.

» Le Shen, l'esprit correspond à la lumière, à la fumée, à ce qui est dégagé par cette flamme. C'est ce que nous avons appelé Shen Qi, la manifestation de l'esprit.

» Le Jing, l'essence est le sommet de cette bougie, le point de combustion.

» Le courant d'air chaud que dégage cette flamme sera le Qi, l'énergie qui contient une force d'ascension, d'expansion.

Le San Jiao, les Trois Foyers et les Trois Trésors

C'est aussi un des concepts incontournables quand nous voulons comprendre la MTC. Les taoïstes les appellent aussi les Trois Trésors, San Bao. Ce sont les trois composants fondamentaux de notre être qui ne peuvent que fonctionner ensemble.

À retenir

Nous sommes donc en présence de trois entités :

- Le Jing, l'essence ;
- Le Qi, l'énergie ;
- Le Shen, l'esprit.

Le Shen recouvre la pensée, mais aussi les désirs et les émotions, deux entités complémentaires qui découlent des organes des sens. Le développement de ce sixième sens ne pourra se faire que grâce à des exercices spécifiques de méditation. La réaction en retour sera l'apparition d'émotions qui font partie intégrante du Shen. Donc, ces trois fonctions, pensées, désirs et émotions sont les trois parties du Shen, de l'esprit.

Le saviez-vous   **LE SIXIÈME SENS**

Il y a cinq sens : l'ouïe, l'odorat, le toucher, la vue et goût. Le « sixième sens » est l'intellection, la perception intuitive des idées.

Le Jing, l'essence, recouvre trois entités : la protection, la nutrition et l'évacuation.

Cette division en trois parties suit ce qu'on appelle les Trois Foyers, San Jiao, le Foyer supérieur, moyen et inférieur.

- **Le Foyer supérieur contient le logiciel Poumon qui a sous sa dépendance les deux poumons, mais aussi la peau.** À ce titre, le Foyer supérieur est considéré comme la première barrière de défense de l'organisme. C'est la partie protectrice du Jing. Il contrôle la réception. Il absorbe l'énergie de l'air par les poumons et le mélange à l'énergie de la terre qui vient de l'Estomac. Son point de contrôle en acupuncture est le 17RM, Dan Zhong entre les deux mamelons.
- **Le Foyer moyen contient la Rate-pancréas, l'Estomac, le Foie et la Vésicule biliaire.** Le rôle principal de ce foyer est la transformation du bol alimentaire et la nutrition du corps. Il broie, malaxe les aliments afin d'en permettre la digestion. Son point de contrôle est le 25E, Tian Shu, de chaque côté du nombril.

> » **Le Foyer inférieur qui contient principalement le Rein est responsable entre autres de l'élimination.** Il contrôle la séparation des liquides et des solides. « *Il sépare ce qui est clair et ce qui est trouble* » (*Nei Jing*). L'eau ira dans la Vessie et les « solides » dans l'intestin grêle. Pour régler ce foyer, on utilise le 6RM, Qi Hai.

Le Qi, l'énergie, est le moteur de la synthèse, de la circulation de sang et d'énergie, de l'adaptation, de l'assimilation, de la reproduction et de l'élimination.

De la synthèse à l'élimination, il existe pour cela un terme générique : le métabolisme. Le métabolisme sous-entend deux concepts, celui du renouvellement et de l'élimination. L'un ne va pas sans l'autre.

Nous avons dit que le Qi avait aussi sous sa coupe l'adaptation aussi bien l'adaptation à l'environnement extérieur qu'aux différentes variations du milieu intérieur. Toutes ces activités de synthèse, de circulation, d'assimilation, d'adaptation doivent être transmises aux générations ultérieures. Le rôle du Qi, du Zhen Qi est justement de transmettre la vie à la prochaine génération. Zhen Qi, l'énergie véritable est donc aussi l'entretien de la vie.

LES TROIS FOYERS ET LA DIGESTION

Foyer nous fait penser à une flamme. Il y a la flamme du Foyer inférieur, le feu de Ming Men, la petite flamme de la « lampe d'Aladin ». Cette flamme va allumer le Foyer moyen : la digestion ne se fait qu'à 38 degrés. Le problème est que cette chaleur va déclencher une évaporation, car tous les aliments sont humides. Il faut que le Foyer supérieur s'allume, où nous finirions par s'inonder dans nos liquides : quand on expire, même en été, c'est de la chaleur humide.

Les Ba Gang, ou les « huit règles »

C'est la classification des maladies selon des critères bien particuliers qui feront qu'aucun dérèglement ne pourra rester incompris en médecine chinoise. Cette classification va même plus loin que cela. Elle permet, un peu comme dans le fameux tableau de Mendeleïev, où il existait des cases vides et où l'on savait que tôt ou tard on découvrirait le nom d'un nouvel élément, de comprendre qu'aucun symptôme, aucune maladie ne peut rester longtemps inconnu. Elle trouvera inévitablement son emplacement dans une de ces cases.

Quand le Sida est apparu, comme apparaîtront plus tard bien d'autres maladies, le passage au crible de ces Ba Gang, a permis d'en connaître l'origine, mais aussi et surtout son évolution et ses méthodes de prévention, et pourquoi pas curatives.

Le saviez-vous

Le principe de ces huit classifications est une application directe de la théorie du Yin-Yang. C'est l'outil qui permet de distinguer les symptômes, de reconnaître les pouls et d'appliquer des méthodes de traitement.

C'est en classifiant les signes et les symptômes que l'on peut décider de la nature d'une maladie. En effet, quand nous sommes en présence d'un symptôme ou d'une maladie, il peut par exemple être la conséquence :

>> D'un Yin excessif ou d'un Yang excessif, c'est-à-dire d'un déséquilibre du Yin et du Yang. Donc un syndrome pourra être ou bien Yin ou Yang.
>> D'origine interne ou externe (Li ou Biao).
>> De nature froide ou chaude (Han et Re).
>> Et enfin, il pourra être la conséquence d'un manque ou d'un excès (Xu ou Shi).

Par exemple, nous dirons chez tel patient qu'il aura un déséquilibre de l'énergie de la Rate, sous-entendu un état de faiblesse et chaleur. Vous apprendrez que l'énergie de la Rate déteste l'humidité et que les choses commencent à se gâter quand cette humidité se transforme en chaleur. Or, c'est une cause le plus souvent externe (déséquilibre alimentaire) qui s'est progressivement transformée en cause interne.

Tableau 3-1 Les Ba Gang ou les « huit règles ».

Yin	Yang
Interne, Li	Externe, Biao
Froid, Han	Chaud, Re
Faiblesse, Xu	Plénitude, Shi

Chapitre 4
Les relations de l'Homme et l'univers

DANS CE CHAPITRE :

- » **L'Homme, indissociable de la nature**
- » **Les cinq éléments, Wu Xing**

La médecine chinoise, médecine holistique par essence, a mis en avant, depuis fort longtemps, la théorie dite « des signatures » pour comprendre ce qui se passe à l'intérieur de notre organisme. Tout ce qui nous est extérieur fonctionne sur le même mode que notre interiorité et inversement. À nous d'être assez « intuitifs » pour établir ces relations. Quelques pistes :

- » Dans le Nei Jing, il est dit : « L'Homme, le ciel et la terre se ressemblent. » L'Homme est actif le jour et dort la nuit de la même manière que le soleil se lève le matin et se couche le soir.
- » La vie de l'Homme est réglée par les quatre saisons. Elle subit l'influence du printemps, de l'été, de l'automne et de l'hiver qui se succèdent de manière cyclique.
- » Il est dit dans le Nei Jing : « L'Homme ne peut se soustraire aux lois naturelles » : c'est l'ancêtre de notre écologie moderne.

Les cinq énergies du ciel et de la terre

Qu'apporte le ciel à l'Homme ? L'énergie des cinq climats :

- » Le vent ;
- » La chaleur ;

- » L'humidité ;
- » La sécheresse ;
- » Le froid.

Qu'apporte la terre à l'Homme ? L'énergie des cinq saveurs :

- » L'acide ;
- » Le doux ;
- » L'amer ;
- » Le piquant ou l'âcre ;
- » Le salé.

Les cinq saveurs, terme générique signifiant « tous les aliments » proviennent de la terre : l'Homme les ingère. Les cinq climats du ciel sont les fondements de notre vitalité. Nous verrons qu'il existe un sixième climat selon le *Nei Jing*, le feu, qui n'est en réalité qu'une transformation en interne de la chaleur externe (voir chapitre 11).

À retenir

Si l'Homme est en harmonie avec les cinq énergies du ciel et de la terre, il préserve sa vie.

Le ciel va produire le soleil et le feu (Yang originel). La terre produit les montagnes, les plaines, la mer, les fleuves et l'eau (Yin originel). Le Yang descend sur la terre (chaleur du soleil) et le Yin monte vers le ciel (évaporation de l'eau). Ce mouvement d'ascension et de descente produit l'air : ce mouvement d'air est à l'origine des quatre saisons. En effet, ce mouvement n'est jamais identique : il peut être doux, chaud, frais, froid. Il est dit dans le *Nei Jing* que « ce mouvement d'air est à l'origine des six phénomènes que sont le vent, le tonnerre, les nuages, la pluie, la rosée, la neige ».

Les cinq éléments de la nature

La combinaison des quatre saisons et des six phénomènes va donner les différents éléments de la nature que sont :

- » Le bois ;
- » Le feu ;
- » La terre ;
- » Le métal ;
- » L'eau.

Ces cinq éléments représentent tous les éléments qui constituent l'univers et servent à représenter la production, la vie et la mort. Ces cinq éléments ne sont pas statiques. Ils vont évoluer selon un cycle qui représente les cinq étapes de toute évolution :

- » La naissance ;
- » La croissance ;
- » La maturation ;
- » La récolte ;
- » La conservation.

Chacun de ces cinq éléments connaît lui-même, individuellement les mêmes étapes dans son évolution.

À retenir

Ces cinq éléments servent à la MTC pour systématiser toutes les connaissances médicales. En effet, l'Homme, comme nous l'avons vu, correspond au ciel et à la terre et va suivre les mêmes cycles.

Les sens et les émotions au rythme de la nature

L'être humain comprend aussi un Yang originel, l'âme spirituelle, le Hun, et le Po, l'âme corporelle, le Yin originel. C'est identique au ciel et à la terre. Le Hun va produire le Shen, l'esprit, et le Po va produire Jing, l'essence.

Le ciel avait produit le soleil et le feu, l'esprit produit la sagesse et les émotions.

Le Po, l'âme corporelle (la terre) produit successivement :

- » Les cinq organes pleins, les Zang ;
- » Les six organes creux, les Fu ;
- » Les Trois Foyers, San Jiao ;
- » Les méridiens, Jing Luo ;
- » Les liquides nourriciers, Jin Ye.

Tout ce qui est formé par la réunion de l'esprit (Shen) et de l'essence, Jing forme ce qu'on appelle le Qi, l'énergie.

Alors que dans l'Univers on parle d'air et de différents climats, dans le corps cela correspond à l'énergie qui elle aussi circule à travers tout le corps et produit :

- La vue ;
- L'ouïe ;
- L'odorat ;
- Le goût ;
- Le toucher.

Ces différentes perceptions sensorielles vont produire un effet qui va se manifester à l'extérieur par des énergies émotionnelles, les « sept émotions » ou les « sept sentiments » que sont :

- La joie ;
- La colère ;
- L'inquiétude ;
- La réminiscence ;
- La peur ;
- La tristesse ;
- La frayeur.

L'Homme a donc la capacité de percevoir ce qui l'entoure et donc de le transformer sous forme d'émotions.

Ces émotions peuvent être utilisées de manière bénéfique ou au contraire à mauvais escient. C'est cette interaction entre recevoir et produire qui fait la vie de l'Homme.

LES SIX DÉSIRS DE L'HOMME

Ce sont les désirs de voir des choses agréables pour décorer sa maison : c'est un désir de la vue. D'autres préfèrent écouter de belles musiques ou entendre des compliments. C'est le désir de l'ouïe. D'autres sont gourmets. Toutes les sensations agréables pour le nez, la bouche, les oreilles, les yeux, le corps constituent les cinq premiers désirs. Le sixième, la pensée (Si) correspondant à l'intellection, aux facultés cognitives, à l'activité de l'intellect. Ces six désirs qui contiennent les comportements peuvent nous rendre la vie heureuse quand l'Homme grâce à sa sagesse peut les contrôler. Mais à l'inverse, ils peuvent nous pourrir la vie.

Les sept émotions vont donner à leur tour les six désirs, directement liés à la vue, l'ouïe, l'odorat, le goût et le toucher. Le sixième correspondant à l'esprit avec la pensée. Ces six désirs qui conditionnent le comportement sont analogues au vent qui peut être bénéfique ou négatif. Ne parle-t-on pas du « feu du désir », du « feu des passions » qui va affecter le Cœur-esprit.

Le cycle de vie

La vie de l'Homme va aussi connaître un développement cyclique comme la nature :

- L'enfance (naissance) ;
- La jeunesse (croissance) ;
- L'âge mûr (maturation) ;
- La maladie (la récolte) ;
- La vieillesse (la mise en réserve).

La maturation est une époque transitoire, un tournant entre le début et la fin. C'est ce tournant qui précède la récolte en automne et la conservation en hiver. C'est à cette époque qu'il convient d'éviter de dilapider notre énergie ancestrale, mais au contraire d'engranger pour préparer notre deuxième partie de vie.

Dans la nature, une altération des climats peut affecter le bon déroulement de toute la chaîne des causalités des différentes étapes de la vie. Ainsi, une tempête pourra détruire la fleur qui ne pourra pas monter en graine et donc par là, détruira sa future évolution. C'est une intervention anormale de l'univers sur les cinq étapes de l'évolution.

Dans notre corps, la maladie peut survenir dans l'enfance, la jeunesse, l'âge mûr. Quelle en est la cause ? C'est l'altération de l'énergie véritable, Zhen Qi, par méconnaissance des règles de préservation de la vie.

POURQUOI MOI ET PAS LUI !

Si deux personnes sortent et s'exposent au même climat, de retour chez elles, une des deux aura pris froid, alors que l'autre n'aura rien. Celle qui n'a rien montre qu'elle a une faculté d'adaptation correcte à son environnement. L'autre personne, peut-être n'a-t-elle pas assez dormi, elle a peut-être une mauvaise digestion ou est sous l'emprise des émotions. Quand elle est exposée au vent, elle ne peut s'adapter et ce vent l'attaque. Donc, toutes ces perversités ne pourront pas nous atteindre si nous sommes en bonne santé, si notre énergie vitale, Zhen Qi, est correcte. C'est en cela que l'Homme est en relation très étroite avec son environnement, avec le ciel et la terre.

Les cinq éléments, Wu Xing

Ce concept va nous servir de référent pour la compréhension de toute la médecine chinoise. Le Pr Leung disait qu'une vie entière ne suffisait pas à comprendre toutes les subtilités et la symbolique de ces cinq éléments.

Les quatre éléments et l'Homme au centre

Quelle est l'origine de cette théorie ? Commençons par tracer mentalement une croix, et plaçons par convention l'est à la gauche de l'axe horizontal (le soleil se lève à l'est) et l'ouest à droite. À partir de là, on peut définir deux directions supplémentaires : sur l'axe vertical, on positionnera le sud et le nord en bas.

Or, il se trouve qu'au printemps, c'est le vent d'est qui souffle prioritairement, alors qu'en automne, c'est le vent d'ouest, le vent du sud en été et le vent du nord en hiver. Par ailleurs, il existe un maximum de chaleur au solstice d'été et un maximum de froid au solstice d'hiver. Entre les deux opposés chaleur et froid se trouve le printemps : avant le printemps il fait froid, après le printemps il fait chaud. L'automne est également une saison intermédiaire, mais en automne, il fait chaud avant l'automne et froid ensuite. La croissance de la végétation s'effectue au printemps. C'est le moment où les arbres et l'ensemble des végétaux commencent à pousser, à germer, à sortir de terre.

Le cycle des quatre saisons

>> **Le feu correspond à l'été :** en été, les arbres sont déjà grands et la chaleur devient intense. Au même titre que les incendies de forêt.

>> **L'automne est représenté par le métal :** en automne, le temps se rafraîchit et cette fraîcheur est comparable à la fraîcheur du métal quand on le touche. Il n'est pas réellement froid, il est frais. De la même façon que le métal, la fraîcheur se cache dans le sol.

>> **L'hiver est symbolisé par l'eau.** Après l'automne, saison fraîche, vient le froid. Quand le froid approche, le Yang s'enfonce profondément dans l'eau. Voilà pourquoi en hiver l'air est froid, mais en profondeur, dans l'eau, il fait plus chaud. C'est parce que le Yang s'est enfoncé profondément dans l'eau. L'eau coule toujours vers le bas. Elle s'écoule aussi profondément qu'il est possible de le faire, vers les parties les plus profondes de la terre. C'est la nature même de l'eau.

>> **Le printemps correspond à l'élément terre.** Après l'hiver, le Yang contenu dans l'eau commence à monter et pousse l'eau vers la surface de la terre. Alors, la terre commence à provoquer la germination ; les végétaux germent.

Figure 4-1 L'origine des cinq éléments.

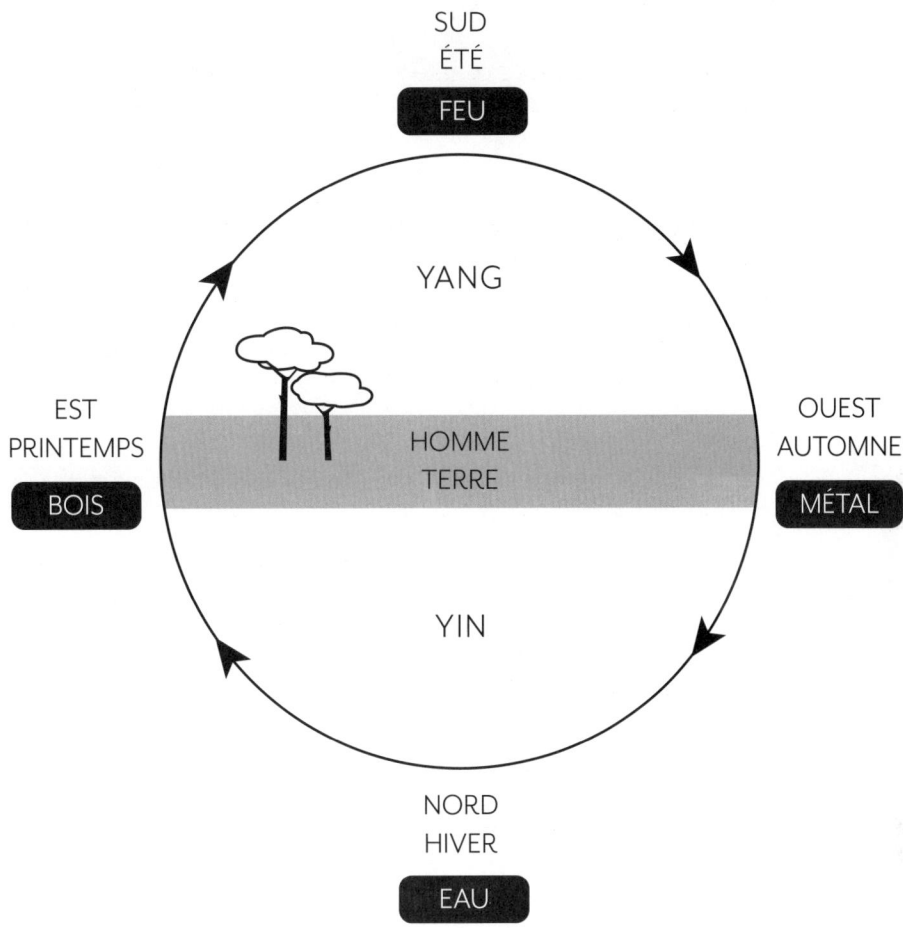

Et l'Homme dans tout cela ?

L'Homme demeure sur la terre. Il est au milieu. Regardons le schéma : le métal s'enfonce sous terre, l'eau également. Le feu est au-dessus de la terre ainsi que le bois, bien que les racines de la végétation soient toujours dans la terre, le bois, la végétation pousse vers le haut. Le métal est au même niveau que la terre, mais il a tendance à s'y enfoncer. Il ne peut s'élever. Si vous laissez tomber un morceau de métal, il tombe vers le sol. Le bois, lui, est différent. Il s'élève toujours. Le bois et le métal sont sur la ligne médiane qui correspond à la terre.

À retenir — La terre est donc à la racine de toute chose. C'est pour cela qu'on le situe au centre de la « roue » des manifestations.

Le pentagramme

Une autre possibilité de représentation est le pentagramme. On peut intégrer la terre dans un cycle, le cycle des cinq éléments ou les périodes successives de la vie humaine. En MTC, on l'utilise pour comprendre l'évolution de quelque maladie que ce soit. Ce cycle n'est pas figé, mais au contraire en une transformation permanente. Ainsi nous avons :

> » **Le cycle d'engendrement, Shen,** la relation fondamentale mère-fils : chaque élément engendre le suivant dans un mouvement de flux constant. Lorsqu'il atteint son potentiel maximal, l'énergie déborde et donne naissance à l'élément suivant. Par exemple, l'eau est la mère du bois et le fils du métal.
>
> » **Le cycle de contrôle, Ke.** En effet, l'équilibre ne peut pas être maintenu si la croissance est incontrôlée. Chaque élément doit en contrôler un autre. Ainsi l'eau contrôle le feu, le feu contrôle le métal, etc.

Dans le diagramme ci-après (figure 4-2) nous voyons que croissance et contrôle sont maintenus mutuellement en équilibre. Ainsi, l'eau nourrit le bois et le bois le feu, mais l'eau contrôle aussi le feu et complète ainsi une triade autonome. On appelle cela « production et conquête mutuelle ».

Dans le corps humain, ces transformations se produisent également et lorsque le cycle est perturbé, troubles et maladies apparaissent. Au lieu de se contrôler et de s'assister mutuellement, les cinq éléments s'insultent et se détruisent réciproquement.

Le saviez-vous CELA FINIT PAR LA DIALYSE !

Lorsque l'eau, en l'occurrence l'énergie du Rein, est déficiente, elle ne peut plus contrôler le feu (le Cœur). Le feu s'emporte et insulte l'eau. Simultanément, le contrôle de la terre (Rate) sur l'eau devient excessif, l'eau n'étant plus assez forte pour la supporter. La terre détruit l'eau, car le contrôle a dépassé ses limites. C'est l'exemple type de l'autodestruction. Et c'est la dialyse par insuffisance rénale...

Figure 4-2 Les cinq mouvements des éléments.

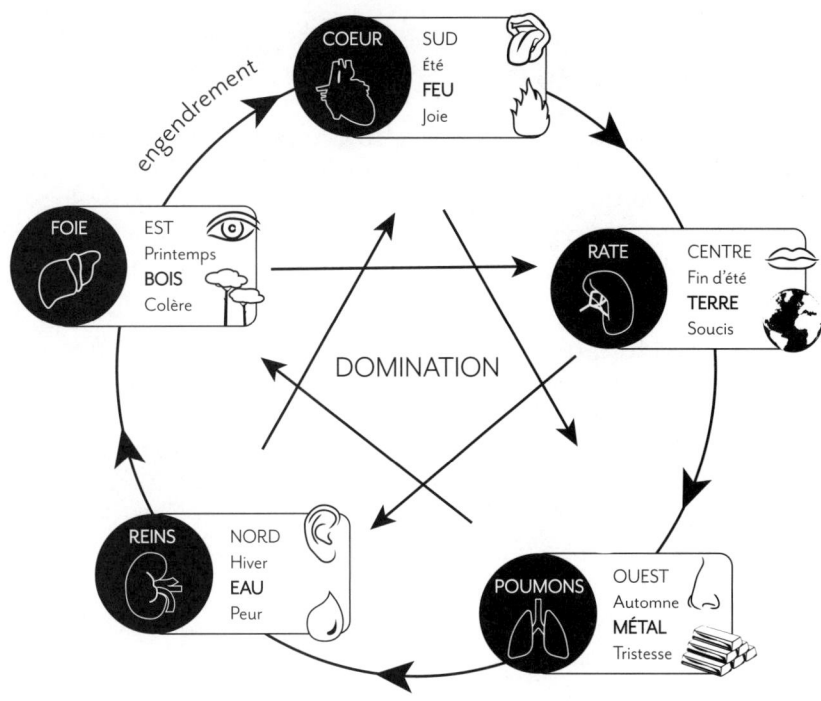

Classification des cinq éléments

Nous avons vu que l'Homme et la nature sont en harmonie parfaite. Il est alors possible d'établir un lien entre les activités physiologiques internes de l'Homme et les phénomènes naturels qui leur correspondent. Cette relation peut se faire en utilisant les cinq éléments.

À retenir

De même, les changements pathologiques peuvent être mis en rapport avec les perturbations de la nature et les traitements s'inspirent des processus naturels de rétablissement de l'équilibre.

C'est la connaissance intuitive des anciens qui peut mettre en place de tels tableaux. Par exemple la chaleur, le rouge, l'été, le sud, le Cœur, cela tient la route. Mais d'autres relations restent encore obscures pour nos esprits modernes et ne peuvent être saisies que par une révélation soudaine.

Ce tableau est forcément limitatif, car tout ce qui existe sur cette terre peut entrer dans cette classification.

Pourquoi ce tableau et le cycle des cinq éléments sont-ils utilisés en permanence par un thérapeute ?

L'exemple du foie

En pratique

Concentrez-vous sur l'exemple suivant pour saisir la portée de ce cycle des cinq éléments. Nous trouvons très souvent dans nos contrées des pathologies liées au déséquilibre de l'énergie du Foie. Les symptômes principaux du Foie sont des céphalées et des vertiges provoqués par le mouvement ascendant Yang du Foie. Mais plusieurs cas peuvent se présenter :

>> 1er cas : Il peut s'agir d'une maladie dite « positive », qui prend naissance dans l'organe lui-même. Les principaux symptômes seront les maux de tête, les vertiges ; le visage et les yeux rouges, un pouls fin et rapide. Le Yang excessif du Foie pourra être purgé directement par un traitement simple et rapide.

>> 2e cas : L'eau du Rein est insuffisante. La maladie est : « La mère rend malade le fils ». Le bois du Foie n'est pas assez nourri, les branches sont alors trop lourdes à supporter pour les racines. Les symptômes sont les céphalées, les vertiges, les syncopes, le patient est faible et chaud. Selon la théorie des cinq éléments, le Yang du Foie s'élève, mais si le praticien ne fait qu'essayer de supprimer le Yang du Foie, la situation empirera. Pour traiter, nous devons renforcer l'eau dans le Rein afin que le bois dans le Foie soit encouragé à prendre racine et à devenir stable. C'est une méthode fondamentale de traitement que « d'aider la mère et de soutenir son fils ».

>> 3e cas : « L'insulte mutuelle ». Quand le métal dans le Poumon est faible et ne peut plus contrôler le bois du Foie, ce dernier devient excessif. Les symptômes suivants apparaissent : céphalées, vertiges, syncopes, flegme et mucosité dans la gorge, le patient tousse et crache constamment, ses mouvements thoraciques sont lents et pénibles, et il y a perte d'appétit. En pratique clinique, il faut assister le Poumon. Lorsque l'énergie du Poumon peut à nouveau circuler, le bois dans le Foie est contrôlé et les symptômes disparaissent.

Il s'avère donc que les maux de tête et les vertiges, bien qu'étant des symptômes d'affection du Foie, peuvent être provoqués par un dysfonctionnement d'un autre organe. Et tout cela ne peut être compris qu'en ayant en mémoire le tableau et le cycle des cinq éléments avec tous leurs relationnels.

Cette théorie explique en termes simples les effets des organes les uns sur les autres et les mécanismes par lesquels tous les organes travaillent de concert pour maintenir l'homéostasie, l'autorégulation et l'autoguérison du corps et par là même la santé. De plus, elle permet au praticien de prévoir l'évolution d'une maladie, constituant ainsi une précieuse méthode de pronostic.

Tableau 4-1   La théorie des cinq éléments.

Élément	Bois	Feu	Terre	Métal	Eau
Saison	printemps	été	fin été / intersaison	automne	hiver
Orientation	est	sud	centre	ouest	nord
Organe Yin	Foie	Cœur	Estomac	Poumon	Rein
Entrailles Yang	Vésicule biliaire	Intestin grêle	Rate-Pancréas	Gros Intestin	Vessie
Couleur	vert, bleu-vert	rouge	jaune	blanc	noir
Sentiment	colère	joie	réflexion, rumination	chagrin, tristesse	peur
Organe des sens	yeux	langue	bouche	nez, peau	oreille
Fonction	vue	parole	goût	odorat, toucher	ouïe
Tissus	tendons, muscles	artères, sang	chair, muqueuses	peau, poils	moelle, os, cheveux
Saveur	acide	amer	doux	piquant	salé

PARTIE 2
LES MÉTHODES DE DIAGNOSTIC

DANS CETTE PARTIE...

Cette partie explique en détail les différentes méthodes d'observation en MTC. L'étude du morphotype, du visage avec sa forme et ses couleurs, des yeux, des mains... permet très rapidement d'avoir une idée précise quant au passé et au devenir pathologique d'un individu.

Vous tirerez grand profit à vous imprégner du chapitre sur l'interrogatoire et notamment de la « chanson des dix questions » : elle vous permettra d'analyser et de comprendre l'origine de tous vos maux (maux de tête, douleurs, insomnies...), et de les considérer au départ comme des symptômes signaux d'alarme et non comme des pathologies à part entière.

Et pour aller plus loin, vous deviendrez imbattable (ou presque) dans les techniques de prise de pouls et l'étude de la langue. En MTC, un praticien « voit » son patient, a déjà quelques intuitions, lui pose des questions bien précises après s'être enquis de son CV. Ensuite, il conforte son diagnostic par la prise des pouls et l'étude de la langue. Un praticien de haut niveau, après avoir vu, pris les pouls et « étudié la langue », aura déjà posé le diagnostic. Le patient ne pourra alors que répondre « oui » aux questions qui lui seront posées.

Chapitre 5
Les quatre méthodes

DANS CE CHAPITRE :

» La médecine traditionnelle chinoise en pratique

» Des méthodes fondées sur les cinq sens

» Les quatre points auxquels doit veiller le praticien

Un praticien en MTC est un véritable détective (voir chapitre 3). Il doit réunir toute une série de symptômes par des examens uniquement pratiqués à l'aide de ses cinq sens. Ensuite, il doit passer les données récoltées au crible des Ba Gang, des « huit règles » (voir chapitre 3), pour enfin poser un diagnostic. Ce diagnostic ne sera pas définitif et le praticien aura certaines armes à sa disposition pour lui permettre d'en suivre très régulièrement l'évolution.

Dans le chapitre 5 du *Su Wen*, il est dit : « *Celui qui a l'expérience dans l'établissement d'un diagnostic, lorsqu'il observe les couleurs et qu'il palpe les pouls, distingue d'abord le Yin et le Yang, sépare le pur et l'impur et ainsi reconnaît le lieu de la maladie. Il note l'état de la respiration, écoute les sons et le timbre de la voix et connaît l'amertume du patient. De l'état de l'ordre et de l'équilibre des pouls, il connaît l'organe responsable de l'affection. Il palpe le pouls radial et regarde s'il est superficiel ou profond, lisse ou rugueux et il connaît la cause de la maladie. En faisant ainsi, il ne fera pas de traitements erronés et son jugement ne sera pas mauvais.* »

Les quatre méthodes de diagnostic

Le praticien a à sa disposition quatre méthodes pour procéder à une investigation systématique, et ce, grâce à nos cinq sens :

» Ces yeux lui permettent d'observer le patient.

» Ces oreilles d'écouter la voix du patient.

>> Son nez lui permet de sentir les odeurs dégagées par les différentes régions du corps.

>> Sa bouche lui permet d'interroger le patient sur les sensations qu'il éprouve.

>> Sa main va lui permettre de prendre les pouls.

À retenir

Ces différentes méthodes se résument à ce que la MTC appelle « les quatre examens » :

>> L'observation ;

>> L'olfaction ;

>> L'interrogatoire ;

>> La palpation.

Ces différents outils d'enquête dont dispose le praticien vont lui permettre à tout moment de le renseigner sur les différentes perturbations externes ou internes du patient, mais aussi de suivre l'évolution de l'affection et même de poser un pronostic.

Une véritable enquête

Il faut toutefois veiller à certains points. En effet, les conclusions qui peuvent être tirées de l'observation, de l'auscultation, de l'interrogatoire et de la palpation sont très complexes. Les maladies elles-mêmes sont assez compliquées. Il faut non seulement obtenir des réponses, collecter des faits, mais il faut savoir encore les interpréter. Le praticien se trouve devant une véritable enquête policière et sa perspicacité, son intuition fruit de son expérience, et sa logique ne seront pas de trop pour dénouer les fils de la maladie.

C'est bien beau d'avoir récolté toute une série d'indices, de données quant à la pathologie. Mais il va falloir les analyser. Ce sont les Ba Gang, les « Huit principes » (voir chapitre 3) qui vont lui permettre d'ordonner, de classer tous ces symptômes. Est-ce que le tableau clinique est plutôt Yin ou plutôt Yang ? La pathologie est-elle d'origine externe ou interne ? Est-elle caractérisée par un état de faiblesse ou au contraire de plénitude ? Bref, vous pouvez voir que ces quatre couples permettent de définir précisément l'état du patient. C'est la base indispensable du diagnostic en MTC.

Les quatre points auxquels doit veiller le praticien

Tout ceci est relaté dans le *Nei Jing*, la bible de la médecine chinoise.

Apprécier si les symptômes sont normaux

Il faut distinguer quels sont les symptômes normaux et anormaux et soigneusement les analyser. Il est possible par exemple que la maladie soit de nature Yang, mais en partie Yin et Xu. C'est un phénomène anormal qu'il convient d'examiner avec soin. Certaines maladies Xu à l'extrême ressemblent à une maladie Shi ou alors à une maladie Xu apparente. Vous connaissez le vieil adage « les extrêmes se rejoignent » : un Yang excessif peut devenir Yin et inversement. Quand vous conservez longtemps un glaçon dans les mains, il peut finir par vous brûler. Dans le cas d'une personne qui a eu un coup de chaleur, on pourra trouver des pouls faibles. Inversement, dans certains cas de perte de connaissance, on pourra trouver des pouls très rapides. Tout cela représente donc des phénomènes anormaux qu'il convient d'analyser avec soin. Il va donc falloir avant tout veiller à la cohérence du tableau symptomatique.

Distinguer quels sont les symptômes principaux des symptômes secondaires

Par exemple, si nous avons déterminé que les symptômes principaux concernaient le méridien du Poumon et qu'en même temps il y avait des palpitations cardiaques qui sont des symptômes du méridien du Cœur et du Péricarde, ou encore une mauvaise digestion, symptôme du méridien de la Rate, s'attacher aux symptômes principaux ne suffira pas, il faudra comprendre pourquoi ces symptômes secondaires sont présents. La plupart du temps ces symptômes secondaires sont la conséquence, la résultante des symptômes principaux. Si on ne traite que les symptômes principaux et qu'on laisse de côté les symptômes secondaires, ceux-ci restent et peuvent provoquer l'apparition d'autres maladies.

En pratique — **AVOIR UNE VISION PROFONDE...**

Si vous êtes architecte et que vous souhaitez construire une maison, mais qu'avant il faille en détruire une autre : si la maison à détruire est indépendante, cela ne pose pas de problèmes. En revanche, si elle est attenante, il faut s'assurer que les maisons voisines soient assez solides pour supporter la démolition. Si elles sont aussi vieilles que la maison à démolir, il convient d'abord de les réparer, les soutenir afin qu'elles ne subissent pas de dommages. Il faudra dès lors être très attentif et prendre des précautions. Le traitement devra agir sur les deux types de symptômes.

 Il s'agit là d'une différence essentielle entre la médecine chinoise traditionnelle et la médecine moderne. La médecine moderne s'attache essentiellement à ce que l'on appelle les symptômes principaux, mais pas du tout aux symptômes secondaires. Elle ne traite pas les conséquences provoquées par les symptômes majeurs.

Prédire l'évolution de la maladie

 En effet, une maladie n'est jamais stationnaire. Elle évolue d'un jour sur l'autre et même du matin au soir. N'oublions pas qu'il y a une bataille, une tentative de reprise en main du bon fonctionnement du corps par l'énergie droite, les barrières de défense. Si votre énergie droite est puissante, la maladie recule. Si elle est faible, la maladie s'installe et s'enfonce plus profondément dans le corps.

Qu'il s'agisse d'hypertension artérielle, de diabète ou de toutes autres pathologies, on ne donnera pas forcément le même traitement tous les jours, ou la même dose. Il faut suivre, se calquer sur l'évolution de la maladie.

>> Une maladie peut évoluer de manière positive ou négative. On peut par exemple dire que lorsqu'une maladie présente des symptômes internes un jour, et que le lendemain apparaissent des symptômes externes, l'évolution est positive. La maladie va vers sa guérison. On dit que « la maladie interne se manifeste à l'extérieur ».

>> De même, si un patient présente des symptômes des organes Zang, Yin, pleins, vitaux et que le lendemain il présente des symptômes des organes Fu, Yang, creux, c'est le signe que la maladie évolue favorablement de l'interne vers l'externe.

>> Au contraire, si le jour avant, le patient présentait des symptômes externes comme des maux de tête, de la fièvre, le nez qui coule et que le lendemain on observe des douleurs abdominales, de la diarrhée, cela montre que la maladie s'aggrave et va de l'externe vers l'interne.

Évaluer la force des combattants en présence

Dans une maladie quelle qu'elle soit, il y a en effet deux forces en présence :

>> L'attaquant, qu'on appelle Xie Qi, ou l'énergie perverse (le microbe, le virus, une émotion exacerbée, un changement climatique brutal, une saveur alimentaire en excès, etc.).

>> En face, nous avons plusieurs lignes de défense, appelées Zhen Qi. Pour faire court, ce sont les défenses immunitaires.

 Un symptôme n'est que l'objectivation de cette guerre qui se déroule sous les yeux du praticien. C'est une des raisons pour lesquels on devrait y réfléchir à deux fois avant de prendre des médicaments pour faire baisser tout de suite une fébricule qui apparaît.

Il est très important de savoir, à un instant T, qui de l'énergie droite ou de l'énergie perverse est la plus forte ? Après chaque phase d'évolution, après chaque traitement, il faut voir qui prend le dessus, il faut apprécier et comparer l'état Xie Qi et Zhen Qi, de l'attaquant et de la défense. Cette appréciation va permettre d'établir un pronostic, de savoir si une maladie évolue favorablement ou défavorablement.

Une fois que la maladie est guérie, il peut rester une faiblesse qui affecte le fonctionnement des organes et qu'il faut arriver à objectiver pour éviter toute rechute.

Chapitre 6
L'observation

DANS CE CHAPITRE :

» Les indices donnés par l'étude du Shen

» Les indices donnés par l'étude des couleurs

» Les indices donnés par l'étude de la morphologie

» L'observation du visage

» L'examen de la main

Le saviez-vous

L'observation est l'une des méthodes les plus importantes du diagnostic. Autrefois, on considérait que le summum dans l'art du diagnostic et le signe d'un grand médecin était de pouvoir poser un diagnostic en se contentant de regarder le patient, sans avoir besoin de l'interroger ou de le palper.

C'est aussi par l'observation qu'il entre en contact pour la première fois avec un patient. L'observation est donc le diagnostic par le regard, par la vue.

Les différents outils à sa disposition sont tout d'abord l'étude du Shen, qui est la manifestation de l'énergie à l'extérieur du corps, ensuite les différentes couleurs, la forme et la morphologie du patient, son comportement et son tempérament et enfin l'observation point par point du corps.

Indices donnés par l'étude du Shen

Nous avons vu que le Shen désigne l'esprit (voir chapitre 3), la manifestation des activités mentales, mais il désigne aussi les différentes manifestations, visibles de l'extérieur et qui reflètent l'état des organes et des viscères, de l'énergie et du sang.

Il est dit dans le *Nei Jing* : « *Ceux qui possèdent du Shen ont une vie florissante, ceux qui perdent le Shen perdent aussi la vie.* » C'est pour cela que les modifications du Shen représentent des indications majeures permettant de juger de l'importance de la maladie et de poser un diagnostic.

Il faut partir du principe que tout ce qui vit sur cette terre possède du Qi, de l'énergie. Et quand l'énergie s'en va, la vie s'éteint.

Mais il n'est pas si facile que cela d'observer ce que l'on appelle le Shen d'un patient. C'est une impression non quantifiable, et il faut un sens de l'observation très développé pour en tirer toutes les subtilités. Les qualités requises pour une bonne observation sont les qualités que l'on attend d'un artiste et en premier l'habilité à voir les détails. Cette habileté est cependant rarement un don inné et doit être développée. Ces qualités étant acquises, cela ne confère pas automatiquement au médecin un bon sens de l'observation. Il doit s'efforcer de mettre de côté constamment ses propres pensées, ses propres schémas mentaux afin d'observer la condition réelle du patient et non la condition supposée.

Comment observer le Shen Qi ?

En pratique

Prenons un exemple. Quand une personne a mal dormi, quand elle vient de passer une nuit blanche, le lendemain matin on peut voir que son Shen est insuffisant. Du premier coup d'œil on s'en rend compte. Ne dit-on pas qu'elle a mauvaise mine ? Si quelqu'un est d'un naturel inquiet, angoissé, triste, si ses émotions sont constamment excessives, on peut voir en observant cette personne qu'elle n'a pas une apparence vive, dynamique. Elle manque de vivacité et d'entrain.

Le Shen s'observe partout dans la nature. Quand vous allez acheter du poisson, en observant ses ouïes et ses yeux, vous saurez tout de suite s'il s'agit d'un poisson pêché la veille ou il y a quelques jours. Le Shen concerne aussi les plantes. Au printemps quand vous observez les plantes, les fleurs, elles sont pleines de vie. Votre œil apprécie tout de suite la vitalité d'une rose qui vient d'éclore et qui surmonte des feuilles vert tendre. Quand elle est sur son déclin, cela se voit du premier coup d'œil.

Ou observe-t-on le Shen de l'Homme ?

Principalement en observant le teint du visage et en observant les yeux. Si le Shen est manquant, le teint est terne et les muscles sont flasques. L'observation de l'éclat de la couleur a une importance primordiale.

Au niveau des yeux, si quelqu'un a du Shen, ses yeux sont vifs, mobiles, ont de l'éclat. Ne dit-on pas que telle personne a des yeux pétillants de vie ? En revanche, si son Shen est insuffisant, les yeux ne tournent pas rapidement, ils ont des mouvements lents. Ils peuvent se fermer facilement. On a l'impression que la personne a envie de dormir. Ils sont ternes. Ses yeux indiquent que la vitalité est perdue.

La gestuelle, la respiration, la manière dont il parle, toute cette observation intuitive nous donne de précieux renseignements sur l'état du Shen.

PETITE HISTOIRE RACONTÉE PAR MON MAÎTRE

Un de ses élèves qui pratiquait la médecine chinoise reçut un jour dans son cabinet un patient pour une consultation. Quand celui-ci entra dans le local, il cachait un couteau derrière son dos. Et d'un seul coup, il le brandit et se jeta sur le praticien dans le but de l'assassiner. Heureusement, notre praticien avait été formé à la méthode d'observation-diagnostic. Dès l'arrivée de son patient, au premier coup d'œil, il s'était aperçu que quelque chose n'allait pas. Son regard était bizarre, de même que son comportement et ses gestes. Il a tout de suite perçu que son patient était fou et tous ses sens se sont instantanément mis en éveil. Quand celui-ci l'attaqua, il put alors facilement parer le coup et le maîtriser. Sa maîtrise de l'observation lui sauva la vie.

Tableau 6-1 L'observation du Shen.

	Présence du Shen	Absence ou diminution importante du Shen
Forme Couleur	– muscles fermes, toniques – teint du visage éclatant	– teint terne – muscles flasques, maigres – pas de bonnes couleurs, mauvaise mine
Yeux	– mouvements vifs et rapides – les yeux ont de l'éclat	– mouvements des yeux lents – ternes et se ferment facilement
Attitudes Gestuelle	– gestes et mouvements coordonnés – parle normalement	– pensées confuses
Respiration	régulière	– anormale, soupir – rapide ou lente, irrégulière

Indices donnés par l'étude des couleurs

Les couleurs qui apparaissent à la superficie du corps sont les différentes expressions du Qi, de l'énergie et du sang Xue des organes internes. Elles montrent également les différentes étapes de l'évolution d'une maladie. Nous savons déjà qu'il y a cinq couleurs qui sont à mettre en relation avec les cinq logiciels organes. Ainsi :

À retenir

>> Le vert est à mettre en relation avec l'énergie du Foie.

>> Le rouge en relation avec le Cœur.

>> Le jaune en relation avec la Rate-pancréas.

>> Le blanc en relation avec le Poumon.

>> Et le noir, en relation avec le Rein.

Quand on observe une coloration, il faut mettre en relation les couleurs avec les organes. Si un organe est malade et que sa couleur se manifeste, par exemple si le Foie est déréglé et que le vert apparaît, on considère cela comme normal. Si ce n'est pas la couleur de l'organe qui se manifeste, il faut alors déterminer si la couleur qui se présente est une couleur bénéfique ou au contraire néfaste. Dans le tableau ci-dessous vous aurez déjà une vision d'ensemble :

Tableau 6-2 Les organes logiciels et leurs couleurs.

ORGANE	ÉLÉMENT	SAISON	COULEUR POSITIVE	COULEUR NÉGATIVE
Foie	bois	printemps	vert éclatant comme la plume d'un oiseau	vert bleuté sans éclat
Cœur	feu	été	rouge comme la crête d'un coq	rouge comme des caillots de sang
Rate	terre	fin de l'été	jaune ressemblant à l'intérieur d'un crabe	jaune comme de l'écorce orange desséchée
Poumon	métal	automne	blanc comme de la graisse de porc	blanc comme un os desséché
Rein	eau	hiver	noir comme les plumes d'un corbeau	noir comme du charbon ou de la suie

Par ailleurs, un organe qui tombe malade peut manifester une couleur qui n'est pas celle de l'organe, ce qu'on appelle « une couleur droite, authentique, normale ».

En pratique

Prenons l'exemple du Foie : si le Foie est malade et que la couleur noire apparaisse, le noir appartient à l'eau, le vert au bois. Dans le cycle d'engendrement, le cycle Sheng, l'eau engendre le bois, « la mère engendre le fils ». On considère alors que la couleur est bénéfique et que la maladie n'est pas si grave que cela. Cependant, il ne faut pas que le noir soit comme du charbon ou de la suie. Il faut qu'il soit éclatant.

Au contraire, si c'est le rouge qui apparaît, on sait que le rouge appartient au feu et au Cœur, le bois au Foie. Le feu attaque le bois, c'est un mauvais signe. Nous sommes en face d'une maladie difficile à traiter. Dans le tableau ci-dessous vous pourrez avoir une vue d'ensemble relativement à l'apparition de ces couleurs qui peuvent être « droite, normale », jusqu'à très grave.

Tableau 6-3 Le diagnostic par les couleurs.

Caractéristique de la couleur	Foie	Cœur	Rate	Poumon	Rein
Droite-normale	vert	rouge	jaune	blanc	noir
Favorable-Bénéfique	noir éclat	vert éclat	rouge éclat	jaune éclat	blanc éclat
Défavorable – contre-courant	rouge	jaune	blanc	noir	vert
Néfaste, mais pas grave	jaune	blanc	noir	vert	rouge
Très grave	blanc	noir	vert	rouge	jaune

Indices donnés par l'étude de la morphologie

Quand un patient vient consulter son praticien, ou quand nous sommes en face d'un individu qui présente une pathologie, l'observation de son corps est très importante. L'examen permet de déceler les altérations visibles sur le corps du malade. Il ne suffit pas de peser le patient et de connaître sa taille pour voir si taille et poids sont en concordance.

D'autres critères sont très importants à prendre en compte pour faire un bon diagnostic. Par exemple, si nous voyons arriver une personne maigre, grande, velue avec un cou très long, nous sommes en présence de la morphologie du tuberculeux. Au contraire, si une personne est forte, petite, avec un teint rouge, tout le monde sait que cette personne est sujette à l'hypertension artérielle.

Attention — SELON LE *NEI JING*...

« L'énergie des cinq organes et des six viscères sert à rendre votre corps fort. La tête est le foyer du Jing Qi, de l'énergie vitale, car l'essence des Zang Fu monte et se concentre à la tête. Si la tête tombe, si le patient baisse la tête et doit tout regarder de très près, cela veut dire que le Shen est insuffisant. La personne manque de vitalité. Le dos est le foyer du thorax. On dit qu'il « soutient la poitrine ». Si le dos est voûté et que les deux épaules tombent en avant, cela indique que le Zhong Qi, l'énergie du centre est diminué. Le dos voûté favorise une compression des poumons et on sait que le Poumon contrôle l'énergie. La région lombaire est la résidence des reins. Si les lombes sont tendus, sont difficiles à mouvoir, difficiles à bouger cela indique que les reins seront bientôt malades. Les genoux sont la résidence des tendons. Si la flexion ou l'extension des genoux est malaisée, les tendons seront bientôt malades. Si le patient ne peut se tenir longtemps debout, ou encore, si sa démarche manque de stabilité, cela indique que les os seront bientôt malades, blessés. Si le corps est fort, le patient vivra, s'il est faible, il deviendra de plus en plus faible. »

À quel morphotype suis-je apparenté ?

Le saviez-vous

Nous pouvons classifier les individus selon cinq profils, cinq tempéraments, et ce à partir de la théorie des cinq éléments. N'en faisons pas un diagnostic à part entière, mais juste un faisceau de présomptions dans notre enquête.

Le type bois

Ces personnes ont une nuance subtile de vert dans leur teint, une tête relativement petite et allongée, des épaules larges avec un dos droit, un corps grand et musclé et des mains et des pieds petits.

Elles sont travailleuses, réfléchissent beaucoup, avec une tendance aussi à s'inquiéter facilement. Elles ont une intelligence développée, mais leur force physique est faible.

Les personnes de type bois souffrent souvent de maladies perverses en automne et en hiver. Elles sont en bonne santé au printemps et en été.

Le type feu

Le teint est rouge, resplendissant, une petite tête souvent en pointe. Le menton peut être pointu, des cheveux qui sont soit bouclés, soit peu abondants. Les muscles des épaules, du dos, des hanches et de la tête sont bien développés. Les mains et les pieds sont relativement petits.

Elles sont rapides, énergiques, actives. Elles marchent de façon ferme et bougent beaucoup leur corps en marchant. Elles peuvent être coléreuses. Elles pensent beaucoup et ont tendance à s'inquiéter facilement. Elles ont un bon sens de l'observation et analysent les choses en profondeur.

Elles sont en général en bonne santé au printemps et en été, mais plus sensibles à l'attaque des énergies perverses en automne et en hiver. Les textes disent que les personnes de type feu ont une tendance à mourir de mort subite.

Le type terre

Elles ont un teint jaunâtre, un visage rond, une tête relativement grosse, des mâchoires larges, des épaules et un dos bien développés et bien proportionnés, un abdomen important, des cuisses et des muscles des mollets forts, des mains et des pieds pas très grands, et de façon générale des muscles solides. Elles marchent d'un pas ferme sans soulever les pieds très haut.

Elles sont calmes et généreuses et ont un caractère stable. Elles ont un tempérament altruiste et n'ont pas d'ambitions exagérées. Il est facile de s'entendre avec elles.

Ces personnes sont en relative bonne santé en automne et en hiver. En revanche, au printemps et en été, elles peuvent facilement être attaquées par les énergies perverses.

Le type métal

Elles ont un teint relativement pâle, un visage carré, une tête relativement petite, des épaules et un dos petit, un abdomen relativement plat et des mains et des pieds petits.

Elles peuvent avoir une voix forte et se déplacent rapidement. Leurs pensées sont aiguisées. Elles sont de tempérament honnête et droit, tranquille et calme, mais peuvent être capables d'action décisive en cas de besoin. Elles ont une aptitude naturelle à gérer et à commander.

En bonne santé en automne et en hiver, elles peuvent être facilement attaquées par les énergies perverses au printemps et en été.

Le type eau

Elles ont un teint relativement foncé, des rides, une tête relativement grosse, un visage et un corps rond, des joues larges, des épaules étroites et petites, un abdomen important. Elles ont toujours le corps en mouvement lorsqu'elles marchent et ont du mal à rester tranquilles.

D'un naturel décontracté, elles pardonnent facilement. Elles peuvent être de très bonnes négociatrices et on peut facilement leur faire confiance. Elles sont averties et sensibles.

En bonne santé en automne et en hiver, elles peuvent facilement être attaquées par les énergies perverses au printemps en été.

Quelle est ma personnalité ?

Le saviez-vous

Toujours selon le *Nei Jing*, on peut distinguer cinq types d'individus, cinq types de personnalités établis selon le comportement. Ainsi, nous allons avoir le type :

>> Tai Yin ;

>> Shao Yin ;

>> Tae Yang ;

>> Shao Yang ;

>> et le type Yin-Yang équilibré.

Nous allons voir qu'il y a des différences relativement importantes quant au profil de ces individus, tant au niveau de leur santé, de leur personnalité, de leur caractère et de leur résistance. Il conviendra d'en tenir compte quand nous devrons établir un diagnostic et surtout un traitement.

Le type « Yin abondant » ou Tai Yin

Ces individus ont comme caractéristique d'avoir un Yin abondant. En réalité, il n'y a pas assez de Yang pour équilibrer le Yin.

Le caractère de ces individus est marqué par l'avidité, l'envie, et également par le manque d'amabilité, de gentillesse. Ce côté envieux empêche toute générosité. L'apparence est humble, simple, courtoise, polie envers autrui, mais dans leur cœur, intérieurement, ils sont rusés.

Ce type de personne ne dit pas ce qu'il éprouve, ne dit pas ce qu'il ressent, ne dit pas ce qu'il pense. On dit qu'il est versatile, qu'il change comme une girouette. Il peut devenir facilement opportuniste bien qu'il éprouve des difficultés à avoir des buts précis.

Ils ont trop de Yin et le sang est trop concentré dans le corps. L'énergie ne circule pas bien. C'est pour cela qu'ils ont la peau épaisse et les tendons faibles.

Ce type d'individu n'a pas beaucoup de Yang, et donc ne bouge pas beaucoup, ne fait pas beaucoup d'exercice, ce qui explique que les tendons soient mous et sans force.

D'apparence, cette personne est taciturne, elle n'aime pas parler, son teint est terne. Elle n'a pas de force, pas de tonus, la tête est baissée. On a l'impression que la personne réfléchit tout le temps, le dos est voûté, la tête tombe.

Quand on traite ce type Tai Yin, il faut utiliser des méthodes fortes et rapides, car le sang est troublé et l'énergie obstruée dans sa circulation. Si on n'est pas assez énergique, on n'arrivera pas à libérer l'énergie et rétablir le sang.

Le type « Yin faible » ou Shao Yin

Ce type d'individu est également envieux et avide, mais en plus il a un « cœur de voleur ». Il peut aller jusqu'à prendre de force ce qui ne lui appartient pas. Il aime attaquer les gens, il est agressif. Il est sans cesse en train de mijoter dans sa tête quelque chose, ou une action qui peut agresser, blesser les autres. Ces actes de méchanceté peuvent être totalement gratuits. Il peut par exemple retirer la chaise avant que quelqu'un se rassoie, faire un croc-en-jambe. Cela ne lui rapporte rien et si on lui demande pourquoi il a fait cela, il ne le sait pas lui-même.

Quand il voit quelqu'un d'heureux et qui connaît un moment de gloire, il ne se réjouit pas autant que l'intéressé. Il peut même se fâcher et devenir jaloux.

On dit que le type Shao Yin va avoir un estomac petit, mais que les intestins sont gros, car il y a trop de Yang. On a vu qu'il échafaudait toujours des plans dans sa tête, et le fait de ruminer trop dans sa tête finit par avoir un retentissement sur son estomac, conséquence du dérèglement du logiciel Rate-pancréas. Il n'arrive pas à manger beaucoup.

Il ne peut pas se tenir tranquille, il marche sans cesse comme s'il avait des crampes, des spasmes musculaires.

Pour traiter ce type Shao Yin, il faut d'abord savoir où se trouve l'obstruction affectant le sang et l'énergie. Mais ce sont des patients souvent difficiles à traiter.

Le type « Yang abondant » ou Tai Yang

C'est le contraire des types Yin précédents.

La personne appartenant à ce profil aime beaucoup parler, raconter ses affaires. Mais elle aime parler de sujets importants et n'aime pas les questions de détail. Elle a tendance à gonfler ses ambitions, aime parler de politique, d'économie, de sujets très vastes.

Elle aime mentir, elle aime donner de l'emphase à son discours. Elle ne se soucie pas des autres, elle se croit la meilleure, la plus forte. Elle sait ce qu'elle veut. Quand elle essuie un échec, elle n'a pas de remords.

On dit souvent d'elle qu'elle est brutale, violente, vulgaire, qu'elle n'est pas très fine.

Souvent elle entreprend quelque chose alors qu'elle sait qu'elle n'a pas la capacité de mener à terme son entreprise. Mais cela ne fait rien, elle aime le faire, s'en vante à tout le monde, raconte à tout le monde ce qu'elle entreprend afin que tout le monde sache ce qu'elle fait. Bien que s'en étant vanté, même si le résultat est mauvais, elle ne craint pas les reproches d'autrui.

Son attitude est très fière. La poitrine et l'abdomen se portent en avant, et même les genoux. Les genoux sont tellement droits qu'ils donnent l'impression de se plier à l'envers, pour que les pieds soient encore plus en avant.

En pratique

Au niveau du traitement, nous avons vu que le Yang était abondant. Mais si vous utilisez des méthodes pour réduire ces manifestations excessives de Yang vous risquez de provoquer très rapidement une déficience de ce Yang qui se dégonfle comme une baudruche. Normalement le Yang a pour nature de se disperser, de se repandre. Si on le réduit trop, il va finir par disparaître. L'élément Yin lui est déjà réduit et il est encore plus facile de l'épuiser. Par conséquent, le traitement ne doit pas trop réduire le Yang et en plus préserver le Yin. C'est le principe de traitement pour le type Tai Yang.

Le type « Yang faible » ou Shao Yang

C'est le mégalomane. À peine a-t-il une petite fonction qu'il se considère déjà comme un personnage important. Il aime la vie mondaine, les activités sociales. Il n'aime pas travailler enfermé.

Dans ce type Shao Yang, comme le précédent Tae Yang, il y a beaucoup de Yang, mais un peu moins, et peu de Yin. La santé n'est pas très bonne. Ce type d'individu a l'air très fort, mais en réalité la santé est mauvaise, car l'énergie des méridiens est faible, insuffisante.

Le Yang est excessif à l'extérieur alors qu'il est insuffisant en interne. Il y a donc un déséquilibre qui rend la personne plus vulnérable à la maladie.

Au niveau attitude extérieure, il préfère relever la tête, le regard dirigé vers le haut. Quand il marche, il se balance sans arrêt, les deux mains sont généralement dans le dos.

En pratique

Au niveau du traitement, il ne faut surtout pas réduire le Yang, car le sujet est en réalité très faible à l'intérieur. Extérieurement, il a l'air fort et en bonne santé, mais à l'intérieur il est faible.

Le type Yin-Yang équilibré

Ceux qui appartiennent à cette catégorie sont des gens calmes et équilibrés. Ils ont un caractère ouvert et sont constants dans leur comportement. Ce sont des êtres paisibles, très affables, courtois. Tout peut leur faire plaisir.

Ils ne sont pas très actifs, ils sont rarement inquiets. Ils n'ont pas de grande joie non plus. Il n'y a pas beaucoup de choses qui peuvent les exciter et les rendre excessivement joyeux ni beaucoup de choses qui peuvent leur faire peur. Ils ne sont pas angoissés, ils s'adaptent à toutes les circonstances, ils sont très simples dans leurs relations avec autrui.

Il est dit que « les vaisseaux sont en harmonie ». Ce type de personne n'est pas souvent malade, sa santé ne pose pas de problèmes.

En pratique

Au niveau du traitement, nous avons vu que ce type de personne ne tombait que très rarement malade. En cas de maladies, il ne s'agit pas généralement de maladies dues aux émotions ni dues à des désordres digestifs, car le fonctionnement des intestins et l'estomac est normal. Les maladies internes sont donc rares pour ce cas. Le plus souvent la maladie est de cause externe due à l'attaque d'une énergie perverse et le traitement est souvent très facile, quand il a besoin de traitement.

L'observation du visage

Quand le praticien reçoit un patient, la première chose qu'il doit observer chez lui, c'est son visage. Ce que l'on examine avant tout sur le visage, c'est le teint. En regardant le teint, on peut déterminer quel méridien est atteint. Chaque maladie peut être suggérée par des colorations différentes. Nous avons déjà abordé ce sujet dans « indices données par l'étude des couleurs ».

Ai-je un bon teint ?

Le saviez-vous

>> Si le teint est plutôt vert, cela indique un « vent froid externe » ou une douleur quelque part dans le corps. C'est un signe de stagnation de sang ou d'énergie. Souvent cela signe une maladie grave.

>> Si le teint est rouge, cela indique le plus souvent de la chaleur. Quand nous sommes en présence d'une chaleur Xu, de faiblesse, le rouge a l'air d'être placé sur du blanc, ce qui donne un aspect rosé, comme le fard que se mettent certaines dames. Pour la chaleur Shi, de plénitude, il y a du rouge également, mais c'est un rouge beaucoup plus vif.

>> Le visage cramoisi signe un syndrome d'excès ou de plénitude, dû à une hyperactivité du Yang interne.

>> Les joues délicatement rosées sont donc dues à une chaleur Xu consécutive à une faiblesse du Yin. C'est la couleur que l'on peut retrouver lors des « bouffées de chaleur ». Les Chinois appellent cela de « la fausse chaleur ».

>> Le teint pâle avec des rougeurs migratoires se voit dans les maladies chroniques ou sérieuses. Cela indique la présence d'un état froid avec des périodes de fausses chaleurs. C'est un peu comme si un état Yin important relâchait sporadiquement des bouffés de Yang au niveau du visage.

>> Si le teint est jaunâtre, c'est très souvent à mettre en relation avec un excès d'humidité au niveau de la Rate. Nous savons que les muscles et les chairs sont à mettre en relation avec la Rate. Ils ne sont pas assez nourris par une insuffisance de sang et d'énergie, et par une déficience de la Rate à transporter le sang, ou un excès interne de Tan et d'humidité.

>> Le teint jaune léger, sec et terne est appelé « teint brouillé ». Il est dû au vide du Qi de la Rate et de l'Estomac et à l'insuffisance de Qi et de sang rencontrés par exemple dans les cas d'hémorragie, de malnutrition ou de vers intestinaux.

>> Le teint jaunâtre accompagné d'un œdème facial est appelé « obésité jaunâtre ». Il est fréquemment causé par une déficience d'énergie de la Rate et une accumulation interne d'humidité.

>> Un teint franchement jaune ainsi que les yeux jaunes sont appelés « jaunisse ». Cet état est dû en médecine moderne à la défaillance de l'écoulement de la bile par le cholédoque, avec une extravasion de celle-ci au niveau de la peau. Si la couleur devient jaune orange, il s'agit d'une jaunisse de type Yang, due à la chaleur-humidité accumulée. Ceci est causé par un déséquilibre au niveau Foie-Vésicule biliaire.

>> Une maladie soudaine avec un jaune profond du visage, des yeux et du corps, et une forte fièvre pouvant être accompagnée d'un coma, ou simplement avec des vomissements, de l'épistaxis et des macules cutanées, est appelée ictère aigu ou épidémique. Nous sommes alors en présence d'une attaque de chaleur-humidité qui réchauffe profondément le Foie et la Vésicule biliaire.

>> Un teint jaune fumé et cuivré est appelé ictère de type Yin causé par la stagnation prolongée de froid et d'humidité dans le Foie et la Vésicule biliaire.

> Si le teint est noir, c'est souvent l'indication d'une maladie grave. Elle peut apparaître en cas de froid extrême (le Yang se transforme en Yin), en cas de douleurs internes très importantes. Souvent cette couleur noire est le résultat de maladies internes chroniques.

Et ces « boutons » qui dérangent

L'acné sur le visage est généralement due à un problème de chaleur-humidité qui peut apparaître d'une manière chronique sur un tableau général de vide de Qi, en particulier au niveau du Rein.

En pratique — L'ACNÉ DE L'ADO

Prenons l'exemple de l'adolescent. Si celui-ci ne ménage pas sa batterie du Rein, s'il ne récupère pas par un sommeil régulier, s'il est soumis au stress, s'il découvre un peu trop tôt sa sexualité et bien d'autres causes : tout cela peut épuiser ses réserves. À cela s'ajoute une période où il est en pleine croissance. Or, la multiplication cellulaire met à contribution de façon excessive la batterie de l'organisme. Donc sur ce terrain de faiblesse de Qi peut se surajouter une alimentation de nature trop humide qui déséquilibre la Rate : excès de sucres rapides, de dérivés des produits laitiers, etc. Le cocktail faiblesse globale d'énergie, excès d'humidité, faiblesse du Yin du Rein favorise la transformation de l'humidité en chaleur-humidité : tous les ingrédients sont là pour produire cette acné. Règle d'or : ne jamais se percer un bouton s'il n'est pas mûr. On ne fait alors que disperser la perversité sous la peau et créer d'autres boutons à côté.

Que dire des rides ?

Un excès de rides sur le visage, avec une surface de peau très irrégulière, signe un état de Xue Xu, de vide de sang, ou d'une chaleur interne accompagnée de sécheresse. Le plus souvent ce type de tableau trouve ses racines dans une incapacité à bien gérer son stress.

À retenir

Le soleil en excès peut être incriminé. Mais aussi une mauvaise hydratation de la peau liée à une faiblesse du Poumon. Rappelez-vous : peau et poumons font partie du même logiciel. Évidemment la cigarette n'est pas faite pour arranger les choses. Et vous croyez prévenir les rides en buvant plus qu'il ne faut. Vous avez tout faux. En réalité, vous finissez par épuiser le Yin du Rein et ensuite celui du Poumon. L'antidote des rides en MTC est le thé vert chinois ! Je vous renvoie au chapitre sur la diététique relativement aux boissons.

Tu as de beaux yeux !

Le saviez-vous

Quand on observe les yeux, la première chose que l'on voit, c'est le Shen, la vitalité de l'individu. Les citations des textes anciens nous ont fait comprendre que lorsque l'on observe l'œil, en réalité on observe l'état de l'essence des cinq organes et des six viscères, puisque leur Jing Qi, leurs énergies montent à l'œil et s'y concentrent.

Les anciens divisaient l'œil en cinq parties :

>> Les paupières sont à mettre en relation avec la Rate.
>> Les deux coins de l'œil d'où sortent les glandes lacrymales sont à mettre en relation avec le Cœur.
>> Le blanc de l'œil avec le Poumon.
>> L'iris avec le Foie.
>> Et la pupille avec le Rein.

Ainsi :

>> S'il y a du feu dans le Cœur les deux coins de l'œil sont rouges.
>> Si le blanc de l'œil est rouge sur la sclérotique des deux côtés, cela indique qu'il y a du feu dans le Poumon.
>> S'il y a un gonflement de l'iris, cela indique que le Foie est chaud, qu'il y a du feu dans le Foie.
>> Si l'œil est terne et sombre et que le patient lui-même a une mauvaise vue, mais quand vous regardez de près les yeux ne sont pas troublés, c'est que les reins sont faibles. Mais si vous regardez les yeux du patient, et que vous voyez qu'il y a un trouble, comme un voile, et que le patient lui-même ne voit pas, c'est le Yang Ming qui est malade, c'est une maladie Shi, en excès de l'estomac.
>> Si l'énergie est extrêmement épuisée et que le patient voit mal, qu'il est presque aveugle, cela indique que le Yin est épuisé.
>> La rougeur, des paupières gonflées ou ulcérées indiquent la présence de feu dans la Rate et de la chaleur-humidité.
>> La chaleur-humidité extrême de la Rate provoquant un ictère, donne le blanc des yeux jaunes.
>> Les paupières et les conjonctives blanchâtres et pâles montrent l'insuffisance de sang.
>> Si la pupille est anormalement dilatée, cela signifie un affaiblissement important du Yin du Rein, de l'eau du Rein.
>> S'il y a beaucoup de sécrétions et de croûtes dans l'œil, il s'agit d'un feu dans le Foie et la Vésicule biliaire.

- Les yeux enfoncés dans leurs orbites que l'on appelle aussi « yeux creux » signent ou une perte importante d'énergie vitale, telle que l'on peut la trouver dans certaines maladies chroniques, ou une perte importante de liquides organiques, suite par exemple à un excès de diarrhées ou de vomissements. L'énergie est insuffisante pour maintenir l'œil. C'est un signe de gravité.
- Si le globe oculaire tourne lentement ou par saccades, c'est un signe de Tan, de flegme qui obstrue les méridiens. Si le mouvement se fait par saccades, c'est un problème lié au Tan. Si le mouvement est très lent, c'est une perte de Shen, de vitalité.
- Si au cours d'une maladie le regard est fixe et oblique vers le haut, cela indique une perturbation interne du vent du Foie.
- Si le regard est fixe et immobile, cela dénote un état sévère de perte de Jing Qi, de l'essence vitale.
- Les yeux ouverts durant le sommeil sont le fait de faiblesse de la Rate et de l'Estomac.
- L'absence de réaction à la lumière est un signe critique de l'épuisement de l'énergie du Rein, que l'on rencontre également dans les cas d'empoisonnement, chez les drogués par exemple.
- Si les paupières sont enflées, rouges et humides, c'est un problème lié à la présence de feu dans la Rate.
- Si elles sont seulement enflées, cela veut dire que l'on se trouve devant une Rate Xu avec présence d'humidité.
- Si la couleur est terne, sombre surtout si cela déborde au niveau de la paupière inférieure, cela signe un problème d'eau stagnante. Les reins n'arrivent plus à évacuer les liquides.

Et le nez ?

Autrefois le nez s'appelait Ming Tang, ou encore « l'entrée lumineuse ». En effet c'est un endroit où le Yang clair converge. Le Yang clair, c'est tout d'abord l'air que l'on respire, mais aussi parce que le vaisseau gouverneur, maître de toutes les énergies Yang, passe par le nez. Le nez se situe au milieu du visage, or nous savons que la partie centrale du visage correspond à la Rate. Mais le Poumon a aussi comme orifice le nez. Donc nous pouvons dire que la surface du nez est à mettre en relation avec la Rate et l'intérieur des narines avec le Poumon.

- Si le nez est vert, c'est souvent parce que le sujet a mal au ventre.
- S'il est jaune, la personne a du mal à évacuer les selles.
- S'il est blanc, on sait que l'énergie est faible ou que la personne a perdu du sang.
- Si le nez est rouge, c'est un signe de vent-chaleur qui est entré dans la Rate.
- S'il est noir, il s'agit d'une affection interne due à un excès de fatigue.

- » Si le noir est terne, sombre, sans éclat, s'il n'est pas très foncé, cela indique qu'il y a de l'eau stagnante.
- » Le nez élargi, à la peau épaisse surmontée d'excroissances comme de l'acné est appelé le nez rosacé. Cela est dû le plus souvent à une accumulation de chaleur ou d'humidité chaleur dans la Rate-Estomac. Comme chez les alcooliques, par exemple.

Les oreilles ne passent pas inaperçues !

Au niveau des cinq orifices, les oreilles sont en relation avec les reins. Dans le chapitre 17 du *Ling Shu*, il est dit : « Le Qi du Rein s'ouvre aux oreilles, lorsque le Rein est bien équilibré, les oreilles peuvent entendre les cinq sons. » Tous les méridiens Yang atteignent l'oreille ou y pénètrent.

Le saviez-vous

Les oreilles sont donc reliées à l'organisme entier et les désordres viscéraux ont une répercussion sur cet organe auditif. Mais globalement l'examen visuel des oreilles nous renseigne sur l'état énergétique du Rein, ainsi que sur les états pathologiques de la Vésicule biliaire.

La couleur des oreilles

- » Une couleur blanchâtre de toute l'oreille est un signe de froid.
- » Une couleur verte ou sombre se voit dans les symptômes douloureux.
- » Les oreilles fines et sèches et ressemblant à des fleurs fanées sont le signe d'insuffisance au niveau du Rein. L'énergie droite, le Zhen Qi, est faible.
- » Les oreilles sèches et noirâtres marquent un épuisement extrême de l'essence du Rein. On peut retrouver ce type de couleur dans le cas de diabète par exemple.
- » Si, sur la peau des oreilles, on distingue comme des écailles de poisson, cela est dû à un abcès dans les intestins.
- » Quand on regarde une oreille, il faut voir s'il y a du rouge, car c'est une bonne couleur qui montre que le sujet est en bonne santé. Si la couleur tourne au blanc, au vert, au noir c'est très souvent mauvais signe. Cependant si la couleur est légèrement changée, mais qu'elle garde son éclat, ce n'est pas trop grave. Si en revanche cette couleur est terne et sèche, la maladie est grave. Mais il faut retenir que si les oreilles sont minces, noires et ternes, cela révèle que les reins sont malades.

Et leur forme ?

En dehors des couleurs, quand nous observons une oreille, on peut tout de suite en voir sa morphologie.

Le saviez-vous

>> Les oreilles doivent être bien proportionnées par rapport à la taille de la tête, et donc ce qui représente une grande oreille chez une personne peut correspondre à une oreille normale chez une autre.

>> Une grande oreille est généralement le signe d'une bonne condition héréditaire. De même si elle est épaisse, charnue, bien développée, bien en chair. Il y aura une tendance à avoir beaucoup de sang et d'énergie, et si pathologie il y a, ce sera plus des symptômes de type plénitude.

>> De petites oreilles sont généralement le signe d'une mauvaise constitution héréditaire, surtout si le lobe est très petit. Cela signe une tendance constitutionnelle au vide de sang et d'énergie. Les personnes ayant ce type d'oreille auront plus de chance que d'autres d'avoir des pathologies de type Xu, de vide.

>> Les oreilles enflées sont généralement causées par de la chaleur ou de la chaleur-humidité qui peuvent, entre autres, être un problème de Vésicule biliaire.

>> Des oreilles flétries, rabougries, comme fripées sont généralement dues à une faiblesse des liquides organiques, ou à un vide de sang. Dans des cas très graves comme des carcinomes péritonéaux, quand la stagnation de sang et d'énergie n'arrive plus à nourrir les muscles et les chairs, on peut retrouver ce type d'oreille.

>> Des boutons sur l'oreille sont toujours dus à la présence de chaleur, et en particulier une chaleur au niveau du Foie et de la Vésicule biliaire. De même que des verrues sur l'oreille. De la chaleur au niveau du méridien de l'estomac peut aussi en être la cause.

Les lèvres sans Botox !

Selon la théorie des cinq éléments, la bouche et les lèvres sont les orifices de la Rate, mais sont en relation avec de nombreux autres méridiens. Que nous apprend l'observation des lèvres ?

>> Si les lèvres sont sèches, cela est dû à de la chaleur dans la Rate.

>> Si elles sont sèches et rouges, il s'agit d'une chaleur normale.

>> En revanche, si elles sont sèches et noires, c'est un mauvais signe. La maladie devient grave.

Attention

>> Si les lèvres sont enflées et rouges, cela indique une chaleur extrême de la Rate. Demandez quand même au patient s'il est n'est pas passée entre les mains du chirurgien esthétique avant de poser un diagnostic !

>> Si les lèvres sont rouges et même violettes, cela indique qu'il y a des caillots de sang à l'intérieur du corps, dans l'estomac ou dans le duodénum.

- Si la couleur est violacée, mais qu'elle tire vers le vert-noir, cela indique la présence de froid à l'intérieur du corps.
- Si les lèvres sont pâles, presque blanches, cela indique que le sang est Xu, faible, et l'estomac froid.
- Si la maladie est tiède, les lèvres enflent.
- Si la maladie est due au vent, les lèvres tremblent.
- Si les lèvres sont retournées, la maladie est due au froid.
- S'il y a des rides, si elles sont fripées, c'est qu'il y a de la chaleur.
- Si elles sont craquelées, crevassées, la sécheresse est en cause.
- S'il y a des démangeaisons sur les lèvres, cela indique qu'il y a trop de feu.
- Si le patient a l'impression que ses lèvres sont piquées par une multitude de petites aiguilles, cela indique une maladie de l'énergie.
- Si les lèvres n'ont pas de sensation, cela indique une maladie du sang.
- Si l'on trouve des gerçures, comme des fissures aux commissures des lèvres, cela provient soit d'une chaleur dans l'Estomac, soit d'un vide de Yin de l'Estomac avec ou sans chaleur, Xu.
- Une apparition soudaine de boutons de fièvre aux coins de la bouche ou au bord de la lèvre supérieure peut provenir d'une invasion externe de vent-chaleur.
- Des boutons de fièvre chroniques ou récurrents au coin de la bouche ou au bord de la lèvre inférieure peuvent provenir d'une pathologie de l'estomac que ce soit de la chaleur-humidité, de la chaleur, ou un Xu Yin avec une chaleur vide. Si c'est à la lèvre supérieure, il s'agit plutôt d'un problème de chaleur-humidité dans le gros intestin.

Le coin des dentistes !

À retenir

Nous savons déjà que le Rein est la mère des os du squelette, et le *Nei Jing* dit que « les dents sont l'excédent, le surplus des os, et par conséquent du Rein ». Les dents sont donc en relation étroite avec les os, et par conséquent avec le Rein.

- Si l'observation des dents révèle d'importants dépôts jaunes, cela indique une perturbation du fonctionnement de l'estomac, la digestion est mauvaise.
- Si les dents sont sèches, cela indique une insuffisance des liquides organiques.
- Si les dents sont sèches et comme recouvertes de saletés, cela indique un feu très important à l'intérieur du corps.
- Si les dents sont sèches et brillantes, qu'elles ont l'aspect d'une pierre, cela montre que l'Estomac est sec.

- Si la gencive supérieure seulement est sèche, pas les dents, mais la gencive, cela indique la présence de feu dans l'Estomac, un excès de chaleur. Cela peut souvent être le signe d'hémorragie au niveau de l'estomac, avec vomissement possible de sang. Cette perte de sang entraîne donc le dessèchement de la gencive supérieure.

- Si la gencive inférieure seulement est sèche, cela indique de la chaleur dans les intestins avec présence probable de sang dans les selles.

- Si le patient fait grincer ses dents, cela est dû au vent du Foie et au Tan. Un excès de Yang au niveau du logiciel Foie peut en être la cause. Dans ce cas, on verra bientôt apparaître des spasmes, des crampes qui seront provoqués par cette chaleur interne.

- Quand il y a des saignements de gencive, il faut voir si elles sont douloureuses, très rouges : dans ce cas, il s'agit d'un excès de feu dans l'Estomac.

- Si, au contraire, le saignement se produit sans douleur et sans coloration rouge excessives, dans ce cas, on est en présence d'une faiblesse du Yin du Rein qui va être à l'origine d'un « faux feu » qui monte vers le haut. Les bouffées de chaleur auront la même origine.

- Les caries sont dues en médecine chinoise à un problème de chaleur-humidité dans le méridien de l'Estomac, de la chaleur Xu dans l'estomac et le gros intestin, ou d'une faiblesse du Rein. D'un côté la chaleur-humidité dans la Rate favorise la multiplication des parasites (tartre) ; de l'autre, la faiblesse du Rein favorise la fragilisation de la dent, les dents étant l'extrémité des os.

- Les dents qui bougent peuvent aussi avoir une relation avec de la chaleur dans l'estomac, ou une chaleur Xu de la Rate ou du Rein, ou des deux en même temps.

- Les plaques dentaires sont dues le plus fréquemment à de la chaleur dans l'Estomac ou dans le Rein. Le vide du Yin du Rein est une autre cause possible.

LES CINQ ZONES DU VISAGE

La théorie la plus simple et qui nous permet d'avoir tout de suite des renseignements sur l'état interne du patient, c'est celle des « cinq zones du visage », relativement aux cinq logiciels organes. Ainsi :

- Le Cœur qui est situé sur la partie centrale du front, au-dessus des sourcils. Le Pr Leung disait : « Si vous devez piquer un patient alors que dans cette zone nous observons une peau de teint gris-cendré et qui desquame, abstenez-vous, car il est au bord de la crise cardiaque. »

- L'ensemble du nez sert à diagnostiquer le logiciel Rate.

- Le menton concerne le Rein.

- La pommette gauche, c'est le Foie.

- La pommette droite, c'est le Poumon. Si vous voyez cette pommette rouge chez votre enfant, il y a de grandes chances qu'il se mette à tousser dans les heures qui suivent.

Chapitre 6 : L'observation

Très important, l'examen de la main

La première chose que fait un praticien avant d'étudier les pouls du patient, c'est de prendre sa main, toucher les doigts, examiner sa peau et ses muscles. Il est important de commencer par voir si la paume est mince ou épaisse. Par exemple, une paume des mains mince, fluette est souvent un signe de faiblesse d'énergie. Au contraire, si la paume est épaisse, tonique, cela indique que cette même énergie est suffisante.

L'éminence thénar

Le saviez-vous

L'éminence thénar est cette masse musculaire qui se trouve au niveau de la paume de la main à la base de la colonne du pouce. Les muscles la composant sont appelés en chinois « muscles de poisson », car cette partie renflée de la main ressemble à un ventre de poisson. Sur ces muscles, on peut distinguer différentes colorations, différentes variations de couleur. Le plus facile à observer ce sont les petits capillaires sanguins. En règle générale, on peut distinguer une légère rougeur dans cette zone. C'est normal et cela indique que le sang est en bon état. Mais normalement, quand une personne est en bonne santé, on ne doit voir quasiment aucun capillaire.

>> Si à cet endroit vous voyez apparaître des capillaires de coloration bleutée, cela indique un état de froid dans l'estomac, de faiblesse. Au contraire, quand elles sont trop rouges, cela indique de la chaleur dans l'estomac.

>> Si les capillaires sont de couleur noire, la circulation du sang est stagnante.

>> Si les capillaires apparaissent colorés en rouge, noir ou bleu, selon la couleur on peut déterminer si l'intérieur du corps est atteint par le froid, la chaleur et cela indique le degré de complexité des maladies.

>> Si on peut observer des capillaires très petits, très courts, très fins, cela indique un manque d'énergie.

Au sujet de la paume des mains, on peut encore dire que :

>> Si la paume des mains est sèche, gercée et si en plus elle pèle, cela peut signer un vide de sang du Foie, du Cœur ou des deux.

>> Si la sécheresse est très prononcée et qu'en plus, les mains démangent, c'est un signe de « vent dans la peau ».

>> Si les mains transpirent, c'est essentiellement lié au méridien du Cœur et du Poumon. Cela peut provenir soit d'un vide de Qi ou de Yin, soit d'une chaleur dans l'un de ces deux organes.

Les doigts

La morphologie des doigts a son rôle à jouer :

> » Si les doigts sont effilés, excessivement minces, cela signe une insuffisance de circulation de Qi dans les Jin Mai. Cela peut aussi être un vide important de Qi de l'Estomac et de la Rate, ou un état de « froid-humidité » dans la Rate.
>
> » Au contraire, si les doigts sont charnus cela indique que les Jin Mai ont une bonne circulation.
>
> » Des doigts dont l'extrémité est élargie, appelés en « baguette de tambour », traduisent une pathologie au niveau du Poumon, ou un Xu Yin, faiblesse du Rein et du Poumon. On retrouve ce type de doigts dans les pathologies respiratoires chroniques.
>
> » Des doigts excessivement enflés sont souvent dus à un syndrome d'obstruction qui peut être douloureux, soit de froid-humidité, de vent-humidité ou de chaleur-humidité. En médecine occidentale, on parlera alors de rhumatismes.
>
> » Mais cela peut aussi signer un problème de stase de sang du Cœur et du Foie, un œdème dû à un Yang Xu, une faiblesse, du Poumon et de la Rate. Cet état peut très souvent se retrouver chez la personne âgée.
>
> » Les doigts crevassés sont souvent dus à un vide de sang, mais aussi à une stase de sang.
>
> » On peut aussi trouver des doigts boudinés qui ressemblent à du cocon. Cela est généralement dû à un vide de sang et de Qi.
>
> » Des doigts rabougris et ridés montrent qu'il y a une perte importante de liquides organiques pouvant, entre autres raisons, être due à des transpirations profuses, à des épisodes importants de diarrhée, ou des vomissements incoercibles.
>
> » Une déformation importante des articulations des doigts est le plus souvent due à un syndrome d'obstruction douloureux et chronique. Cette stagnation génère une inflammation locale avec évaporation des liquides organiques. Cette chaleur favorise la production de Tan. Le Tan est donc la cause première de ces déformations. Nous allons longuement parler du Tan un peu plus loin.

Quel est votre type de main ?

Le saviez-vous

En effet, en MTC, il existe cinq morphotypes de main. Chacune signera une prédisposition à tel ou tel type de pathologie au regard de la théorie des cinq éléments. Passons ces cinq mains en revue.

La main de type bois

C'est une main normalement bien proportionnée. Elle n'est ni trop longue, ni trop courte, ni trop étroite, ni trop épaisse. Elle n'est pas décharnée. En revanche, elle a la particularité d'être noueuse.

C'est une main qui au niveau de la paume est particulièrement striée. Au niveau des doigts, ces stries sont parallèles, et de nombreux sillons ravinent la paume. Selon les mains, ces sillons peuvent être plus ou moins profonds.

Une autre particularité, quand on regarde le dos de la main, elle donne l'impression d'être noueuse surtout au niveau des articulations inter-phalangiennes. L'ongle est bien proportionné, mais a comme particularité d'être bombé. Si le sujet a une tendance Yang, il est dur, solide avec une lunule importante. Chez le sujet à tendance Yin il peut être friable et fragile.

Le saviez-vous

Ces ongles ont comme particularité d'être souvent rongés. N'oublions pas que le bois et le Foie sont de même nature et qu'en cas de blocage du Qi du Foie sous l'effet d'émotions intériorisées par exemple, des tics peuvent apparaître et en particulier celui de se ronger les ongles.

La main de type feu

Cette main est généralement longue, et les doigts apparaissent fins et agiles. Ces mêmes doigts ont la propriété de s'écarter très largement. Ce sont des doigts très laxes et, quand on les étire, il se forme un creux entre les éminences thénar et hypothénars. Quand la main est complètement étendue, elle ressemble à une patte de poulet.

Cette main possède une particularité, à savoir une hyper laxité du cinquième métacarpien et ce cinquième doigt se fléchit très facilement et de façon naturelle, ce qui donne à la personne l'impression d'être un peu maniérée dans sa gestuelle.

L'ongle de la main feu est long, assez étroit. Quand on le laisse pousser, il prend une forme allongée, en ovale fin et très pointu. Il est par ailleurs très bombé, beaucoup plus que le précédent.

La main de type terre

La main de type terre est beaucoup plus courte que les autres. Quand on regarde sa face palmaire, elle pourrait s'inscrire dans un carré, et les doigts sont courts. Mais ce qui est encore le plus caractéristique, c'est qu'elle est épaisse et potelée.

Les doigts sont très courts et pleins avec un aspect boudiné. Souvent on ne trouve qu'un seul pli aux articulations inter-phalangiennes. La main est large à son attache au poignet. L'éminence thénar, le pouce et l'éminence hypothénar sont charnus. Quand la personne ferme son poignet, l'ensemble de la main prend alors la forme d'une poire.

L'ongle de cette main terre est triangulaire, la pointe vers le bas. À sa racine l'ongle est très démarqué de la chair de la phalange, ce qui donne l'aspect d'un bourrelet net autour de l'ongle. La peau alors peut facilement desquamer et ce sont souvent ces personnes qui rongent leurs peaux parce qu'elles sont faciles à atteindre. L'ongle contrairement aux autres mains n'est pas bombé, mais plutôt plat.

La main métal

Elle a comme caractéristique d'être longue et elle s'inscrit dans un ovale régulier. La paume elle-même est très longue et se démarque des doigts qui eux aussi sont longs. Les doigts eux-mêmes, bien que longs ne sont pas très fins.

Une particularité : chez de nombreuses mains métal, la phalange la plus distale, en particulier celle de l'index et du majeur, a tendance à s'incliner sur le côté extérieur, ou bien aucune des trois phalanges n'est dans l'axe. Avec l'âge, ces déformations peuvent s'accentuer et facilement donner de la polyarthrite. La main se déformera alors et les doigts deviendront crochus.

À la face palmaire des doigts, aux pliures des articulations inter-phalangiennes, on aperçoit une série de plis caractéristiques souvent au nombre de trois, et même plus. En médecine chinoise, on appelle cela « un triple lien ».

L'ongle est plutôt rectangulaire avec des angles droits, peu arqués à leur base. Très souvent on trouve des stries dans le sens de la longueur. Il est moyennement bombé. Dans certains cas, il peut être court sur ce doigt long et être bombé dans les deux sens, ce qui lui donne l'aspect d'un coquillage. La dernière phalange peut alors s'élargir et prendre l'aspect caractéristique de baguettes de tambour.

Nous savons que métal et Poumon sont semblables et souvent chez les insuffisants respiratoires chroniques, comme chez les personnes atteintes de mucoviscidose, on retrouve ces doigts en forme de baguette de tambour. Mais cette forme peut aussi être constitutionnelle, sans pathologies sous-jacentes.

La main eau

La main eau est une main qui a tendance à être courte avec des doigts courts. La peau, aussi bien à la face palmaire que dorsale, a tendance à être molle, relâchée. Les doigts donnent souvent l'impression d'être œdématiés, infiltrés.

Il y a un signe particulier que l'on peut retrouver sur la face dorsale du doigt au niveau de l'articulation des deux premières phalanges : quand les doigts sont tendus, au lieu d'une bosse, on retrouve un creux et si l'on prend un pli de peau et qu'on le monte vers le haut, il ne reprend pas sa place initiale. La peau garde le pli.

Une autre caractéristique, toujours sur la face dorsale, la dernière phalangette est plate et la peau est fripée, flétrie, donnant l'aspect en pli de rideau, de part et d'autre de la base de l'ongle. Cet aspect flétri assombrit la couleur de la dernière phalange qui peut devenir carrément brunâtre.

Dans d'autres cas au contraire, la phalangette devient totalement lisse, sans aucun pli.

L'ongle a souvent la forme d'un trapèze, avec la petite base vers le bas. La lunule est souvent évasée, et peut même avoir la forme d'un croissant, d'un croissant de lune. L'ongle est souvent mou, fragile et donc très souvent coupé court par celui qui en est porteur. C'est un ongle très plat, c'est le moins bombé de tous les types d'ongles, et souvent il est difficile de voir où la chair finit et où l'ongle commence, du fait que la phalangette et l'ongle sont si plats.

Les mains mixtes

Voilà pour ce qu'il en est de l'étude de ces cinq mains. Cependant, il faut bien comprendre que l'on tombe rarement sur des mains avec des caractéristiques aussi tranchées. Le plus souvent, nous avons affaire à des mains que l'on appelle des « mains mixtes » qui sont composées de deux, voire trois des éléments typologiques que l'on vient de citer.

Il existe par exemple des mains feu-eau. Souvent une constitution est dominante et c'est elle qui imprime les caractères morphopsychologiques à la personne, l'autre constitution étant secondaire.

À retenir

De même, on peut avoir des mains eau-feu, bois-feu ou au contraire feu-bois, etc. Cette approche diagnostique est passionnante en médecine chinoise. Certes, elle demande du temps et de l'expérience, mais combinée aux autres sources d'observation, elle peut nous aider très rapidement à cerner le profil physique et psychologique de notre patient.

Examen de l'index chez l'enfant

En règle générale, cet examen se pratique chez un enfant de moins de trois ans. En effet, il est très difficile à ce moment-là de se faire une idée précise du diagnostic par les pouls radiaux, l'espace entre les trois doigts étant vraiment trop petit, et on se sert donc d'autres méthodes, en autres celle de l'examen de l'index, et en particulier des veines de ce doigt.

Le saviez-vous

L'index peut se diviser en trois parties :

>> Une première située à la partie proximale du doigt, au niveau de la première phalange et que l'on appelle « barrière du vent ».

>> La deuxième partie, située au niveau de la deuxième phalange est appelée « barrière du Qi », barrière de l'énergie.

>> Enfin la troisième partie située à la partie distale, donc à la troisième phalange et que l'on appelle « la barrière de vie ».

Ce sont donc les trois barrières, les « trois portes de vie, de Qi et de vent ». Quand nous sommes en présence d'un enfant en bonne santé, la veine du doigt au niveau de la barrière du vent doit être de couleur rosée ou légèrement pourpre. Cette veine doit être très peu visible et même parfois invisible. Cette veine varie avec la température extérieure et l'âge du bébé. Normalement oblique et fine, elle est plus importante en cas de chaleur et plus fine et courte quand il fait froid. Elle est plus longue chez le nourrisson de moins d'un an et se raccourcit avec l'âge. Voilà donc en ce qui concerne la normalité.

Quand on l'examine, on doit avoir un éclairage suffisant et même assez puissant. On tient la main de l'enfant d'une main et, avec le pouce de l'autre, on l'effleure à plusieurs reprises par des mouvements de va-et-vient afin de rendre cette veine plus visible.

Voyons à présent les renseignements que peut nous fournir l'étude cette veine :

>> Si durant une affection, la veine reste à la barrière du vent, à la porte du vent cela indique que l'atteinte est modérée, que la pathologie n'est pas très grave. En revanche, si elle s'étend jusqu'à la barrière du Qi, à la deuxième phalange la maladie est plus sérieuse. Enfin si cette veine va jusqu'à la troisième phalange, jusqu'à la porte de vie, la maladie alors est beaucoup plus grave. Si elle s'étire jusqu'au bout de l'index, le pronostic est très grave et même défavorable.

>> Si la couleur de cette veine est légèrement rose ou blanchâtre, cela indique une insuffisance de sang et d'énergie.

>> En cas de couleur rouge assez prononcée, on est plutôt en présence d'une attaque de froid externe.

>> Si cette veine est rouge foncé ou pourpre, cela indique une plénitude au niveau de la chaleur.

>> Une teinte bleutée peut signer la présence de douleurs importantes et même de convulsions possibles.

>> Une veine cyanotique ou pourpre foncée peut révéler un état critique du bébé, une stagnation générale de sang.

› Si on s'en tient à la grosseur de la veine, une veine fine signera un symptôme de vide, un état Xu de déficience ou un état de froid. En revanche, une veine épaisse indique un symptôme Shi, de plénitude ou de chaleur.

› Si la veine est incurvée ou multiple, cela montre que la maladie est sérieuse.

À retenir

Si au cours de l'évolution d'une maladie, on constate une extension graduelle de la veine, cela indique une aggravation de celle-ci. En revanche, si la veine a tendance à se rétracter, c'est un signe positif : la maladie régresse.

Chapitre 7
L'interrogatoire

DANS CE CHAPITRE :

» Connaître les pièges

» Les conditions de l'interrogatoire

» Les cinq erreurs du praticien

» L'interrogatoire sur les symptômes ou la « chanson des dix questions »

Après avoir abordé ensemble le diagnostic par l'examen visuel, nous allons voir à présent le diagnostic par l'interrogatoire, à savoir le fait d'interroger le patient sur son ressenti, sur les symptômes qu'il peut présenter, comprendre l'histoire de ses symptômes, bref, se faire une idée exacte de l'état du patient.

À retenir

L'interrogatoire se dit Wen Zhen en chinois. C'est évidemment une étape indispensable pour bien cerner et comprendre la pathologie. Grâce à cet interrogatoire, le praticien va tout de suite entrer en contact, échanger avec son patient.

Les Chinois ont d'ailleurs l'habitude de dire que l'adresse, le tact, la façon dont le praticien conduit cet interrogatoire influence profondément le résultat du traitement.

On peut considérer qu'il y a globalement deux étapes dans cette méthode d'investigation :

» Une première partie que l'on pourrait intituler « la collecte des informations générales ». C'est une vraie conversation entre le praticien et son patient qui va permettre de connaître les causes profondes de la maladie. Seront alors abordés à bâtons rompus les problèmes familiaux, l'environnement, le cadre de vie, les origines, le travail, la vie émotionnelle, etc.

» Une deuxième partie qui va être un interrogatoire sur les symptômes. Cet interrogatoire aura pour but d'identifier les tableaux de déséquilibre prédominant. Chaque maladie a des symptômes principaux et secondaires, et cet interrogatoire va aussi bien se concentrer sur l'aspect systémique comme celui des Ba Gong par exemple (voir chapitre 3), que sur l'analyse des symptômes principaux et secondaires.

Ne pas tomber dans certains pièges

Attention

» **Cela ne doit pas être une méthode exclusive.** En effet certains praticiens sont tentés d'utiliser uniquement cette méthode et appliquer ensuite des traitements types, préétablis. Certes, dans certains cas, cela peut s'avérer suffisant. En effet, certaines maladies courantes ne nécessitent qu'un traitement simple. Toutefois, il faut se rappeler qu'un même symptôme peut résulter de causes différentes, et ne se fier qu'à ce mode d'investigation peut conduire le praticien à se tromper lourdement dans son diagnostic.

» **La non-coopération du patient.** De nombreux patients ne peuvent ou ne veulent pas décrire exactement leur trouble. Un homme triste qui éprouve en permanence le besoin de pleurer, mais dont l'éducation le force à rester sur sa réserve peut carrément nier l'existence de ce signe, même à lui-même. De ce fait, il prive le praticien d'un indice très utile pour la localisation de la maladie, ici en l'occurrence les poumons.

» **Le patient qui se prend pour un médecin.** Fréquemment, le patient ne révèle que les symptômes qui lui paraissent pertinents, donnant un tableau incomplet ou erroné de la situation. De ce fait, au cours de l'interrogatoire, le praticien doit veiller attentivement à recueillir la description précise de tous les symptômes ainsi que l'histoire de la maladie. Si l'interrogatoire est superficiel et manque d'intérêt, le patient aura évidemment une impression défavorable.

» **L'interrogatoire doit être conduit de manière ordonnée et systématique.** Nous savons que la médecine chinoise est fondée sur l'unité du corps, sa relation avec l'environnement et surtout l'impact que peuvent avoir les émotions sur l'équilibre des organes. Étant donné l'interférence de plusieurs facteurs, chaque symptôme est généralement la conséquence naturelle d'une perturbation principale. Par conséquent, la possibilité pour deux maladies différentes d'exister simultanément dans le corps est très réduite. Les symptômes recueillis, entre autres par l'interrogatoire, sont utiles en tant qu'indice de la nature ou de la cause de la perturbation. Il ne faut jamais écarter un symptôme qui semble sans relation avec le problème présent ni accepter que le patient raconte toute son histoire médicale.

Ces deux dangers peuvent être réduits en utilisant un interrogatoire méthodique que nous allons maintenant aborder.

Les conditions de l'interrogatoire

Dans le *Nei Jing*, il est dit : « lorsque l'on veut interroger quelqu'un, il faut d'abord fermer les portes et les fenêtres et c'est à ce moment-là que commence l'interrogatoire ».

Un interrogatoire doit se faire dans de bonnes conditions, lorsqu'on a créé un environnement adéquat. Dans le cas contraire, le patient n'aura pas la concentration nécessaire pour répondre précisément à nos questions.

Le praticien dans cet environnement doit se sentir dans ses murs, il doit se sentir à l'aise. De même le patient, quand il pénètre dans cette pièce doit, par le décor et l'ambiance qui se dégage, tout de suite être mis en condition. Le décorum, le lieu doivent déjà inspirer et générer un sentiment de calme et de quiétude.

Patient et praticien doivent être calmes tous les deux. Et surtout, le praticien doit dégager un sentiment de calme, de tranquillité qui favorisera les futurs échanges. Et en plus d'être calme, le praticien doit être attentif, concentré.

N'oublions pas que le praticien joue un rôle d'inspecteur, d'enquêteur et qu'il devra être concentré au maximum pour qu'aucun symptôme, qu'aucun signe ne puisse lui échapper.

Il faut aussi que le praticien fasse preuve de patience et de concentration pour poser les questions de façon très précise. Dans notre monde actuel, au moins pendant l'interrogatoire de la première séance, il serait peut-être opportun de ne pas répondre au téléphone et d'être entièrement à l'écoute du patient.

Ce qui peut être compliqué au départ, mais on en prend relativement vite l'habitude, pendant la consultation, on ne devrait accepter, sauf cas particulier, aucune tierce personne. Il est important d'être seul avec le patient. En effet, si l'interrogatoire porte sur des détails de sa vie privée, il est probable qu'il n'ait pas envie de parler, de dévoiler ce qu'il a sur le cœur devant quelqu'un d'autre. Si une autre personne est présente, il est non seulement probable que le patient ne dise pas tout, mais il peut même travestir la vérité.

Les cinq questions du praticien

Voici les cinq questions primordiales que le praticien posera d'emblée à son patient. Ne pas les poser, ou en omettre une, serait une erreur de sa part.

L'origine

La première question en dehors de son curriculum vitae concernera ses origines. Où est-il né, quel est son berceau familial ? Ce type de questions est très important. En effet, certaines pathologies, certaines maladies ne se développent que dans certaines régions. Si on prend par exemple le goitre, il est fréquent de trouver ce type de pathologie dans les régions montagneuses alors que les rhumatismes, surtout liés à l'humidité, se développeront, eux, dans les régions en bord de mer, dans les régions côtières.

Le saviez-vous

Donc quand on demande à une personne sa région d'origine, non seulement on peut connaître les maladies les plus fréquentes dans ladite région, mais on peut également tirer certaines conclusions sur le climat, les habitudes alimentaires. Par exemple, dans certaines régions, les gens aiment bien manger épicé, dans d'autres, ils préféreront plutôt le salé. Les habitudes alimentaires influencent largement le fonctionnement de la digestion.

La profession

Par exemple si la personne doit utiliser énormément sa force physique pendant son travail, mais que cette situation est relativement récente, elle peut alors facilement blesser son énergie, son souffle, son Qi. Si la personne reste en permanence assise, si elle ne fait pas assez travailler son corps, il est dit « qu'elle blesse sa Rate » elle aura des problèmes liés à la digestion du bol alimentaire.

Un autre exemple : des acouphènes ou l'apparition de surdité ne sont pas obligatoirement à mettre en relation avec le déséquilibre des organes internes. C'est l'environnement où règne un bruit excessif permanent qui peut en être la cause.

Les habitudes de vie

L'étape suivante de l'interrogatoire doit porter sur la façon de vivre, les habitudes de lever et de coucher et les habitudes alimentaires. Toutes les réponses à ces questions seront autant d'indices pour le fin limier que le praticien devient. Nous sommes ici toujours à la recherche de l'arme du crime.

Si au cours de cet interrogatoire, la personne vous dit qu'elle aime manger sucré, cela peut blesser sa Rate, si elle est attirée par le sel, cela blessera ses Reins. Si, au contraire, c'est la saveur acide qui prédomine dans son alimentation, c'est le Foie qui sera lésé. Si c'est la saveur piquante qui est prise en excès, cela blessera ses Poumons et trop de saveur amère finira par blesser son Cœur. Il est donc fondamental d'interroger le patient sur ses habitudes alimentaires, voir ce que la personne mange le plus, s'enquérir de ses envies.

À retenir

Si un individu est parfaitement sain et bien réglé, une envie passagère que lui envoie son organisme doit effectivement être suivie. Par la diététique, le corps tente de se régulariser. En revanche, si les déséquilibres sont déjà présents depuis longtemps, s'ils sont entrés dans la chronicité, suivre ses envies amène le corps vers son autodestruction. L'insuffisant rénal sera attiré par le salé, et plus il en prend, plus il fatigue ses reins. La personne peut aussi boire beaucoup trop et dépasser quotidiennement, et souvent de façon exagérée, le litre suffisant à notre apport hydrique quotidien. Si elle a l'habitude de boire du thé et qu'elle en prend beaucoup trop, cela peut aussi se transformer en Tan-humidité.

Si le patient à des heures de lever et de coucher totalement déséquilibré, il finit par ne plus pouvoir recharger sa batterie. Il perd alors la capacité d'autorégulation de son organisme.

L'état affectif

Il est important ensuite de s'intéresser à l'état affectif du patient, à son état d'esprit. Il faut très rapidement se faire une idée de son état sentimental, de ses émotions dominantes, tant par le passé qu'au moment présent. Ce questionnement est central. C'est la quatrième erreur à ne pas commettre. Dans le cas contraire, on serait amené à traiter la cime, la surface de la maladie et non pas la racine, de cette même maladie.

UNE CITATION DU *NEI JING*

« Si l'aspect extérieur du corps donne l'impression d'une personne heureuse, si elle paraît tranquille, mais que son sentiment profond, que sa vie est triste, c'est une cause de maladie.

Si l'aspect extérieur du corps donne l'impression d'une personne heureuse, que l'émotion qui domine est la joie, mais si cette joie devient excessive, elle peut également amener une maladie.

Si d'apparence la personne est tranquille, heureuse, mais que ses émotions sont plutôt amères, cela amène une maladie dans les vaisseaux, les Mai.

Si d'apparence la personne est plutôt triste sur le plan physique, parce qu'elle a, entre autres, une vie difficile, mais que sur le plan émotionnel elle est plutôt de tempérament joyeux, la maladie se portera plutôt dans les tendons.

Si d'apparence la personne est plutôt triste et également sur le plan émotionnel, la maladie se portera sur la gorge.

Si le corps subit souvent des frayeurs ou de la peur, il peut se produire des maladies par obstruction de vaisseaux des Jing Luo. »

L'origine de la maladie

En effet, nous devons demander au patient dans quelles circonstances il a remarqué ce mal, comment celui-ci est-il apparu ? C'est la recherche de la cause première de la maladie.

- >> Si par exemple le patient revient d'un pays chaud et humide et qu'il consulte pour des problèmes de diarrhées et de douleurs dans le ventre ; le diagnostic de pénétration de chaleur-humidité sera évident.
- >> S'il revient du ski et que lors de son retour il a senti qu'il avait de la fièvre ; on sait qu'il a été attaqué par la perversité froide.
- >> Si le patient, avant que sa maladie n'apparaisse, s'était violemment disputé et fortement mis en colère ; la cause de sa maladie est une impulsion émotionnelle.
- >> S'il explique qu'après un repas très copieux il ne s'est pas senti très bien et qu'il est ensuite tombé malade ; son problème est alors sûrement d'origine alimentaire.

Attention

S'enquérir aussi sur les médicaments qu'il prend. Il faut savoir que la prise de pharmacopée au long cours, surtout en chimie moderne, et en particulier pour des traitements hypotenseurs ou pour des traitements de dépression favorise l'apparition de stagnation de sang et d'énergie accompagnée de symptômes de froid interne. Ces médicaments en effet sont de nature très froide, et risquent d'entraîner des symptômes qui masqueront la symptomatologie première de la maladie. Il faut tenir compte de cela pour avoir une idée du pourquoi de l'état actuel du patient.

Donc, pour se faire une idée précise de la maladie, il faut :

- >> En rechercher son origine ;
- >> Comprendre son évolution ;
- >> Et en déduire un traitement.

L'interrogatoire sur les symptômes ou « la chanson des dix questions »

Dans la première partie de l'interrogatoire, nous nous sommes intéressés au passé du patient, à l'historique et à l'évolution de la maladie. C'est une véritable conversation avec notre patient, conversation qui d'ailleurs peut très bien avoir lieu en deuxième partie de séance ou en deuxième séance. Tout est une question d'appréciation et de contact patient-praticien.

En pratique

Dans la deuxième partie, nous allons nous attacher à la situation actuelle, aux signes que le patient présente sur le moment. Cet interrogatoire symptomatologique, lui, sera très ciblé, les questions devront être très rapides et on ne laissera pas le temps au patient de disserter trop longtemps et de s'embarquer dans des réponses qui, en quelque sorte, finiraient par noyer le poisson. Cela sera presque du oui ou non.

Dans le travail d'enquêteur du praticien, le cadrage de la maladie consistera à « enfermer » le patient dans la théorie des Ba Gang, le résultat recherché étant de savoir si la maladie ou le symptôme est Yin ou Yang, interne, Li ou externe, Xu ou Shi, c'est-à-dire plénitude ou de faiblesse, et enfin si elle est chaude, Re, ou froide, Han. Il veut aussi savoir si la maladie se situe dans tel ou tel méridien, ou dans tel ou tel organe, c'est pourquoi les questions doivent être focalisées sur ces différents points.

Et le praticien va se servir pour cela d'une série de questions et plus particulièrement de « la pratique des dix questions ». Cette pratique a été lancée par Zhang Jing Yue (1563-1640). Cet auteur est l'une des grandes figures de la médecine chinoise. C'est l'un des plus célèbres commentateurs du *Nei Jing* et on lui doit de nombreux éclaircissements sur des sujets difficiles. Les dix questions proposées par Zhang Jing Yue portent sur :

- Le froid et la chaleur ;
- La transpiration ;
- Les douleurs ;
- Les urines et les selles ;
- L'appétit et les saveurs buccales ;
- Les sensations au niveau du thorax et de l'abdomen ;
- L'audition ;
- La soif ;
- Le sommeil et les rêves ;
- Le comportement gynécologique.

C'est ce que l'on appelle la chanson des « dix questions ». Passons-les maintenant en revue.

La question sur le froid et la chaleur

Cette question est essentielle lors du diagnostic par l'interrogatoire.

- » S'il dit qu'il a peur du froid et qu'il a de la fièvre, les maladies de cause externe présentent souvent ces symptômes.
- » Si c'était le vent qui était en question, il dirait simplement qu'il n'aime pas le vent, mais dès qu'il ferme la porte, il ne le craint plus, on dit alors qu'il a peur du vent.
- » En revanche, si c'est le vent et le froid qui avaient attaqué le corps simultanément, la personne aurait peur du froid et en même temps peur du vent.
- » Si après avoir été couverte, la personne n'a plus peur du froid, il s'agit très certainement d'une pathologie de cause externe. Mais si malgré la couverture, elle continue à avoir froid, on peut en conclure que l'on se trouve devant une insuffisance de Yang du corps et que l'on a à faire à une cause interne.
- » On devra avoir le même type d'investigation pour la crainte de la chaleur. Par exemple pour une fièvre de cause externe, la chaleur monte progressivement et quand la perversité est éliminée, la chaleur retombe assez vite. Dans ce cas de pathologie externe, la chaleur se trouve en surface de peau, en surface du corps.

Le saviez-vous

La palpation de la main est importante. Si c'est surtout le dos de la main qui présente de la chaleur, nous sommes sûrement en présence d'une cause externe. En revanche, si c'est la paume de la main qui est chaude, il s'agit sûrement d'une maladie d'origine interne. Le thorax et le ventre peuvent aussi être chauds.

La question sur la transpiration

Nous savons que la sueur sort des pores de la peau. Les pores sont contrôlés par le Poumon. Le Poumon contrôle également le souffle, le Qi mais aussi l'énergie protectrice, Wei Qi. Cette énergie, ce Wei Qi permet de resserrer les pores de la peau pour protéger le corps des attaques externes de froid et de chaud. Une autre fonction très importante de Wei Qi est de ne pas laisser la chaleur du corps, le Yang, sortir s'échapper.

Ce n'est qu'une transpiration excessive qui devra attirer l'attention. Quand on pose la question sur la transpiration, il y a deux cas possibles, ou un excès de transpiration ou au contraire un manque de transpiration encore appelé anhidrose. Et cette transpiration peut provenir d'une attaque externe ou d'un problème interne.

Prenons quelques exemples de transpiration d'origine externe :

- » S'il y a beaucoup de chaleur et pas de transpiration, l'énergie protectrice n'est pas suffisante pour évacuer l'excès de Yang. Cela signera alors une atteinte du Poumon.

- Si la perversité froide pénètre dans l'organisme, ce froid va avoir pour action de fermer les pores de la peau. Cet « enfermement du froid » va alors se transformer en feu. La personne aura mal de tête, ses pouls seront flottants et serrés. Il y a trop de Yang dans le corps qui n'arrive pas à s'échapper. La personne aura mal aux articulations, un peu partout dans le corps. Il est important de demander à notre patient s'il a transpiré après avoir pris froid. Si ce n'est pas le cas, cela confirme évidemment le diagnostic de pénétration du froid dans le corps.

- Si, au moment de l'attaque du froid votre Xie Qi, votre barrière de défense est assez forte, à ce moment-là il y aura transpiration. C'est un bon signe puisque le corps rejette la perversité vers l'extérieur. On aura alors dans l'ordre température avant la transpiration qui montre qu'il y a une lutte entre l'énergie perverse et l'énergie droite, ensuite transpiration et élimination : le froid sort du corps. Le patient est alors guéri.

En pratique

Voyons maintenant quelques exemples de causes internes qui peuvent provoquer la transpiration. La sueur, la transpiration sont le liquide du Cœur. Or comme le Cœur contrôle le sang, le sang contrôle la transpiration. Quand on transpire trop, les liquides, l'eau dans le sang sont diminués et donc la qualité du sang se détériore, et par voie de conséquence le cœur peut aussi être affecté.

C'est pourquoi le *Nei Jing* dit qu'il faut surveiller le cœur pour toutes ces maladies de cause interne qui déclenchent une transpiration excessive. Il ne faut pas laisser la personne trop transpirer.

LES DANGERS DU SAUNA À TOUT VA !

Dans les règles d'hygiène de vie enseignées par le Pr Leung, il y a bien sûr le problème lié à une transpiration excessive. Il ne sert à rien, et même cela peut devenir très nocif, de déclencher par des efforts excessifs, une transpiration trop abondante. Il nous mettait en particulier en garde contre des pratiques comme le sauna.

Une dizaine de minutes peuvent effectivement permettre à la peau de se libérer de ses toxines. En revanche quand on le pratique trop souvent, ou *a fortiori* trop longtemps, nous risquons d'épuiser notre sang, donc notre Cœur. Tout ceci est donc à méditer surtout pour des personnes qui ont déjà des problèmes cardiaques.

Si l'énergie Yang dans le corps n'est pas suffisante, cette énergie protectrice n'arrivera pas à jouer son rôle de barrière. Cette transpiration, contrairement à celle de cause externe, n'a pas de goût, ni d'odeur, ni de saveur et le corps ne présente pas de fièvre même quand on transpire. Il a même tendance à être plutôt froid.

Le saviez-vous

La transpiration à cause d'un manque de Yin est une transpiration nocturne uniquement. Dans la journée, il n'y aura pas d'épisode de transpiration. C'est seulement la nuit quand la personne dort qu'elle se produit. Quand elle se réveille, le corps est tout mouillé. On appelle cela une « transpiration dérobée ».

Il existe des localisations quant à la transpiration.

>> Une transpiration des mains uniquement provient souvent d'un vide de Qi du Poumon ou du Cœur, ou de la chaleur du Poumon ou du Cœur.

>> Une transpiration de la poitrine signe le cas d'un syndrome de Yin.

>> Si le patient présente de la lassitude, qu'il est plus ou moins anorexique, qu'il a des palpitations et de l'insomnie, il s'agit d'un vide de Rate et du Cœur. Mais cela peut aussi être un problème Rein Cœur si en plus des palpitations et de l'insomnie, il rêve beaucoup et qu'il souffre des lombes et des genoux.

Donc dans l'interrogatoire sur la transpiration il faudra se renseigner sur son horaire, sa localisation, sa quantité, son goût et sur les principaux signes associés.

La question sur les douleurs

La douleur est un symptôme subjectif fréquemment rencontré en clinique. Elle peut survenir dans n'importe quelle région du corps.

Puisque chaque partie de l'organisme est en relation avec un des « cinq organes pleins ou six organes creux », les « cinq Zang six Fu », un méridien ou une branche collatérale, en distinguant la localisation des douleurs, il est possible de connaître précisément quel est l'organe ou le méridien concerné par cette manifestation pathologique.

L'exemple des maux de tête

Prenons l'exemple des maux de tête, symptôme plus que fréquent dans nos sociétés occidentales. Quand, au cours de l'interrogatoire une personne dit souffrir de maux de tête, il convient de différencier les douleurs d'origine externe, de celles d'origine interne.

Les maux de tête de cause externe sont avant tout dus à la perversité froide.

À retenir

>> Si c'est le vent qui est en cause, la personne a rarement mal tout de suite, cela ne vient qu'après.

>> La chaleur de l'été peut aussi être en cause. Vous connaissez bien sûr ce que l'on appelle le « coup de chaleur ». Si tel est le cas, en plus du mal de tête qui pourra être important, la personne aura soif et elle transpirera spontanément.

> » Il peut aussi y avoir un feu dans le corps qui monte, de même que du Tan qui obstrue les Jing Luo, les méridiens, et qui provoque du feu qui monte.

Quant aux maux de tête de cause interne, il y a souvent une notion de chronicité qui entre en jeu.

> » Si la cause est une chaleur interne, les maux de tête peuvent s'accompagner de symptômes liés aux yeux, aux oreilles, au nez ou à la gorge.
>
> » Si la chaleur est dans le Poumon, en dehors du mal de tête, souvent à l'intérieur du nez il y a des boutons.
>
> » Si la cause est liée à un Yang excessif du Rein, en dehors du mal de tête il y aura des problèmes au niveau des oreilles.
>
> » Si le feu est dans le Foie, cela s'accompagne alors de sclérotique rouge avec une inflammation de l'œil.
>
> » Les maux de tête de cause interne peuvent aussi être la conséquence d'un manque de Yin, d'un Yin Xu.
>
> » Une absorption excessive d'alcool va exciter le Yang. Cette excitation du Yang va blesser le Yin du corps.
>
> » On peut retrouver un problème similaire dans le cas d'une activité sexuelle excessive, ou tout au moins en cas d'éjaculation à répétition. Dans ce cas, il y a une perte de Jing Ye, l'eau du Rein devient insuffisante et le Yang monte, ce qui peut provoquer des céphalées.
>
> » En cas de surmenage, le Zhong Qi, « l'énergie du centre », n'est pas suffisant, et dans ce cas la Rate est blessée. Le Yang va alors monter et provoquer ces douleurs.

À retenir

Un autre cas de mal de tête qui se retrouve souvent chez la femme, plus que chez l'homme, c'est quand le sang circule mal. Il faut savoir que le starter des règles en médecine chinoise se trouve être l'énergie du Foie. C'est le Yang du Foie qui pousse le sang à sortir. Mais s'il y a un état de stagnation d'énergie au niveau du Foie sous l'effet par exemple, de blocage émotionnel, d'émotions intériorisées, il n'y a pas assez de Yang mobilisable pour déclencher les règles et surtout il n'y a pas assez de Yang au niveau de la tête. Trop de Yin par manque de Yang au niveau de la tête favorise la stagnation qui déclenche le mal de tête.

Le diagnostic par l'interrogatoire devra s'intéresser aussi sur l'intensité de la douleur et sa localisation.

En cas d'attaque externe, le mal de tête apparaît très vite, dès que le corps est attaqué par la perversité et c'est une douleur violente, aiguë. Il dure juste le temps de l'attaque externe et de la bataille que le corps est en train de livrer. Autre particularité, il n'est pas répétitif, sauf si une autre attaque se produit.

Cas d'une pathologie interne

Le saviez-vous

En revanche, quand il s'agit d'une pathologie interne, par exemple si nous reprenons l'exemple de notre Yin Xu de la femme pendant ses menstrues, ces maux de tête peuvent être répétitifs et leur répétition peut devenir chronique, durer des années avec quelquefois des périodes de rémission. Les maux de tête peuvent alors être très violents. Quant à la localisation, elle suivra souvent le trajet des méridiens. Par exemple une douleur temporale, là où passe le méridien de la Vésicule biliaire, sera très souvent à mettre en relation avec une stagnation au niveau de l'énergie du Foie.

Pour une douleur dans le corps en général, il faut donc déjà établir des différences entre les symptômes externes et les symptômes internes. Ensuite, voir si ces douleurs sont liées au chaud ou au froid. Ce n'est pas aussi facile que cela. On ne peut pas considérer un seul symptôme pour tirer des conclusions trop rapides sur la maladie.

Cas d'une douleur provoquée par un élément externe

En cas de douleurs provoquées par un élément externe comme le froid ou le vent, celles-ci ne sont pas figées à un endroit ; elles peuvent se déplacer dans tout le corps. Par exemple, si une douleur commence à l'épaule, elle peut se déplacer dans le dos, dans le thorax, aux mains ou aux pieds. La douleur est bien là, mais il n'y a pas de signes extérieurs comme des gonflements ou de la rougeur.

Un excès de chaleur à l'intérieur du corps peut produire ce type de douleur. L'organisme essaye d'éliminer cette chaleur, et cela peut provoquer des douleurs dans tout le corps et dans les os. Des symptômes comme la peur de la chaleur, des transpirations spontanées peuvent alors apparaître.

Cette chaleur peut aussi provenir de l'humidité qui est restée trop longtemps à l'intérieur du corps. On dit alors que l'humidité se transforme en chaleur.

Il peut aussi y avoir la production de ce que l'on appelle « un feu pervers ». Du Tan présent à l'intérieur du corps sous l'effet de la stagnation a pu se transformer en feu.

Des aliments qui sont « restés sur le ventre » comme on dit, une mauvaise digestion après avoir congestionné l'estomac a pu être à l'origine de la production de feu. Et ce feu peut provoquer des douleurs dans tout le corps.

On peut aussi se trouver devant un cas où une personne ne craint ni le froid ni le chaud, elle n'a pas de fièvre, mais seulement mal dans les os. Cette douleur a pour particularité d'être très concentrée. On dit alors que c'est une maladie Yin Han, une maladie causée par un froid interne. L'élément Yang n'arrive plus à équilibrer le Yin. Ce Yin est devenu du froid et stagne à un endroit précis du corps. À cet endroit, la douleur est transfixiante, aiguë, elle ne se déplace pas. Cette douleur apparaît donc parce qu'il n'y a pas assez d'énergie Yang. En la matière, le traitement est assez facile. Il suffit pour augmenter le Yang de chauffer les aiguilles.

À retenir — LA DOULEUR ÉMOTIONNELLE

Une douleur peut avoir un support émotionnel non négligeable. Si nous prenons comme autre exemple les douleurs des cancers, elles peuvent être classifiées en deux groupes : une douleur directe qui apparaît dès le début de la maladie et qui est liée à une compression d'un nerf, ou une stagnation qui génère de l'inflammation. La seconde est de type Jing Sheng, mentale, et est provoquée par une tension psychologique, par l'inquiétude. Sur le plan thérapeutique, le praticien devra non seulement traiter les douleurs directes qui elles sont bien réelles. Mais il faudra aussi mettre en œuvre des méthodes psychologiques destinées à faire face aux douleurs de type Jing Sheng pour ainsi arriver à les éliminer. Si on ne met pas en œuvre ces méthodes, on n'arrivera pas à guérir ces douleurs.

La question sur les selles et les urines

Mictions et défécations sont deux méthodes utilisées par l'homme pour évacuer les excès accumulés dans le corps. D'après le *Nei Jing*, c'est le Rein qui contrôle la miction et la défécation. On sait que les selles sont évacuées par le gros intestin et l'urine par la Vessie, deux organes situés au niveau du Foyer inférieur. Ces deux organes sont tous les deux des Fu, c'est-à-dire des organes Yang, creux, réceptacles. Ces organes ne fonctionnent que quand ils reçoivent des ordres, ils n'ont pas le pouvoir de s'autocontrôler. C'est pour cela que le *Nei Jing* dit que « le Rein a le pouvoir de contrôler les deux, car le Foyer inférieur est contrôlé par le Rein ».

Les problèmes liés aux selles

La défécation, bien que directement dirigée par le gros intestin, est intimement liée aussi aux fonctions de la Rate et de l'Estomac qui digèrent, transportent, transforment. Mais également aux fonctions du Foie qui transmet et disperse, par le feu de Ming Men contenu dans le Rein, qui réchauffe l'organisme. Mais aussi par l'énergie du Poumon qui nettoie et fait descendre l'énergie, le Qi. N'oublions pas l'existence du couple Poumon-Gros Intestin. En interrogeant le patient sur ses selles, le praticien peut très souvent obtenir des renseignements très précieux sur sa maladie.

> » Quand il y a trop de chaleur dans le Poumon, les liquides sont évaporés. Cela déclenche une sécheresse au niveau du Gros Intestin, et donc de la constipation. (Attention aux fumeurs invétérés).
>
> » Un autre cas à envisager, c'est le cas où le Poumon est Xu, faible. S'il n'a pas assez d'énergie, si l'énergie dans le Foyer supérieur ne circule pas bien, n'est pas libre, l'énergie dans le Foyer inférieur n'est pas libre non plus. Cela aura une répercussion aussi sur les selles.

- Dans le cas de Poumon Xu, les selles sont soit normales, soit molles, mais pas de diarrhée pour autant. Le ventre n'est pas gonflé, les selles sont rares, peu volumineuses. Il y a seulement une fabrication anormalement basse de selles.
- En revanche, dans le Poumon Shi, le ventre est gonflé, les selles sont sèches et dures. Il y a stagnation du volume des selles avec mauvaise progression dans la partie terminale du tube.
- Une autre situation est liée à la Rate. S'il y a de la chaleur dans la Rate et s'il n'y a pas assez de liquides qui entrent dans le Gros Intestin, ils sont trop secs pour évacuer. Dans les textes anciens, on parle de chaleur dans le Yang Ming. Il pourra à ce moment-là y avoir des gonflements et des douleurs dans le ventre.
- Si les selles sont molles, pâteuses, cela peut provenir d'une cause externe. À ce moment-là, ce seront l'humidité et la tiédeur qui seront incriminées.
- Un effondrement de l'énergie de la Rate peut être à l'origine de selles molles à répétition.

Attention

HISTOIRE DU FUMEUR DE CANNABIS, PIÉGÉ PAR SON PRATICIEN

Il faut savoir que le cannabis entre dans de nombreuses formules de pharmacopée traditionnelle, dans le but de tonifier l'énergie de la Rate. Mais comme en tout, l'excès se retourne contre l'organisme et fait s'effondrer cette même énergie.

Il s'agit d'un jeune, autour de la vingtaine. Il est plutôt pâle, maigre. Ces yeux ne sont pas très mobiles. Il ne respire pas la pleine santé. Il consulte pour un état de fatigue quasi permanent. Le praticien a déjà « l'intuition ». Question : « Comment allez-vous à la selle ? »

Réponse : « Normalement. » S'il ne va pas plus loin dans son questionnement, il passe à côté du problème. Question : « Combien de fois par jour ? » Réponse : « Ben, deux, trois fois ! » Question : « Et vos selles sont dures ou molles ? » Réponse : « Toujours molles. » Réaction du praticien : « Bon, allons direct au but (il a déjà la réponse en tête) : combien de joints fumez-vous dans la journée ? » Le patient est pris de court et est obligé de répondre par l'affirmative. Il présente tous les symptômes d'un épuisement de l'énergie de la Rate.

Les problèmes liés aux urines

Il est important de questionner le malade sur la présence ou l'absence de miction, de s'enquérir de la fréquence, de la couleur et de la quantité de celle-ci, de savoir si les urines sont claires ou troubles, si elles s'écoulent normalement ou non et si elles s'accompagnent de douleurs. Les urines proviennent des liquides organiques, Jin Ye. Le Poumon est la source supérieure de l'eau. Il a pour fonction de maintenir et de dégager la voie de l'eau. La Rate régit le transport et la transformation de l'eau et de l'humidité. Le Rein s'occupe de la circulation de l'eau et des liquides, et est chargé des selles et des urines. La Vessie stocke les urines.

Une personne normalement constituée urine trois à cinq fois par jour et de zéro et au grand maximum une fois par nuit. La fréquence et le volume urinaire sont influencés par des facteurs tels que le volume de boissons absorbées, la température corporelle, les efforts physiques, la transpiration et l'âge.

Il est bon de rappeler ici qu'en Occident nous consommons beaucoup trop de liquides. Si on compte l'eau contenue dans les aliments, l'eau qui pénètre par l'air que l'on respire et par la peau, nous ne devrions pas boire plus d'un litre dans la journée, à condition de boire en petites quantités fractionnées, sans prendre un gros bol en une seule fois et en évitant de boire pendant les repas, sous peine de noyer son bol alimentaire. Je vous renvoie au chapitre consacré à ce problème récurrent dans notre diététique moderne (voir chapitre 20).

Les Reins sont une machine à filtrer les déchets et non pas les liquides.

Normalement les urines doivent être légèrement jaunes, jaune paille.

- » Si la couleur est trop jaune, et si une chaleur se dégage de l'urine à la miction, cela montre qu'il y a de la chaleur dans la Vessie ou du feu dans le Cœur.
- » Si l'énergie est déficiente, la couleur de l'urine change d'une miction à l'autre.
- » S'il y a du feu dans le Cœur et l'Intestin grêle, l'urine peut être aussi jaune foncé.
- » S'il n'y a pas assez d'énergie Yang dans le corps, si cette énergie n'est pas suffisante pour faire s'évaporer les liquides, à ce moment-là les urines seront anormalement claires. C'est une maladie froide. L'urine peut alors être aussi claire que de l'eau. À ce moment-là, la quantité d'urine peut être beaucoup plus importante, la fréquence des mictions plus élevée, et il peut même y avoir perte de contrôle.
- » Si la personne a une miction incomplète en goutte-à-goutte, c'est lié à un vide du Qi du Rein et à son incapacité de contrôler le sphincter de la Vessie. Cela peut se rencontrer en cas de sénilité ou de maladie chronique.
- » Une miction douloureuse et obstructive, avec une sensation de brûlure et ayant un caractère d'urgence correspond à une accumulation de chaleur-humidité, comme en cas de cystite.
- » L'énurésie, ou miction spontanée pendant le sommeil, est due à une insuffisance du Qi du Rein qui ne peut pas contrôler la Vessie. Cela survient dans un contexte de déséquilibre entre le Yin nocturne et le Yang diurne notamment chez l'enfant.

La question sur l'appétit et les saveurs buccales

La cinquième question concerne les habitudes alimentaires et les différents goûts susceptibles d'apparaître dans la bouche.

Habitudes alimentaires

Commençons donc par les habitudes alimentaires. Nous savons que les aliments après avoir été mastiqués, après s'être imprégnés de la salive buccale, une sorte de prédigestion, vont ensuite pénétrer dans l'estomac. L'estomac a une relation interne-externe avec la Rate : par l'observation des habitudes alimentaires, on peut obtenir des renseignements sur le fonctionnement de la Rate et de l'Estomac, ainsi que plusieurs autres informations intéressantes.

>> Si l'appétit est réduit au cours des maladies chroniques, s'il est accompagné de dépression mentale, d'un teint brouillé, d'une langue pâle et d'un pouls faible, cela signe une faiblesse de la Rate-Pancréas et de l'Estomac, et ce n'est pas d'un très bon pronostic.

>> L'indigestion, comme l'appétit réduit avec lourdeur de la tête, distension épigastrique et abdominale, enduit jaune et gras sur la langue est avant tout dû à un excès d'humidité encombrant la Rate.

>> L'anorexie, signifie une aversion vis-à-vis des aliments et de leur odeur. Ce symptôme se rencontre évidemment dans les intoxications alimentaires, mais, dans les cas chroniques, on peut également le rencontrer en cas de rétention de nourriture. Si le dégoût de nourriture s'accompagne d'un enduit très épais et collant, cela provient d'un excès d'humidité dans le Foyer moyen qui affecte le Foie et la Vésicule biliaire, l'Estomac et la Rate.

>> L'anorexie et les vomissements de la femme enceinte signent une montée à contre-courant de l'énergie du Foie.

Le saviez-vous

>> Enfin, l'anorexie mentale fait un peu partie du tableau de la dépression. Il s'agit très souvent d'un trouble obsessionnel compulsif lié au Foie et dû à un blocage, une nouure de celui-ci consécutive à des blocages émotionnels.

>> Par ailleurs, durant le développement d'une maladie, la restauration progressive de l'appétit annonce l'amélioration du Qi de l'estomac et donc une guérison prochaine. Alors que la diminution graduelle de l'appétit annonce une augmentation de la faiblesse de l'Estomac et de la Rate et donc une aggravation de la pathologie.

>> Lors d'une maladie chronique, si le patient mange peu et recouvre soudainement l'appétit et mange abondamment, c'est un signe d'épuisement prochain du Foyer moyen, de la Rate et de l'Estomac. C'est ce que l'on appelle en chinois « la fin du centre ». Ce sont les « dernières lueurs avant la fin », un peu le chant du cygne.

Saveurs buccales

Ensuite, il faut s'attarder aux goûts particuliers qui peuvent apparaître dans la bouche.

En pratique

>> Si un goût amer apparaît dans la bouche, il s'agit d'un excès de feu dans le Foie et la Vésicule biliaire, ou de la remontée à contre-courant de l'énergie de la Vésicule biliaire.

>> Un goût salé peut être dû à une maladie de nature froide, ou à un vide de Qi du Rein avec renvoi du froid-humidité vers le haut.

>> Un goût acide est souvent dû aux aliments. Cela peut être une régurgitation acide le plus souvent provoquée par l'attaque du Qi du Foie sur l'Estomac et l'incapacité du Qi de l'Estomac à descendre.

>> Un goût sucré traduit de l'humidité chaleur résultant d'un excès d'absorption de sucreries et de mets trop riches. Il y a accumulation de chaleur-humidité au niveau de la Rate et de l'Estomac, et c'est « l'énergie des céréales qui vient envahir la bouche ».

>> Un goût fade est lié à un état Xu du Foie et de l'Estomac ou lors d'un syndrome froid.

Donc, le goût que ressent le patient dans la bouche peut donner de précieux renseignements au praticien.

La question sur les sensations au niveau du thorax et de l'abdomen

Si la personne sent que son thorax est gonflé, plein, oppressé, cela montre que l'énergie ne circule pas bien. Dans ce cas, le praticien dans les méthodes de traitement qu'il met en œuvre, évitera de tonifier pour ne pas aggraver le cas. Cette mauvaise circulation, cette congestion peuvent être dues à la faiblesse de l'énergie ou à l'obstruction par le Tan.

Oppression thoracique

Une oppression thoracique avec crachats est causée par une stagnation de Tan-humidité et une obstruction du Qi du Poumon.

L'oppression thoracique avec palpitation et souffle court est liée à un état Xu du Cœur et du Qi du Poumon ou un Yang Xu, une faiblesse de Yang du Foyer supérieur.

L'oppression thoracique accompagnée de soupirs fréquents est due à des troubles psycho-émotionnels et à la stagnation du Qi du Foie.

Lorsque le cœur bat rapidement, et que ce battement est ressenti de la poitrine jusqu'au nombril, et ce, pendant une longue durée de temps, il s'agit réellement de palpitations pathologiques qui peuvent être la conséquence :

> » D'un vide de sang ;
> » D'un vide du Yin qui favorise l'apparition d'un feu qui perturbe le Shen dans le cœur.

Un vide du Qi et du Yang du Cœur peut aussi, en privant le cœur de « chaleur saine » déclencher ce type de symptômes.

On trouve encore l'état Xu de la Rate et du Yang du Rein qui favorise un envahissement du cœur par l'eau.

Et enfin, l'obstruction des vaisseaux du cœur, les fameuses coronaires, par du Tan qui empêche le sang de circuler librement.

Gonflement de l'abdomen

Après le thorax, nous devons nous intéresser à la partie supérieure de l'abdomen qui correspond au Foie et à la Rate.

Dans le cas de gonflement de l'abdomen, il y a lieu de distinguer entre les états Xu, de faiblesse et les états Shi, de plénitude.

Comme pour le thorax, lorsqu'il est rempli, dur, gonflé et douloureux. C'est évidemment un cas Shi.

À retenir

> » S'il y a une douleur sourde dans l'abdomen, qu'il n'est pas dur, on appelle cela Pei, c'est un gonflement dû au gaz. Il y a présence d'eau. C'est un cas Xu.
> » Si la distension abdominale est due à un état Xu de la Rate-Estomac, elle est calmée par la pression, la palpation ou une chaleur locale, une bouillotte par exemple. On a affaire à une faiblesse du Yang Qi de la Rate.
> » En revanche, si elle est due à un excès de chaleur, le patient ne supportera pas la pression. C'est dû, entre autres, à de la rétention de nourriture dans l'estomac et les intestins empêchant la circulation de Qi.

Le praticien ne peut pas se fier à 100 % aux dires du patient. Quand celui-ci dit que le ventre est gonflé, il faut voir s'il l'est réellement. On peut voir si sous la peau, il y a de l'eau qui stagne. Quand on palpe avec la main, quand on appuie sur la peau, on observe une dépression. On regarde si elle persiste ou non, ainsi que la vitesse à laquelle s'effectue la remontée. On peut alors déterminer si la cause est de la faiblesse de l'énergie ou de l'eau stagnante.

La question sur l'ouïe, les acouphènes, la vue et les vertiges

Vertiges

Les vertiges se disent Tou Yun en chinois. C'est une sensation subjective du patient que son corps entier ou que le paysage tourne autour de lui. Souvent les vertiges s'accompagnent de troubles de la vue. En effet, en cas de vertiges on a l'impression de ne pas avoir la vision claire.

À retenir

Pour la médecine chinoise, le principal responsable des vertiges est le Foie. Le Foie, c'est du bois. L'élément Yang du Foie doit monter de façon harmonieuse. S'il monte de trop ou s'il ne monte pas assez, cela donne des vertiges. Ce déséquilibre Yin-Yang dans le Foie est provoqué le plus souvent par le Rein. L'eau du Rein n'est pas suffisante pour nourrir le bois du Foie. Ainsi :

> » Le vertige par échappement du feu du Foie est accompagné de sensations de distensions au niveau du crâne, des joues et des yeux rouges, des troubles de l'humeur allant de l'hyper susceptibilité à l'angoisse, des douleurs sur les flancs, trajets du méridien de la VB, et de la bouche amère.
>
> » En cas d'excès de Yang du Foie, s'il y a présence de vertiges, on aura aussi des douleurs de type distension du crâne, des acouphènes, des faiblesses au niveau des genoux. Les vertiges de Ménière entrent dans ce cadre.
>
> » Le vertige peut aussi être dû au Tan et à l'incapacité au Yang de monter. Il est accompagné de lourdeurs de tête, de l'oppression thoracique, de nausées et de lourdeurs dans les jambes. C'est ce que l'on appelle des vertiges positionnels.
>
> » Le vertige par vide de Qi et de sang est suivi de lassitude mentale, de souffle court, de léthargie. Il est aggravé par le stress.
>
> » Enfin, le vertige par vide du Jing du Rein donne une sensation de vide, des acouphènes, des pertes de mémoire, de la faiblesse des articulations et des genoux.
>
> » Dans un autre cas, la personne n'a pas de vertiges, ni mal de tête. Elle sent simplement comme un fardeau sur sa tête, elle a la « **tête lourde** ». C'est souvent lié au fait que la partie supérieure du corps est Xu. D'après le *Nei Jing*, si la partie supérieure du corps n'a pas suffisamment d'énergie, le cerveau n'est pas assez nourri, la tête tombe, elle est lourde. Le Yang ne monte pas assez, il n'apporte pas assez de nourriture à la tête.

Acouphènes

Les acouphènes se disent Er Ming en chinois. Le praticien doit demander au patient s'il entend bien distinctement. Il y a plusieurs cas de surdités :

> » Des causes externes comme trop de bruits extérieurs, des attaques externes mal soignées (otites à répétition).

> Les causes internes sont souvent liées au Rein, car le Rein a pour orifice de sortie les oreilles. L'énergie Yang du Rein est faible, cette énergie n'arrive pas à monter. Les oreilles n'ont pas assez d'acuité. La faiblesse des autres organes peut être à l'origine de surdité progressive. L'âge va contribuer évidemment à l'apparition de tels symptômes.

En plus de la surdité, il peut y avoir des problèmes d'acouphènes, qui sont des bruits dans l'oreille interne de type « chant de cigale » ou de « bourdonnement comme la marée montante et descendante » :

Le saviez-vous

> Les acouphènes, comme le coassement du crapaud ou le bruit des vagues de la marée, qui ne sont pas réduits par la pression locale de l'oreille sont dus à un feu de la Vésicule biliaire qui perturbe les orifices supérieurs.
>
> Les acouphènes progressifs et bas de type bruit de cigales et qui sont calmés par la pression de l'oreille sont dus à un syndrome de vide du Foie et du Rein, à un excès du Yang du Foie ou à une déficience du Jing du Rein.

La question sur la soif

À retenir

La soif, Kou Ke en chinois, signifie le désir de boire, mais également la quantité d'eau nécessaire pour étancher sa soif. Normalement, quand on est en bonne santé, quand on boit régulièrement en petites quantités fractionnées des boissons tièdes ou chaudes, on ne devrait jamais avoir soif. La soif est un symptôme de « trop tard » : on est resté trop longtemps sans boire, et l'on joue au chameau. Ou alors c'est un symptôme pathologique, la plupart du temps de chaleur interne.

> Si le patient a la bouche sèche, qu'il a soif, qu'il a envie de boire ou qu'il désire des boissons froides, cela indique une chaleur qui endommage le Yin. Les liquides physiologiques deviennent insuffisants.
>
> Si le patient a la bouche sèche, qu'il a soif et qu'il désire des boissons chaudes en petites quantités ou bien s'il a soif, mais pas envie de boire, et qu'en plus il a des difficultés mictionnelles, c'est qu'il y a une stagnation d'eau interne.
>
> S'il n'y a pas de difficultés mictionnelles, ces symptômes sont la conséquence de la pénétration de la chaleur, d'une maladie de tiédeur dans le sang. Ce dernier s'évapore, se transforme et monte comme une marée, provoquant la sensation de soif sans envie de boire.
>
> En l'absence de forte fièvre, une soif avec désir de boire beaucoup, accompagné d'un débit urinaire important est un signe de diabète, Xiao Ke en chinois.

La question sur le sommeil et les rêves

Interroger un patient sur son sommeil revient essentiellement à lui demander s'il est sujet à l'insomnie, Shi Mian, ou à l'hypersomnie, Duo Shui. En général, les personnes âgées ont besoin de moins de sommeil que les jeunes. C'est un aspect physiologique normal.

Insomnie

L'insomnie est caractérisée par un temps de sommeil trop court, ou un endormissement difficile ou encore une facilité à se réveiller. Voyons ces différents cas :

À retenir

» Le patient n'arrive pas à s'endormir. Il tourne dans son lit, a des milliers d'idées parasites. Il peut y avoir des impatiences au niveau des jambes. À ce moment-là, c'est le feu du Cœur qui monte de trop. Soit le sang du Cœur est insuffisant, soit l'eau du Rein ne contrôle plus le feu du Cœur qui s'embrase.

» Le patient s'endort parce qu'il est fatigué, puis il se réveille en deuxième partie de nuit sans pouvoir se rendormir ensuite. C'est souvent alors un problème lié à une faiblesse du Yin du Foie. Le Hun contenu dans le foie a tendance à vouloir en sortir. On dit qu'il perd son ancrage, et c'est l'insomnie qui apparaît. Un vide de Vésicule biliaire déclenchera chez lui un réveil très tôt le matin.

» Un autre cas : la personne s'endort, se réveille, s'endort encore... souvent à ce moment-là, on trouve des pathologies de type plénitude. Son estomac n'est jamais vide. Il mange trop !

» Les insomnies d'origine Xu sont souvent dues au Cœur. Cela peut-être le sang du Cœur qui est insuffisant. Quand il n'y a pas assez de sang, le Cœur manque de nourriture : il est troublé, perturbé, inquiet. Le sommeil est alors intermittent. Il y a aussi le feu dans le Cœur qui peut déclencher de l'insomnie. Il y a trop de feu dans le Cœur, le sang est trop abondant, le Yang monte et on n'arrive pas à s'endormir.

» Quand la personne est tendue, nerveuse, c'est un signe de tension de la Vésicule biliaire. Il y a une concentration de feu dans la Vésicule et si ce feu monte de trop, l'insomnie apparaît.

» Si la personne a trop de soucis, cela blesse sa Rate. La Rate produit également du sang. La personne blesse donc son sang et cela provoque aussi de l'insomnie.

» On peut aussi avoir des insomnies temporaires après avoir trop mangé. Dans ce cas, il y a aussi des gonflements dus aux troubles de la digestion.

Attention

En MTC, il n'est pas judicieux de donner systématiquement des somnifères dans les cas où les personnes ne dorment pas. Par exemple, si la personne a une insuffisance au niveau du Cœur, si on lui donne des calmants pour qu'elle dorme une ou deux nuits, cela ne sert ni n'arrange rien. L'essentiel ici est de rétablir l'équilibre du Cœur pour qu'elle redorme.

Hypersomnie

À l'opposé de l'insomnie, nous avons l'hypersomnie, qui se dit Duo Shui, ce que l'on peut aussi appeler la somnolence, Shi Shui, qui signifie en chinois « se livrer sans retenue au sommeil ».

- » La première cause est un excès de fatigue. Si la personne est trop fatiguée, trop surmenée, elle blesse sa Rate. Si l'énergie de la Rate est faible, la personne a toujours envie de dormir. C'est ce que l'on peut appeler « le coup de pompe ».

- » Si la Rate est engorgée d'humidité, cette humidité peut rendre le corps lourd et on a alors toujours envie de dormir. Souvent le besoin de dormir apparaît après un repas.

À retenir — SIESTE OU PAS SIESTE ?

La somnolence après un repas est souvent liée à un état de « trop-plein de l'Estomac ». L'organisme se rendant compte qu'il n'a pas assez d'énergie pour digérer son bol alimentaire (une digestion peut épuiser de moitié la batterie du Rein !) vous donne comme symptôme signal d'alarme le besoin de faire la sieste. Je ne parle pas ici de la « sieste crapuleuse » bien évidemment. À ce moment-là, 20-30 minutes de sieste sont tout à fait bénéfiques. Cette sieste peut être ramenée à 10 minutes de relaxation (voir le chapitre qui lui est consacré) qui équivalent à 3 heures de sommeil ! Mais attention : si vous faites une sieste de plus de 40 minutes ; le bol alimentaire va pourrir dans votre estomac. Vous obtiendrez l'effet contraire à celui escompté.

- » Après une maladie, il peut y avoir beaucoup de fatigues accumulées et envie de dormir. C'est alors un bon signe. Dormir beaucoup aide dans ce cas à rétablir l'élément Yin. Dans cette circonstance, l'envie de dormir n'est pas une maladie. C'est une convalescence. C'est le meilleur médicament du burn out.

- » Il existe un état de mi-sommeil et de mi-éveil par extrême lassitude mentale, comme au décours d'une dépression. La cause en est alors un vide de sang du Cœur et du Yang du Rein, ainsi qu'un excès de froid à l'intérieur du corps. Le patient peut s'endormir dès qu'il ferme les yeux et se réveiller dès qu'on l'appelle.

Rêves

Qu'en est-il du rêve ? L'excès de rêve s'appelle Ye You en chinois, qui veut dire « se promener la nuit ». C'est une perturbation très courante du sommeil qui est généralement due à un facteur pathogène qui perturbe le Hun contenu dans le Foie. Il peut alors s'agir de perversités comme le feu, le Tan, l'excès de chaleur, de Yang. La cause en est souvent un vide de Yin. Le rêve représente un état normal, physiologique du sommeil. Théoriquement, quand on est en bonne santé, on ne doit pas se souvenir que l'on a rêvé.

Quand la quantité de rêves devient trop importante, que ces rêves soient agréables ou désagréables, ou *a fortiori* quand il y a des rêves à tendance émotionnelle excessive comme les cauchemars, à ce moment-là le patient peut se réveiller. Le questionnement sur ces rêves peut alors nous donner des renseignements précieux.

- » Si des rêves de colère et de violence sont récurrents, c'est le Foie-Vésicule biliaire qui est alors à incriminer.
- » Si les rêves sont à dominante érotique, et *a fortiori* s'il y a des fuites séminales durant la nuit, il s'agit alors d'une faiblesse du Rein.
- » Si les rêves sont de nature triste, c'est le Poumon qui est incriminé et ainsi de suite.

La question sur les comportements gynécologiques

Nous terminons cette étude sur les « dix questions » par un questionnement particulier sur les comportements gynécologiques.

Commençons par les menstruations, Yue Jing en chinois. C'est un écoulement utérin mensuel, de sang non coagulé chez la femme en âge de procréer.

L'interrogatoire sur les menstrues comporte les modalités du cycle, la durée des règles, leur quantité, leur couleur, leur nature et les symptômes accompagnateurs.

Le saviez-vous

Les femmes appartiennent à l'élément Yin. Le Yin est en relation avec la lune. C'est pourquoi il y a des règles tous les 28 jours.

- » Si les règles viennent plus tôt, si elles sont en avance, si leur cycle est court, on peut se demander s'il n'y a pas de la chaleur dans le sang ou si on ne se trouve pas devant un cas d'insuffisance de Yin.
- » En revanche, si le cycle est long, mais que les règles sont normales, cela montre alors que le sang n'est pas suffisant, ou alors que la personne est faible. L'élément Yang n'est pas assez fort pour faire sortir le sang.
- » Si une femme n'a pas ses règles pendant des mois, qu'il y ait un arrêt de la menstruation, il y a obstruction de sang dans les méridiens. Dans ce cas, il peut y avoir aussi de la toux, de la fièvre, des vomissements de sang, des douleurs au ventre.
- » Mais s'il n'y a pas de règles et que tout par ailleurs est normal, il ne faut pas oublier que la femme peut déjà être enceinte. Si le pouls comme nous le verrons est Hua, glissant, cela signe alors une grossesse !
- » Une quantité accrue et abondante des règles est souvent due à de la chaleur dans le sang qui lèse les méridiens Ren Mai et Zhong Mai, ou à l'insuffisance d'énergie qui ne peut pas retenir le sang.
- » À l'inverse, un écoulement de sang moins important que la normale est dû à l'insuffisance de la production et de la transformation provoquant une déficience de sang, ou alors à une stagnation de froid, de sang ou de Tan.

À retenir

>> La couleur normale des règles est rouge et leur consistance ne doit être ni trop fluide, ni trop épaisse. Il ne doit pas y avoir présence de caillots de sang. Les règles de couleur rouge pâle et de consistance fluide sont souvent la conséquence d'un « sang insuffisant et peu prospère ». C'est un symptôme Xu.

>> Les menstrues rouge foncé et de consistance épaisse sont un symptôme de plénitude Shi due à la « chaleur interne dans le sang ».

>> Les règles de couleur violet sombre accompagnées de caillots sont dues à une stagnation de froid provoquant un blocage du sang.

>> Si les règles sont douloureuses, cela signe souvent un blocage du Qi du Foie. Il faut se rappeler que le Foie en médecine chinoise est considéré comme le starter des règles. Quand par exemple, sous l'effet de blocages émotionnels nous sommes devant un tableau de nouure du Foie, de stagnation de sang et d'énergie au niveau du Foie, on peut avoir des douleurs et des gonflements au niveau de la poitrine et des douleurs abdominales pendant ou avant les règles.

>> En temps normal, les parois du vagin de la femme sont humectées par des sécrétions de couleur blanc laiteux, sans odeur. Si ces sécrétions sont excessives et ne s'arrêtent pas, il s'agit de pertes vaginales. Des pertes abondantes, de couleurs blanches, claires et fluides comme des larmes, sont dues à l'écoulement de l'humidité, conséquence d'une insuffisance de la Rate.

>> Des pertes jaunes, collantes, épaisses et nauséabondes, s'accompagnant de temps en temps de démangeaisons et de douleurs au niveau des organes génitaux externes sont provoquées par l'écoulement de chaleur-humidité vers le bas du corps.

>> Des pertes rouges incessantes et d'odeur légèrement nauséabonde correspondent à la stagnation de la chaleur dans le méridien du Foie.

>> Des pertes abondantes, de couleur terne et sombre, de consistance fluide, s'accompagnant de sensation de mollesse et de froid au niveau lombaire et abdominal, reflètent une insuffisance du Rein.

Chapitre 8
La prise des pouls et l'observation de la langue

DANS CE CHAPITRE :

» **Emplacement des pouls**

» **Méthode de prise de pouls**

» **Le pouls normal et les 27 sortes de pouls**

» **L'examen final : les techniques d'observation de la langue**

En médecine chinoise, on appelle cet examen Mai Zhen, prendre le pouls. C'est une étape majeure de l'examen clinique. Elle permet de recueillir des informations très précieuses sur l'évolution d'une maladie, la nature et la localisation du déséquilibre, l'état des organes et des viscères, les cinq Zang six Fu, et l'état du Yin et du Yang.

Disons d'emblée que c'est le plus difficile de tous les diagnostics. Exceller dans cet art demande non seulement une grande pratique, mais beaucoup de rigueur, de concentration et en même temps une très bonne connaissance théorique.

Auparavant, on prenait le pouls sur neuf artères différentes, trois sur la tête, trois sur les mains et trois sur les jambes. On retrouve là, la localisation des Trois Foyers (voir chapitre 3). On retrouve cette description dans le chapitre 20 du *Su Wen*, le traité « des trois distinctions et des neuf emplacements ». Ces emplacements sur lesquels on prenait les pouls correspondaient tous à des localisations de points d'acupuncture sur les méridiens situés près des artères. Ils étaient répartis en trois zones principales faisant référence à la trilogie terre-ciel-homme. Cette première méthode a été progressivement remplacée par la prise du pouls au poignet que l'on appelle Cun Kou.

Nous suivrons, bien sûr, les enseignements oraux donnés par le Professeur Leung Kok Yuen (voir chapitre 1) pour étudier ces différentes formes de pouls.

Emplacement des pouls

À retenir

Le principal endroit de la prise du pouls en médecine chinoise se trouve donc au niveau des deux poignets, en surplomb de l'artère radiale. Le méridien du Poumon passe précisément dans cette région. Et nous savons que l'énergie du Poumon, mélange de la quintessence de l'énergie de l'air et de l'énergie tirée du bol alimentaire, circule donc le long de ce méridien.

Par ailleurs, le méridien du Poumon débute dans le Foyer moyen et rejoint celui de la Rate. Comme la Rate et l'Estomac sont la source de l'énergie, du Qi, mais aussi du sang, le pouls radial peut refléter les états énergétiques de la Rate et de l'Estomac.

Enfin, le méridien du Poumon est celui du départ et du retour de tous les méridiens sur le plan circulatoire, formant la boucle des 12 méridiens principaux, qui finit par converger sur le pouls radial.

Pour cette raison, le pouls radial reflète l'état des cinq Zang, six Fu, de l'énergie, du sang et des méridiens de l'organisme.

Le pouls du poignet, Kun Kou, se divise en trois parties :

> » Le pouls Guan, pouls du milieu encore appelé « barrière ». Il se trouve légèrement au-dessous et en regard de la styloïde radiale.

> » Le pouls Cun, encore appelé « pouls en avant » ou pouls du pouce. Il se trouve juste en avant du pouls Guan, vers la base du pouce.

> » Le pouls Chi, « pouls arrière » ou pouls de la coudée. Il se trouve en arrière du pouls Guan, vers le coude.

Ainsi chaque poignet comporte 3 divisions de pouls, les deux poignets forment en tout 6 divisions de pouls. Nous allons donc conserver pour notre étude les données du *Nei Jing* à savoir que sur le plan clinique :

> » Le pouls du Cun, du Pouce à gauche correspond à l'emplacement du Cœur et à droite du Poumon.

> » Le pouls Guan, de la Barrière à gauche, correspond au Foie et à droite à la Rate.

> » Le pouls Chi, du Pied à gauche, correspond au Rein gauche et à droite au Rein droit.

Il existe de multiples théories qui finissent par nous faire perdre pied avec la réalité et notre maître s'est contenté de nous apprendre celles ci-dessus.

Figure 8-1   L'emplacement des pouls et les organes correspondant.

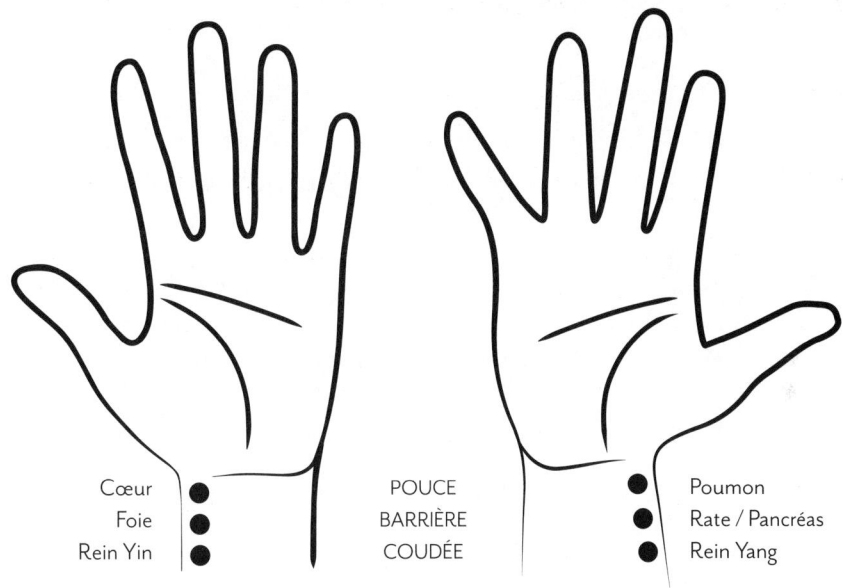

Méthode de prise des pouls

Le saviez-vous

Pour assurer une prise de pouls, le patient doit être dans une atmosphère de tranquillité depuis déjà un moment. Le pouls sera étudié au moins pendant une minute à chaque prise afin de s'imprégner le mieux possible de ses caractéristiques.

Le praticien doit lui-même être calme et posséder le don qu'il doit cultiver, celui de la « pleine conscience » de l'instant présent. Sa respiration doit être calme. C'est un point très important, car, nous le verrons plus loin, il doit pouvoir comparer le rythme respiratoire et cardiaque du patient au sien, sachant qu'une personne saine et dans des conditions normales respire de 16 à 18 fois par minute en respiration inconsciente et que son pouls bat à 4-5 battements durant un cycle respiratoire, soit une inspiration et une expiration.

Le patient doit être en position assise, le dos droit, l'avant-bras posé sur un coussin plat devant le praticien, la face palmaire de la main regardant le ciel ou le bras en pronosupination. Les doigts sont souples et relâchés, laissant le flux de l'énergie, du Qi et du sang circuler librement le long du pouls radial.

Si le patient est allongé, les bras doivent être allongés le long du corps, face palmaire vers le haut. Ils ne doivent pas reposer sur le corps du patient.

Ensuite, nous en arrivons à la phase la plus importante, à savoir la position des doigts du praticien et le ressenti qu'il doit avoir.

En pratique

>> Les trois doigts, à savoir l'index, le médius et l'annulaire du praticien, sont posés sur le même niveau et légèrement arqués et viennent presser délicatement le pouls du patient avec la pulpe.

>> Le médius presse sur le pouls Guan, la barrière, l'index sur le pouls Cun ou pouce et l'annulaire sur le pouls Chi, ou pied.

>> La position des trois doigts doit s'accorder à celle du poignet du patient, sans obstacle ni mouvement de torsion particulière.

>> Chez l'enfant, on peut utiliser un seul doigt pour examiner le pouls médian Guan.

Le praticien commence à prendre le pouls des deux bras en même temps, en appliquant une pression symétrique avec ses trois doigts, pour apprécier l'état énergétique des Trois Foyers. Le point le plus distal est la position Cun, qui veut dire pouce. C'est le Foyer supérieur avec, à gauche, le pouls du Cœur et, à droite, le pouls du Poumon. La position moyenne s'appelle Guan, « la barrière ». C'est le Foyer moyen, avec le Foie à gauche et la Rate à droite. Enfin, l'emplacement le plus éloigné du poignet est la position Chi, pied, avec à droite le Rein Yang et à gauche, le Rein Yin.

Une fois qu'il a évalué globalement les pouls des deux bras, il va travailler sur chaque poignet et différencier les différents foyers. Il étudie le pouls à chaque emplacement, l'un après l'autre, en exerçant avec chaque doigt une pression superficielle puis profonde.

Avant de détailler les pouls et pour celui qui ne veut pas aller plus loin, l'encadré ci-dessous vous permet déjà de comprendre ce que recherche le praticien. En effet, les textes traditionnels citent cinq phases, cinq mouvements que doivent faire les doigts au moment de la prise des pouls.

Le saviez-vous : QUE FAIT LE PRATICIEN QUAND IL VOUS PREND LES POULS ?

» La première manœuvre va permettre d'évaluer la force du pouls au niveau superficiel en soulevant les doigts. À ce moment-là, le praticien sent si le pouls est flottant, normal ou vide, à ce niveau.

» Ensuite, il doit « presser », c'est-à-dire appuyer très légèrement les doigts vers le bas, pour se rendre compte de la force du pouls au niveau intermédiaire et profond. Il pourra, à partir de là, voir si le pouls est profond, normal ou vide, à ces différents niveaux. Plus en profondeur, il pourra voir s'il est creux, caché ou vide, sans racine.

» La troisième phase permet, en quelque sorte, de « sonder le pouls ». C'est-à-dire qu'il ne va plus bouger les doigts afin de compter la fréquence des pulsations. Il pourra ainsi déterminer si le pouls est lent, rapide ou normal.

» Lors de la quatrième manœuvre, le praticien apprécie avec la pulpe des doigts tout ce qui se passe autour de l'artère radiale. Il va ainsi bouger très doucement les doigts d'un bord à l'autre, c'est-à-dire effectuer des micro-mouvements latéraux, qui le font aller du bord externe vers le côté médian de l'avant-bras. Il va pouvoir ainsi déterminer si le pouls est glissant, en peau de tambour, serré, tenu, fin, rugueux.

» Le cinquième mouvement consistera à faire rouler les doigts, c'est-à-dire à les faire se déplacer très légèrement de haut en bas et de bas en haut. Ce mouvement nous permet de voir si le pouls est long, court ou remuant. C'est aussi la méthode de prise de pouls d'un enfant de moins d'un an.

Ces cinq mouvements permettent de se faire une idée plus ou moins précise de la globalité du pouls. Il faudra ensuite aller plus loin et étudier le pouls à chaque emplacement en exerçant avec chaque doigt une pression superficielle puis profonde pour voir quel foyer, quel organe est le plus déséquilibré par rapport à un autre. On peut, par exemple, ressentir un pouls puissant au niveau du Foie situé au Kuan, à la barrière du bras gauche, et au contraire un pouls large ou mou au niveau de la Rate, situé au bras droit, toujours à la barrière.

Le pouls normal

Le pouls normal, encore appelé Chang mai, est un pouls qui n'est pas flottant ni creux. Il n'est jamais ni trop rapide, ni trop lent. Normalement, durant un cycle respiratoire, il doit battre 4 à 5 fois, ce qui correspond à 60-80 battements par minute. Quand on le prend, on doit avoir une sensation de douceur, de puissance sans pour autant qu'il soit percutant. Après un effort physique, il doit revenir très rapidement à la normale et ne doit pas avoir de grandes amplitudes.

On dit que le pouls est normal quand il obéit à trois critères :

> » Ce qui est primordial, quand on retrouve ce pouls, c'est de voir s'il y a de **l'énergie de l'Estomac**, voir si normalement il arrive avec une bonne qualité de l'énergie de l'estomac. Les Chinois disent alors qu'« il donne l'impression de l'empreinte d'une patte de poulet ».
> » Le pouls doit avoir du Shen, de l'esprit, de la vitalité. Nous avions déjà vu cela dans l'étude des couleurs. C'est très subjectif, mais on sait quand une rose a du Shen, de la vitalité ou quand elle est en fin de vie.
> » Enfin, on dit que le pouls doit avoir une racine. Ce terme recouvre deux significations. Tout d'abord, le pouls des deux Reins, situé côté coude des deux avant-bras, doit être présent et de bonne qualité. Par ailleurs, quand on appuie très en profondeur, on doit retrouver une racine, on doit encore sentir le pouls.

Quand ces conditions sont présentes, nous savons alors que les cinq Zang, six Fu, ainsi que le sang et l'énergie sont de bonne qualité.

Le saviez-vous

Il faut savoir qu'un pouls normal peut varier en fonction de facteurs physiologiques et psychologiques, sans que cela soit pour autant pathologique. Par exemple, le pouls est à mettre en relation avec l'âge, le sexe et la constitution physique d'un individu :

> » Chez l'enfant, il sera petit et rapide.
> » Chez l'adolescent et le jeune, il pourra être lisse, glissant.
> » Chez la personne âgée, il sera normalement plus dur et tendu.
> » Il pourra aussi y avoir une différence de pouls chez l'homme et la femme adulte. Chez la femme, il sera normalement souple, mou et fin. Chez l'homme, modéré et puissant.

Dans les actes de la vie quotidienne :

> » Le pouls peut être puissant, rapide et glissant après un effort physique. Ce n'est pas pathologique et cela doit rentrer dans l'ordre, une fois le repos retrouvé.
> » De même après un bon repas, il peut avoir ces mêmes caractéristiques de puissance et de rapidité.
> » En cas d'angoisse, d'anxiété, il peut être tendu. Il peut être irrégulier en cas de frayeur.
> » Les facteurs saisonniers ont aussi leur importance. Le pouls peut être légèrement tendu au printemps, légèrement flottant en automne, légèrement creux et profond en hiver.

> » Il peut aussi varier tout au long d'une journée. Il peut, par exemple, être flottant et puissant durant la journée et légèrement profond, fin et lent, durant la nuit.

Enfin, il peut y avoir des anatomies particulières au niveau de l'artère radiale. Dans certains cas, elle peut être sur la face dorsale du poignet. On l'appelle alors « pouls radial ectopique ».

Nous voyons donc que plusieurs facteurs peuvent affecter l'état normal d'un pouls. Mais tant que le pouls a les trois caractéristiques fondamentales que sont donc le Shen, le Qi de la rate et une racine, nous pouvons dire que nous avons affaire à un pouls normal.

Les 27 sortes de pouls

Nous allons maintenant passer à l'étude des pouls que l'on peut qualifier d'anormaux, de pathologiques. Pour caractériser un pouls, nous allons devoir nous attacher à la variation de rythme, ou à la morphologie, à la force et à la forme d'un pouls. Certes, il y a beaucoup de subjectivité quant à l'étude de ces différents pouls, mais différencier un pouls superficiel d'un pouls profond, un pouls tendu d'un pouls mou, un pouls avec ou sans racine, un pouls régulier ou arythmique, un pouls lent d'un pouls rapide, nous donne déjà de très bonnes indications, à condition évidemment que les conclusions que l'on en tire soient en concordance avec les autres parties du diagnostic, que ce soit l'étude de la langue, l'observation et l'interrogatoire.

Donc les pouls de base sont très faciles à apprendre, ensuite à force d'expérience, à force d'années de pratique, le praticien pourra affiner sa perception, sa sensibilité et sera à même de se servir de cet outil qui est un des plus performants du diagnostic.

Étudions donc maintenant les 27 sortes de pouls, issus des textes anciens et réinterprétés par notre maître. Le Professeur Leung, au moment de leur étude, les a placés dans un ordre bien particulier. À l'usage, vous verrez que cet ordre nous permet encore facilement de les comprendre et les retenir.

Tableau 8-1 Les 27 sortes de pouls.

Pouls flottant Fu	Lorsque l'on pose les trois doigts sur le poignet, dès le contact léger, on sent nettement l'artère. Si on appuie plus fort, plus profondément, à ce moment-là, le pouls donne l'impression d'être moins fort, plus faible, moins coulant. Cela signe en règle générale des maladies de l'externe, du Biao. Le corps a été attaqué par des éléments externes.
Pouls mou Ru	Il évoque aussi un coton qui flotte à la surface de l'eau et disparaît sous une pression trop forte. Bien qu'il soit mou, on le place dans la catégorie des pouls flottants. On dit que c'est un pouls inconsistant. Il souligne un manque d'énergie et de force du patient.

Pouls creux Kou	Il est flottant à la superficie, et quand on appuie un peu plus profondément, on sent un creux, et quand on appuie encore plus profondément, on sent à nouveau le pouls. C'est pourquoi on dit que le milieu est creux. C'est un pouls Fu et creux au milieu. Quand on observe ce pouls, c'est qu'il y a toujours un manque de sang.
Pouls en peau de tambour Ge	Quand on touche très légèrement à la surface, il est très fort, très dur. Quand on appuie un peu plus fort, on sent qu'il est creux, qu'au milieu c'est vide. Quand on appuie plus profondément, il y a une racine, mais elle est très faible, on ne la sent presque pas. Ce pouls, dans presque tous les cas, signe un état de faiblesse important.
Pouls éparpillé San	C'est un pouls sans racine, flottant, mais non concentré : il est dispersé. C'est-à-dire que de temps en temps on le sent, à d'autres moments on ne le sent plus du tout. Il y a des arrêts intermittents et il n'a pas assez de force. Mais sa caractéristique, c'est de ne pas avoir de racine. Ce pouls fait également partie de ce que l'on appelle un pouls mortel. Quand on le rencontre, on peut considérer qu'il n'y a plus d'espoir.
Pouls profond Chen	Ce pouls, quand on le palpe en surface, donne une impression d'insuffisance ; il n'a pas assez de force. Quand on appuie plus profondément, on sent qu'il est plus abondant. Il faut savoir que l'on peut retrouver ce pouls en hiver et qu'il est alors normal. En effet, en cette saison, l'eau est sous la terre et cela peut se ressentir au niveau du pouls. Quand on trouve ce pouls Chen, cela signifie que la maladie est entrée plus en profondeur. C'est en général une maladie de cause interne et rarement de cause externe.
Pouls faible Ruo	Ce pouls Ruo est faible, sombrant et petit. Sa qualité est d'être mou. Ce pouls montre avant tout une faiblesse de l'énergie originelle.
Pouls caché Fu	Ce pouls fait partie des pouls sombrants. Quand on le touche légèrement, on ne le sent pas. On doit appuyer fortement pour l'obtenir. Ce pouls Fu, caché, est aussi appelé « pouls enfoui ». Ce pouls Fu, caché, signe souvent la présence de Tan, et en particulier de Tan stagnant, lié par exemple à une indigestion.
Pouls dur Lao	Ce pouls est donc très fort, mais très en profondeur, c'est pour cela que l'on dit qu'il est presque dur. Dans tous les cas, en profondeur, il est plus fort que le pouls Fu, c'est que nous sommes en présence d'une maladie Shi.
Pouls retardé Chi	Ce pouls Chi dépend du nombre de battements cardiaques. Pendant une inspiration et une expiration du praticien, on doit ressentir entre quatre et cinq battements : le pouls normal. S'il y a moins de quatre battements, on appelle cela un pouls Chi, retardé. Il arrive en retard. Dans certains cas, il peut n'y avoir que trois battements. Quand le patient a ce pouls, cela veut dire que dans son corps il y a une accumulation de froid. C'est surtout des maladies de type Yin.
Pouls intermittent Dai	Ce pouls Dai est de la même catégorie que le pouls retardé, Chi. C'est un pouls qui vient lentement. Ensuite, il y a une rupture, un arrêt de temps en temps. On rencontre surtout ces cas dans les problèmes de rate, ou s'il y a du froid à l'intérieur du corps.
Pouls rugueux Se	Ce pouls est rugueux. Il n'est pas fluide. On a l'impression qu'il y a, de temps en temps, un temps d'arrêt. Mais c'est seulement une impression. C'est un peu comme s'il n'arrivait pas à venir. Il est fin, lent et court. On a souvent alors à faire à un patient en manque de Jing Qi et de sang.

Pouls relaxé Huan	On peut le considérer comme le pouls de référence. C'est un pouls calme. Il n'est ni trop faible, ni trop rapide. C'est un pouls qui montre qu'il y a de l'énergie dans l'estomac, qui a de la vitalité. Ce pouls est donc un pouls normal. C'est un pouls qui montre qu'il n'y a pas de maladies. Sous les doigts, c'est un pouls très agréable ; il est moelleux.	
Pouls noué Jie	Il ressemble au pouls Huan, relaxé. Mais ici il y a un petit arrêt après un certain nombre de battements. Ces arrêts se font de façon très irrégulière. Il y aura par exemple dix battements et un arrêt, puis trente battements et un arrêt et deux-trois battements et un arrêt. Ce pouls montre qu'il y a une stagnation de sang et d'énergie.	
Pouls rapide Shu	Ce qui caractérise ce pouls, c'est sa vitesse. Si on prend comme référence une respiration complète, il y a plus de cinq, voire six ou sept battements. On est en présence d'une abondance de Yang. La plupart du temps, cela signifie que nous sommes en présence de chaleur, mais ce pouls peut également indiquer un froid extrême.	
Pouls vaste Hong	Le pouls Hong « pousse fort, mais se retire faiblement », de même que lorsque la vague repart, elle est plus faible que lorsqu'elle arrive. Ce pouls indique donc, avant tout, une abondance de Yang. Si c'est l'été, c'est un pouls normal à cause du Yang externe.	
Pouls précipité Cu	C'est un pouls caractérisé par sa rapidité. On trouve en effet plus de cinq pulsations par respiration complète. Mais ce qui en fait la différence, c'est qu'il y a un arrêt, qui n'est pas retrouvé à fréquence fixe. C'est avant tout un pouls de nature Yang. Les symptômes éventuels liés à ce pouls sont relatifs à une montée de Qi.	
Pouls glissant Hua	Le pouls Hua, glissant, donne l'impression, quand on le touche, d'être rapide. Mais quand on compte les battements en fonction du cycle respiratoire, on trouve que sa vitesse est normale. C'est un pouls de nature Yang, et il apparaît quand il y a du Tan.	
Pouls vide Xu	C'est un pouls sans force, qui manque de vitalité. Il caractérise un état de vide, de manque de vitalité, de faiblesse. Éventuellement, on peut le sentir grand, large, mais il est faible, ne présente pas de résistance.	
Pouls court Duan	C'est un pouls sans force, qui manque de vitalité. Il caractérise un état de vide, de manque de vitalité, de faiblesse. Éventuellement, on peut le sentir grand, large, mais il est faible, ne présente pas de résistance.	
Pouls petit Xi	Il ressemble à un fil quand on le palpe. Globalement, ce pouls signe une maladie de nature Yin et un manque d'énergie.	
Pouls plein Shi	Ce pouls fait partie des pouls grands. Il est fort et long. Sa forme est plus large que la normale. C'est un pouls qui reflète plutôt un corps en bonne santé. Cependant, par rapport au pouls Huan, relax, il est plus fort, plus long et sa forme est plus large. Ce qui est primordial quand on retrouve ce pouls, c'est de voir s'il y a de l'énergie de l'Estomac, voir si normalement il arrive avec une bonne qualité de l'énergie de l'estomac. Les Chinois disent alors qu'il donne l'impression de « l'empreinte d'une patte de poulet ».	
Pouls serré Jin	Quand on pose les doigts sur l'artère, on sent une importante résistance sous les doigts. Cette résistance est semblable à celle d'une corde serrée. Quand on la touche, il est très fort, très tendu. Ce pouls signifie que l'on est en présence d'une maladie de type froid. Nous savons que la caractéristique du froid est de resserrer, d'obstruer la circulation et cette obstruction entraîne très souvent des douleurs.	

Pouls filiforme, tendu Xian	Le pouls Xian est donc léger, glissant, fluide, avec une idée de droiture et de souplesse. Il donne l'impression de passer directement du pouls Chi au pouls Cun, de la coudée au pouce. Il n'offre pas, sous les doigts, une résistance excessive. On peut le rencontrer fréquemment au printemps. Si ce pouls Xian, tendu, filiforme, manque de souplesse ou est trop fort, on est alors en présence d'une pathologie. Cela signifie qu'il n'y a pas assez d'énergie de l'estomac.
Pouls grand Da	Quand on le touche, on sent qu'il est plein. C'est un pouls qui est deux doigts plus large que la normale. En effet, si ce pouls Da s'accompagne d'un pouls Shi, s'il est donc large et plein, et qu'en plus le pouls est Suo, rapide, on va en déduire qu'il y a de la chaleur interne, et que la maladie est de plus en plus grave. En revanche, si le pouls Da s'accompagne d'un pouls Ru, mou, nous sommes en présence d'un état de faiblesse, d'un état Xu.
Pouls remuant, sautant Dong	Tous les pouls ont une certaine caractéristique de sautillement. Mais celui-ci ressemble à une bille et on ne le sent pratiquement qu'à un seul endroit, à savoir au Guan, à la barrière. On peut le rencontrer après une très grande frayeur. Ce pouls Dong peut aussi caractériser une mauvaise circulation de l'énergie. L'énergie peut alors être bloquée au niveau de la poitrine, surtout si la personne a tendance à se mettre très souvent en colère ou, au contraire, si elle est facilement triste.
Pouls long Chang	Le pouls Chang, long, est un pouls beaucoup plus grand que la normale. Il faut écarter les doigts pour le sentir. Quand on trouve ce type de pouls, on ne doit pas penser tout de suite à un état pathologique. Il signe, en effet, un état de bonne santé.

Bien évidemment, tous ces pouls peuvent se combiner entre eux, mais leur description cela déborderait le cadre de la présente étude.

L'étude de la langue

À retenir

L'observation de la langue, Wang Ze, est un point essentiel du diagnostic. C'est avant tout parce que la langue reflète l'état de santé ou de maladie de la personne ainsi que sa constitution. Le praticien verra si l'énergie et le sang dans le corps sont suffisants ou non, si le sujet est faible ou fort. Ainsi, si la langue est normalement épaisse et assez ferme, on considère en règle générale que le sujet est résistant, en bonne santé. Au contraire, si la langue est mince et molle, cela indique une constitution Xu, de faiblesse.

Une coloration rouge tendre de la langue est considérée comme normale. En revanche, si le rouge est terne et pâle, cela indique également une constitution de faiblesse et une déficience de sang et d'énergie. Il peut se produire aussi que la langue soit trop foncée, que la coloration rouge de la langue soit trop prononcée. Cela indique certainement l'existence d'une maladie.

À retenir

Ce qu'il est essentiel d'observer sur la langue, c'est l'humidité de la cavité buccale, c'est-à-dire la présence ou l'absence de Jin Ye, de liquides organiques. Nous savons qu'ils jouent un rôle essentiel dans l'organisme, particulièrement pour la protection à l'égard des maladies venues de l'extérieur, des attaques externes. En effet, les Jin Ye permettent de résister à l'attaque des énergies perverses. Ils favorisent également le bon fonctionnement des organes, que ce soit au niveau de la digestion, de la respiration ou des contractions cardiaques. Tous ces organes ont besoin de Jin Ye, de liquides organiques pour leur bon fonctionnement.

Technique d'observation

En pratique

Le patient est assis devant le praticien. Celui-ci vient d'étudier ses pouls. C'est le moment de lui demander de sortir sa langue. Pour cela, il n'est pas nécessaire qu'il ouvre trop la bouche. Il faut que le patient reste détendu et que sa langue soit bien plate. Il ne faut pas qu'elle soit trop tirée ou contractée, car si c'était le cas, on pourrait observer une couleur rouge foncé par afflux excessif de sang.

Donc, dans la pratique, le praticien demande au patient de montrer sa langue sans effort. Il faut 15 à 20 secondes pour observer correctement une langue. Au sujet de la coloration de la langue, s'il se trouve en présence d'une coloration anormale, il faudra s'assurer que cette coloration n'est pas causée par des aliments. Pour cela, il faut lui demander s'il ne vient pas de consommer de la réglisse, du chocolat, des olives… qui sont des aliments qui peuvent teinter la langue et en altérer les couleurs.

Ainsi, nous verrons qu'une langue noire et terne n'est pas d'un excellent pronostic. Évidemment, le praticien doit au préalable demander à son patient s'il n'a pas consommé un aliment colorant. Quand vous buviez du vin rouge à l'armée, tout le monde avait la langue avec un enduit noir : c'est le bromure qu'il contenait qui donnait ce résultat !

Les cinq parties de la langue

Selon le *Nei Jing*, la langue peut être divisée en cinq parties :

> - La pointe et l'extrémité de la langue représentent le Poumon et le Cœur.
> - Le centre, la Rate et l'Estomac.
> - La racine de la langue, sa base, est à mettre en relation avec le Rein.
> - Le côté gauche de la langue représente le Foie.
> - Le côté droit, la Vésicule biliaire.

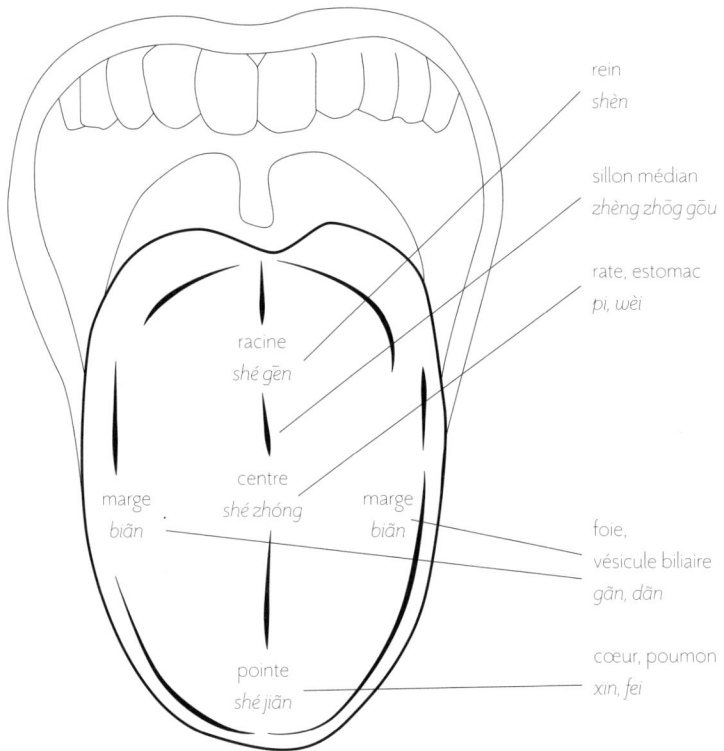

Figure 8-2 Les cinq parties de la langue.

Observation du corps de la langue

Cette partie s'adresse à tous ceux qui veulent aller plus loin dans cette passionnante étude.

Observation du Shen Qi, de la vitalité de la langue

Pour déterminer la vitalité de la langue, il faut voir : si les mouvements de la langue sont aisés et souples, si elle n'est pas engourdie. Il convient également d'évaluer si la couleur a de l'éclat. Si la langue est mobile et qu'elle a suffisamment d'éclat, on dit alors que « la langue est prospère ». Au contraire, si elle est engourdie, terne et desséchée, on dit que la « langue est pauvre ».

Tableau 8-2 Morphologie de la langue.

Langue gonflée	– La langue est gonflée et en même temps blanche, mais qu'elle est suffisamment lubrifiée, nous pouvons supposer alors que nous sommes devant un état d'humidité. – Si la langue est gonflée et en même temps rouge pâle, cela signe très souvent un état d'humidité et de chaleur. – Une langue gonflée et de couleur rouge vif, foncée, montre que la chaleur a atteint la couche du sang. – Si on se trouve devant une langue gonflée et tellement foncée que l'on obtient presque une couleur violet verdâtre, cela indique que le sujet est empoisonné, intoxiqué soit par des aliments, soit par de l'alcool.
Langue effilée	– Une langue maigre, effilée, de couleur blanche manque d'énergie et de sang et en même temps de Yang. – Une langue maigre, effilée et rouge foncé montre au contraire que l'on est en présence d'une insuffisance de Yin, d'un Yin Xu et de feu.
Langue ferme, dure, raide	– Une couleur rouge foncée, et en même temps qui manque de mobilité ; qui est raide indique que la chaleur a pénétré dans le péricarde. – La langue molle, sans vigueur et sans force. Il s'agit d'un autre type de langue avec comme exemple : si elle est de couleur blanche, cela indique une constitution Xu, de faiblesse accompagnée de déficience de sang et d'énergie. Si au contraire, elle est rouge foncé, cela indique une déficience de Yin.
Langue tirée vers le côté	– Elle signe la pénétration du vent pervers dans les Jin Luo, les méridiens. La pénétration de ce vent pervers entraîne la déformation de la langue vers le côté. – Si on ne trouve aucun symptôme lié à la pénétration du vent pervers, cela indique que le sujet est prédisposé à l'attaque de vent, c'est-à-dire à une attaque d'apoplexie. Il faut évidemment distinguer ces deux situations pathologiques des cas où la langue est tirée sur le côté pour des raisons héréditaires ou accidentelles.
Langue qui tremble	– Si elle est blanche, cela indique une déficience de Yang, un Yang Xu qui empêche un approvisionnement normal des muscles. Ce tremblement dans ce cas dénote une faiblesse. – Si, au contraire, ce tremblement s'accompagne d'une langue rouge foncé, cela indique qu'il y a un Yin déficient, un Yin Xu qui peut être à l'origine d'un vent interne.

Tableau 8-3 Variation de la surface de la langue.

Langue avec petits points	On peut souvent être amené à observer des petits points à la surface de la langue. Ils peuvent apparaître sur les côtés, sur les bords de la langue. Ils sont souvent de couleur rouge. Quand justement ils sont de couleur rouge, ils apparaissent chez les sujets nerveux, agités, qui ne dorment pas assez, ou encore qui consomment trop d'aliments épicés, acides ou piquants.
Langue fissurée	– Lorsque le corps de la langue est pâle et qu'il présente des fissures, il s'agit d'une déficience de sang. – Si le corps de la langue est bien rouge, avec un enduit jaune épais et des fissures, cela montre une présence de chaleur abondante dans les Zang Fu qui épuise les Jin Ye. – Si le corps de la langue est légèrement rouge et qu'il présente des fissures peu profondes qui peuvent être couvertes d'enduit et si le patient n'a pas de problèmes particuliers, il s'agit de fissures congénitales à ne pas confondre avec un problème pathologique.
Langue édentée	C'est une langue dont les bords sont marqués ou morcelés par la pression des dents. Elle indique en général, une déficience de la Rate avec une abondance d'eau et d'humidité interne.

Coloration de la langue

Nous avons vu plus haut qu'une langue devait avoir une couleur rouge tendre et avoir du Shen, de l'éclat, de la vitalité.

Tableau 8-4 Coloration de la langue.

Langue pâle	En général, la couleur blanche est à mettre en relation avec le Yin, le froid ou le frais. Si la langue est blanche, c'est généralement un manque de sang.
Langue rouge foncé	On distingue deux degrés dans l'excès de rouge : le rouge foncé, et le rouge très foncé qui est encore plus rouge que le rouge foncé. Dans tous les cas, une accentuation de la couleur rouge indique un état de chaleur à l'intérieur de l'organisme. Mais cette chaleur peut-être due à un excès de Yang ; c'est alors un cas Shi. ou une déficience de Yin et c'est alors un cas Xu.
Langue violet verdâtre	Elle indique une obstruction dans la circulation de sang. Donc, chaque fois que l'on est en présence d'une langue violette, on sait que le sang est atteint.

L'enduit de la langue

Une langue normale a un enduit fin et léger. Il recouvre normalement la langue. Mais il faut observer s'il se situe à l'extrémité de la langue indiquant par là que la maladie se situe au niveau du Foyer supérieur. S'il est au centre, la maladie se situe au niveau du Foyer moyen. Si c'est la racine de la langue qui est recouverte par un enduit, cela indique que la maladie a atteint la couche du Foyer inférieur.

Tableau 8-5   L'enduit de la langue.

Enduit humide	On peut observer la présence d'une grande quantité d'eau et d'humidité à l'intérieur même de l'enduit, dans la couche du revêtement elle-même. Il indique généralement la présence de froid et d'humidité à l'intérieur de l'organisme, voire la présence d'eau stagnante.
Enduit sec	Il ne contient pas assez de liquides. Non seulement il est sec, mais aussi rugueux ; il ressemble un peu à du sable. Quand une langue est sèche, il faut savoir si cette sécheresse est due à une chaleur externe qui en pénétrant a blessé les Jin Ye, ou alors savoir si on ne se trouve pas en face d'une insuffisance de Yin à l'intérieur du corps lui-même.
Enduit « pourri »	C'est un enduit qui est plus épais. On dit qu'il est très libre, c'est-à-dire qu'il n'a pas de racine. Il donne l'impression de coller sur la langue. Il se présente comme une couche très épaisse et peut facilement être retiré. Quand on observe ce type d'enduit, on sait que l'énergie de l'estomac est troublée par de la chaleur et de l'humidité. La chaleur a comme propriété de la faire s'évaporer, et c'est cette évaporation qui crée ce type d'enduit.
Enduit gras	Il donne l'impression d'être très gras. On dit qu'il ressemble à du saindoux qui colle à la langue. Cet enduit gras est souvent provoqué par du Tan Yin, flegme-boisson. Le Tan est accumulé à l'intérieur, par exemple au niveau de l'estomac ou dans les poumons. Et cette accumulation de Tan s'accompagne souvent d'une condition d'humidité froide ou chaude.

Tableau 8-6 Les différentes significations des enduits de la langue.

Enduit blanc	– Le premier cas est l'attaque d'une énergie perverse à la superficie du corps. À ce moment-là, l'enduit est blanc et mince. C'est une maladie externe, superficielle, bénigne.
	– La deuxième possibilité est que de la chaleur ait attaqué le corps, par exemple de la chaleur dans le Poumon. Normalement en cas de chaleur, la langue devrait être rouge. Mais ici comme c'est une attaque externe, au début de l'attaque on voit souvent apparaître un enduit blanc qui recouvre le rouge de la langue. Cet enduit blanc indique une maladie de chaleur superficielle.
	– Le troisième cas possible est une accumulation de froid et d'humidité. Si l'enduit est blanc et épais et que l'on a l'impression qu'il est sale, plutôt gras, si on a des difficultés à l'enlever, il est encré, enraciné, c'est que l'on se trouve devant ce cas de figure.
	– Le quatrième cas possible est la chaleur Shi interne. Dans ce cas l'enduit est blanc avec des crevasses et, par conséquent, sec et rugueux et en plus au bout de la langue, on peut observer un enduit blanc sous forme de poudre. Sous ce type d'enduit, en règle générale, la langue est bien rouge.
Enduit jaune	– Une maladie externe qui a commencé à se transformer en chaleur. La qualité de la teinte du jaune est fonction de la gravité, du degré de pénétration de la chaleur à l'intérieur du corps. Cela peut donc aller du blanc mince au jaune épais.
	– Si le jaune est plus foncé, plus prononcé, cela montre qu'un élément externe est entré dans le corps, mais il préexistait déjà de la chaleur à l'intérieur.
	– Un jaune trouble, gras, avec ou sans membrane, est dû soit à l'humidité, à la chaleur interne, soit au Tan, soit à une mauvaise digestion. Il s'agit alors d'une accumulation d'aliments déclenchant une maladie de chaleur-humidité.
Enduit noir	– Il peut être lié à une chaleur excessive qui a blessé le Yin. Voilà pourquoi l'enduit s'est coloré en noir. Mais ce type d'enduit noir dérive du jaune. Il a une texture très particulière avec apparition d'épines noires et de crevasses.
	– Par ailleurs, en cas de faiblesse de Yang, il y a présence de Yin et de froid. Le noir comporte des traces blanches.
	– Il peut aussi y avoir une faiblesse de l'eau du Rein. Le noir est alors terne, sans éclat ; l'enduit est sec, non lisse. On pensera à de la chaleur si le patient a soif de boissons froides. Mais si c'est un Yin Xu, le patient a soif, mais pas envie de boire. La langue est alors plutôt effilée.

PARTIE 3
LES GRANDES CAUSES DE MALADIE

DANS CETTE PARTIE...

Une maladie, quelle qu'elle soit, n'apparaît pas sans raison. Dans cette très importante partie, vous apprendrez que les différents facteurs de maladie, qu'ils soient externes ou internes, pourraient être évités, si nous avions accès à la connaissance.

En abordant toutes les grandes causes de maladie, cette partie va vous aider, « sans peur et sans reproche », à prendre toutes les précautions qui s'imposent.

Chapitre 9
Différencier maladies internes et externes

DANS CE CHAPITRE :

» **La prévention au cœur de la MTC**

» **Identifier les principales causes des maladies pour reconquérir une pleine santé**

En théorie, l'organisme selon les principes de la MTC, n'a pas été conçu pour tomber malade, mais pour s'autoguérir en permanence. Alors pourquoi tant de personnes sont-elles porteuses de pathologies, pour la plupart chroniques ? C'est évidemment la grande question que se pose toute médecine.

La faute à qui ?

Quelques réponses vont être données dans ce chapitre. Peut-être que la première, tellement simpliste, mais qui pourtant déborde de vérité, c'est le non-accès à la connaissance. Et ce livre est là pour vous ouvrir les yeux et vous aider à reconquérir une pleine santé.

Un deuxième obstacle qu'il va falloir apprendre à dissoudre. Dans notre formatage actuel, nous restons persuadés que si nous tombons malades, c'est la faute des autres et que nous n'y sommes pour rien. Nous sommes un « effet » dans nos maux, mais pas une « cause ». La MTC va vous apprendre l'inverse. C'est par méconnaissance des modes de fonctionnement énergétique de nos différents logiciels organes, enseigné par cette médecine multimillénaire que nous nous créons pas à pas des maladies internes, ou que nous nous rendons plus perméables aux maladies externes.

Pourquoi certains développent-ils une allergie et d'autres non ?

Les allergies, sous quelques formes que ce soit, tendent à devenir une véritable pandémie galopante, tant le nombre d'individus qui en souffrent augmente. Deux conceptions du fonctionnement du corps humain, deux philosophies de la santé se font face.

Fatalité ?

En Occident, on considère que l'allergie est une réaction excessive de l'organisme au contact d'une substance ordinaire dénoncée donc comme « allergène ». Il suffit tout simplement d'être au contact de cet allergène pour développer une réaction de défense exagérée. Ainsi on va pouvoir se trouver devant des centaines d'agents allergènes potentiels. Les plus connus sont les pollens des fleurs. Ce ne sont pas à proprement parler des poisons, mais juste des substances irritantes que l'organisme finit par ne plus supporter. En dehors des yeux rouges, ils sont à l'origine des rhinites allergiques pouvant aller jusqu'aux broncho-pneumopathies comme les détresses respiratoires des enfants, de plus en plus jeunes à type de bronchiolites et même des cardio-pneumopathies. Dans les cas extrêmes, à cause de certains agents dits « *fortement allergènes* » comme le blanc d'œuf, la cacahuète, les piqûres de guêpes et j'en passe, cela peut aller jusqu'aux chocs anaphylactiques, état de détresse de l'organisme qui est potentiellement très dangereux.

Il y a un effet pervers dans cette approche de l'allergie en médecine occidentale, du « c'est pas ma faute ». C'est cette impression de fatalité et de peur de l'extérieur. Si nous sommes allergiques, c'est à cause de l'autre, de l'externe, de ce pauvre pollen qui pourtant n'a pas été « fabriqué » par Dame Nature pour nuire à l'Homme, mais au contraire pour favoriser la multiplication des plantes et ainsi indirectement nourrir l'Homme.

Alors on va le détecter avec des appareils, on va le chasser, on va se protéger, se confiner dans les maisons ; porter un masque au moment de pic d'apparition du dit pollen. C'est la peur qui se distille et s'insinue dans tout notre être, qui est très déséquilibrante. Car la peur touche au fondement même du fonctionnement de l'organisme, à savoir l'énergie du Rein. Et la vie des personnes allergiques en quelque sorte gâchée peut devenir très vite infernale. Alors on va tenter de se désensibiliser. Mais pour nous en médecine chinoise, ce n'est que transférer le problème d'une couche externe vers une couche plus profonde de l'organisme. C'est le risque de se créer dans les mois ou années à venir des problèmes beaucoup plus difficiles à traiter comme des eczémas chroniques et des psoriasis. C'est la maladie qui d'externe à pénétrer plus profondément dans l'organisme pour aller jusqu'à la couche du sang. Bref, cette vision occidentale tend à nous faire croire que nous sommes un « effet » et non pas une « cause ».

L'approche de la MTC

La médecine chinoise, elle, va inverser la donne. En effet, son approche n'est pas du tout la même. Elle part de l'axiome de base suivant : « Une réaction allergique est toujours la manifestation d'une insuffisance de la capacité d'adaptation de l'organisme à son environnement. » Donc elle personnalise, individualise la maladie. Si tel n'était pas le cas, tout le monde devrait souffrir d'allergie. C'est une faiblesse de l'énergie protectrice du corps, que l'on appelle Wei Qi, souvent combiné avec une faiblesse de la batterie du Rein, ce que l'on appelle Zhen Qi en MTC, l'énergie droite, le pouvoir d'autoguérison de l'organisme.

Maladie interne ou maladie externe ?

La maladie est un phénomène complexe. Quand nous nous trouvons par exemple devant une hypertension artérielle ou un symptôme de mal de tête, on ne s'arrête pas là et on doit déterminer la nature ainsi que les causes de cette pathologie, de ce symptôme. Il faut donc approfondir ce que l'on entend par « cause des maladies » en MTC.

On en distingue globalement deux : les causes externes et les causes internes.

Les causes externes

Les causes externes signifient qu'il y a une lutte qui oppose un attaquant, ce que l'on appelle l'énergie perverse, Xie Qi et l'énergie de défense, l'énergie droite du corps encore appelé Zhen Qi, la force qui permet de résister aux maladies. Zhen Qi est une partie de ce que l'on appelle « défenses immunitaires » en médecine moderne.

Toutes les énergies externes en excès comme le vent, le froid, l'humidité, la sécheresse, la chaleur, le feu, mais aussi le Tan, les facteurs alimentaires ou respiratoires néfastes, les coups et tuméfactions qui provoquent des caillots, tout cela constitue ce que l'on appelle « énergie perverse ».

Il faut bien comprendre ce que l'on entend par attaque externe en médecine chinoise. Il s'agit d'un véritable « champ de bataille ». Les deux combattants sont donc l'énergie perverse et l'énergie droite. Les preuves matérielles de cette bataille, l'objectivation d'une telle lutte seront justement les symptômes que présentera le patient.

Les causes internes

Indépendamment des causes externes, le corps lui-même peut générer des maladies. En particulier, s'il y a un déséquilibre dans l'organisme.

Vous savez qu'il existe deux forces dans le corps encore appelé Yin-Yang (voir chapitre 3). C'est l'un des principes essentiels qui sous-tend la MTC.

La médecine occidentale a tendance à considérer la maladie comme le résultat d'un déséquilibre des propriétés chimiques du corps. Ce déséquilibre sera causé par des bactéries, des virus, des microbes, etc. La médecine chinoise reconnaît évidemment l'existence de ces bactéries, virus et autres, mais elle considère cependant de tels phénomènes comme des effets et non de véritables causes.

Les conceptions orientales s'appuient sur les notions d'énergie et de force. C'est la force de l'énergie qui est à l'origine des transformations physiques et chimiques. C'est pourquoi cette méthode se fonde sur le principe du Yin et du Yang. En quelque sorte, l'énergie précède la matière et tout déséquilibre énergétique aura une répercussion sur celle-ci.

Le principe du positif négatif

Yin et Yang sont simplement une énergie ou une force qui a une polarité négative ou positive. Ces deux polarités sont nécessaires pour obtenir un équilibre. Cette énergie bipolaire circule dans tout le corps et nourrit chaque cellule. Une définition de la santé en MTC pourrait être : « C'est un équilibre entre deux forces opposées Yin-Yang, qui n'est jamais acquis définitivement, mais devrait être travaillé au quotidien. »

Dans la vie, tout paraît basé sur ce principe « positif négatif ». Toute chose a son opposé, son contraire qui est en même temps complémentaire. Le jour appelle la nuit, le chaud et le froid, le mâle et la femelle, le sommet et la base, la droite et la gauche, le oui et le non, la vitesse et la lenteur... Comme on peut le voir le Yin est aussi important que le Yang et leur équilibre dépend de leur rapport mutuel.

Ces deux forces cohabitent dans notre corps et fluctuent alternativement. Tantôt c'est le Yang qui augmente, tantôt le Yin. Quand le Yang augmente, le Yin diminue, mais quand le Yin augmente, le Yang diminue. Ce mouvement de fluctuation alternatif permet la circulation de l'énergie dans tout l'organisme.

L'équilibre entre ces deux forces est le véritable facteur dont dépend la santé. S'il y a une perturbation dans ce mouvement de flux et de reflux de ces deux forces, par exemple si l'augmentation de l'une de ces forces ou la diminution de l'autre est excessive, si l'équilibre entre les deux est rompu, cela peut être alors la cause d'une maladie, et dans ce cas on dira que la maladie est interne. Sans qu'il y ait obligatoirement l'attaque d'une énergie perverse externe. L'interne dans le corps peut produire des maladies.

Mais ce qui peut aussi se produire couramment, c'est qu'un déséquilibre interne autorise, permette l'attaque d'un agent externe. En d'autres termes, un agent externe ne peut pénétrer dans l'organisme et déclencher une guerre que si au préalable l'interne est déséquilibré ou déficient.

UN CHOIX DANS L'ORDRE DE L'ÉTUDE

Dans les textes anciens, dans les traités de pharmacopée, il était d'usage de commencer par l'étude des maladies externes et ensuite de celles générées par l'interne. Nous allons faire l'inverse ici. En effet, au quotidien, ce ne sont pas les épidémies qui nous tracassent, mais bien les maladies internes avec leur lot de dérèglements autodestructeurs : rhumatismes, maladies cardio-vasculaires, diabète, cancers, maladies mentales et émotionnelles. Ceci étant dit, un renversement de situation pourra avoir lieu dans quelques décennies si nous continuons à affaiblir notre batterie. On pourra alors se poser la question suivante : à quand la grande épidémie ?

Chapitre 10
Les causes internes

DANS CE CHAPITRE :

» La décharge de la batterie du Rein

» La stagnation de sang et d'énergie

» Les dérèglements émotionnels

» Le déséquilibre des désirs

» Les déséquilibres alimentaires

» Le surmenage et la fatigue

» Les irrégularités du sommeil

La décharge de la batterie du Rein

Dans un précédent chapitre, nous avons longuement expliqué ce qu'était cette batterie, appelée Yuan Qi en MTC (voir chapitre 3). Elle est située dans le Foyer inférieur, au niveau du Rein. Ses moyens de recharge au quotidien sont multiples :

» Le sommeil réparateur. Nous dormons 33 ans en 100 ans de vie : c'est le moyen le plus naturel que nous a donné Dame Nature pour nous recharger.

» La pratique de la médiation, des qi gong ou de la relaxation qui grâce, entre autres, au contrôle de la respiration, favorisent grandement cette recharge.

» Le surplus d'énergie donné par l'air que nous respirons et les aliments que nous digérons.

Elle se vide ou se recharge au gré de nos émotions. Une peur chronique vidange littéralement cette batterie. Au contraire, la joie, le sourire intérieur potentialise la captation de l'énergie qui nous environne.

Cette batterie représente :

Le saviez-vous

» **L'immense pouvoir d'adaptation de l'organisme.** Cette batterie boostée, votre organisme est capable de s'adapter aux changements brutaux de temps, aux conditions climatiques extrêmes, aux facteurs mentaux et émotionnels qui peuvent vous agresser subitement. Mais aussi, adaptation aux changements qui se produisent à l'intérieur de votre propre corps. Par exemple, pour une femme, le passage à la ménopause.

» **L'immense pouvoir d'autoguérison et d'autorégulation du corps.** C'est entre autres ce qui est appelé en médecine moderne, les défenses immunitaires. Mais la MTC va bien au-delà ! Elle se place au niveau des déséquilibres énergétiques, qui précèdent les déséquilibres de la matière. Cette batterie complètement rechargée au quotidien, vous n'avez que très peu de chance de « tomber malade ».

Or, par méconnaissance de cette vision globale du fonctionnement du corps humain, et surtout par la non-pratique des méthodes de préventions qui seront étudiées tout au long de ce livre, cette batterie a tendance à toujours être déchargée. La perte progressive de la compréhension du sens de la vie, le climat de peur et d'angoisse qui devient notre nourriture quotidienne, la multiplication des théories contradictoires qui n'incitent pas au passage à l'acte, surtout en matière de diététique, sont autant de facteurs de non-recharge de cette batterie. C'est pour cela qu'un chapitre entier va y être consacré.

Spiritualité

Je vous rappelle que le but de cet enseignement est le retour à l'unicité qui a comme corollaire la simplicité. Apprendre à bien respirer, bien bouger, bien manger, bien boire, bien penser est à la portée de tous. Encore faut-il que les choses soient expliquées simplement, et ne procèdent pas de théories « abracadabrantesques ».

La batterie du Rein déchargée, votre organisme n'est plus autocontrôlé, les émotions deviennent exacerbées, les désirs et les pulsions deviennent autodestructeurs. Ce sont les maladies internes – très souvent caractérisées par leur chronicité – qui apparaissent.

La stagnation de sang et d'énergie

Que se passe-t-il quand cela stagne ?

C'est, après la décharge de la batterie du Rein, la deuxième grande cause de pathologie interne. Si nous prenons un peu de recul quant au fonctionnement de l'organisme, tout n'est que circulation : la circulation sanguine artérielle et veineuse, la circulation lymphatique, la circulation de l'influx nerveux dans les nerfs, les circulations hormonales, intra- et extra-cellulaires, des liquides organiques au travers des différents compartiments liquidiens, etc. En MTC, on rajoute la circulation d'énergie le long des méridiens, le long des Trois foyers, à la surface de la peau... Bref, tout doit circuler dans le corps, et ce, en parfaite liberté. Nous allons voir que de nombreuses causes pourront entraver ces différentes circulations, la première étant la faiblesse de cette batterie, considérée en MTC comme le moteur de toutes les circulations.

Dès qu'une entrave circulatoire se produit, physique ou énergétique, que ce soit à la surface du corps, au niveau articulaire, ou au niveau interne, au niveau de n'importe quel organe, apparaît ce que nous appelons en Occident la trilogie : « rubor, calor, dolor », à savoir rougeur, chaleur et douleur. C'est l'état inflammatoire qui est au bout du chemin.

Le saviez-vous HISTOIRE DU TYPE QUI DÉCIDE DE PLÂTRER SON POIGNET POUR RIEN !

Alors que son poignet est tout à fait sain, souple et sans aucun symptôme particulier, notre ami a une lubie et décide de le plâtrer pendant trois semaines. Autour du poignet passent des nerfs, des artères, des veines, des circuits lymphatiques, des gaines tendineuses et six méridiens énergétiques. En bloquant son poignet, il vient d'entraver toutes ces circulations. À l'ablation du plâtre, son poignet est chaud, gonflé, inflammatoire et douloureux. Il va le rééduquer, l'exposer à la lumière, en retrouver la souplesse. Et petit à petit, tout se remet en place. Le blocage du poignet, qui est ici une cause externe est à l'origine de tous ces déséquilibres. La récupération de sa souplesse, l'antidote.

La stagnation de Qi, d'énergie

Nous avons vu précédemment que le Qi, l'énergie provenait fondamentalement de trois « logiciels organes » que sont le Rein, la Rate et le Poumon (voir chapitres 2 et 3).

Le logiciel Rein

Il comporte une énergie innée, le Yuan Qi (la lampe à huile) et une énergie acquise, le Jing Qi, celle qui provient de la respiration, de l'alimentation et des émotions. Le surplus est stocké après que l'organisme a satisfait à ses besoins immédiats. C'est le Zhen Qi (la batterie).

Le Yuan Qi, l'énergie acquise, contient en son sein un feu (la flamme de la lampe à huile), une veilleuse, appelée « feu de Ming Men ». Ce feu a la propriété d'activer la

Rate (la digestion se fait à 38 degrés). C'est la force motrice de la vitalité. Il devient alors « feu Ministre ». Ce feu déclenche la croissance de l'organisme. C'est la force motrice de la vitalité. C'est un feu très doux, lent, constant, qui irradie en permanence. Il est en lien directement avec le Foie. Il est dit que « c'est le Yang Qi du Foie ». (Le Foie est à mettre en relation avec le bois : c'est la force tranquille de la sève qui monte dans un arbre et qui permet le lent épanouissement des feuilles.) Il existe un troisième feu, très puissant qui n'assure pas le développement de la vitalité, mais sert à faire tourner toute la machine : c'est le « feu Empereur », emblème du Cœur.

Mais tout part du Rein, de la petite flamme. C'est pour cela qu'il est dit que « l'organe le plus important pour le Qi est le Rein ».

Les logiciels Rate et Poumon

L'organisme a besoin d'être alimenté par la terre pour former « l'énergie des aliments », le Gu Qi. Mais cette énergie est loin de se suffire à elle-même. Elle a besoin de l'énergie de l'air, du Yang Qi que le Poumon doit assimiler. Il est dit que « le Poumon dirige le Qi ». Les deux poumons sont logés dans le Foyer supérieur. Ils occupent naturellement la position la plus haute dans l'organisme et, de ce fait, ils régulent et contrôlent le flux d'énergie, du Qi. Quand le Poumon est affaibli, il n'arrive pas à faire descendre l'énergie et par conséquent le Rein n'a plus la force de faire remonter le Qi (voir le cycle des cinq éléments : le Poumon est la mère du Rein). Cela aura aussi un retentissement sur la Rate qui a une double fonction, celle de faire monter et descendre. Tout le mécanisme de la circulation du Qi repose sur le Poumon. (D'où l'importance fondamentale de la respiration consciente.)

Le blocage du Qi ou Qi Zi

Comment la stagnation, le blocage du Qi, peut-il se produire ? Comme très souvent, nous pouvons incriminer des causes externes et des causes internes.

En ce qui concerne les causes externes, certaines perversités peuvent perturber le processus de transformation des aliments. Par exemple trop boire pendant un repas génère un excès d'humidité qui ralentit la digestion. Et cette stagnation de la circulation du bol alimentaire peut facilement aboutir à un état de pourrissement celui-ci. C'est une des causes de production de Tan, de déchets dans l'organisme. Le Tan et l'humidité qui stagnent peuvent facilement se transformer en « poison », Re Du en chinois, qui peut obstruer la circulation d'énergie dans les méridiens. Tout un chapitre sera consacré au Tan.

Un autre exemple. Il est dit en MTC que pendant les menstruations, une femme ne devrait pas toucher de l'eau froide. Un bain froid risque par exemple de faire stagner l'énergie au niveau du Foyer inférieur. C'est une grande cause de fibromes et autres pathologies locales. De même, s'asseoir longtemps dans de l'herbe humide peut déclencher un lumbago par blocage du Qi au niveau du Rein.

Parmi les causes internes, le cas le plus fréquent, la grande cause de stagnation de Qi dans l'organisme, c'est la mauvaise gestion des émotions ! Nous savons que l'ensemble des émotions est sous le contrôle du Cœur, là où se loge le Shen, l'esprit. Lorsque l'esprit est préoccupé par des idées conflictuelles et obsédantes, les émotions sont perturbées et affectent le Cœur et la Rate. Le Qi ne circule plus dans l'organisme et devient stagnant.

Un chagrin, une tristesse prolongée peuvent littéralement bloquer l'énergie au niveau du Poumon. On dit alors que le corps « s'alourdit » : la personne se tient la tête baissée.

On peut retrouver ce cas chez les personnes qui font beaucoup trop travailler leur mental, ou bien insistent trop sur les exercices d'introspection, de méditation, sans pratiquer en contrepartie des exercices externes, comme la marche ou le qi gong.

Comme nous l'avons dit précédemment, la pire des émotions générant la stagnation de l'énergie est la colère intériorisée, qui bloque la fonction d'épanouissement de l'énergie du Foie. Quand un tel blocage se produit, l'énergie Yang du Foie ne peut plus monter et peut venir attaquer la Rate. C'est une grande cause de diabète et dans les cas ultimes de pancréatites aiguës ou de cancer du pancréas, mais aussi d'autres cancers ou de maladies mentales et émotionnelles comme la dépression.

Il est dit dans le *Nei Jing* que « les 100 maladies sont engendrées par l'entrave de la circulation du Qi ». C'est pour la MTC, une des premières causes du cancer. Il conviendra de tout mettre en œuvre, pour éviter un tel état. Nous reverrons cela dans les méthodes de traitement.

HISTOIRE DE LA MÈRE QUI N'ARRIVE PAS À PARDONNER À SA BRU !

C'est cette mère qui n'arrive pas à partager son amour filial avec sa belle-fille. Cas évidemment tout à fait exceptionnel ! Tout devient sujet à blocage émotionnel. Petit à petit se met en place ce qu'on appelle en MTC un état de « blocage et de stagnation au niveau du Foie » (la colère intériorisée appartenant au Foie). C'est un blocage interne. Les symptômes de départ seront des ballonnements, des difficultés à respirer, des douleurs cervicales, des insomnies de trois heures du matin, des maux de tête. Au bout du chemin, quand cela dure, une externalisation de la symptomatologie, sur le côté du sein, là où passe le méridien de la Vésicule biliaire : c'est le cancer du sein. Ou encore plus tard, c'est l'organe Foie qui est atteint. Et là, c'est plus grave. Un des grands antidotes, nous y reviendrons dans la partie psychothérapie, c'est le « pardon », ou encore la capacité de « sortir de la scène », ne plus être acteur, mais spectateur.

La stagnation de sang, Yu Xue

La stagnation de sang s'appelle Yu Xue en chinois. Tout d'abord, il faut savoir que le sang circule parce que le Qi, l'énergie le pousse. Donc une stagnation de Qi se traduit aussitôt par une stagnation de sang. Mais l'inverse peut aussi se produire : une mauvaise circulation de sang peut favoriser une stagnation de Qi.

Quelques rappels sur le sang

C'est une substance matérielle acquise, composée du mélange des essences de la nourriture et de l'air inspiré, principalement produit par l'énergie de la Rate. La terre produit des aliments pour l'Homme alors que la Rate produit des nutriments pour l'organisme. C'est la Rate qui transforme les aliments en essence qui sera ensuite mélangée à l'énergie du ciel (la respiration).

Le *Nei Jing* dit que « la Rate est la source de la transformation ». Mais la Rate et le Poumon vont être aussi à la source de la production de l'énergie. Nous pouvons dire que « le Qi est la force motrice de l'organisme alors que le sang en est l'élément nutritif ».

Mais la deuxième fonction de la Rate est de faire circuler le sang dans tout l'organisme. Il est dit : « La Rate dirige le sang ».

Le Cœur est le « maître du sang ». Mais lui contrôle l'état des conduits, des vaisseaux. Quelle que soit la quantité de sang nécessaire dans quelque partie du corps que ce soit, le Cœur évalue exactement ses besoins. C'est un mécanisme très fin. S'il y a trop de sang dans un endroit, il diminuera la pression. Si on se blesse, il envoie du sang de manière à former un caillot.

Le Foie lui stocke le sang produit par la Rate. Mais non seulement il le stocke, mais il le filtre, le nettoie.

À retenir

Un concept très important : quand l'homme est en activité, qu'il bouge pendant la journée, le sang circule à plein dans les vaisseaux. Il est dit que « l'activité physique fait sortir le sang du Foie ». À l'état immobile, au repos, la nuit quand on dort, le sang reflux au niveau du Foie. C'est d'ailleurs à « l'heure du Foie », en deuxième partie de nuit, que son métabolisme est le plus important. Si le sang y stagne trop longtemps (colères intériorisées), les déchets se transforment en poison, cause aussi d'une multitude de pathologies. Le Foie participe donc à la régularisation du flux sanguin et à sa distribution.

Qu'est-ce qui produit la stase sanguine ?

Avant tout, les perturbations énergétiques et fonctionnelles du Cœur, du Foie et de la Rate peuvent susciter des problèmes de stase sanguine.

Si les aliments sont trop chargés en sucre ou en graisse, cela fatigue la Rate, et c'est une grande cause de production de déchets, de Tan ou d'humidité, qui vont épaissir le sang. C'est aussi une grande cause de ralentissement et de blocage de la circulation.

S'il n'y a pas assez d'énergie dans le corps, le sang n'a plus la force d'avancer.

Les émotions intériorisées peuvent aussi être à l'origine du ralentissement et de la stagnation sanguine.

LES STAGNATIONS DE SANG DURABLES

Les stagnations de sang, les Yu Xue qui durent un certain temps génèrent la production d'une substance toxique, d'un « poison » appelé Re Du. Le corps déteste cela. C'est le rôle des défenses immunitaires de procéder à son élimination. Mais si la batterie est à plat, c'est alors que les problèmes commencent. Rappelez-vous que la stagnation génère de la chaleur : les déchets du sang se transforment en poison. C'est une grande cause d'eczéma, de psoriasis, mais aussi une des principales causes de cancer.

Conclusion : Quand il n'y a pas de stagnation que ce soit de sang ou d'énergie, il n'y a pas de pathologies internes. Circulez. Il n'y a plus rien à voir !

Déficience simultanée de sang et d'énergie

Toujours dans ces causes internes de maladies, nous pouvons être confrontés à un état simultané de déficience de sang et d'énergie.

Une perturbation fonctionnelle d'un des cinq logiciels organes suffit à provoquer un déséquilibre général. Dès lors, la force motrice du Qi peut s'affaiblir avec comme conséquences d'amoindrir la production de sang ou de la ralentir. C'est ce que la MTC appelle un état Xu, de faiblesse.

De très nombreux facteurs dans nos habitudes vie peuvent contribuer à cet état comme des surmenages physiques, une déperdition exagérée de liquides organiques, de Jin Ye (n'oublions pas que le liquide séminal fait partie intégrante de ces Jin Ye), une hémorragie trop importante (après une blessure ou un accouchement ou encore des menstruations trop importantes).

La déficience du Qi peut aussi provenir d'une déficience de l'innée.

En ce qui concerne le sang, c'est le Foie qui peut perdre sa capacité de stockage, car la Rate peut ne pas produire assez de sang. C'est une cause d'anémie.

Quand cet état apparaît, le corps ne peut plus résister à ces fameux poisons dont nous avons parlé précédemment. Il est dit dans le *Nei Jing* que « c'est un vieillissement prématuré qui se met en place. Le corps se flétrit et s'affaiblit facilement. » Les barrières de défense ont tendance à s'effondrer et du coup les perversités externes, quelles qu'elles soient, peuvent facilement pénétrer dans l'organisme.

Les dérèglements émotionnels

Attention

Une mauvaise gestion des émotions est le fer-de-lance de quasi toutes les maladies internes. Dans la théorie des cinq éléments (voir chapitre 4), nous avions vu que chaque famille d'émotion était à mettre en relation avec un logiciel organe spécifique. Une émotion nourrit en quelque sorte l'organe « cible ». En revanche, comme en tout, l'excès de cette même émotion déséquilibre ce même organe. C'est une grande cause de pathologies internes. Ainsi chaque émotion va avoir un impact direct sur la circulation d'énergie.

- **La joie** est à mettre en relation avec le Cœur, le feu. Quand elle n'est pas excessive, elle permet de rendre l'énergie détendue. C'est comme lorsque nous allumons un feu. Au départ, c'est juste un point de combustion. Ensuite, la flamme se développe, se disperse et se propage harmonieusement. Être heureux de temps et temps est normal, et c'est même nécessaire pour stimuler l'activité du Yang, et faire circuler le sang dans le corps. Mais si la joie est excessive, ou si elle est continuelle, cela peut disperser l'énergie.

- **La colère** appartient au Foie, au bois. Elle fait monter l'énergie. C'est comme le bois de l'arbre qui pousse vers le haut. C'est une force Yang qui s'élève facilement. Un excès de colère peut tout ravager sur son passage. Des colères à répétition peuvent être à l'origine de maladies hypertensives, cardiaques…

- Mais la colère peut être refoulée. Elle fait stagner alors l'énergie au niveau du Foie. C'est la « pire » des émotions à l'origine de très nombreux cancers.

- **Le souvenir** appartient à la Rate, à la terre. C'est aussi la réflexion. C'est une émotion qui peut réguler la Rate. Mais en excès, l'énergie se noue, se concentre, s'accumule. C'est comme la terre dont la nature est de s'accumuler, de s'entasser, de faire bloc. C'est alors une grande cause de dépression, mais aussi de mauvaise digestion du bol alimentaire favorisant l'apparition d'humidité et de Tan dans le corps, de déchets.

> » **La peur**, le Rein et l'eau sont de même nature. Une bonne peur permet de nourrir le Rein et de prendre rapidement les bonnes décisions. En revanche, un excès de peur fait descendre l'énergie vers le bas. C'est une caractéristique de l'eau qui descend. Un enfant qui a très peur urine dans son pantalon. C'est une grande cause de lombalgies, de descentes d'organes, d'épuisement de la batterie du Rein.
>
> » **La tristesse et l'inquiétude** sont à mettre en relation avec le Poumon. Un excès de tristesse diminue l'énergie. Mais inversement, si l'énergie est trop concentrée dans le Poumon, cela crée de la tristesse. Cette émotion qui plombe littéralement l'énergie peut être à l'origine de très nombreuses maladies d'autodestruction, cancer du poumon y compris.

À retenir — UNE ÉMOTION, UN SAVANT ÉQUILIBRE ENTRE LE YIN ET LE YANG

Nous savons que chaque logiciel organe est constitué d'une partie Yang et d'une partie Yin. Quelle que soit l'émotion considérée, c'est une énergie, une force, une impulsion dont la nature est de faire monter. Intrinsèquement, une émotion est donc de nature Yang, qui va exciter la partie Yang de l'organe. Quand l'énergie Yang est ainsi excitée, l'énergie Yin de ce même organe est là pour calmer, inhiber, maintenir un équilibre. Le *Nei Jing* dit : « Yin est là pour équilibrer le Yang. Si Yang devient excessif, Yin le tempère. Yin et Yang sont constamment en équilibre. »

L'Homme ne peut pas vivre sans éprouver d'émotions. Il n'y a pas de jours sans que l'on éprouve des émotions. Nous passons tous par des phases de tristesse, de mécontentement, d'inquiétude, voire des moments de dépression. Quand elles se produisent, ces émotions sont excitatrices et le Yin est là pour rétablir la situation et recouvrer un nouvel équilibre.

La maladie peut apparaître si nous nous trouvons en présence soit d'une insuffisance de Yin qui empêche le contrôle de la montée du Yang, soit d'un facteur extérieur qui contribue à rendre le Yang trop actif, et à le faire monter trop violemment.

Si le Yin est faible et que le Yang est hyperactif, il faudra alors localiser dans quel organe se situe l'insuffisance de Yin. Par exemple, si on se trouve en présence d'une déficience du Yin du Foie, le sujet se mettra facilement en colère, sans qu'une cause extérieure ne soit nécessaire. La personne se fâche sans raison, elle est irritable, elle perd très vite patience. De même, si le Yin du Cœur est faible, le Yang sera trop actif ; la personne se mettra à rire pour un rien, sans raison et même dans des circonstances qui ne prêtent pas à rire.

Les caractères innés

Spiritualité

Eh oui ! La MTC vous explique que vous n'êtes pas tous égaux à la naissance. Non seulement vous héritez des bêtises faites par vos ancêtres (on remonte à trois générations antérieures : les avocats vont se frotter les mains !), mais viennent prendre place, dans leur demeure à votre naissance, des énergies très subtiles, le Hun et le Po, les côtés Yin et Yang de l'âme avec tout leur bagage, ce que les Chinois appellent très poétiquement le « ciel antérieur ». Appelez cela subconscient le plus profond, ou tout autre chose, nous naissons tous avec des prédispositions. Ainsi, dès la naissance, certaines personnes seront porteuses d'un caractère, d'un tempérament inné. En MTC, on considère trois types de profils et nous allons voir leurs principales caractéristiques.

Le tempérament nerveux

- Il veut toujours prouver qu'il est le meilleur en tout.
- Il déteste perdre (au jeu par exemple).
- Il aime la gloire, les honneurs, les bonnes places sociales.
- Il est toujours prêt à lutter tant au sein de sa famille, que dans les relations professionnelles.
- Il est orgueilleux, vaniteux.
- C'est un « arriviste » qui ne supporte pas qu'on se mette en travers de son chemin.
- S'il est freiné dans ses pulsions, ou que quelque chose ne se réalise pas, il devient très tendu et nerveux.
- S'il rencontre de la concurrence, il peut très rapidement devenir malveillant.
- Il peut être sans pitié pour ses ennemis.
- C'est souvent un perfectionniste. Il s'inquiète très vite et devient tendu dès que quelque chose n'est pas parfait.
- Il est difficilement supporté par son entourage.

Les affections qui guettent ces personnes sont nombreuses. Citons les maladies cardio-vasculaires, l'hypertension artérielle, les accidents vasculaires cérébraux. Leur fin de vie se fera souvent sous le mode *on-off*. Elles peuvent mourir brutalement après par exemple une grosse crise de colère, un AVC, ou une crise cardiaque.

Le tempérament pessimiste

- Il est très introverti, ne s'exprimant que très peu.
- Il garde les problèmes pour lui.
- Il ne veut même pas parler du mal que d'autres lui auront fait.

- ❯❯ Il est habité d'un sentiment d'infériorité.
- ❯❯ Il n'a pas assez confiance en lui et devient facilement neurasthénique.
- ❯❯ Son émotion dominante est l'anxiété.
- ❯❯ Vous avez beau parler avec lui, essayer de lui faire voir les bons côtés de la vie, l'aspect positif des choses, même s'il suit votre raisonnement, il retrouve très vite ses vieilles habitudes de pessimiste.
- ❯❯ Il voit sans cesse l'aspect négatif, néfaste des épreuves de vie.
- ❯❯ Il ressasse constamment son problème.
- ❯❯ Même s'il n'a pas de problème, il pensera aux problèmes qu'il serait susceptible d'avoir.

C'est un profil où le Shen, le mental est constamment tendu, crispé, en situation de blocage. Ces attitudes psychologiques aboutissent très fréquemment à la dépression, aux pathologies par stagnation et surtout aux cancers.

Le tempérament optimiste

- ❯❯ Face à des événements graves, inquiétants, attristants, il réagit très convenablement.
- ❯❯ Il est confiant, imperturbable.
- ❯❯ Il aime la vie.
- ❯❯ Il sourit très souvent.
- ❯❯ Il positive tout.

Les optimistes sont des gens à l'abri des maladies mentales et émotionnelles. Et s'ils sont malades, ils sont très faciles à soigner. Mais si leurs habitudes quotidiennes (alimentation, sexualité…) sont déréglées, cela ne les empêchera pas pour autant de se créer une pathologie.

À retenir — UN CONSEIL DE PRATICIEN À PRATICIEN

Heureusement, ces comportements innés ne sont pas si tranchés. Rajoutons-y une note d'optimisme. En ayant accès à la connaissance comme vous le faites en lisant ce livre, et en pratiquant au quotidien pour recharger votre batterie du Rein, toutes ces prédispositions ne resteront que cicatrices à l'intérieur de soi. En revanche, et là je m'adresse au praticien, vous pouvez y laisser votre santé à vous fatiguer à essayer de soigner des gens pessimistes de nature. De toutes les manières, ils essayeront de démolir tout ce que vous essayerez de faire de positif pour leur santé.

Le déséquilibre des désirs

C'est une autre cause importante d'apparition de pathologies internes. Les désirs, les passions sont inhérents à la vie. Ils sont nécessaires pour entretenir la vitalité. Cependant, les désirs des Hommes sont très complexes. Alors que généralement, ceux des autres êtres vivants se résument à la satisfaction de leur faim et au besoin de se reproduire, chez l'Homme, l'ego, les affects, les sentiments viennent interférer avec les désirs naturels.

Le saviez-vous

Au début, un désir n'est qu'une sensation, un besoin qui se fait sentir à la conscience. Lorsqu'on se décide à le satisfaire, le désir apparaît. J'ai faim (une sensation), je vais me lever pour ouvrir la tablette de chocolat (le désir). Mais si ce désir n'est pas contrôlé par l'énergie du Rein et par le Shen, le mental logé dans le Cœur, il peut devenir dévastateur (je mange toute la tablette !).

En effet, quand les désirs sont satisfaits, on est heureux. Dans le cas contraire, on est soit en colère, soit triste, voire abattu ou désespéré. On appelle cela en MTC : « La chute du Shen, de l'esprit, son éclatement. » Ainsi les désirs amènent-ils toujours des émotions dans leur sillage.

Quand on laisse un désir nous envahir et devenir excessif, il se produit tôt ou tard un sentiment de déception qui finit par perturber la circulation du Qi. Et nous avons vu que cette entrave était la cause de quasi toutes les maladies internes, cancer y compris.

En MTC, on considère qu'il existe six grands types de désirs.

Le désir matériel

C'est un désir retrouvé chez tous les êtres vivants et qu'il est vital de satisfaire. Trouver à manger, où se coucher, où loger sa famille...

Mais il peut devenir excessif. Bien que nous ayons obtenu l'objet de notre désir, nous en voulons toujours plus. C'est comme cela que fonctionne notre société moderne.

L'esprit de cette personne est toujours tendu. On dit que le Yang du Cœur s'enflamme. De très nombreuses pathologies pourront apparaître, surtout si ses désirs ne sont pas satisfaits. Citons certains types d'insomnies rebelles, des pathologies hypertensives ou cardiaques.

Le désir de gloire

Ce sont des gens qui ont toujours besoin de se sentir supérieurs aux autres, plus forts.

Ils recherchent des exploits divers pour être couverts de louanges. Ils ont besoin de croire qu'ils sont célèbres. Ils veulent la meilleure place sociale possible.

Ces personnes génèrent souvent un feu du Cœur, avec une propension à l'hypertension artérielle et aux maladies cardio-vasculaires.

Le désir de possession

La personne voit quelque chose qu'elle aime et veut tout de suite le posséder.

Il est normal de s'extasier devant une fleur et, éventuellement, la cueillir pour la ramener chez nous. Quand c'est un désir occasionnel, rien d'anormal. Mais prenons un désir incontrôlé, celui du collectionneur d'antiquités. Il veut accumuler tout ce qu'il trouve en rapport avec la période qui l'intéresse. Il peut en remplir une maison et pourquoi pas en acheter une autre pour la remplir aussi.

La « collectionnite » peut devenir un vrai trouble obsessionnel compulsif (TOC). Ainsi, certaines personnes accumulent des fortunes, que toute une vie ne suffirait pas à dépenser. L'accumulation de richesse devient une fin en soi.

Ce type de désir peut amener les gens jusqu'à la folie. Ils ne sont plus bridés par la conscience. Nous sommes en plein dans l'autodestruction.

Le désir aveugle

C'est un désir qui vient du subconscient le plus profond. Il est inné. Il échappe à l'éducation acquise. C'est le côté obscur de la force, le Po, l'âme corporelle qui vous attire vers la terre. Il véhicule parfois beaucoup de violence.

La personne a envie de blesser son entourage sans raison, de détruire, et ce, de manière gratuite.

C'est un désir qui amène beaucoup de perturbations sociales au sein d'une famille, d'un village ou d'une société. C'est un désir dangereux.

Ce désir est évidemment générateur de maladie mentale et émotionnelle pouvant aller jusqu'à la folie.

Le désir sexuel

Le désir sexuel, la libido, est un besoin naturel, un besoin inné de diffusion du Yuan Qi, de l'énergie originelle dans le but d'une future procréation.

Mais ce qui nous différencie de l'animal, c'est qu'il peut devenir acte de pleine conscience avec tous les affects qui s'ensuivent.

En MTC, on considère que tout rapport excessif, avec émission chez l'homme de semence à répétition avant la maturation totale des organes sexuels (21 ans chez la femme et 24 ans chez l'homme), est tout à fait dommageable pour la suite des événements ! Ce désir assouvi en excès finit par épuiser le Yin du Rein et générer un Yang excessif au niveau du Foie (lombalgies, prostatites, hypertension artérielle, fragilisations osseuses, perte des dents et des cheveux, etc.). Faites ce que vous voulez de cette constatation purement physiologique et trouvez une voie du juste milieu !

Attention **SEXE OU PAS SEXE !**

Les rapports sexuels qui sont l'expression de notre inconscient sont sains. Ceux qui sont le fruit de notre conscience peuvent nuire à la santé, au même titre que de continuer à manger quand on n'a plus faim. Les comportements excessifs liés à une excitation permanente générée par les images, les films ou autre, finissent par créer une fausse libido.

Le schéma est simple. L'émission de semence à répétition épuise le Yin du Rein. Celui-ci ne contrôle plus le Foie. Le Yang du Foie augmente. Le Foie est le lieu de l'élaboration des projets, mais aussi des TOC et des états de dépendance. Et plus l'acte est répétitif dans une même semaine, si ce n'est dans une même journée, plus l'énergie du Rein s'affaiblit. Au bout du chemin, un vieillissement précoce et toutes les maladies internes qui s'ensuivent. La MTC est loin d'être puritaine. Elle a mis en place de nombreux exercices de rétentions séminales afin, pourquoi pas, d'avoir des rapports quotidiens qui vont régénérer le corps. Il est dit dans les textes : « Le sexe peut tuer comme vous permettre de vous rendre immortel ! »

Les désirs illusoires

Ce sont des désirs proches de l'aliénation.

On peut les retrouver chez les *sérial killer* qui se donnent toujours bonne conscience quant à la pratique de leurs pulsions. C'est par exemple l'individu qui tuait systématiquement les jeunes filles de 13-14 ans. Sans aucun remords, il considérait qu'il leur rendait service et qu'il leur permettait d'arriver vierge au paradis. C'est un cas extrême, j'en conviens.

Mais est-ce que les destructions de masse dans le but d'assainir une race ne procédaient pas de ce que la MTC appelle « désir illusoire » ?

Attention à toutes ces pulsions qui, sous couvert d'altruisme, peuvent conférer au fanatisme dans certains cas.

Les déséquilibres alimentaires

La diététique est un sujet d'une telle importance en MTC que toute une partie va lui être consacrée dans ce livre. En Occident, elle est principalement fondée sur des conceptions physiques ou biochimiques du corps humain. Il s'ensuit que l'aliment va être analysé, disséqué, quantifié, pesé, passé à la loupe. Et les conclusions quant à son rôle thérapeutique risquent de s'éloigner de la réalité.

Le saviez-vous LE CHOCOLAT, SI BON QUE CELA POUR LA SANTÉ ?

Prenons l'exemple de la spasmophilie qui est la signature en MTC d'une stagnation de sang et d'énergie au niveau du Foie. En Occident, il est dit que le magnésium est bon pour traiter ce type d'état. Or, le chocolat contient beaucoup de magnésium. Donc le chocolat est bon pour traiter la spasmophilie. Sauf que le chocolat, consommé en excès, c'est quatre poisons en MTC : une tablette contient l'équivalent de deux cuillères à soupe de graisses saturées qui viennent progressivement boucher tous les filtres de l'organisme. C'est l'équivalent de 10 morceaux de sucres rapides qui déséquilibrent le logiciel Rate. C'est un excès de saveur amère qui se retourne contre l'organisme en générant un froid interne, une rétention de liquide et donc une prise de poids (le chocolat à l'origine est consommé dans des pays très chauds et secs). Enfin, la graine de cacao grillée contient des substances assimilables à une drogue qui, en excitant le Foie, mettent très souvent la personne en état de dépendance.

La diététique du juste milieu

La diététique chinoise tient compte de concepts beaucoup plus subtils tels que la notion d'énergie des aliments au travers de leurs couleurs, odeurs, saveurs, natures. Mais aussi la notion de symbiose existant entre l'Homme et l'Univers. Nous verrons plus loin des règles fondamentales, adaptables à tout un chacun qui vous permettront de devenir le chef d'orchestre de vos propres aliments de saison et de région.

Une mauvaise diététique est l'une des sources de presque toutes les pathologies internes générées par l'organisme : maladies cardio-vasculaires, rhumatismes, diabète, cancers, etc.

Nous verrons aussi qu'un des grands pans de la diététique, à savoir l'hydratation du corps, n'est quasiment jamais abordé en Occident. Et, trop souvent quand on en parle, on a tendance à s'éloigner totalement de la réalité physiologique. En Occident, nous ne savons pas boire, nous buvons beaucoup trop, nous ne savons pas fractionner la quantité de boisson. Et par là nous épuisons progressivement le Yin du Rein et amenons trop d'humidité au niveau de la Rate, avec toutes les incidences sur la santé que cela pourra avoir. Ce sujet, d'une importance majeure, sera aussi longuement développé dans ce livre.

Apprenons donc à opter pour une diététique du juste milieu, sans aucun radicalisme, trop souvent générateur de peur. N'oubliez pas, la peur vidange littéralement votre batterie du Rein. Ne devenait pas extrémiste, et ne vous isolez pas dans un carcan qui risquerait de vous rendre la vie impossible.

Attention — LE BIO A BON DOS !

Il est évident qu'il est très important de « manger propre », le plus proche possible de la nature et donc de se tourner vers des aliments « bio ». Mais je me souviens, au détour de certains salons bio auxquels j'étais invité, avoir vu passer régulièrement devant moi les mêmes personnes. Tantôt elles consommaient une glace bio, puis du chocolat bio, un verre de vin rosé bio, du saucisson bio, du fromage de vache bio, un jus d'orange bio, et ce, dans la même journée. Et je me disais : « Cette personne ne peut que raccourcir son espérance de vie, mais elle aura la satisfaction de mourir précocement bio ! »

Le surmenage et la fatigue

Là aussi, il convient d'apprendre à ménager sa monture. Une autre constante de notre société est d'être un immense générateur de fatigue, de surmenage et d'épuisement. La fatigue consécutive à un surmenage affecte en premier lieu, d'après la MTC, le logiciel Rate-pancréas.

En d'autres termes, un surmenage qui provoque une fatigue tant physique que mentale blesse la Rate. La Rate perd alors sa capacité de fournir de l'énergie au corps.

Nous savons que la Rate est le chef d'orchestre de la digestion du bol alimentaire. Elle produit le sang et l'énergie. L'énergie va au Poumon et le sang va au Foie. Mais il est aussi dit que globalement « les Reins sont la résidence de l'énergie postnatale », en quelque sorte la batterie de l'organisme. Donc, le surmenage va perturber en fait directement cette énergie postnatale.

C'est une très grande cause d'apparition de maladie interne.

Les irrégularités du sommeil

Le saviez-vous

Posons-nous la question suivante : pourquoi dort-on ? Si nous comptons 7-8 heures de sommeil par 24 heures, en 100 ans de vie, nous dormons 33 ans ! C'est le moyen le plus naturel que nous a donné Dame Nature pour recharger notre batterie du Rein, pour booster nos facultés d'adaptation et nos défenses immunitaires. Mais tout est fait dans nos civilisations pour le moins trépidantes pour mettre à mal cet acte quotidien tellement important.

Certaines personnes manquent constamment de sommeil. Elles sont peut-être trop inactives, ou à l'opposé se surmènent à cause d'un travail excessif, ou bien elles n'ont pas assez de temps pour dormir. La normalité pour le temps de sommeil se situe entre 6 heures et 8 heures, pas plus, pas moins. Ce manque de sommeil va générer un déséquilibre entre le Yin et le Yang. En effet, le sommeil permet au Yin de se reconstituer pour s'accommoder à la période Yang, d'activité de la journée.

D'autres personnes dorment assez, mais de manière irrégulière. Elles n'ont pas d'horaire régulier de coucher et de lever et le nombre d'heures n'est pas fixe.

Il est évident que ce nombre d'heures peut varier selon les saisons. Un peu plus en hiver où l'on doit emmagasiner du Yin et un peu moins au printemps et en été.

Chez d'autres personnes, l'horaire de la période de sommeil n'est pas fixé régulièrement. Ils dorment un peu, puis ils travaillent, puis redorment et ainsi de suite, et ce, selon des cycles irréguliers.

Normalement, il faut être réveillé le jour et dormir la nuit. Certains ne vivent pas ainsi et dorment de façon intermittente. Certains ont des périodes de travail alternatives, le jour puis la nuit.

Toutes ces situations, même si elles sont difficilement évitables dans le contexte moderne de travail, sont tout à fait préjudiciables pour la santé. Il se crée alors un déséquilibre entre le Yin et le Yang à l'intérieur du corps et c'est un des grands facteurs prédisposant aux maladies mentales et émotionnelles, à l'hypertension artérielle et à bien d'autres pathologies internes.

Chapitre 11
Les causes externes

DANS CE CHAPITRE :

» **Les six climats**

» **Les facteurs environnementaux**

» **Le concept de Tan en MTC : les déchets**

Les six climats

Parmi les causes externes de maladie, il est essentiel de tenir compte des facteurs climatologiques. D'après le *Nei Jing*, c'est seulement quand l'homme est faible – l'intérieur du corps est déséquilibré – que les éléments externes peuvent attaquer. C'est donc cette déficience interne qui a permis l'attaque extérieure.

Comment ces éléments externes peuvent-ils provoquer des maladies ?

Les six énergies perverses

D'après le *Nei Jing*, il y a six éléments externes qui attaquent le corps humain. Ce sont ce que l'on appelle les « six énergies perverses ». Ainsi, le ciel a six climats, ce sont les six climats normaux.

Il y a :

» Le vent, Feng ;

» Le froid, Han ;

» La chaleur, Re ;

» L'humidité, Shi ;

» La sécheresse, Zao ;

» Le feu, Huo.

Par exemple au printemps, le temps est tiède, l'été lui est chaud. Entre la fin de l'été et le commencement de l'automne, le temps est plutôt humide. L'automne est une saison plutôt sèche. L'hiver est évidemment froid.

Nous avons les cinq perversités correspondant aux cinq climats. La sixième, le feu n'est pas fondamentalement considéré comme un climat. Ce feu est produit dans le corps humain après les attaques d'une des cinq autres énergies perverses.

Qu'entend-on par un climat qui ne serait pas normal ? Que signifie un temps anormal ?

C'est quand il arrive trop tôt, ou qu'il n'arrive pas à temps. Par exemple en été, il doit faire chaud. S'il fait trop chaud, la chaleur est excessive. Ou si en été, même après le solstice, il ne fait pas encore chaud, la chaleur est dite insuffisante.

Il y a aussi le cas du temps qui ne correspond pas à la saison. Par exemple en été, il aurait dû faire chaud, mais il a neigé. Ou alors, il fait un temps d'automne en été. Le climat dans ces cas-là, n'est pas approprié, ne correspond pas à la saison.

Attention

LES CHANGEMENTS CLIMATIQUES NE SE SITUENT PAS TOUJOURS LÀ OÙ ON PENSE !

Avec les moyens de transport actuels, on peut en quelques heures changer brutalement de climat et, par exemple, se trouver en pleine chaleur du désert alors que c'est l'hiver là où l'on habite. Un autre cas de figure, c'est d'avoir une température de 30 degrés à l'extérieur et que l'on se retrouve brutalement à 18 degrés, grâce ou plutôt à cause de la climatisation. Si nous sommes résistants et en bonne santé, si notre Yuan Qi, notre énergie du Rein est rechargée, le corps peut alors s'adapter. Mais si le corps n'en a pas la force, s'il n'arrive pas à s'adapter, alors il se laisse attaquer par le climat anormal et la maladie apparaît.

Ces éléments externes qui attaquent le corps sont alors appelés Xie Qi, les énergies perverses. Ce sont les causes externes de maladie. La médecine chinoise parle donc de six Xie Qi que nous allons maintenant passer en revue.

Le vent, Feng

Quand on parle de vent, Feng en MTC, il s'agit aussi bien du vent du climat, mais aussi tout ce qui est véhiculé par le vent, microbes, virus, pollens, agents toxiques, « particules fines », etc.

Le *Nei Jing* dit : « Le vent est la cause des cent maladies ». Il s'agit bien sûr ici du vent nocif, encore appelé « vent pervers ». C'est un vent qui, en attaquant l'organisme, a déclenché un certain nombre de pathologies. Il faut sous-entendre ici « l'énergie du vent ».

Ce vent n'est pas nocif en lui-même. Il ne le devient que si le corps est fragilisé, affaibli et qu'il le laisse pénétrer à l'intérieur.

Ce Xie Qi, cette énergie perverse, ce vent nocif peut entraîner une multitude de maladies, et même provoquer des maladies qui ne lui sont pas propres.

Le vent, Feng, est à mettre en relation avec le Foie qui, vous le savez, correspond au printemps et à l'élément bois.

Quand le vent se lève au printemps, on dit qu'il aide à la croissance, qu'il réveille toute chose, qu'il donne la vie à toute chose. Mais si ce vent est anormal, il peut également nuire, détruire.

Ce même vent a donc le pouvoir d'engendrer et de détruire en même temps.

Si la personne est affaiblie, si elle n'est pas assez résistante, assez équilibrée à cause par exemple d'un surcroît de fatigue, de l'irrégularité dans son mode de vie, dans ses horaires de lever et de coucher, dans la prise de ses repas, dans la nature des aliments absorbés, si elle est sous l'emprise des émotions, si elle ne sait pas gérer sa sexualité, cette personne n'est alors plus capable de s'adapter à son environnement et quand un vent trop fort apparaît au printemps, elle tombe malade.

Les maladies les plus basiques que nous connaissons tous, liées à cette attaque de Feng, de vent, sont le rhume et la grippe. Au départ, les symptômes révélateurs sont des plus bénins. On peut avoir apparition de toux, de maux de tête, de nez obstrué, d'éternuements. C'est ce que l'on appelle en médecine chinoise une maladie simple. C'est juste une pénétration de la perversité dans le corps qui reste en surface. On ne peut pas à proprement parler d'une réelle insuffisance de la résistance du corps.

Mais souvent le vent n'attaque pas seul le corps. Il peut être le vecteur d'autres perversités comme le froid, Han, l'humidité, Shi, la sécheresse, Zao, la chaleur, Re.

» Par exemple quand le vent se combine au froid, on appelle cela une attaque de vent-froid, Feng Han. Les symptômes révélateurs seront alors des douleurs diffuses dans tout le corps, dans toutes les articulations.

» Si le vent se combine à l'humidité, Shi, c'est Feng-Shi. L'humidité est un élément qui descend. On aura donc souvent des symptômes liés au Foyer inférieur. Par exemple les jambes lourdes, sans forces.

> » En automne, le vent peut se combiner à la sécheresse, Zao, et en été avec la chaleur, Re. Vous savez que la chaleur est de nature Yang et a tendance à monter dans l'organisme. C'est pourquoi ces attaques de vent-sécheresse et de vent-chaleur vont entraîner une symptomatologie qui sera souvent localisée à la gorge ou à la tête. On pourra trouver des maux de gorge, des douleurs oculaires, des saignements de nez, de la toux.
>
> » Toutes ces maladies du vent, qu'elles soient combinées au froid, à la chaleur, à la sécheresse, à l'humidité, quand elles durent trop longtemps, peuvent se transformer en feu, Huo. On parlera alors de vent-feu, Feng Huo. Ce sera évidemment une maladie plus chaude que le Feng Re, vent-chaleur.

Si l'on est amené à faire un diagnostic différentiel sur la douleur, on pourrait dire que les maladies dues au vent sont souvent localisées aux articulations. Dans le Feng Han, le vent-froid, les douleurs sont fixes, fortes et aiguës. Dans le Feng Re, vent-chaleur ou le Feng-Shi, vent-humidité, le Feng Huo, vent-feu les douleurs sont plus sourdes et plus diffuses. On se sent sans force.

Quand les douleurs sont dues au vent seulement, au Feng, les douleurs circulent, elles ne sont pas fixes. On dit qu'elles sont erratiques.

Le saviez-vous ## DOCTEUR, C'EST QUOI UN RHUMATISME CHRONIQUE ?

Les maladies dues au vent sont souvent liées aux rhumatismes que les Chinois appellent Feng Shi. Il y a un cas particulier. Si l'attaque est due à une pénétration du vent et du froid et qu'ensuite s'ajoute une attaque d'humidité, les Chinois appellent cela Pei Jing. C'est une maladie caractéristique, appelée en Occident un rhumatisme chronique. Donc, au départ, il aura fallu une attaque de vent-froid. Ces perversités, ces deux énergies n'auront pas eu la force d'être expulsées et seront restées plusieurs jours, voire plusieurs semaines, ou plus encore, à l'intérieur de l'organisme. Ensuite, une autre attaque perverse, celle de l'humidité, va réveiller ces perversités préalablement cachées et déclencher cette maladie rhumatismale chronique. Plusieurs cas de figure possibles :

» La première catégorie de rhumatisme chronique sera celle où la participation du vent est la plus forte. On l'appellera alors Feng Pei. Il va y avoir déclenchement de douleurs rhumatismales qui auront comme particularité d'être erratiques, de circuler, comme la nature du vent.

» Dans une deuxième catégorie, ce sera le froid, le Han qui sera dominant. Ce sera Han Pei. Les douleurs ici ne circulent pas. Elles sont fixes, très localisées. En même temps, elles peuvent être très aiguës.

» Dans la troisième catégorie, il y aura une prépondérance d'humidité, Shi. On l'appelle Shi Pei. On dit que la douleur va se concentrer, elle va être localisée. Et souvent, à cet endroit, il y aura un gonflement, parce que la nature de l'humidité est de faire gonfler. Cette douleur ne circule pas parce que le vent n'est pas très important, et elle ne fait pas très mal, parce que le froid ne domine pas.

> » Quand une de ces énergies perverses ou une combinaison entre ces trois énergies stagnent trop longtemps dans le corps, que ce soit Feng, Feng Shi ou Feng Han, il pourra avoir présence de chaleur. Le Yang va alors devenir trop important. Ne perdez pas de vue que dès qu'il y a stagnation, il y a apparition de douleur et de chaleur. Ces différents types de rhumatisme vont alors devenir chroniques avec des phases aiguës inflammatoires. On appelle cela « *rhumatisme à dominante chaude* », car l'endroit où le patient a mal est très chaud. On appelle alors ce rhumatisme Feng Re.
>
> Ces quatre types de rhumatismes sont très courants. Quand ils sont présents dans le corps depuis très longtemps, les douleurs qui en découlent peuvent affecter les tendons, les os, les vaisseaux, les muscles, la peau. En effet, on parle en MTC de rhumatisme de peau, de rhumatisme des os. Les personnes se plaignent réellement de douleurs plus ou moins chroniques dans les os. Chaque rhumatisme va alors porter le nom de la zone affectée. Si le temps passe encore, les douleurs peuvent alors affecter directement les organes. On parlera à ce moment-là de rhumatismes des organes comme les rhumatismes du Cœur, du Foie, de la Rate, du Poumon, du Rein ! Il faut alors examiner les symptômes pour pouvoir les rattacher à tel ou tel organe.

Le froid, Han

Le froid des six perversités est le froid pervers, le froid externe.

C'est un climat normal, une énergie qui peut entrer dans le corps humain quand il est en état de faiblesse et provoquer une maladie.

La plupart du temps pour que le froid puisse pénétrer dans le corps, il faut qu'il soit accompagné de vent.

Il arrive parfois que le froid puisse pénétrer tout seul dans le corps. On aura comme symptômes :

- » La peur du froid ;
- » De la fièvre ;
- » Mal de tête ;
- » Mal dans les os.

S'il est accompagné de vent, on appelle cela Feng Han, le vent-froid.

S'il est accompagné d'humidité, c'est Han Shi ; de sécheresse, c'est Han Zao. Souvent, quand on pense à la sécheresse, on l'assimile à la chaleur. Or, il faut savoir que la sécheresse peut aussi être de nature froide. En automne, le temps peut être effectivement sec, mais aussi froid, et ces deux perversités peuvent ensemble pénétrer dans le corps.

On peut dans certains cas assister à une transformation progressive de froid en chaleur, puis en feu. En effet, quand le froid pénètre dans le corps, il est susceptible de subir une évolution.

Selon l'état de la digestion, de la résistance du corps du moment, de l'état émotionnel, il peut évoluer vers une maladie tiède. Et si la température augmente, elle peut évoluer en chaleur.

Si cette perversité reste encore plus longtemps dans le corps, et si la température est encore plus forte, ce froid peut alors devenir du feu.

À retenir

Le symptôme principal lié à la maladie du froid, Han Bing (Bing, signifiant maladie en chinois), est la douleur aux articulations.

Le *Nei Jing* explique que « le froid a comme caractéristique de contracter l'énergie dans le corps ». Mais le froid contracte aussi la peau, il favorise un ralentissement de la circulation du sang. La combinaison de contraction et de ralentissement de la circulation sanguine fait que l'on manque de sang à la périphérie.

Ralentissements, stagnations, voire blocages, voilà comment on explique la genèse de ces douleurs. La douleur se produira là où la stagnation prédominera.

La chaleur, Re

Le *Nei Jing* dit que « dans le ciel il y a la chaleur et sur terre il y a le feu ». Dans le ciel, nous allons trouver la chaleur du climat. Nous avons à faire alors à un climat chaud. Quand cette chaleur pénètre dans le corps, on appelle cela une maladie Shu de l'été.

Ces maladies chaudes apparaissent après le solstice d'été. Le *Nei Jing* dit : « avant le solstice d'été ce sont des maladies tièdes, Wen Bing, qui apparaissent, et après le solstice d'été des maladies chaudes, Shu Bing. ». Ces deux maladies, tièdes et chaudes, ont la même caractéristique chaude selon les Ba Gang. Elles apparaissent seulement à des moments différents.

En dehors de l'époque d'apparition, une autre différence entre ces deux maladies, c'est la température que présente le patient. Dans la maladie tiède, Wen Bing, la chaleur sera moins forte que dans la maladie de la chaleur.

Au niveau des symptômes, nous allons trouver :

- » Un mal de tête constant ;
- » De la fièvre. C'est alors une température élevée ;

- » Une sensation de soif, alors que dans les maladies dues au vent et au froid, il n'y a pas cette sensation de soif.
- » Ces maladies chaudes ont comme caractéristique d'entrer très vite dans le corps, et de « troubler le Cœur », comme il est dit en chinois. La personne va alors être agitée.
- » On va aussi trouver de la transpiration, puisque la maladie Shu est une perversité chaude.
- » Les pouls dans ce cas sont très vifs et rapides.

Cette maladie chaude peut, comme les autres se combiner à d'autres éléments pervers. Nous l'avons déjà vu quand nous avons parlé du vent, la combinaison vent-chaleur qui pouvait attaquer le corps.

La chaleur peut également se combiner avec la sécheresse, Zao. La sécheresse s'établit le plus souvent en automne, alors que la chaleur se retrouve en été.

Dans un autre cas, la chaleur va pouvoir se combiner à l'humidité. Quand ces deux perversités pénètrent ensemble dans l'organisme, on appelle cela chaleur-humidité. Ce type de maladie apparaît souvent à la fin de l'été. Il fait encore chaud, mais l'humidité externe peut facilement être présente et donc pénétrer ensemble dans l'organisme.

Attention

LE TOUAREG DANS LE DÉSERT BOIT CHAUD EN PETITES QUANTITÉS FRACTIONNÉES

Il faut savoir que la chaleur et l'humidité peuvent ne pas pénétrer ensemble dans le corps. On peut se retrouver devant le cas de figure suivant. En été, il fait très chaud, et on a tendance à boire trop. Quand on a trop bu, les intestins et l'estomac n'arrivent plus à éliminer l'excédent de liquide. Si, à ce moment-là, la chaleur pénètre dans le corps, cela peut provoquer une digestion difficile, une indigestion. L'eau qui stagne à l'intérieur du corps se transforme en humidité et forme, avec la chaleur, la « maladie de chaleur-humidité » avec une bonne indigestion à la clé. Nous aurons donc, la pénétration d'une chaleur externe sur un problème d'humidité interne.

Un autre cas est celui où la chaleur de l'été n'est pas éliminée par le corps, et que l'humidité est déjà apparue : on est alors en présence d'une authentique maladie de chaleur-humidité. Il y a donc là, attaque d'humidité externe sur une chaleur préexistante dans le corps.

Le saviez-vous — LES MALADIES « À RETARDEMENT » !

Il existe une autre maladie de chaleur que l'on appelle Fu Shu, Fu signifiant ressuscité, et Shu, été, chaleur de l'été. La perversité chaleur a pénétré dans le corps en été, est restée en quelque sorte cachée, et elle se révèle plus tard en automne. On remarquera au niveau des symptômes que cette chaleur au moment de pénétrer dans le corps est souvent accompagnée d'humidité. Cette maladie a entre autres comme symptômes une température élevée et toute une symptomatologie d'humidité, de gonflement au niveau de la gorge, de gastro-entérites. C'est pour cela que les Chinois ont l'habitude de consommer par exemple du melon jaune en fin d'été qui a justement la propriété d'éliminer cette chaleur accumulée pendant l'été.

L'humidité, Shi

C'est l'humidité du climat qui apparaît à la fin de l'été et au début de l'automne. Souvent pour le calendrier occidental, cela correspond un peu au changement de saison qui se met en place après le 15 août. À ce moment-là, le temps peut brutalement changer et devenir très humide.

Attention

Ayant pris l'habitude durant l'été de très peu se couvrir, de ne porter que très peu de vêtements, quand apparaît ce changement de temps, surtout si on a pris l'habitude de sortir le soir et de se coucher tard, ou de se lever tôt, l'humidité ambiante risque de pénétrer alors dans l'organisme.

Cette humidité se retrouve souvent dans la nature sous forme de brume ou de rosée.

Quand cette humidité pénètre dans l'organisme, profitant d'un affaiblissement de celui-ci, elle devient alors « humidité perverse ».

D'autres situations peuvent favoriser cette pénétration d'humidité. Par exemple, quand on est amené à travailler dans l'eau, dans les rizières pour les Asiatiques, en piscine pour les Occidentaux.

On peut être aussi fatigué par une longue marche et être surpris par la pluie, et se retrouver les vêtements mouillés.

Pour certains, le fait de rechercher la fraîcheur, coucher dans l'herbe peut les prédisposer à cette pénétration d'humidité. Et bien d'autres situations...

Quels sont les symptômes qui peuvent apparaître lors de la pénétration d'une telle perversité :

> » Le corps peut être très lourd, fatigué.
> » On aura une sensation de douleur dans les os, et de raideur dans les lombes.
> » Toutes les articulations nous font mal. Quand il y a douleurs articulaires, elles ont comme caractéristique de se focaliser à un même endroit.
> » La digestion devient difficile et des diarrhées peuvent apparaître.
> » Les urines peuvent devenir rares, ce qui est un facteur d'aggravation de la maladie.

Comme dans les autres cas, cette humidité perverse peut se combiner à d'autres perversités pour entrer dans l'organisme. Elle peut, par exemple s'accompagner de vent. On appelle cela une attaque de vent-humidité, Feng Shi. Elle peut aussi se combiner au froid. C'est alors une attaque de froid-humidité, Shi Han. Si c'est avec de la chaleur, ce sera Shi Re, chaleur-humidité.

Il y a un cas où l'humidité étant restée trop longtemps dans l'organisme finit par se transformer en feu. Ce feu va assécher les liquides organiques. Ce n'est que dans ce cas que l'on pourra dire que l'humidité s'est transformée en sécheresse.

Si cette humidité Shi externe se combine à l'humidité interne déjà présente dans le corps (excès de boisson, de graisses saturées, de laitages, de sucres rapides) et qu'elle persiste trop longtemps, elle peut se transformer en perversité feu. Un des symptômes classiques d'humidité et de feu est la douleur abdominale violente.

Cette humidité peut également devenir ce que l'on appelle, en MTC du Tan, dont une traduction approchante serait « le flegme ». Ce terme est très important, nous en reparlerons longuement par la suite. D'ores et déjà, retenez que le Tan est produit par la Rate.

Si l'humidité est trop intense, trop importante dans l'estomac et les intestins, si elle ne peut pas être éliminée, on dit « qu'elle reste dans la Rate ».

Si elle rencontre le feu du Poumon ou le feu des autres organes, ou si le feu dans le Rein est trop fort, ces différents types de feu évaporent l'humidité qui devient alors du flegme, du Tan. Il faut savoir que ce Tan peut circuler partout dans le corps et une très grande cause de pathologies internes y compris de très nombreux cancers.

La sécheresse, Zao

C'est en automne prioritairement que le temps sec apparaît. Cette saison est intrinsèquement une saison sèche. Si cette sécheresse de l'automne attaque le corps à ce moment-là, profitant d'un affaiblissement de celui-ci, on appellera cela une « maladie de sécheresse perverse de l'automne ».

La sécheresse « assèche » souvent les liquides internes, pouvant entraîner comme symptômes :

- Un rougissement des yeux,
- Une sensation de soif,
- Le nez et les lèvres sèches,
- De la toux sèche sans crachats,
- Des douleurs costales,
- De la constipation.

Comme les autres perversités, il peut exister des combinaisons de différentes perversités au moment de l'attaque.

- Si la sécheresse se combine au vent, on appelle cela une maladie de vent-sécheresse.
- Si elle se combine au froid, cela donne une maladie de froid et de sécheresse. En plus des symptômes propres à la sécheresse, on aura mal partout dans les os.
- Avec la chaleur, cela donne une maladie de sécheresse et de chaleur. On pourra avoir mal de gorge, ou alors saigner du nez en plus des symptômes précités.

Le feu, Huo

Voyons à présent la dernière des six perversités, le feu, Huo.

On peut comprendre que le vent, la chaleur, l'humidité, le froid, la sécheresse puissent chacun appartenir à une des cinq saisons, à un des cinq éléments. Mais à quelle saison peut-on rattacher le feu ?

D'après le *Nei Jing*, il est dit que « dans le ciel il y a la chaleur, et sur terre il y a le feu ». Nous devons comprendre par là, que lorsque nous parlons de climat, nous parlons de chaleur. Cela représente ce qui est chaud. Sur la terre, nous parlons de feu qui a aussi bien évidemment, une caractéristique chaude.

Selon le Pr Leung, ce feu ne devrait pas entrer dans la catégorie des climats. Ce serait selon lui, une erreur de retranscription des copistes. Normalement donc, dans la série des six perversités, au lieu du feu, on devrait à la place avoir la Tiédeur.

Si l'on met de côté ce problème d'erreur et la nécessité de parler de Tiédeur dans le climat, le feu est la résultante, le produit d'une transformation.

Après que les cinq perversités, le vent, le froid, la chaleur, l'humidité et la sécheresse aient attaqué le corps et y soient entrés, quand elles y restent trop longtemps, elles deviennent du feu. Donc, quand on parle du feu externe, on entend par là le feu produit par les cinq autres perversités. Le feu n'attaque donc pas directement le corps.

Dans une maladie de feu, on trouve principalement des symptômes à caractéristique Yang.

Puisque le feu est de nature très Yang, la première chose qui est touchée dans le corps, ce sont les Jin Ye, les liquides organiques. Les symptômes sont alors :

> - Une fièvre élevée.
> - Il y a ce que l'on appelle « une agitation du cœur » avec comme symptôme de l'agitation, de l'inquiétude.
> - Il peut y avoir de la soif.
> - Des maux de gorge.
> - Le visage et les yeux sont rouges.
> - Les pouls sont rapides, forts et flottants.

Nous avons dit que ce feu pouvait être produit par n'importe quelle perversité. Cependant, le plus souvent, c'est la chaleur entrant dans le corps qui se transforme en feu. Au tout début de la transformation en feu, on parle encore de maladie Huo. Mais dès que la chaleur devient du « vrai feu », on parle alors de maladie Huo Re, ou encore Yang Huo.

Si c'est l'humidité qui entre dans le corps et qui se transforme en feu, on parle alors de pathologies Shi Re. Si la température n'est pas élevée, on parle d'humidité-chaude. En revanche, si elle est très forte, c'est de l'humidité-feu.

Quand c'est la sécheresse qui pénètre dans le corps, vous savez que cette perversité possède déjà en elle un caractère chaud, c'est pour cela que la sécheresse peut très facilement s'accompagner de feu.

Les facteurs environnementaux

Par les temps qui courent, c'est indéniablement une des grandes causes d'apparition de pathologies internes. Et ce sont les problèmes de pollution de l'air qui seront les plus graves.

Pollution

Il peut exister une pollution de l'air « naturelle ». Par exemple, dans les marécages, les forêts difficiles d'accès, dans certaines grottes, à proximité des lacs, des marécages où l'eau stagne, il y a ce que les Chinois appellent des « miasmes », des énergies néfastes dans l'air. Souvent l'atmosphère y est humide, lourde, chargée. Si l'homme y est exposé pendant de longues périodes, cela peut être l'origine de nombreuses maladies internes de type stagnation et de chaleur.

Les poussières en suspension, comme dans des carrières ou des zones de travaux, peuvent pénétrer dans les poumons et y entraîner des obstructions des voies respiratoires. Ceux qui travaillent le plâtre, le ciment, qui manipulaient de l'amiante, mais aussi bien d'autres substances tout aussi irritantes, sont très exposés.

Nos villes modernes avec leur cortège d'usines polluantes, de pots d'échappement des voitures sont des championnes de la pollution. En MTC, il est dit que « les gaz émis par les voitures sont un air mort ». Toutes ces odeurs, ces fumées sont particulièrement lourdes et contiennent de nombreuses substances toxiques. On parle dans notre langage moderne de « particules fines ».

Il va de soi qu'il est important de vivre dans des lieux, sans air stagnant et sans fumées perverses, fumée de cigarette comprise.

À retenir

N'oubliez pas que la peau est à mettre en relation avec le Poumon. La peau est un organe respirant : 30 % de la respiration de notre organisme est assurée par l'intermédiaire de la peau. Les toxines de l'air peuvent pénétrer par la peau.

De plus, les blessures de la peau vont faciliter la pénétration de ces substances. Arrêtez de vous ronger les peaux autour des ongles. C'est une incroyable voie de pénétration des substances toxiques, directement dans la couche du sang.

Il faut particulièrement se méfier de ce problème chez les professionnels chez qui les mains sont fréquemment blessées, surtout si ces coupures se produisent de façon répétitive aux mêmes endroits.

Radioactivité

La radioactivité, l'effet des rayonnements sont autant de facteurs externes susceptibles de déclencher des pathologies internes. Nous connaissons tous les effets néfastes des rayonnements solaires quand on s'expose trop longtemps au soleil, sans protection. On parle en MTC de « poison-feu », Huo-Du pouvant dans certains cas provoquer par exemple un cancer de la peau.

Il existe une radioactivité naturelle, comme dans les carrières de marbre, qui à la longue peut devenir nocive pour les ouvriers.

Mais c'est la radioactivité artificielle qui va être très préoccupante dans les prochaines décennies. La première, ce sont les rayons X, donc l'action est cumulative. Or, comme ces rayons sont invisibles, l'homme s'habitue au danger et les néglige. Les dentistes par exemple peuvent facilement développer une tumeur cérébrale. Et que dire aussi des rayonnements « atomiques » !

Une petite note d'espoir dans ce tableau plutôt alarmiste... Si votre batterie du Rein est parfaitement rechargée, elle est capable de s'adapter à des conditions même les plus extrêmes. Ainsi, à Hiroshima, les « pratiquants », ceux qui connaissaient les méthodes de prévention, de préservation de la santé étaient statistiquement beaucoup moins atteints que le commun des mortels. Le corps est alors capable de rejeter en grande partie les « poisons externes ».

LA CIGARETTE : UN DANGER PEUT EN CACHER UN AUTRE !

Dans la médecine moderne, on focalise les dangers de la cigarette sur les toxines, les poisons qu'elle contient : les goudrons et des dizaines d'autres particules nocives que la fumée véhicule. La vision de la MTC est un peu différente. Elle met en avant le fait que la fumée de la cigarette a un pouvoir desséchant nettement supérieur à quelque autre fumée. Si dans une pièce close, deux ou trois personnes fument toute la journée, l'hygrométrie passera de 50 % le matin à 20-25 % le soir. Or, la cigarette est en même temps considérée comme un aliment (on avale la fumée qui va dans les voies digestives), mais aussi comme un air vicié que l'on inspire et qui va dans les poumons. On va donc assister à un assèchement progressif des liquides organiques avec comme conséquence, un assèchement des liquides des poumons (toux chroniques, crachats...), un assèchement et un vieillissement précoce de la peau (Peau = Poumon), avec apparition de rides, de flétrissement, un assèchement des liquides de l'estomac et des voies digestives (brûlures gastriques, constipations...). Mais en dehors de ce vieillissement précoce, le gros problème, c'est que l'assèchement des liquides organiques va favoriser l'apparition de stagnations de sang et d'énergie dans l'organisme. Ce sont ces stagnations qui sont très dangereuses comme nous l'avons développé précédemment. Ce n'est qu'à ce moment-là que les poisons véhiculés par la fumée vont potentialiser le danger de la cigarette. Toutes les sociétés traditionnelles avaient connaissance de ces dangers. C'est pour cela qu'elles faisaient passer la fumée à travers l'eau. Ce sont les fameux narguilés, pipes à eau et autres qui diminuent très fortement la nocivité de la cigarette. Fumer devient alors un véritable acte de méditation.

Le Tan, les déchets

Qu'est-ce que le Tan ?

Le saviez-vous

Le Tan en MTC est un concept à mi-chemin entre les causes externes et les causes internes. Comme le feu, c'est aussi le fruit d'une transformation interne sous l'effet d'une stagnation des liquides organiques. Mais il peut aussi directement être importé dans l'organisme à travers notre alimentation.

C'est un terme générique qui, avec une connotation de concentration, qualifie des substances que l'organisme aurait normalement dû éliminer, entre autres par les selles et les urines, mais il n'en a pas eu la force. Où parce que la batterie du Rein est trop faible, ou que ce Tan est trop important en quantité. Les graisses qui circulent dans le flux sanguin, les plaques d'athérome, le mauvais cholestérol, les radicaux libres, les boules de graisse, les adénomes, les kystes, les nodules… : tout cela c'est du Tan.

Nous allons voir aussi que stagnation de sang, d'énergie et Tan font très bon ménage. Un excès de Tan favorise les stagnations et la stagnation « fabrique » du Tan.

À retenir

POUR LES TRÈS « NULS », ENFONÇONS LE CLOU

Comment différencier, les liquides organiques, l'humidité et le Tan ? Quand vous consommez de l'eau, c'est un liquide aussi clair que des larmes, de la salive, du liquide lymphatique. C'est en comparaison ce que nous appelons les liquides organiques qui baignent tous nos organes. Nous sommes constitués de 80 % de ces liquides. Quand vous consommez un yaourt, une compote, une soupe épaisse, une partie des liquides « clairs » s'est évaporée. Le produit est alors plus concentré. C'est de l'humidité. Dans l'organisme, c'est par exemple de la pituite épaisse qui s'écoule du nez, de la graisse qui s'accumule sous la peau par rétention, stagnation des liquides. Quand vous mangez du beurre, du fromage, c'est du Tan. C'est une substance très concentrée, qui demandera beaucoup d'effort à l'organisme pour être évacuée. Dans l'organisme, ce sont des lipomes, des kystes, des calculs, des nodules… Tout est donc une question de concentration.

Le concept de la maladie « eau-boisson », Jue Yin

Le *Nei Jing* dit : « le Tan, est produit par la Rate et conservé par le Poumon. Mais il peut également circuler dans tout le corps, dans les quatre membres ». Voyons cela de plus près. Pour mieux comprendre le Tan, essayons de voir comment s'élaborent les liquides dans le corps et les différents processus de la digestion.

Le *Nei Jing* dit que « le Rein contrôle le processus d'élimination des urines et des excréments ». Donc, quand on absorbe trop d'eau, pour éliminer cet excès, on aura besoin de notre énergie du Rein. Comme il y a une relation interne-externe du Rein avec la Vessie, avant d'être éliminée, cette eau va être conservée par la Vessie.

Nous devons donc savoir qu'en premier lieu, quand il y a un excès d'eau dans le corps, c'est que l'énergie du Rein n'a pas eu assez de force pour éliminer ce trop-plein.

Mais un deuxième organe peut être impliqué dans cette rétention de liquide, c'est le Cœur. Dans le cycle des cinq éléments, nous savons que le Cœur est en relation interne-externe avec l'Intestin grêle. D'après les médecins chinois, quand les aliments ont été digérés par l'Estomac, tout ce qui n'est pas digéré entre dans les intestins. Ensuite les déchets sont éliminés par les selles. Après l'assimilation de l'eau par l'Intestin grêle, l'eau en excès commence par s'accumuler, puis est ensuite éliminée par l'urine. On dit « que l'eau en excès déborde de l'Intestin grêle ». Comme l'Intestin grêle est contrôlé par le Cœur, on comprend là que cet organe est l'un des responsables du métabolisme de l'eau.

Quand l'eau reste dans le corps, cela se manifeste surtout au niveau des membres, des mains, des pieds, de la peau, des muscles. On peut aussi avoir des œdèmes du visage. Les mains peuvent être enflées. Comme l'eau a tendance à aller vers le bas du corps, il y a une forte probabilité que les pieds soient aussi enflés.

Tout ce que nous venons de voir a comme terme générique : « maladie de l'eau stagnante ». L'eau à l'intérieur de l'organisme et l'eau de la boisson étant tout à fait comparable, c'est pour cela que l'on appelle cet ensemble : « eau-boisson » ou Jue Yin.

Alors que les « maladies de l'eau » sont souvent des maladies du Cœur et du Rein, les maladies des boissons sont souvent dues à la Rate et à l'Estomac.

Si l'eau vient dans la Rate et le Poumon et n'est pas éliminée, elle est conservée au niveau du Foyer moyen. S'il y a trop de liquide dans le Foyer moyen, celui-ci peut facilement monter au Foyer supérieur. Si l'eau stagne au Foyer moyen et au Foyer supérieur, c'est à cause de la Rate et de l'Estomac. On leur donne alors le nom de maladie Yin, boisson.

Ce liquide n'est plus réellement comme de l'eau. Il est déjà plus concentré. Il devient de l'humidité qu'on peut aussi appeler Jue Yin.

Cette concentration fait que ce Jue Yin circule plus difficilement et donc peut facilement stagner. Dans cette maladie de Jue Yin, on note que :

- La personne peut facilement tousser.
- Elle peut avoir mal au cœur et on dit que « la partie inférieure du cœur » se durcit.
- L'eau se concentre dans les flancs.
- La respiration devient difficile.
- Un autre symptôme caractéristique est un bruit d'eau dans les intestins.
- Ce type de maladie peut dériver vers ce que l'on appelle en Occident : l'œdème aigu du poumon, l'OAP.
- Cette eau peut circuler partout dans le corps. La personne sent alors son corps très lourd. Il y a un gonflement des flancs.
- Dans un autre cas, seul le thorax est enflé en haut, et en bas se produit un gonflement jusqu'aux hanches.

Pour traiter ces différentes maladies de Jue Yin, il faut se servir de la théorie des méridiens et en régulariser la circulation énergétique (voir chapitre 2).

Globalement à l'inverse du Tan, ces maladies de l'eau-boisson sont à caractéristique Yin, et donc leur traitement est différent du traitement du Tan, à proprement parler qui lui est de nature Yang.

Différence entre les maladies « eau-boisson » et le Tan

Vous commencez à entrevoir que l'origine est la même. C'est la même cause originelle. C'est toujours de l'eau qui stagne. Quand le corps n'arrive pas à éliminer cet excès d'eau, si l'eau stagne dans l'estomac et les intestins, si elle rencontre du feu, c'est-à-dire de l'énergie Yang, ce feu évapore l'eau qui se mélange alors avec les autres substances en excès.

Plus le feu est grand, plus le Tan, est concentré. Si ce feu n'est pas fort, le Tan, est plus liquide. La concentration de Tan, montre l'intensité du feu.

La chose essentielle à comprendre à propos du Tan, c'est qu'il est produit par la Rate-Estomac.

Si l'énergie du Rein n'a pas la force d'éliminer ces liquides, il peut alors se produire des phénomènes de stagnation. Mais si à ce moment-là, il y a du feu dans l'Estomac et les Intestins, s'il y a un excès de Yang, il va y avoir un phénomène d'évaporation de cette eau qui va commencer à s'épaissir. Progressivement, cela peut devenir du Tan. Ce Tan, monte et va ensuite être conservé dans le Poumon.

Un autre organe peut être incriminé dans la production de Tan. C'est le Foie. Nous savons que le Foie appartient au bois. Si l'énergie du Foie ne circule pas librement, s'il y a stagnation, il peut alors y avoir production de feu. C'est un état que l'on appelle « feu du Foie ». Quand cet état perdure, il peut y avoir une agression de la Rate. Si le Yang du Rein n'est pas suffisant et que l'eau stagne, le feu qui agresse la Rate fait s'évaporer cette eau et à ce moment-là, le Tan, apparaît, et comme précédemment, monte dans le Poumon.

Deux cas peuvent se présenter alors :

>> Si le Poumon est faible, le Tan reste dans le Poumon et déclenche la symptomatologie que nous avons vue plus haut.

>> En revanche, si le Poumon est résistant, le Tan n'y reste pas. On dit que le Poumon pousse ce Tan dans le reste du corps. À ce moment-là, il peut se retrouver dans n'importe quelle partie du corps.

Au moment où ce Tan circule, on l'appelle Tan Re, c'est-à-dire « feu du Tan ».

Ce Tan, produit donc par le Foie peut, par exemple, aller dans les tendons, les muscles, les méridiens, les vaisseaux, etc.

En pratique

Il peut y avoir :

>> Des vertiges.

>> Des céphalées.

>> Des douleurs aux côtes, etc.

>> Alors que si le Tan reste dans le Poumon, il y aura de la toux, des halètements.

Le Tan peut donc circuler partout. Il peut aussi entrer dans le Cœur. Il affecte alors la barrière du cœur, à savoir le Péricarde. Les médecins chinois parlent alors de « Tan qui obstrue l'orifice du Cœur ». C'est une maladie aiguë produite par l'entrée du Tan, dans le méridien du Péricarde. Le patient atteint peut alors tomber dans le coma. C'est la crise cardiaque.

Mais la pathologie peut entrer dans la chronicité et être moins violente. On dit alors que le Tan, affecte les émotions du Cœur et provoque des palpitations, de l'insomnie, des troubles du cœur comme l'inquiétude, les rêves excessifs.

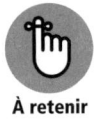
À retenir

Pour traiter les maladies liées au Tan, on ne traite jamais un organe seul, ou un seul méridien. Il est très important de ne pas oublier que le Tan est produit par la Rate, mais il convient aussi d'examiner l'énergie Yang du Rein. Si les symptômes montrent une relation avec le Poumon, il faut également les traiter. Si le Tan n'est pas dans le Poumon, mais qu'il est provoqué après le feu du Foie, il faut dans ce cas traiter le Foie.

Les maladies liées au Tan ne sont pas des maladies simples. Il n'existe bien sûr pas de mono-traitement. Le diagnostic est alors fondamental pour venir à bout de tels déséquilibres. Et bien évidemment, si on applique les règles de diététique que nous verrons plus loin, mais aussi, si nous apprenons à gérer nos émotions qui sont le fer-de-lance de la production de stagnation, donc de Tan, nous nous mettrons à l'abri de telles pathologies.

PARTIE 4
LES GRANDES MÉTHODES DE TRAITEMENT

DANS CETTE PARTIE...

Cette partie couvre le très large éventail des techniques thérapeutiques et préventives enseignées par la MTC, de l'acupuncture à la pharmacopée traditionnelle du praticien. Mais cette partie s'adresse essentiellement à tous les « Nuls » que nous sommes : comment réellement s'occuper de sa santé, « sans peur et sans reproche », en évitant tout radicalisme et tout excès ? Vous apprendrez en effet à respirer, à dormir, à vous relaxer, à vous automasser, à bouger votre corps, à méditer. Une large place sera donnée à la technique ancestrale de digitoponcture, avec quelques grandes formules de points praticables par tout un chacun. En bonus, vous trouverez une méthode très simple pour apprendre en quelques minutes la localisation et le trajet global des 12 méridiens énergétiques.

Chapitre 12
Les grands principes

DANS CE CHAPITRE :

» **Les quatre disciplines de la MTC**

» **La grande question : doit-on traiter en premier la cime ou la racine d'une maladie ?**

» **Les trois grands types de traitement**

Un praticien en MTC doit être un professionnel multicarte. En effet, lorsqu'il est en présence d'un patient, une fois son rôle de détective terminé (voir chapitre 3), quand tous les indices ont été réunis, quand les armes du crime ont été trouvées, quand un diagnostic bien cadré aura été posé, il devra décider des méthodes de traitement à mettre en œuvre. Donc après la fin « de la mise en examen », il devra rééquilibrer son patient.

À retenir

Si vous avez bien compris les principes de base qui sous-tendent la MTC, un praticien n'a jamais guéri un patient ! Il n'a fait que redonner au corps du patient, par différents rééquilibrages, la capacité de s'autoguérir.

Pour cela, ce même praticien devra être en même temps acupuncteur, digitopuncteur, masseur, diététicien, chiropraticien, psychothérapeute, sophrologue, herboriste, éducateur sportif. Des études bien menées de MTC font qu'un bon praticien doit être rompu à toutes ces techniques. Et selon le patient qu'il a en face de lui, il choisira telle ou telle de ces méthodes. Une fois de plus, la MTC ne se résume pas qu'à l'acupuncture ! Voyons cela de plus près.

Les disciplines

Les quatre disciplines principales

La MTC comprend quatre disciplines principales quant aux méthodes de traitement.

- **L'acupuncture, la digitoponcture et la moxibustion** qui seront largement développées dans ces pages.
- **L'utilisation des plantes médicinales :** la pharmacopée chinoise est l'une des plus élaborées et des plus anciennes que nous connaissions. Les médicaments sont composés de produits minéraux, parfois animaux et surtout végétaux. Comme nous le verrons, chaque plante est choisie selon sa couleur, sa forme, son odeur, sa saveur et souvent il faut en utiliser plusieurs simultanément. Si un mélange de plantes ne s'avère pas suffisant, pour la partie minime restante, on sera amené dans certains cas à utiliser des substances minérales, voire animales. (âme sensible s'abstenir ! Manger un scorpion n'est pas à la portée de tous !) Mais c'est avant tout une médecine par les herbes.
- **Les exercices et le massage.** Les exercices tels que le qi gong qui sont de type soit interne, soit externe.
- **La méthode dao yin**, Dao signifiant « guider », instruire le patient. Ce sont tous les conseils que le praticien doit obligatoirement donner à son patient à l'issue du traitement. Dans cette méthode, le traitement psychothérapique tiendra une place centrale au vu de la multiplication des maladies internes. Or, nous avons déjà vu que les dérèglements mentaux et émotionnels étaient le starter et la cause profonde de quasi toutes les grandes pathologies générées par notre mode de vie occidental.

Les méthodes complémentaires

Le praticien pourra aussi disposer d'autres méthodes comme :

- Des méthodes pour rectifier la posture du corps. Il y a là des similitudes avec l'ostéopathie occidentale. Ce sont des techniques dites de « réajustements », lorsque le squelette n'est pas droit, ou lorsque l'os a été cassé, déboîté, l'articulation luxée.
- Il existe aussi toute une science des cataplasmes. Ce sont des méthodes d'application de médicaments sur la peau, connues en Chine depuis des millénaires. On a pu ainsi dénombrer des milliers de formules à usage très variées.

Mais tout cela serait incomplet si le praticien n'était pas à même d'apprendre à son patient les méthodes de préservation de la vie, ou Yang Sheng Fa. Il s'agit là de toute une série de méthodes destinées à garder le corps en bonne santé. Il doit apprendre à son patient comment :

Le saviez-vous

- Respirer ;
- Dormir ;
- Se relaxer ;
- Manger ;
- Faire l'amour ;
- Bouger son corps ;
- S'automasser ;
- Gérer ses émotions.

En somme, une fois le patient rééquilibré, il doit lui apprendre à ne plus « retomber » malade par des pratiques quotidiennes de recharge de la batterie du Rein.

Doit-on traiter en premier la cime ou la racine d'une maladie ?

De prime abord, la réponse devrait être évidente. Le praticien doit traiter les causes profondes de la maladie et ne pas tout de suite occulter les symptômes. C'est ce qui différencie MTC et médecine occidentale. La médecine dite « moderne » est très performante pour traiter les symptômes aigus, d'urgence. Mais elle perd très souvent pied quand il s'agit de pathologies chroniques, faute de traitement de la cause profonde.

À retenir

Je vous rappelle qu'un symptôme n'est que l'objectivation d'un combat qui se produit entre un agresseur (qu'il soit externe ou interne) et « l'énergie droite », de défense de l'organisme. Si on le fait disparaître tout de suite, la maladie risque de progresser à bas bruit, pour d'un seul coup, aller vers un état d'autodestruction de l'organisme. Donc attention de ne pas prendre des antalgiques à tour de bras, dès l'apparition d'un simple mal de tête.

En MTC, on objective ces notions de causes profondes et de causes superficielles d'une pathologie par les termes Biao et Ben.

- Le Biao, « la surface », se rapporte à la manifestation des déséquilibres et donc, ici, aux symptômes présentés par un patient.
- Le Ben a trait à la racine profonde. C'est la cause, le facteur engendrant l'affection.

Vous venez d'attraper froid : le Ben de la maladie, c'est la pénétration de la perversité vent-froid à l'intérieur du corps qu'il va falloir chasser. Les maux de tête, les vomissements, les douleurs articulaires sont le Biao, l'objectivation de cette pénétration.

Dans la nature, le Ben correspond à la racine de l'arbre, alors que les branches, le tronc, les feuilles représentent le Biao.

Que doit-on traiter en premier ?

Nous allons voir que tout est une question de logique relativement à l'appréciation du tableau présenté par le patient.

En cas d'affection bénigne, on pourra traiter simultanément le Ben et le Biao. Si le praticien est sûr de la bénignité de la maladie, que le syndrome n'est pas grave, il pourra en même temps agir sur les deux facteurs. Par exemple, en cas de grippe, il y a de la fièvre et des céphalées. Il pourra en même temps permettre à l'organisme de rejeter la perversité, mais aussi utiliser des moyens pour faire baisser la fièvre et calmer les douleurs.

Mais quand la maladie est plus grave, le praticien au regard du tableau symptomatologique que présente le patient décidera de commencer ou par le Ben ou par le Biao.

Si par exemple la personne manifeste, au décours de sa maladie, un état de faiblesse très important, il conviendra de choisir des plantes, des traitements par aiguilles puissants pour reconstituer rapidement ses forces. Une fois le Zhen Qi (l'énergie droite) rétabli, on pourra ensuite s'occuper des symptômes.

Dans un autre cas, s'il y a des symptômes de blocage des selles et des urines (le Biao), avant d'en traiter la cause (Ben), il faudra tout de suite libérer ces symptômes de blocage et de stagnation.

À retenir

Si une douleur, quelle qu'elle soit, n'est pas très grave, que le patient soit susceptible de s'en accommoder, c'est par le Ben qu'il faut commencer. Dans le cas inverse, si la douleur est intolérable, il faudra traiter le symptôme.

Un autre exemple. Il est dit, en MTC, que l'énergie de Rate permet de conserver le sang dans les vaisseaux. Quand on est en présence d'une faiblesse de l'énergie de la Rate et du Rein, la personne peut très facilement saigner. Il conviendra de traiter la racine du déséquilibre. Mais si la personne a un saignement très important, par exemple au niveau du nez, il faudra très rapidement s'attacher à traiter ce symptôme. Dans un tel cas, on pourra aussi envisager de traiter en même temps le symptôme et la cause.

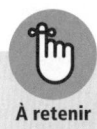

À retenir

TOUT EST UNE QUESTION D'APPRÉCIATION ET DE « VISION PROFONDE » !

Quand la maladie est aiguë et présente un caractère d'urgence, il convient d'abord de traiter le Biao, le symptôme, la surface de la maladie. En revanche, quand la pathologie est de type chronique, d'évolution lente, il est fondamental de traiter le Ben, le déséquilibre profond d'un ou de plusieurs des cinq logiciels organes. Il faut alors que le praticien soit capable de trouver la cause fondamentale de l'affection, puis de la traiter en priorité. C'est l'histoire de ce patient qui va voir son médecin pour des douleurs aux yeux. Celui-ci n'ayant pas la « vision profonde » de la MTC, prescrira tout de suite des antalgiques pour traiter le symptôme. Le praticien « chinois » ayant poussé l'interrogatoire jusqu'au bout dira simplement à son patient d'enlever la petite cuillère qu'il conserve dans son verre et qui lui blesse en permanence son œil quand il boit !

Trois grands types de traitement

Une même formule pour plusieurs affections

Ce principe de traitement s'appelle Tong Zhi : « un même traitement qui s'applique à plusieurs affections différentes ». Il existe en MTC des formules de pharmacopées types, de même que des séries de points d'acupuncture pour traiter tel ou tel type de dérèglement.

Prenons l'exemple d'une formule qui traite la chaleur qui a pu pénétrer dans la couche Yin. Elle permet d'enlever le feu. On pourra utiliser par exemple la même formule quand la chaleur est présente dans les Trois Foyers. Mais aussi, quand une stagnation-humidité est présente dans l'Estomac, générant du feu (gastro-entérite). C'est un traitement courant pour certains types de pathologie qui ne sont pas aigus.

Différents traitements pour une même pathologie

Ce type de traitement s'appelle Yi Zhi : « Il est appliqué différents types de traitement, alors qu'il s'agit d'une seule maladie, chez un même patient. » Cela sous-entend qu'il faudra s'adapter à l'état du patient, mais aussi qu'une même maladie pourra avoir, selon le terrain, plusieurs traitements différents. Le traitement pourra aussi être adapté au jour le jour selon l'évolution.

Type « soutenir et éliminer »

Un troisième type de traitement est Fu Zheng Qi Xie : « soutenir et éliminer ». Dans ce cas, il faut soutenir l'énergie droite, Zheng Qi, qui a besoin de se faire aider, d'être assistée, reconstituée afin de pouvoir à nouveau lutter efficacement contre la perversité, le Xie Qi.

> » Quand l'attaquant n'est pas très puissant, si on soutient efficacement l'énergie droite, de défense, elle peut alors arriver toute seule à l'éliminer.
>
> » En revanche, si l'attaquant, le Xie Qi, est puissant, il faut non seulement soutenir Zheng Qi qui est endommagé par l'attaquant, mais aussi mettre en œuvre des techniques pour éliminer directement le Xie Qi. Comme le symptôme est aigu, on traite aussi le Biao.

Attention

Mais attention de ne pas tonifier à outrance. En effet, si le praticien ne fait pas le bon diagnostic, il risque en même temps de tonifier l'énergie droite, mais aussi l'agent pervers, l'attaquant. Et du coup toute la pathologie flambe.

Donc, si l'état de faiblesse est très grave, il est nécessaire de le traiter tout de suite par des plantes ou des points à type tonifiant. En revanche, si l'état de faiblesse n'est pas très grave, il faut être prudent et choisir les tonifiants en fonction de l'état de faiblesse constaté. Ainsi, il faut voir si c'est un état Xu, de faiblesse du sang, du Qi, du Yang ou du Yin, de même que le stade de développement de la pathologie.

Chapitre 13
La véritable acupuncture traditionnelle

DANS CE CHAPITRE :

>> Les huit méthodes thérapeutiques

>> Les neuf aiguilles selon le *Nei Jing*

>> La méthode « juste » selon le *Nei Jing*

>> Le trajet des méridiens pour les Nuls

>> Les points d'acupuncture

Si nous nous référons à ce qui a été dit dans la première partie, plutôt que de se perdre dans le dédale des « 10 000 techniques » propres à notre civilisation, où l'explosion du Yang l'emporte sur l'intériorisation du Yin, le présent cours sur l'acupuncture va être en quelque sorte un retour à l'unicité. Certes, cela peut-être dérangeant pour certains qui ont suivi certains types de cursus. Mais je préfère faire confiance au Pr Leung Kok Yuen qui a été considéré comme l'un des meilleurs acupuncteurs par ses pairs de notre époque « moderne » (voir chapitre 1).

L'acupuncture est donc un système thérapeutique qui remonte à la nuit des temps et qui consiste en la stimulation de zones précises du corps, encore nommées « point d'acupuncture ». Ces points se trouvent le plus souvent sur des trajets de méridiens bien définis.

Les huit méthodes thérapeutiques

Nous verrons dans l'étude de la pharmacopée (voir chapitre 16) qu'il existe « Huit méthodes thérapeutiques », les Ba Fa que sont :

- La sudation ou la transpiration, Han Fa ;
- Les vomissements, Tu Fa ;
- La purgation, Xia Fa ;
- L'harmonisation, He Fa ;
- Le réchauffement ou la calorification, Wen Fa ;
- La clarification ou rafraîchissement, Qing Fa ;
- La dispersion ou réduction, Xiao Fa ;
- Et la tonification, Bu Fa.

Parmi ces huit effets thérapeutiques, l'acupuncture permet d'en obtenir quatre à savoir chauffer, régulariser, tonifier et disperser.

Les choses sont simples :

- Chauffer est mis en œuvre dans les affections de type froid.
- Réguler est utilisé dans les cas de maladie de nature chaude.
- La tonification est utilisée dans les cas de faiblesse, Xu, de manque.
- La sédation, dans les cas de plénitude, Shi.

Nous savons que lorsqu'on se trouve devant un déséquilibre, une maladie, nous devons l'identifier en nous servant des Ba Gang, des huit classifications (voir chapitre 3). Ceci est très important pour comprendre la fonction des points.

Nous verrons ainsi que certains points sont en relation directe avec les organes, les Zang-Fu, alors que d'autres concernent les méridiens, les Jing Luo. À l'évidence, « les cinq organes pleins (Fu) et les six organes creux (Zang) » étant logés dans la profondeur, à l'intérieur même du corps, ils relèvent de la rubrique interne, alors que les méridiens plus à la périphérie du corps relèvent de la rubrique externe.

La technique

Pour réaliser un traitement par acuponcture, il est donc nécessaire :

- >> Premièrement, de savoir si la maladie est interne ou externe.
- >> Deuxièmement, de choisir des points plutôt en relation avec l'interne ou l'externe et le Yin et le Yang.
- >> Troisièmement, selon que la maladie est chaude ou froide, on mettra en œuvre une des quatre méthodes. Si la maladie est de nature froide, on chauffera, si elle est de nature chaude, on régularisera.

Il faut ensuite voir si une maladie est Xu ou Shi, en faiblesse ou en plénitude. On utilisera la tonification pour un état Xu et la sédation pour un état Shi.

On considère que, par l'acuponcture, la tonification a un effet chauffant. Lorsque l'on tonifie, on stimule, on augmente la force du corps. À ce titre, on considère que la tonification et le réchauffement sont deux méthodes proches l'une de l'autre. On la met principalement en œuvre donc dans les cas Xu, de faiblesse.

De même, pour la sédation et la régularisation. La sédation s'applique au cas Shi, de plénitude, et la régularisation au cas chaud. Les deux cas, Shi et chaud, relèvent de la rubrique Yang.

En acuponcture, chauffer nécessite la mise en œuvre de la moxibustion (voir chapitre 15), alors que la régularisation s'obtient strictement avec les aiguilles.

Donc, nous le répétons, les actions de tonifier ou chauffer sont équivalentes. De même que disperser ou régulariser. Voilà pourquoi les méthodes mises en œuvre en acuponcture peuvent se ramener, dans un souci de simplification, dans une première approche, à la tonification et à la dispersion.

Notre maître s'est avant tout préoccupé dans ses cours à enseigner des méthodes simples et qui assurent un maximum de sécurité. Nous allons donc voir la méthode standard de base. Elle est issue directement des enseignements donnés par le *Nei Jing*.

Quand un problème est difficile et que nous devons revenir aux connaissances les plus anciennes, ce sont les méthodes qui vont être exposées plus loin qui offriront le plus de garanties. Et si on connaît bien les théories de base des anciens, les applications seront aisées et on verra que l'acuponcture n'est pas si compliquée que cela.

Le saviez-vous — NE PAS SE PERDRE DANS LE DÉDALE DES « 10 000 TECHNIQUES »

Certains se sont servis, pour discerner les méthodes de tonification et de sédation, du sens de la circulation du flot d'énergie dans les Jing Luo, les méridiens. D'autres se sont concentrés sur la vitesse d'insertion d'une aiguille. D'autres, sur la façon dont on va la faire tourner. On peut insérer l'aiguille lentement ou bien la retirer rapidement, ou lui donner des chiquenaudes, la faire osciller, la faire tourner dans un sens ou dans l'autre. On peut aussi la faire tourner comme pour élargir un trou. On peut faire intervenir la respiration. Par exemple, coordonner l'insertion et le retrait avec l'inspire et l'expire. On peut aussi insérer l'aiguille en trois étapes ou l'insérer directement en profondeur. De même, l'effet peut varier, si on retire cette aiguille en trois étapes. On peut aussi utiliser les rythmes que l'on met en relation avec le Yin et le Yang. Un rythme fondé sur le chiffre 9 est plutôt Yang, alors qu'un autre rythme fondé sur un cycle de six est plutôt Yin. Par exemple, si on fait tourner l'aiguille neuf fois, on a un effet Yang, six fois, un effet Yin.

Donc, déjà dans les temps anciens, nous avions pléthore de techniques de poncture. Et, bien sûr, ces techniques n'ont fait que se compliquer à notre époque dite moderne. Certains ont pensé que le côté droit et gauche inverse ses effets selon qu'il s'agit d'un homme ou d'une femme. Le problème se complique alors énormément. Donc, plus on se penche dans l'étude des textes, même anciens, traitant de l'acupuncture, plus les notions que l'on trouvera seront complexes. À tel point que le problème risque de devenir insoluble. Et si quelqu'un voulait vraiment s'attacher à résumer toutes les croyances, toutes les études des anciens temps pour élaborer une méthode pratique standard, cela s'avérerait une tâche impossible. Le retour à l'unicité s'impose.

Les neuf aiguilles selon le *Nei Jing*

Dans le *Nei Jing*, on considère qu'il y a neuf types d'aiguilles. Chacune d'elles a une utilisation particulière. Chaque aiguille, en fonction de sa forme, permet d'obtenir certains effets particuliers.

Aiguille n° 1, aiguille Chan

Sa longueur d'après le *Nei Jing* est de 1,6 pouce. Sa tête est enflée alors que l'extrémité est acérée. La pointe à l'extrémité est très courte.

Dans ces neuf aiguilles, le chiffre 1 est en relation avec le ciel qui est donc lui-même rattaché au Yuan Yang, au Yang originel, à ce que nous appelons en MTC « le ciel antérieur ». La position la plus haute des organes est le Poumon qui correspond au ciel. La peau appartient au logiciel Poumon. La superficie de la peau est également la partie la plus externe. L'externe est Yang. Voilà pourquoi on l'appelle « l'aiguille n° 1 ».

À retenir

Cette aiguille ne doit en aucun cas être insérée profondément. Elle permet de disperser le Yang, d'obtenir une sédation du Biao, de l'externe.

Comme cette aiguille ne peut être utilisée que sous la peau, de nos jours et par extension, on qualifie ce type d'aiguille de « sous-cutanée ». Ces aiguilles peuvent avoir différentes formes et peuvent être laissées en place.

C'est à partir de cette aiguille n° 1 que les Japonais ont conçu le « marteau à fleurs de prunier ». Il s'agit d'un long manche accompagné d'un nombre variable d'aiguilles. Ici aussi, les aiguilles sont conçues pour ne pas entrer profondément dans la peau. S'il y a pénétration, elle ne peut être que superficielle.

Il en existe principalement de deux sortes. Soit avec une aiguille centrale et quatre autres aiguilles autour, ou alors une aiguille centrale et six autres autour. On l'appelle alors dans ce cas « marteau à sept étoiles ». On tapote la peau avec ce marteau, ou sur des points spécifiques, ou bien sur le trajet d'un méridien. Toutes les aiguilles pénètrent simultanément, mais de façon très superficielle.

La différence entre l'aiguille *chan* et le marteau à fleurs de prunier est que la première ne pénètre qu'en un seul point alors que la fleur de prunier touche plusieurs points d'une même zone en une seule fois.

Aiguille n° 2, aiguille Yuan

Il faut savoir que le chiffre 2 était à mettre en relation avec la terre. La terre correspond à la Rate qui contrôle dans le corps, les muscles.

Cette aiguille a une forme arrondie. Elle est épaisse. La forme de l'aiguille est assez semblable à un œuf.

À retenir

L'essentiel à retenir est que son objectif unique est la sédation.

Avec cette aiguille, on frotte la surface de la peau. Contrairement à la précédente aiguille, il n'y a ici aucune insertion cutanée. En frottant, on provoque un relâchement entre les vallées musculaires. On peut ainsi lever les tensions.

C'est à partir de cette aiguille qu'a été créé le « grattoir », ou encore « couteau à racler ». Il provient d'une pierre qui a été usée contre une autre pierre pour en éliminer les petites irrégularités. On l'utilise pour « racler » les méridiens de la Vessie dans le dos. On peut aussi utiliser la tranche d'une pièce de monnaie.

Ce type de massage est particulièrement efficace chez les personnes ayant une nature trop chaude, chez qui les muscles sont très tendus, douloureux. C'est un excellent moyen de sédation de l'énergie entre les muscles.

Aiguille n° 3, aiguille Ti

D'après le *Nei Jing*, la forme de cette aiguille, ainsi que son extrémité sont arrondies. Elle n'est donc pas pointue comme dans certaines représentations. Elle présente à peu près le même diamètre sur toute la longueur. Elle ne peut donc pas traverser la peau.

Elle s'utilise quand la maladie affecte les vaisseaux sanguins, les Xue Mai. On l'utilise, entre autres, quand la personne a une énergie faible qui doit être tonifiée.

Elle permet donc d'exercer une pression sur les points ou d'appuyer sur la surface de la peau. Donc, on peut soit frotter, soit appuyer, soit exercer une pression. C'est une forme de traitement très efficace.

On peut comparer ce procédé à ce que l'on appelle aujourd'hui « digitoponcture », ou acupressure. Dans les temps anciens, on n'utilisait pas les doigts pour exercer ces pressions.

Aiguille n° 4, aiguille Feng

L'aiguille Feng ou aiguille triangulaire a la forme d'un petit sabre. La forme de cette aiguille a évolué selon les époques, jusqu'à atteindre une certaine grandeur. Toutefois, il faut veiller à ce que la profondeur d'insertion soit néanmoins limitée.

Le chiffre 4 se rapporte aux saisons que sont le printemps, l'été, l'automne et l'hiver. À cause de ces saisons, l'individu est exposé aux Xie Qi, aux perversités qui agressent les méridiens, les vaisseaux sanguins. Ils sont alors atteints et peuvent se resserrer, se contracter, entraînant alors une obstruction, une stagnation. La circulation sanguine et énergétique se trouve alors perturbée. Dans ce cas, on utilise cette aiguille pour obtenir une sédation grâce à la saignée. Les Xie Qi stagnant dans les vaisseaux sont éliminés, surtout si cette stagnation dure depuis longtemps. Le sang et l'énergie vont alors se remettre à circuler harmonieusement.

Aiguille n° 5, aiguille Pi

Elle est semblable à un couteau. Comme un scalpel, elle sert à couper, à lacérer la surface de la peau.

Cette aiguille permet donc d'inciser les abcès quand il y a formation de pus. On insère l'aiguille dans l'abcès pour lui permettre de se vider.

Aiguille n° 6, aiguille Yuan Li

C'est une aiguille qui est assez épaisse et son extrémité est relativement affûtée.

Elle permet donc d'harmoniser, d'intervenir sur les six couples de méridiens, afin de les traiter, de les ajuster.

À retenir

Donc l'aiguille n° 6, parmi les 9 aiguilles, est celle qui permet de rééquilibrer le Yin et le Yang à travers les 12 Jing Luo, les 12 méridiens circulant dans le corps humain.

Son action principale est d'obtenir une sédation. En particulier quand il y a une pénétration de Xie Qi importante, liée entre autres à la pénétration des énergies perverses d'une des quatre saisons.

Elle permet de rétablir l'équilibre Yin et Yang et, par là même, d'évacuer le Xie Qi, l'énergie perverse.

Aiguille n° 7, aiguille Hao

Le mot Hao signifie fin, fin comme un cheveu. Le chiffre 7, lui, est à mettre en relation avec les étoiles.

À retenir

En acupuncture courante, cette aiguille n° 7 est, aux yeux du Pr Leung, la plus importante des aiguilles.

Dans le ciel, il y a 7 groupes de constellations qui sont à mettre en relation avec les 7 orifices qui sont : les yeux, les narines, la bouche, les deux oreilles. Il est dit « qu' il y a 7 groupes de constellations dans le ciel et 7 orifices sur la terre ».

Nous savons que lorsqu'une énergie perverse entre dans les Jing Luo, dans les méridiens, un conflit se déclare. Si un Xie Qi séjourne trop longtemps, il peut provoquer des douleurs et des engourdissements. À partir de là, les anciens chinois créèrent une aiguille très pointue, très fine et acérée, relativement courte, comparable à l'aiguillon d'un moustique.

Cette aiguille doit être particulièrement acérée pour pouvoir pénétrer très facilement la barrière de la peau. Elle permet d'entretenir et de nourrir le Zheng Qi, l'énergie droite, celle qui nous protège et, contrairement à la plupart des autres aiguilles, elle permet d'extirper uniquement les Xie Qi, les agents « pervers », en préservant l'intégrité du Zheng Qi et même en le tonifiant.

Aiguille n° 8, aiguille Chang

C'est une aiguille plus longue que la précédente. Elle ressemble au n°s 6 et 7. Généralement, ces aiguilles font entre 1 et 1,5 cun (le cun = 35,8 mm).

Les aiguilles longues font entre 3 et 4 cun de long. Certaines peuvent même atteindre 7 cun. Il est rarissime aujourd'hui d'utiliser de telles longueurs.

Symboliquement, cette aiguille est liée aux 8 vents. On peut alors être en présence d'arthrite au niveau des articulations quand la perversité pénètre très en profondeur. Ces aiguilles permettent de rejoindre les grandes profondeurs, de pénétrer même dans les articulations.

Elles permettent de piquer des points comme le 30VB au niveau de la fesse pour atteindre l'articulation coxo-fémorale.

Aujourd'hui, on utilise surtout des aiguilles longues, courtes, épaisses ou fines. L'épaisseur de l'aiguille peut varier. Généralement, on trouve des aiguilles qui varient de 26 à 36, 26 étant les plus épaisses, et 36 les plus fines.

Le saviez-vous MÊME PAS MAL !

Autrefois, on utilisait des aiguilles bien plus grosses. Il y a une explication à cela. Autrefois, vivant beaucoup plus en plein air, on était exposé de façon constante aux intempéries, que ce soit le vent, le froid, la chaleur, le soleil, la pluie, etc. La peau pour s'adapter était beaucoup plus épaisse et possédait une couche de protection bien meilleure. À l'heure actuelle, du fait de notre nouveau mode de vie, il en est tout autrement. Vivant beaucoup plus à l'intérieur, étant de plus en plus sédentaire, portant des vêtements de plus en plus couvrants, la peau est beaucoup plus fragile. Si l'on utilisait les mêmes aiguilles que dans l'ancien temps, du fait de cette fragilisation de la peau, il y aurait persistance de cicatrices et d'orifices qui d'ailleurs auraient sûrement du mal à guérir. Et les assurances des praticiens augmenteraient en flèche ! Ainsi plus la résistance des gens diminuait, plus il devenait nécessaire d'utiliser des aiguilles de plus en plus fines. Notre maître, dans son cabinet, n'utilisait exclusivement que des aiguilles de 36. De nos jours, on considère que les aiguilles 28, 30, 32, étant assez épaisses, peuvent être considérées comme des aiguilles n° 6. Les aiguilles 34, 36, elles, sont considérées comme des aiguilles n° 7.

Aiguille n° 9, aiguille Da

Cette aiguille est plus grande et plus épaisse que l'aiguille n° 6.

Après insertion, on crée un orifice par lequel des liquides pourront s'écouler. Ainsi, quand il y a accumulation de liquides, par exemple en cas d'humidité perverse, avec de telles aiguilles, on va pouvoir permettre à ces liquides de s'écouler et la situation pourra alors s'améliorer plus rapidement. L'aiguille permet ainsi une sorte de drainage.

Dans les temps anciens, on utilisait aussi des aiguilles chaudes. D'après le *Nei Jing*, on chauffait l'aiguille avant de l'insérer. Cette technique était utilisée en cas d'atteinte de froid pervers. Il s'agissait alors de procéder à une insertion très rapide. De même, le retrait doit être aussi très rapide. Si on utilisait alors une aiguille trop fine, elle se serait tordue ou cassée.

La méthode « juste » selon le *Nei Jing*

Selon la tradition chinoise, l'être vivant, et ici plus particulièrement l'Homme, est une organisation résultant de la combinaison de matière (le corps matériel ou physique) de nature Yin, et d'énergie (qui anime la matière) de nature Yang. L'équilibre harmonieux entre ces deux composants conditionne l'état de santé. Les perturbations de cet équilibre sont responsables de la maladie. Toute perturbation de nature à rompre cet équilibre affecte d'abord préférentiellement l'énergie.

Par exemple, un excès de Yang pourra générer une douleur soudaine, une inflammation, des spasmes, un mal de tête ou encore une augmentation de la tension. Un excès de Yin pourra se traduire par des douleurs diffuses, une sensation de froid, de la rétention d'eau ou une grande fatigue.

L'énergie, le Qi est mouvement et toute perturbation entravera ce mouvement : le blocage en est la conséquence. L'énergie bloquée en une région du corps matériel s'accumule en amont du blocage, alors que les régions en aval du blocage vont se trouver en déficit énergétique.

En présence d'un état de pathologie ainsi décrit, l'acupuncteur va établir son diagnostic en recherchant les niveaux auxquels l'énergie est bloquée, et qu'elle est la raison du blocage. Il va ensuite appliquer son traitement en levant le blocage et en corrigeant, si cela se peut, la raison de ce blocage. L'aiguille, entre autres, va lui permettre de diriger le cours des énergies.

Le *Nei Jing* cite quatre points fondamentaux quant à l'acte de puncture.

Premier point : la bonne position du patient

Après avoir bien déterminé les points que l'on va piquer, il conviendra d'installer le patient en fonction de ce choix, et ce, dans la position la plus confortable possible.

Dans la pratique, certains points requièrent davantage une position assise pour leur puncture, d'autres une position allongée. Mais, dans tous les cas, il conviendra de préférer la position allongée. En effet, dans la position assise, le patient finira par bouger.

Il faut savoir que le relâchement musculaire est une condition indispensable au bon déroulement d'une séance. Si le relâchement n'est pas suffisant, si les quatre membres ou le tronc ne sont pas dans une position naturelle de détente, cette situation inconfortable va perturber le travail du praticien, la manipulation de l'aiguille.

Deuxième point : la bonne attitude du praticien

Le praticien au moment de son geste doit être très prudent. Il doit prendre beaucoup de précautions afin d'éviter toute erreur.

L'aiguille doit être maintenue avec maîtrise, sinon elle pourrait lui échapper des mains, ou tout au moins, il risquerait de faire une erreur de manipulation. En même temps, l'autre main s'occupe de la localisation du point. Elle sert à effectuer des massages ou des pressions. Les deux mains sont donc mises à contribution.

Le praticien doit, bien sûr, ne penser qu'à son patient et ne doit pas être perturbé ou distrait par autre chose. Quand il place une aiguille, il n'y a plus que cela qui compte. Il ne faut regarder ni à droite ni à gauche, et il doit n'être que respiration. L'esprit est totalement impliqué, concentré sur l'action qui est en cours.

Il faut également se tenir droit, avec dignité et même une certaine solennité et surtout ne pas quitter des yeux le patient. Les yeux, nous le savons maintenant, sont la partie du corps où se manifeste le mieux le Shen, l'esprit. En surveillant les yeux du patient, on capte également son attention.

La concentration du praticien appelle en quelque sorte celle du patient. C'est uniquement dans ces conditions que l'on obtiendra rapidement le Qi, l'énergie au bout de l'aiguille.

Troisième point : l'insertion de l'aiguille

L'insertion de l'aiguille va se faire en trois étapes.

Le saviez-vous

- **La première étape** est superficielle. Cette première étape sert à éliminer l'énergie perverse, Xie Qi, afin de permettre au sang et à l'énergie, au Xue et au Qi, de réoccuper ainsi l'espace, pour laisser la place au sang et au Yuan Qi qui peuvent alors remonter sous la peau.
- **La deuxième étape** consiste à insérer plus profondément l'aiguille afin de déloger, de disperser l'énergie perverse qui a pu pénétrer plus profondément dans la partie Yin. Il faut donc pour la déloger aller la chercher plus en profondeur, sous la peau, dans la région Yin.
- **Enfin, dans la troisième étape**, on enfonce l'aiguille plus profondément, jusqu'à atteindre le niveau de l'énergie véritable de l'organisme, le Zhen Qi. Je vous rappelle que Zhen Qi est une substance très subtile qui est produite à partir de Zhong Qi qui représente l'ensemble des fonctions du Foyer moyen et par Fei Qi, l'énergie du Poumon. Zhen Qi est la substance subtile qui circule dans tous les méridiens et qui, avec le sang, contribue à l'apport substantiel nécessaire à l'ensemble des dynamiques fonctionnelles qui est sous l'emblème des « cinq Zang, six Fu », des cinq logiciels organes.

Il est donc défini trois étapes et l'aiguille n'est pas enfoncée d'un seul coup jusqu'à la profondeur normale. Il faut donc passer par une étape superficielle, puis moyenne, avant de rejoindre la profondeur que l'on doit normalement atteindre à ce point. Et c'est seulement à ce niveau que l'on atteint l'énergie véritable du corps. Dès que l'on atteint cette zone, il faut arrêter la progression. Il ne faut pas enfoncer davantage l'aiguille. Cette insertion ne peut pas être faite d'un seul coup jusqu'à la bonne profondeur et cette bonne profondeur varie en fonction du point que l'on pique.

Quatrième point : L'obtention du Qi

Obtenir le Qi veut dire que l'énergie vient à la rencontre de l'extrémité de l'aiguille. La pointe de l'aiguille touche réellement l'énergie du corps et c'est la condition indispensable pour que le traitement ait un effet.

L'effet du traitement par acuponcture, c'est la disparition de la maladie exactement comme le vent chasse les nuages dans le ciel et laisse derrière lui un ciel clair. L'éclaircissement du ciel sous l'effet du vent s'observe d'une façon immédiate et très distincte. Il en est de même ici pour le traitement par acuponcture.

Le saviez-vous

Si on n'obtient pas le Qi, le traitement ne produit aucun résultat. Au contraire, si le Qi a été obtenu, le patient en sent immédiatement l'effet, il éprouve immédiatement un état de soulagement et de relaxation.

Le saviez-vous

L'OBTENTION DU QI OU LE PASSAGE DU « GROSSIER » AU « SUBTIL »

Il faut savoir que cette notion a totalement été déformée, voire dénaturée dans notre monde contemporain. Lorsqu'un praticien agit sur un point, il recherche avant tout à atteindre le Qi, l'énergie qui circule le long du méridien. Il ne faut pas oublier que cette énergie est issue d'un mélange très subtil entre la quintessence de l'énergie de l'air et la quintessence de la digestion du bol alimentaire. Et que cette énergie va bien au-delà de toute matérialité. Notre maître insistait sur le fait suivant : « Cette énergie ne pourra jamais être quantifiée, mesurée et aucun appareil ne sera à même de la visualiser ». Ce ne peut être qu'un ressenti de la part du praticien. Et ce ressenti se fera, non pas avec nos facultés cognitives, notre Shen, comme on ressent un point chaud ou froid. Ce ressenti procédera de ce qu'on appelle « l'intuition », l'intuition du point. Et c'est ce qui nous différencie totalement de l'acupuncture et de la digitoponcture moderne. Ce n'est pas le patient qui doit éprouver une sensation, ou si peu. C'est le praticien qui par l'intermédiaire d'un transmetteur, ici l'aiguille doit « ressentir » que le Qi est là, présent. Le Pr Leung comparait cela à la pêche. Un pêcheur averti, une fois sa ligne jetée dans le courant d'une rivière et qui tient d'une main experte sa canne à pêche, sera à même de distinguer, de ressentir ce qui se passe au bout de sa ligne. En effet, les secousses qu'il va ressentir peuvent être dues à un poisson en train de manger l'appât sans toucher à l'hameçon. Il aura un ressenti différent si sa ligne est poussée par le sens du courant et encore plus important si l'hameçon s'accroche au fond de la rivière. À un moment, les yeux fermés, il pourra même « voir », ressentir, avoir l'intuition, la vision profonde du poisson en train de mordre à l'hameçon. Il en est de même lorsque le praticien enfonce une aiguille dans le flux énergétique d'un méridien, ou lorsque nous appuyons avec la pulpe de notre pouce sur un point d'acupuncture. C'est une sensation qui doit être éprouvée par le praticien et non pas par le patient. Et c'est ce même praticien qui doit être capable de contrôler ce flux d'énergie pendant toute la durée de la stimulation. Or, les traitements modernes ne comportent plus du tout cette notion très subtile, que les textes anciens appelaient « l'obtention du Qi ». Ils ne retiennent plus que la sensation de fourmillement qui doit à ce moment-là être ressentie par le patient. « Le fourmillement est une sensation propre au patient, alors que l'obtention du Qi est propre au médecin. »

Quel que soit le nombre d'insertions dans une même séance, ou le nombre de traitements effectués, ou le temps que dure la mise en place de l'aiguille, vous ne pouvez obtenir des résultats que si vous arrivez à obtenir le Qi à la pointe de l'aiguille.

Si vous n'avez pas atteint le Qi, il faut répéter le traitement ou en allonger la durée.

Dès que le Qi est obtenu, il faut retirer l'aiguille. Il ne faut surtout pas l'enfoncer davantage.

L'obtention du Qi est plus rapide chez certains sujets, un peu plus lente chez d'autres. Tout dépend de la prépondérance du Yin et du Yang dans le corps.

Si la méthode est juste, il n'y aura pas d'effets secondaires à l'acupuncture.

Les cinq défauts et les quatre manquements du praticien selon le *Nei Jing*

Les cinq défauts

>> **Le premier défaut** : ne pas rechercher les causes, l'origine de la maladie. Le doute et l'incertitude peuvent s'installer dans l'esprit du praticien et, s'il entame le traitement dans cet état d'esprit, en passant outre une investigation plus approfondie qui vise à lever cette incertitude, le résultat du traitement ne pourra être que médiocre.

>> **Le deuxième défaut** : ne pas prendre en compte ce que peut révéler le mode de vie, l'hygiène de vie du patient et, à partir de là, effectuer un traitement à mauvais escient.

>> **Le troisième défaut** : déterminer la nature de la maladie par la seule palpation des pouls. En réalité, la palpation des pouls doit être confrontée à d'autres observations, elle doit être relativisée. En dehors des problèmes liés aux variations climatiques, donc aux causes externes, il faut bien connaître la physiologie des organes internes. En effet, certains organes peuvent contenir beaucoup de Qi et beaucoup de sang, ou alors peu de Qi ou peu de sang. Donc, avant de se prononcer sur le caractère Xu ou Shi d'une affection, il faut bien savoir quel est l'organe qui est atteint, et quelles sont ses proportions de Qi et de Xue, d'énergie et de sang.

>> **Le quatrième défaut** est à mettre en relation avec l'attitude du praticien vis-à-vis du patient. En effet, dans certains cas, le patient a besoin d'instructions précises et strictes qu'il devra mettre en œuvre sur l'avis de son praticien.

À retenir

>> Si le praticien ne se sent pas assez sûr de lui, qu'il n'a pas assez confiance en lui, le patient perdra à son tour confiance en son médecin et cela nuira au traitement de la maladie. S'il manque de fermeté, par exemple s'il a tendance à céder quand un patient n'aime pas le traitement, qu'il préfère suivre les inclinations du patient, il ne pourra pas vaincre la maladie.

>> **Le cinquième défaut** : ne pas reconnaître la cause première de la maladie. Il faut savoir que certaines maladies sont avant tout d'origine psychologique et non somatique. Les stress émotionnels peuvent affecter le corps physiquement et il peut apparaître des signes pathologiques observables. En effet, nous savons que les désordres psychologiques perturbent grandement l'équilibre Yin-Yang dans le corps. On peut ainsi se retrouver devant des stagnations de Qi, de Yang qui peuvent favoriser l'apparition en surface du corps d'abcès, et même de tumeurs, bénignes ou malignes. La cinquième erreur consiste donc à ignorer la cause première et à poncturer dans le seul but de rétablir l'équilibre Yin-Yang au niveau du symptôme.

Les quatre manquements

» **Le premier manquement :** ne pas discerner les variations relatives du Yin et du Yang. On peut connaître sur le plan théorique la théorie du Yin et du Yang sans pour autant être capable d'apprécier leur variation relative. Il existe en effet un flux d'évolution, une variation mutuelle entre le Yin et le Yang, et ce flux peut être dans le sens du courant, dans la bonne direction ou alors à contre-courant. Si l'équilibre relatif du Yin et du Yang de l'homme suit celui de la nature, ce qui doit être l'état normal, on est alors en présence d'un flux qui va dans le sens du courant. Si, au contraire, le flux, la variation du Yin et du Yang dans l'homme ne sont pas adaptés à ceux de l'environnement, on est dans ce cas dans un flux à contre-courant. Un exemple : en automne, le pouls est superficiel. L'automne est la saison qui correspond au métal dans le corps humain. L'élément métal est le Poumon. Le Poumon correspond à la descente. Cette descente se prolonge jusqu'à l'élément eau qui correspond à l'hiver et au pouls profond. En effet, nous savons, au travers du cycle des cinq éléments, que le Yang commence à descendre à partir du Poumon. Ce sont des variations saisonnières du pouls qui sont en accord avec le flux et le reflux du Yin-Yang. Cependant, si on observe que le pouls est profond en été, c'est-à-dire que si le pouls de l'hiver se manifeste en été, c'est un pouls pathologique. Il indique la présence d'une maladie. De même, si le pouls superficiel se rencontre en hiver, c'est aussi un pouls pathologique. Dans ces cas, la dynamique normale du Yin et du Yang est contrariée et on parle de contre-courant. Donc, un même pouls peut être interprété de façon différente en fonction du Yin et du Yang de l'univers. Ignorer ces phénomènes par insuffisance d'apprentissage est la première erreur.

» **Le deuxième manquement :** arrêter ses études avant d'avoir terminé son apprentissage de médecine chinoise. Si, par exemple, on ne se borne qu'à l'acuponcture, qu'on décide d'en arrêter l'apprentissage et qu'on se contente d'apprendre des formules de points indiquées pour certains troubles ou certains symptômes par exemple les maux de tête : par manque d'étude, on ne cherche pas à savoir s'il s'agit d'un état Xu ou Shi, ce qui aurait pu orienter notre traitement vers une tonification ou une sédation. Si on se contente donc de quelques éléments de la théorie médicale et que l'on considère avoir tout appris déjà, cette attitude conduit à la seconde erreur décrite ici par le *Nei Jing*.

» **Le troisième manquement :** ne pas tenir compte du mode de vie du patient et tout particulièrement de sa place dans l'échelle sociale, de son niveau de vie. Par exemple, les personnes les plus défavorisées ne sont généralement pas suralimentées comme le sont les gens les plus fortunés. Ceux-ci ont en général une alimentation plus abondante, riche en viande et manquent d'exercices. À l'inverse, les personnes plus pauvres ont tendance à être physiquement plus actives, surmenées, alors que leur alimentation a tendance à être plutôt insuffisante, ou tout au moins pas assez variée. Pour cette troisième erreur, il est aussi mentionné que le praticien peut ne pas faire suffisamment de différences, de distinctions dans l'analyse des signes. Il peut manquer de nuances, interpréter d'une seule manière les signes qu'il observe au lieu d'affiner son analyse. Un même signe peut en effet conduire à différentes conclusions. Ne pas nuancer son interprétation, ne pas la pondérer, mènent à poser de faux diagnostics.

>> **Le quatrième manquement** : ne pas interroger suffisamment en profondeur le patient, pour trouver la véritable cause de la maladie. Il faut que le champ d'investigation soit le plus large possible. Il convient donc de s'enquérir sur l'état psychologique, émotionnel, de notre patient, mais également voir certaines habitudes morbides comme le tabagisme, l'alcool, les irrégularités, les aberrations alimentaires, les irrégularités touchant au mode de vie, ou à son rythme. Voir s'il n'y a pas d'éventuelles causes d'intoxications.

Le trajet des méridiens pour les Nuls

Avant d'étudier plus avant les points d'acupuncture sur lesquels l'acupuncteur doit agir, partons du principe que vous n'avez aucune notion du trajet des 14 méridiens principaux. Dans les paragraphes qui vont suivre, je vais vous donner un moyen mnémotechnique imparable, pour que vous puissiez non seulement localiser ces méridiens sur votre corps, mais aussi que vous ayez très rapidement la possibilité de situer les points dans l'espace.

Par exemple, avec cette méthode, si dans une formule, on vous parle du point n° 3 sur le méridien du Foie, vous saurez qu'il ne peut être qu'au niveau du pied, qui plus est, sur la colonne du gros orteil et proche de l'extrémité.

Je vous rappelle ce qui a été dit dans la partie 1 :

>> Au niveau de chacun des membres, vous avez six méridiens, trois méridiens Yin qui sont à mettre en relation avec les organes vitaux, « pleins » et trois méridiens Yang, à mettre en relation avec les organes « creux », réceptacles, qui ont entre autres comme action de protéger les organes vitaux.

À retenir

>> Les méridiens Yin commencent au niveau du pied, car ils captent l'énergie de la terre. Inversement les méridiens Yang se terminent au niveau de ce même pied. En revanche, au niveau de la main, c'est le contraire. Les méridiens Yin se terminent au niveau de la main. En effet, grâce à la main, on donne son énergie au travers des méridiens du Cœur et du Péricarde. Et donc les méridiens Yang commencent au niveau de la main.

>> Les méridiens partant et revenant au niveau du pied comporteront de nombreux points, car ils sont loin des organes vitaux (par exemple 64 points pour le méridien de la Vessie). En revanche, les méridiens de la main comporteront peu de points, car ils sont proches des organes vitaux (par exemple, 9 points pour les méridiens du Péricarde et du Cœur).

>> Les méridiens Yin seront sur les faces Yin des membres supérieurs et inférieurs (côté peau « blanche »). L'inverse pour les méridiens Yang. Je vous rappelle la position à quatre pattes pour connaître les zones Yin et Yang du corps.

Méthode de visualisation des six méridiens du pied

Et pour commencer cette visualisation mentale des méridiens, servons-nous d'un de nos hommes politiques actuels qui est M. Raffarin ! Il se trouve que lorsque vous prenez votre pied dans vos mains, au niveau de la colonne du gros orteil, sous la voûte plantaire, dans un creux proche du métatarsien du gros orteil commence le méridien du Rein, le 1Rn. Ensuite, quand vous regardez votre gros orteil, du côté unguéal interne, on trouve le 1Rt, le premier point du méridien de la Rate. Et côté unguéal externe, sur ce même orteil, commence le 1F, le premier point du méridien Yin du Foie. Rate, Foie, Rein, cela nous donne Ra(rate) ffa(foie) rin(rein), Raffarin.

Si vous vous souvenez de ces trois méridiens, par déduction, vous retrouverez le trajet des neuf autres méridiens. En effet, si on se réfère aux différents couples d'organes contenus dans chaque logiciel organe.

> » Le méridien Yang correspondant au Rein est la Vessie. Celui-ci sera situé, et se terminera sur le côté le plus externe du pied.
> » Le méridien Yang correspondant au Foie est celui de la Vésicule biliaire. Il sera situé et se terminera du côté externe du quatrième orteil.
> » Le méridien Yang correspondant à la Rate est celui de l'Estomac. Il sera situé et se terminera au niveau du côté externe du deuxième orteil. Il parcourt donc le centre du pied, comme l'Estomac qui est au centre du Foyer moyen.

Rappelez-vous juste que le troisième orteil n'a pas de méridiens qui le parcourent.

Le saviez-vous — SYMBOLIQUE DE LA DISPOSITION DES SIX MÉRIDIENS DU PIED

Il faut partir du principe de base en MTC qui est : « Le Yang protège le Yin. » Ce n'est pas le fruit du hasard si les trois méridiens Yin du pied sont situés sur l'interne, côté gros orteil. Au contraire, les trois méridiens Yang sont sur le côté externe, celui de la Vessie et de la Vésicule biliaire étant le plus externe. En art martial, un coup de pied est porté avec le côté externe du pied. Si un pratiquant expérimenté arrive à vous prendre l'interne, et si la frappe est très puissante, cela peut devenir un coup mortel.

Méthode de visualisation des six méridiens de la main

Si vous connaissez les trois méridiens Yin des pieds, par déduction, vous trouverez les trois méridiens Yin de la main. Ce sont :

> - Le méridien Yin du Poumon qui se situe sur le côté externe du pouce et se termine sur son angle unguéal externe.
> - Le méridien du Péricarde qui parcourt le centre de la face palmaire de la main pour se terminer « au bout du bout » du majeur.
> - Le méridien du Cœur qui se termine sur l'angle unguéal externe de l'auriculaire, côté annulaire.

Le saviez-vous SYMBOLIQUE DE LA DISPOSITION DES SIX MÉRIDIENS DE LA MAIN

Elle est un peu différente de la précédente.

Commençons par la pince pouce-index, là où se trouvent les deux méridiens d'un même logiciel organe, Poumon-Gros Intestin. En Inde, il s'agit du Mudra Jnana. Le pouce (le Poumon, le ciel, le Yang pure, le Je) recouvre l'index (le Gros Intestin, le cloaque, les déchets, le Moi, l'ego). L'ego doit se mettre en retrait vis-à-vis du spirituel. En MTC, ce logiciel organe est à mettre en relation avec le métal. Le métal est conducteur. Quand les pulpes du pouce et de l'index sont réunies, cela forme un anneau conducteur d'énergie des deux organes !

Ensuite, si on se réfère au point 9C. Il est situé au niveau unguéal de l'auriculaire, côté annulaire. C'est le point du croque-mort. Dans les temps anciens, on croquait ce point pour voir si le cœur pouvait repartir. En MTC, c'est un grand point de réanimation. Or le méridien du Cœur, qui est l'Empereur de tous les organes, doit être super protégé (le cœur s'arrête de battre, tu meurs !). Deux méridiens Yang vont s'en charger sur la main : le méridien de l'Intestin grêle qui est le plus interne (paume des mains face à soi) sur le même doigt et celui du Trois Foyers sur le côté externe de l'auriculaire. Quand, en art martial, on porte un coup avec le tranchant de la main, c'est le méridien Yang qui frappe, le méridien Yin est protégé.

Enfin, au centre de la main, nous avons le point 8CC, Lao Gong, un chakra mineur que vous allez apprendre à ouvrir plus loin. Il se termine au bout du majeur. C'est par ce méridien et ce point que nous donnons notre énergie (massage, imposition des mains...). Ce méridien se termine au niveau de la pulpe du majeur, « au bout du bout », comme un flux d'énergie qui partirait de la main.

Il ne reste plus que trois méridiens Yang correspondants aux trois méridiens Yin de la main. Ce sont :

> » Le méridien Yang correspondant au Poumon qui est celui du Gros intestin. Il commence sur l'angle unguéal externe de l'index et longe le côté latéral de ce doigt côté dorsal.
>
> » Le méridien Yang correspondant au Péricarde qui est celui du Trois Foyers. Il commence sur l'angle unguéal interne de l'annulaire, côté auriculaire. Il longe ce doigt, côté dorsal de la main.
>
> » Le méridien Yang correspondant au Cœur qui est celui de l'Intestin grêle. Il commence sur l'angle unguéal interne de l'auriculaire, et longe le côté interne (main face à vous) de ce doigt, côté Yang, dorsal de la main.

Les deux méridiens antérieurs et postérieurs

Dans notre visualisation, il nous reste deux méridiens fondamentaux à voir. Vous vous tenez debout, les jambes écartées et les bras levés, eux-mêmes écartés : l'Homme de Vitruve.

De chaque côté, 12 méridiens qui circulent en continu, donc 24 méridiens. Dans l'axe médian, deux méridiens, un antérieur et l'autre postérieur qui forment une boucle. Ces deux méridiens mettent en relation les méridiens des deux côtés du corps et ont un relationnel direct avec les 12 organes internes.

> » **Un méridien antérieur, le « vaisseau conception », ou Ren Mai**, qui commence au niveau du périnée pour monter sur la partie antérieure et médiane de l'abdomen et du thorax. Il se termine sous la lèvre inférieure. Ren voulant dire « prendre en charge », il contrôle tous les méridiens Yin, et par là a une action sur tous les organes Yin internes. Il a 24 points.
>
> » **Un méridien postérieur, le « vaisseau gouverneur », ou Du mai**, qui commence aussi au niveau du périnée. Il remonte sur la ligne médiane du dos, le long des apophyses épineuses, pour se terminer au niveau de la lèvre supérieure. Il est dit que ce vaisseau « gouverne » tous les méridiens Yang (le dos est Yang), et donc tous les viscères « creux », Yang du corps. Il a 28 points.

Pour faire court, sous le contrôle de l'énergie du Rein, ces méridiens absorbent l'énergie des méridiens principaux et le leur restituent quand ils en ont besoin, à la manière d'un vase d'expansion. Ils font circuler l'énergie protectrice dans le thorax, l'abdomen et le dos.

Les points d'acupuncture

À retenir

Un point d'acupuncture est un point qui est situé le long du trajet d'un méridien. En regard d'un méridien énergétique qui, je vous le rappelle, est une canalisation située en profondeur, « entre l'os et le muscle », nous avons en surface, des creux, des différences de textures de la peau, de petites dépressions où se situent généralement ces fameux points.

La palpation d'un point nous permet de savoir ce qui se passe dans le flux énergétique sous-jacent, un peu comme un regard sur une canalisation d'eau. Et quand on agit sur le point, on agit sur ce flux. On peut ainsi faire circuler, ouvrir un robinet quand il y a un excès ou rajouter de l'énergie quand il n'y en a pas assez.

Traditionnellement, on en comptait 360 sur les 14 méridiens principaux. Ensuite sont apparus à l'usage les points hors méridiens. On en compte plus de 2 000 à l'heure actuelle !

Le saviez-vous

Dans les pages qui vont suivre, vous allez voir qu'en réalité très peu de points, environ une soixantaine, suffisent pour prévenir ou traiter des pathologies. Pour le reste, il s'agit de points locaux qui peuvent servir sur certaines stagnations, douleurs ou tuméfactions. Nous allons y revenir.

Il faut avant tout apprendre le trajet des méridiens, et ensuite les points. En effet, dans de nombreux ouvrages classiques, entre autres dans le *Nei Jing*, seul le nom des méridiens était indiqué, sans mention des points, lorsqu'il s'agissait de traiter et de réguler certains problèmes. Autrement dit, il faut d'abord choisir les méridiens avant de choisir les points.

Traditionnellement les médecins chinois disent : « Il vaut mieux se tromper sur les points, mais non sur les méridiens. »

À propos des mesures corporelles de référence

En pratique

Pour localiser un point d'acupuncture, trois méthodes sont à notre disposition :

>> Le cun, ou « mesure d'unité proportionnelle ». C'est une méthode qui consiste à subdiviser les parties du corps à savoir tête, tronc, membres en parties égales entre elles. Chaque unité est appelée cun, pouce.

>> Le cun peut aussi être mesuré en fonction des doigts du patient. Par exemple, la distance entre les deux plis de flexion du médius équivaut à 1 cun, une distance. La largeur du pouce équivaut à 1 cun. La largeur entre index et médius tendus à 1,5 cun. La largeur comprise entre les phalanges des quatre derniers doigts tendus équivaut à 3 cun, 3 distances.

> Enfin, on peut choisir des repaires naturels comme les reliefs anatomiques, les saillies osseuses, etc. Cela peut être la ligne d'implantation des cheveux, la pomme d'Adam, l'apophyse épineuse d'une vertèbre, l'ombilic, etc.

Figure 13-1 Méthodes de localisation d'un point d'acupuncture.

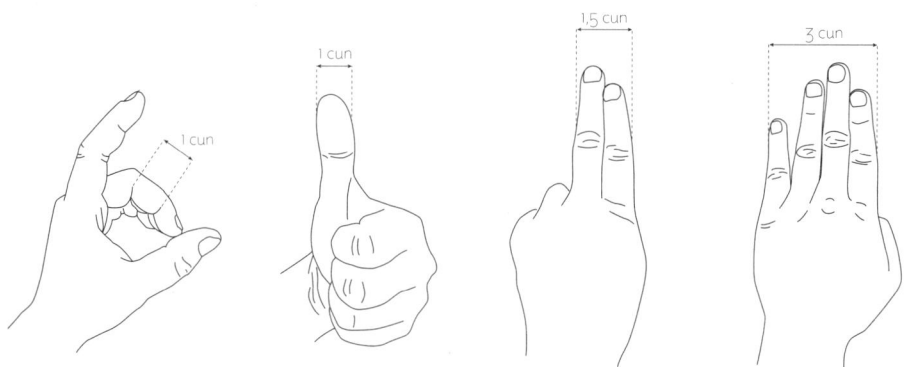

Dans la pratique, on utilise simultanément les trois méthodes. On se sert des reliefs anatomiques pour situer la zone du point, puis on recherche le point en subdivisant la zone en unités proportionnelles ou en comptant avec les mesures prises à partir des doigts du patient.

À retenir

Il faut bien savoir que ces mesures sont nécessaires au départ pour le profane, pour apprendre à situer le point. Mais petit à petit, le praticien saura très rapidement où se situe le point. Il aura en quelque sorte « l'intuition du point ». D'ailleurs, selon les saisons, ou d'autres facteurs, le point peut chez un même individu varier de quelques millimètres. N'oubliez pas : ce qui compte, c'est d'être sur le bon méridien. Si on se trompe un peu en amont ou en aval, cela n'a pas trop d'importance.

Les différentes catégories de points

Les principes de prescription des points, ou comment élaborer une formule vont faire appel à plusieurs catégorisations de points. En premier lieu, nous allons différencier les points dits proches, distants et médians. Nous verrons ensuite les points spécifiques.

? Le saviez-vous CHERCHER L'ERREUR !

Une particularité : prenons cinq maîtres en MTC face à un même patient. Ils vont évidemment faire un même diagnostic. Mais ils seront sûrement amenés à élaborer cinq formules de points différents selon leur ressenti. Et tous les cinq obtiendront la guérison du patient.

Cette catégorisation des points est directement issue des enseignements du Pr Leung Kok Yuen.

Les points principaux

Les points proches

Ce sont des points qui sont situés sur le foyer de l'affection ou à proximité. Nous verrons que dans ce choix, on tient compte des effets proximaux des points, c'est-à-dire :

- » Éliminer localement les perversités ;
- » Désobstruer les méridiens et les vaisseaux, les Jing Mai du siège de l'affection ;
- » Dissiper la stase de sang ;
- » Arrêter les douleurs.

Le choix de ces points proches s'effectue entre autres en cas d'affections aiguës ou chroniques bien localisées, touchant une structure précise, que ce soit un organe, un méridien, un vaisseau, un tendino-musculaire, un membre ou une articulation. **Les points proches tonifient et font circuler**.

Les points distaux

Comme leur nom l'indique, ce sont des points éloignés du foyer de l'affection et choisis selon la physiopathologie des organes, des viscères et des méridiens. Ces points se trouvent principalement au niveau des pieds et des mains. On dit aussi qu'ils se situent le plus souvent au-dessous du coude ou du genou. Ces points ont une action locale comme tout point d'acupuncture. Mais en outre, ils peuvent traiter à distance les affections qui se trouvent sur le trajet du méridien. Mais certains de ces points peuvent aussi traiter des symptômes généraux tels que la fièvre, la transpiration, etc.

Si nous prenons l'exemple de He Gu, le 4GI situé au niveau de la main, ce point traite non seulement les affections du membre supérieur, mais également celles du cou, de la bouche, de la tête. Par ailleurs, il peut traiter la fièvre causée par les atteintes externes.

En tant que points distaux, ces points ont comme action de :

- ❯❯ Désobstruer l'énergie et le sang des méridiens ;
- ❯❯ Régulariser le fonctionnement des Zang Fu ;
- ❯❯ Rééquilibrer le Yin et le Yang.

Les points médians

La plupart, comme nous allons le voir, sont situés le long de la colonne côté Yang sur le dos, mais aussi au-dessus des coudes et des genoux. Ils ont un rôle d'harmonisation, au sein d'une formule.

Les points spécifiques

Ils comprennent :

- ❯❯ Les points Shu dits « points antiques », Wu Shu Xue ;
- ❯❯ Les points Yuan dits « points-sources », Yuan Xue ;
- ❯❯ Les points Luo, de liaison Luo Xue ;
- ❯❯ Les points Shu du dos, Bei Shu Xue ;
- ❯❯ Les points Mu de la face antérieure, ou Mu Xue ;
- ❯❯ Les huit points de confluence, Ba Mai Jiao Hui (Ba Xue) ;
- ❯❯ Les huit points de réunion ou stratégiques ou Ba Hui Xue ;
- ❯❯ Les points de fissure, ou point d'urgence, Xi Xue ;
- ❯❯ Les points Xia He, ou Liu Fu Xia He Xue.

Les 60 points Shu, antiques

Ce sont les cinq points spécifiques que l'on retrouve sur chacun des 12 méridiens principaux, répartis entre le coude ou le genou et l'extrémité des membres. Ces cinq points sont appelés, Jing, Yong, Shu, Jing, He.

Les anciens médecins comparaient la circulation des méridiens aux cours d'eau naturels. Ils affirmaient ainsi que la circulation de l'énergie dans les méridiens était comparable aux mouvements de l'eau. Au départ, les cours d'eau sont étroits et peu profonds. Ils vont ensuite en s'élargissant et en devenant de plus en plus profonds, au fur et à mesure qu'ils progressent. En d'autres termes, on peut dire que la profondeur des méridiens varie le long de leurs trajets, et leurs différents points ont de ce fait des propriétés spécifiques.

Nous allons avoir **60 points antiques**, soit cinq fois 12 méridiens.

> » **Les points Jing :** ils sont donc situés aux extrémités distales des membres, doigts et orteils, près des ongles. L'énergie y est très superficielle et très mobile. Ils sont considérés comme les points d'émergence de l'énergie, comparables à une source, Jing signifiant puit. L'action de ces points est très puissante, ce qui en fait une catégorie de points dits points d'urgence ou de réanimation. Ils sont très utiles pour chasser l'énergie perverse, Xie Qi, en phase aiguë, ou tenter de restaurer l'équilibre Yin-Yang dans les cas extrêmes comme les fortes fièvres, les convulsions, les hémorragies, les états de choc, ou les pertes de connaissance.
>
> » **Les points Rong (ou Yong, ou Ying) :** après le point d'émergence de l'énergie, le premier endroit où passe l'énergie ressemble au début d'un cours d'eau où le débit est encore faible. Qui dit « points de jaillissement » dit points où l'énergie du méridien est très puissante, où son potentiel est prêt à se manifester et se développer, comme l'eau d'un torrent qui ruisselle. Ce sont des points très efficaces et puissants pour rapidement modifier l'état du patient lorsqu'il lutte contre une énergie perverse, qu'elle soit interne ou externe, surtout quand il y a de la chaleur.
>
> » **Les points Shu :** ce sont ceux où l'énergie se déverse comme l'eau dont le cours devient plus profond, Shu signifiant « déverser », « transporter ». Placés soit au niveau des articulations des doigts pour la main et des orteils pour les pieds, ou encore dans l'articulation du poignet pour les méridiens Yin, les points Shu sont très puissants. On dit que l'énergie défensive s'y rassemble. Les points Shu-transport traitent donc prioritairement les affections de la Rate. On les utilise en cas de syndrome d'obstruction douloureuse (Bi), surtout quand il est lié à l'humidité. Ceci s'applique davantage aux méridiens Yang qu'aux méridiens Yin. Les points Shu des méridiens Yin sont de nature terre, donc harmonisant et ceux des méridiens Yang sont de nature bois, donc dynamisants.
>
> » **Les points Jing :** ce sont les points où l'énergie des méridiens s'écoule rapidement comme l'eau d'une rivière. À partir de ce point, le méridien a toute sa force. Si malheureusement l'énergie perverse stagne à cet endroit, si elle y a fait son lit, elle est en mesure de gagner les tissus plus profonds, tendons, os, articulations. Les points Jing des méridiens Yin sont de nature métal. Les points Jing des méridiens Yang sont de nature feu.
>
> » **Les points He :** ce sont les points où l'énergie des méridiens converge et s'enfonce. Ils sont comparables aux fleuves qui vont tous se jeter dans la mer. Le terme He signifiant aussi « rassembler ». Le parcours devient plus profond et il est possible d'agir sur les viscères en profondeur. Les points He traitent principalement les affections du Rein. Ils traitent la montée à contre-courant de l'énergie, ce que l'on appelle « le Qi rebelle » et les phénomènes de fuite de Qi. Les points He des méridiens Yin sont de nature eau et des méridiens Yang de nature terre.

Le saviez-vous

L'action énergétique des points situés sur cette partie des méridiens est bien plus dynamique que celle des autres points et c'est ce qui explique qu'ils sont très fréquemment utilisés en pratique clinique.

Tableau 13-1 Les points shu antiques.

	JING, bois	Yong, feu	Shu, terre	Jing, métal	He, terre
POUMON	11P, Shao Shang	10P, Hu Ji	9P, Tai Yuan	8P, Jing Qu	5P, Chi Ze
PÉRICARDE	9CC, Zhong Chong	8CC, Lao Gong	7CC, Da Ling	5CC, Jian Shi	3CC, Qu Ze
CŒUR	9C, Shao Chong	8C, Shao Fu	7C, Shen Men	4C, Ling Dao	3C, Shai Hai
RATE	1Rt, Yin Bai	2Rt, Da Du	3Rt, Tai Bai	5Rt, Shang Qiu	9Rt, Ying Ling Quan
FOIE	1F, Da Dun	2F, Xing Jian	3F, Tai Chong	4F, Zhong Feng	8F, Qu Quan
REIN	1Rn, Yong Quan	2Rn, Ran Gu	3Rn, Tai Xi	7Rn, Fu Liu	10Rn, Yin Gu
GROS INTESTIN	1GI, Shang Yang	2GI, Er Jian	2GI, San Jian	5GI, Yang Xi	11GI, Qu Chi
TROIS FOYERS	1TF, Guan Chong	2TF, Ye Men	3TF, Zhong Zhu	6TF, Zhi Gou	10TF, Tian Jing
INTESTIN GRÊLE	1IG, Shao Ze	2IG, Qian Gu	3IG, Hou Xi	5IG, Yang Gu	8IG, Xiao Hai
ESTOMAC	45E, Li Dui	44E, Nei Ting	43E, Xiang Gu	41E, Jie Xie	36E, Zu San Li
VÉSICULE BILIAIRE	44VB, Zu Qiao Yin	43VB, Xia Xi	41VB, Zu Lin Qi	38VB, Yang Fu	34VB, Yang Ling Quan
VESSIE	67V, Zhi Yin	66V, Tong Gu	65V, Shu Gu	60V, Kun Lun	54V, Wei Zhong

Les 12 points Yuan, ou « points-sources »

Les points Yuan se trouvent à proximité des articulations du poignet et de la cheville.

Il y a une similitude entre le terme Yuan et le Yuan Qi. L'énergie Yuan également appelée « énergie authentique », « énergie véritable », Zhen Qi, est l'énergie fondamentale du corps.

Dans la partie supérieure du corps, ces points poussent le Cœur et le Poumon à faire circuler le Qi et le sang. Dans la partie centrale, ils stimulent la Rate et l'Estomac à digérer les aliments. Dans la partie inférieure, ils incitent le Foie et le Rein à drainer les liquides.

La théorie sur le San Jiao, les Trois Foyers, sert donc de référence dans l'application des points Yuan. Ces points peuvent :

- » Régulariser et tonifier le Yuan Qi ;
- » Soutenir l'énergie correcte, le Zheng Qi ;
- » Aider à l'élimination des Xie Qi, les perversités.

Par ailleurs, ces points Yuan ont une relation directe avec les viscères Yin. Il est dit que « si on connaît bien la correspondance entre les points Yuan et les viscères qui leur sont associés, on peut diagnostiquer une pathologie de viscères Yin ».

Ce sont :

Tableau 13-2 Les 12 points yuan.

Côté Yang de la main	4TF, Yang Qi
	4IG, Wan Gu
	4GI, He Gu
Côté Yin de la main	7C, Shen Men
	7CC, Da Ling
	9P, Tai Yuan
Côté Yang du Pied	40VB, Qiu Xu
	42E, Chong Yang
	64V, Jing Gu
Côté Yin du Pied	3Rt, Tai Bai
	3F, Tai Chong
	3Rn, Tai Xi

Les 15 points Luo, ou points de communication

Ce sont des points à partir desquels les vaisseaux Luo quittent leur méridien d'origine. Comme les méridiens Luo et leurs ramifications sont plus superficiels que les méridiens principaux, on utilise souvent les points Luo pour les problèmes superficiels de méridiens plutôt que les problèmes internes.

Tableau 13-3 Les 15 points luo.

Poumon	7P, Lie Que
Gros Intestin	6IG, Pian Li
Estomac	40E, Fen Long

Rate	4Rt, Gong Sun
Cœur	5C, Tong Li
Intestin grêle	7IG, Zhi Zheng
Vessie	58V, Fei Yang
Rein	4Rn, Da Zhong
Péricarde	6CC, Nei Guan
Trois Foyers	5TF, Wai Guan
Vésicule biliaire	37VB, Guang Ming
Foie	5F, Li Gou
Du Mai	1 DM, Chang Qiang
Ren Mai	15RM, Jiu Wei
Grand Luo de la Rate	21Rt, Da Bao

Chaque méridien Luo rejoint le méridien qui lui est associé dans une relation interne-externe. Le point Luo peut non seulement traiter la pathologie du méridien sur lequel il se trouve, mais aussi le méridien qui lui est associé.

Par ailleurs, l'utilisation d'un point Yuan peut être conjointe à celle d'un point Luo du méridien qui lui est associé dans la relation interne-externe. On parle de point hôte et de point invité. Exemple : en cas de vide du Poumon, on peut prendre le 9P Tai Yuan, point Yuan et renforcer son action avec le 6GI, Pian Li.

Tableau 13-4 Association point luo-point yuan.

Hôte	Yuan	9P	4GI	42E	3Rt	7C	4IG	7CC	4TF	40VB	3F	3Rn	64V
Invité	Luo	6GI	7P	4Rt	40E	7IG	5C	5TF	6CC	5F	37VB	58V	4Rn

Les 13 points Shu du dos, ou points de communication

Les points Shu sont des points situés sur le dos. C'est l'endroit où l'énergie des organes et des viscères se « déverse ». Ce sont donc des points en relation directe avec les Zang Fu.

Shu veut dire transporter : ces points transportent le Qi, l'énergie au Poumon.

Ces points sont fondamentaux à connaître, en particulier dans le traitement des maladies chroniques.

À retenir

En réalité, il faut, pour les localiser, bien sûr tenir compte de la localisation standardisée, mais surtout se référer à la sensibilité à la pression du point. Le Pr Leung insistait sur le fait qu'il ne fallait pas obligatoirement se focaliser sur les mesures en distances pour localiser le point. En réalité, il est fondamental, grâce à la palpation, d'apprendre à « toucher » ce point qui se trouvera toujours dans un creux.

Le point Shu prend le nom de l'organe auquel il appartient, ce qui facilite la mémorisation. Et l'ordre de disposition de ces points correspond à celui des viscères.

À l'origine, ces points n'étaient pas piqués, mais seulement chauffés au moxa pour un cas Xu ou « ventousés » pour des maladies Shi.

D'une manière générale, les points Shu du dos sont de nature Yang et s'utilisent surtout pour tonifier le Yang. Malgré cela, on peut les utiliser en cas de Yin Xu.

Par ailleurs, on peut utiliser ces points pour agir sur l'organe des sens correspondant aux viscères concernés.

Quand un patient est très fatigué, épuisé ou déprimé, les points Shu du dos sont beaucoup plus efficaces que les points Mu antérieurs.

Ces points Shu peuvent devenir un élément très important de diagnostic. En effet, ils peuvent devenir très sensibles à la pression, voire douloureux en dehors de toute pression lorsque le viscère correspondant est affecté. Par exemple, quand le 23V est douloureux à la pression, il aide à confirmer le diagnostic des affections des organes génitaux et du système urinaire.

Tableau 13-5 Les 13 points shu du dos.

Branche interne méridien Vessie	Organes cibles	Sous l'apophyse épineuse de
13V, Fei Shu	Poumon	D3
14V, Jue Yin Shu	Péricarde	D4
15V, Xin Shu	Cœur	D5
17V, Ge Shu	Diaphragme	D7
18V, Gan Shu	Foie	D9
19V, Dan Shu	Vésicule biliaire	D10
20V, Pi Shu	Rate	D11
21V, Wei Shu	Estomac	D12
22V, San Jiao Shu	Trois Foyers	L1
23V, Shen Shu	Rein	L2

Branche interne méridien Vessie	Organes cibles	Sous l'apophyse épineuse de
25V, Da Shang Shu	Gros Instestin	L4
27V, Xia Chang Shu	Intestin grêle	S1
28V, Pang Guang Shu	Vessie	S2

Les 12 points Mu antérieurs, ou points de rassemblement

Les points Mu sont les points antérieurs, situés sur la poitrine ou l'abdomen en relation avec les organes et entrailles.

Mu signifie « rassembler, collectionner ». **Ce sont les points où le Qi des organes se rassemble et se concentre à la face antérieure du corps.**

Ces points sont situés selon la localisation anatomique du viscère, le plus souvent sur un autre méridien que celui du viscère. En effet, il n'y a que le point Mu du Poumon, Zhong Fu, 1P, celui du Foie 14F, Shi Men, et celui de la VB, 24VB, Ri Yue, qui correspondent à leur méridien respectif.

Lorsque les points Mu se trouvent sur le Ren Mai, ils sont médians et uniques. Lorsque les points Mu sont sur les méridiens des mains et des pieds, ils sont bilatéraux et doubles.

Dans la littérature, ces points sont aussi connus sous la dénomination de « points Hérauts ». Ces points servent à la fois au traitement et au diagnostic.

Nous avons vu que les points Shu dorsaux servaient surtout à traiter les affections de type Yin alors qu'ici, les points Mu abdominaux servent surtout à traiter les affections de type Yang. Cependant il faut savoir que les points Mu abdominaux situés au-dessous du nombril peuvent également traiter les affections de type déficience, de type Yin.

Ces points s'utilisent le plus souvent dans les pathologies aiguës. Cependant on peut aussi les utiliser dans les pathologies chroniques.

Quand on associe les points Mu antérieurs et les points Shu du dos, on renforce les effets du traitement. Cette association est très efficace et produit des effets plus durables. Donc, dans la pratique, on peut utiliser soit le point Shu dorsal ou le point Mu pour traiter les affections du viscère correspondant, mais on peut aussi les combiner. On appelle cela une « combinaison avant-arrière ».

Tableau 13-6 Les 12 points mu antérieurs.

1P, Zhong Fu	Point Mu du Poumon
14RM, Ju Que	Point Mu du Cœur
17RM, Dan Zhong	Point Mu du Péricarde
13F, Zhang Men	Point Mu de la Rate
25VB, Jing Men	Point Mu du Rein
14F, Qi Men	Point Mu du Foie
25ᴱ, Tian Shu	Point Mu du Gros Intestin
4RM, Guan Yuan	Point Mu de l'Intestin grêle
5RM, Shi Men	Point Mu du Trois Foyers
12RM, Zhong Wan	Point Mu de l'Estomac
3RM, Zhong Ji	Point Mu de la Vessie
24VB, Ri Yue	Point Mu de la Vésicule biliaire

Les 8 points de confluence des 8 merveilleux vaisseaux

Il s'agit là de huit points spécifiques situés au-dessous des coudes et des genoux.

Ce sont les points de communication entre les huit vaisseaux extraordinaires et les 12 méridiens.

Bien que les huit vaisseaux particuliers ne passent pas tous par les quatre membres, ils croisent néanmoins certains méridiens principaux.

Le saviez-vous

Les anciens avaient l'habitude de comparer les huit vaisseaux extraordinaires à des lacs et les méridiens à des rivières. Les premiers servent à régulariser la circulation de l'énergie et du sang dans les méridiens.

Dans ces huit points, seul Shen Mai, 62V, et Zao Hai, 6Rn, sont en relation directe avec Yang Qiao Mai et Yin Qiao Mai, deux méridiens curieux, car ils se trouvent sur le trajet de ces derniers. Les autres points sont en relation indirecte avec les autres vaisseaux extraordinaires, car leurs méridiens respectifs se joignent à ces derniers au niveau de la tête et du tronc.

Il faut savoir avant tout que de par leur liaison avec les 12 méridiens et les huit vaisseaux merveilleux, ces points permettent d'agir très efficacement sur les 12 méridiens principaux, le Ren Mai et le Du Mai.

De nos jours, leur utilisation est très répandue. Ils sont aussi bien employés dans les maladies internes, externes, gynécologiques, pédiatriques, en traumatologie, dans les cas d'urgence, etc.

Il est dit : « L'essentiel des 365 points du corps se trouve dans les 66 points (sous-entendu l'ensemble des 5 points Shu des 12 méridiens et les 6 points Yuan des méridiens Yang). Et l'essentiel des 66 points se trouve dans les 8 points. »

Les 8 points de confluence peuvent être employés seuls (ex. : 7P Lieque point clef du Ren Mai), par couple selon la méthode Shang (haut) / Xia (bas) (ex. : 7P Lieque + 6Rn Zhaohai).

Tableau 13-7 Les 8 points de confluence.

Points de réunion	Communique avec	Relation avec
4Rt, Gong Sun	Chong Mai	Cœur, thorax, estomac
6CC, Nei Guan	Yin Wei Mai	Cœur, thorax, estomac
3IG, Hou Xi	Du Mai	Coin de l'œil, oreille, épaule
62V Shen Mai	Yang Qiao Mai	Coin de l'œil, oreille, épaule
41VB, Zu Lin Qi	Da Mai	Coin de l'œil, derrière oreille, joue, cou, épaule
5TF, Wai Guan	Yang Wei Mai	Coin de l'œil, derrière oreille, joue, cou, épaule
7P, Lie Que	Ren Mai	Poumon, gorge, thorax
6Rn, Zhao Hai	Yin Jia Mai	Poumon, gorge, thorax

Les 8 points de réunion

Nous savons que le chiffre 8, dans la pensée chinoise est lié au mouvement du bois, donc au Foie/VB. Mais c'est aussi un chiffre qui permet la régulation et l'équilibre du Yin-Yang.

Il y a huit merveilleux vaisseaux pour assurer la régulation des méridiens. Il existe huit points pour réguler les organes, les substances et les tissus.

Tableau 13-8 Les 8 points de réunion.

Point	Point de réunion de	Traite
13F, Zhang Men	Point de réunion des organes Zang Hui	– Le blocage du Foie qui entraîne entre autres une sensation de distension et de gêne au thorax et à l'abdomen. – La déficience de la Rate et de l'estomac avec, entre autres, des symptômes de distension abdominale, de diarrhée, d'œdème. – La déficience du Rein entraînant des douleurs dorso-lombaires, de l'œdème, de la diarrhée. – La déficience du Cœur et de la Rate. – L'accumulation de Tan dans le Poumon.
12RM, Zhong Wan	Point de réunion des Fu (organes « creux ») Fu Hui	– Les affections aiguës ou dans les états de Re Fu, de chaleur des entrailles. – La distension abdominale intense. – Les douleurs gastriques fulgurantes pouvant entraîner une perte de connaissance. – Les vomissements avec diarrhée grave.
17V, Ge Shu	Point de réunion du sang Xue Hui	– Les saignements de nez. – Les vomissements de sang. – Les hématuries. – Les rectorragies. – Les métrorragies importantes. – Toutes sortes de pertes de sang anormales ou bénignes, mais incessantes.
17RM, Dan Zhong	Point de réunion de l'énergie Qi Hui	– Régularise l'énergie du Poumon, du Cœur, du Foie et de l'Estomac. – Active la circulation sanguine. – Soutient l'énergie pour désobstruer les vaisseaux.
39VB, Xuan Zhong	Point de réunion des moelles ShuiHui	Dans la pratique, puisque ce point peut reconstituer le Rein en fortifiant le cerveau, on l'utilise souvent dans : les attaques de vent, les apoplexies, les AVC. Non seulement il les traite, mais il permet aussi d'en éviter les rechutes.

Point	Point de réunion de	Traite
9P, Tai Yuan	Point de réunion des vaisseaux Mai Hui	Régularise l'énergie, active le sang. - Stases de sang. - Pertes de sang (hémoptysie, hématémèse). - Faiblesse du pouls.
11V, Da Zhu	Point de réunion des os Gu Shui	Traite les affections osseuses comme : - Les raideurs de nuque et du cou. - Les douleurs des vertèbres lombaires. - Les raideurs du genou. Renforce les tendons et les os. Ce point peut rafraîchir la chaleur et disperser le vent comme dans les cas d'atteinte externe avec fièvre, maux de tête et toux.
34VB, Yang Ling Quan	Point de réunion des tendons Jin Hui	- Les affections des tendons et des muscles, que ce soit des problèmes d'hypotonie des membres inférieurs, des douleurs lombaires, des contractures, etc. - Débloque les articulations. - Rafraîchit le Foie et la Vésicule biliaire. Il peut donc être utilisé dans les cas de raideur du genou, des douleurs dans les hypochondres, s'il y a de l'amertume dans la bouche et des vomissements. Régularise l'énergie, active le sang.

Les 16 points Xi, de désobstruction

Dans le terme Xi, il y a l'idée de « creux », de fente. En effet, les points Xi se trouvent dans les creux profonds entre les os et les tendons, là où l'énergie et le sang se rassemblent.

Ils se situent tous entre les doigts et les coudes, ou entre les orteils et les genoux, à l'exception de Liang Qiu, E34.

Les 12 méridiens et les 4 méridiens curieux Yin et Yang Wei et Yin et Yang Qiao ont chacun leur point Xi, soit 16 points. Ils sont essentiellement utilisés dans les pathologies aiguës, surtout lorsqu'elles s'accompagnent de douleurs.

Il faut savoir que ces points peuvent aussi être très utiles au niveau du diagnostic. En effet, dans de très nombreuses maladies, les points Xi sont très sensibles à la palpation.

Tableau 13-9 Les 16 points xi.

Méridiens	Points	Utilisé en cas :
Poumon	6P, Kong Zhui	De toux avec crachat de sang, de gonflement très important de la gorge, dans les crises d'asthme aiguës, les quintes de toux incessantes.
Péricarde	4CC, Xi Men	D'angine de poitrine, de vomissement de sang et de saignement de nez.
Cœur	6C, Yin Xi	D'angine de poitrine, de vomissement de sang, ou de transpiration, de suée très importante, de saignement de nez.
Gros Intestin	7GI, Wen Liu	De maux de tête très importants, de gonflement de la joue, de gonflement et de douleurs de la langue, de douleurs de la gorge et d'anthrax, de furoncles, de cou très douloureux, de douleurs du bras, du coude et de l'avant-bras, d'odontalgies, de borborygmes avec douleurs abdominales.
Trois Foyers	7TF, Hui Zhong	De douleurs et d'engourdissement de la main et de l'avant-bras, de douleurs dans les hypocondres, de douleurs musculaires et de la peau.
Intestin grêle	6IG, Yang Lao	De douleurs aiguës de l'épaule comparables à une fracture et de douleurs du dos, de gonflement et de douleurs de la main et de l'avant-bras, de baisse de l'acuité visuelle.
Rate	8Rt, Di Ji	De douleurs avec distension au niveau abdominal et hypocondriaque, de blocage urinaire et de rectorragies. Très utile en cas de dysménorrhées.
Foie	6F, Zhong Du	De métrorragie, de douleurs et gonflements des testicules ou de douleurs vives du bas-ventre. Très utile en cas de cystite aiguë, de métrorragies importantes ou bénignes incessantes, de stase de sang dans l'utérus.
Rein	5Rn, Shui Quan	De douleurs et de sensation de gêne au niveau thoracique, et de douleurs ou de gonflement au niveau du talon. Mais aussi en cas d'aménorrhée suivie par des règles provoquant des douleurs importantes.
Estomac	34E, Liang Qiu	De gastralgie aiguë, de douleurs ou de gonflement du sein surtout après une grosse frayeur, de douleurs ou de gonflement du genou, de douleurs rhumatismales du tibia, de douleurs lombaires avec engourdissement et sensation de froid.

Méridiens	Points	Utilisé en cas :
Vessie	63V, Jing Men	De céphalées rebelles et récidivantes, de douleurs abdominales vives, de syncope, de cystites aiguës.
Vésicule biliaire	36VB, Wai Qiu	De céphalées avec douleurs et raideur de la nuque, avec aversion pour le froid et le vent, de douleurs et de sensation de distension au niveau thoracique et hypocondriaque, de colique biliaire.
Yin Qiao Mai	8Rn, Jiao Xin	De règles irrégulières, de métrorragies mêlées de mucus blanc, de prolapsus de l'utérus, de gonflements et de douleurs testiculaires, de contracture du sexe.
Yang Qiao Mai	59V, Fu Yang	De lourdeur de tête, de céphalées, de lombalgie avec impossibilité de rester longtemps debout ou de se redresser après être longtemps resté assis, de gonflement et de rougeur de la malléole externe. Mais aussi de douleurs à la racine du nez.
Yin Wei Mai	9Rn, Zu Bin	De psychose maniaco-dépressive, de gonflement et de douleurs testiculaires, ou de vomissement de bave. Mais aussi dans les cas d'absence de lait chez la femme, avec douleurs importantes des seins.
Yang Wei Mai	35VB, Yang Jiao	De sensation de gêne et de distension au niveau thoracique et hypocondriaque, de douleurs aux genoux ou d'hypotonie, de rhumatismes de type froid ou de type chaleur avec impossibilité de mouvoir la cuisse et la jambe.

Les 6 points He inférieurs

On appelle aussi ces points, les « points de correspondance », Xia He.

Ce sont les points où s'accumule l'énergie des Fu, des entrailles, d'où la signification du terme He, qui veut dire accumulation ou réunion.

La particularité des Fu, des organes creux, est qu'ils ne font que transmettre l'essence alimentaire sans la conserver. Et c'est l'évacuation vers le bas qui conditionne leur bon fonctionnement. Dès qu'il y a une perturbation de cette fonction, nous avons l'apparition d'une pathologie de type plénitude.

Les points He inférieurs sont particulièrement efficaces dans ce cas de figure, car ils permettent de dégager et d'abaisser l'énergie des Fu.

Tableau 13-10 Les 6 points He inférieurs.

Organe	Point	Utilisé dans les cas :
Estomac	36ᴱ, Zu San Li	De ballonnements gastriques, de régurgitations acides. Il traite les douleurs abdominales de la « zone de l'estomac ».
Gros Intestin	37ᴱ, Shang Ju Xu	De dysenterie, d'abcès intestinal comme l'appendicite aiguë, de borborygmes, de diarrhées. Il traite les douleurs abdominales dans la zone du gros intestin.
Intestin grêle	39ᴱ, Xia Ju Xu	De dysuries ou d'oliguries avec des urines foncées. Il traite les douleurs abdominales de la zone de l'intestin grêle.
Trois Foyers	39V, Wei Yang	Très utile dans les cas de rétention urinaire.
Vessie	40V, Wei Zhong	Sert en cas de rétention d'urine. Il traite les douleurs abdominales de la zone de la Vessie.
Vésicule biliaire	34VB, Yang Ling Quan	De vomissements, de douleurs cholédociennes ou de vésicule biliaire. Il traite donc les douleurs abdominales de la « zone de la vésicule biliaire ».

Les 12 étoiles de Ma Dan Yang

Ma Dan Yang est un Taoïste très célèbre. Il est né aux alentours de l'année 1123 dans la province de Shan Dong, sous la dynastie des Jing. Auteur de livres très importants sur le taoïsme, il a laissé en héritage une sélection de 11 points appelés « étoiles célestes ».

Ces points étaient considérés comme les points les plus importants du corps.

Plus tard, Xu Feng, médecin de la dynastie des Ming, publia cette liste dans le classique du *Dragon de jade* en y ajoutant une douzième étoile, Tai Chong, le 3F.

Ces 12 étoiles sont :

- 36ᴱ, Zu San Li ;
- 44ᴱ, Nei Ting ;
- 11GI, Qu Chi ;
- 4GI, He Gu ;
- 40V, Tong Li ;
- 57V, Chen Shan ;
- 3F, Tai Chong ;

- 60V, Kun Lun ;
- 30VB, Huan Tiao ;
- 34VB, Yang Ling Quan ;
- 7P, Lie Que ;
- 5C, Tong Li.

Les 13 points fantômes de Sun Si Miao

Les « 13 points du démon » sont les principaux points que les anciens utilisaient pour traiter les maladies mentales et émotionnelles.

On les doit entre autres à Sun Si Miao qui les a intégrées dans le chapitre 14 de son ouvrage « formules importantes valant mille pièces d'or », le *Qian Jin Yao Fang*.

Normalement, ces points doivent tous être piqués dans l'ordre ci-dessous et sans laisser les aiguilles en place.

- Le 26DM doit être piqué selon la méthode dite du « picotage du moineau » ou du « tremblement jusqu'à une profondeur de 1 cm ». Cette méthode consiste à tenir les aiguilles de la main droite et à faire des va-et-vient, Ti Cha, de petite amplitude et à une vitesse assez rapide.
- Le 11P, à 0,5 cm de profondeur.
- Le 1Rt à 0,7 cm.
- Le 7CC à 1 cm.
- Le 62V à poncturer avec une aiguille chauffée.
- Le 16DM à 0,7 cm.
- Le 6E à 0,7 cm avec une aiguille au moxa.
- Le 24RM à 1 cm.
- Le 5CC à 2 cm.
- Le 23Dm à 0,7 cm.
- Le 1RM à 0,7 cm.
- Hai Quan, frein de la langue, en saignée avec une aiguille triangulaire.

Selon les principes de la médecine chinoise, les maladies mentales sont provoquées par une perturbation des mouvements normaux du Qi et des fonctions des 5 Zang 6 Fu, des 5 organes et des 6 viscères. Elles comprennent des maladies comme :

- La psychose maniaco-dépressive, Dian Kuan ;
- Les syndromes de blocage affectif, ou dépression, Yu Zheng ;
- L'insomnie, Shi Mian ;
- La mémoire déficiente, Jian Wang.

Les points du démon peuvent réguler le Yin et le Yang de l'ensemble du corps. Ils peuvent aussi réguler le sang et l'énergie, Xue et Qi.

Chapitre 14
La digitoponcture pour tous

DANS CE CHAPITRE :

» **Une technique plurimillénaire !**

» **Apprenez à vous créer une vraie « main de masseur »**

» **Découvrez la véritable technique traditionnelle**

Que nous les appelions digitoponcture, acupressing, shiatsu, ces techniques remontent à la nuit des temps. Certains hiéroglyphes égyptiens représentaient déjà des scènes de massage ponctuel sur certaines zones du corps à l'aide de l'utilisation des doigts.

Qui ne s'est jamais servi de ses mains ou de ses doigts pour se soulager d'une douleur ? En cas de migraine par exemple, qui n'a jamais porté spontanément ses doigts sur les tempes pour se soulager ? La MTC, dans ses méthodes dao yin, en a systématisé l'utilisation depuis des millénaires.

Bien qu'apparentée au massage, cette technique va beaucoup plus loin. Nous allons voir que c'est une méthode aussi bien préventive que curative.

À retenir

Nous pouvons dire d'emblée que la digitoponcture est une méthode beaucoup plus douce que l'acupuncture et peut donc être pratiquée par tout le monde.

Une courte définition : « C'est l'activation de certains points, principalement sur les méridiens, dans le but de tonifier, de faire circuler ou de calmer le flux d'énergie sous-jacent. » Or, nous savons que la surface du corps au travers du trajet des 14 méridiens est directement en relation avec les « 5 logiciels organes ». Par la digitoponcture, nous pouvons agir directement sur les déséquilibres d'un ou de plusieurs organes internes.

225

Le saviez-vous

Et qui plus est, cette technique peut être appliquée sur soi-même. En effet, certains thérapeutes n'hésitent pas à montrer certains points à leur patient pour qu'ils continuent à rééquilibrer énergétiquement leur organisme entre deux séances. La digitoponcture applique les mêmes principes que l'acupuncture, mais ce sont les doigts, et en particulier la pulpe du pouce, qui vont remplacer l'aiguille.

Le saviez-vous

LES STRATES ÉNERGÉTIQUES

Lors de notre étude précédente sur les méridiens, nous avions vu qu'il y avait trois couches d'énergie à la surface du corps :

» Les méridiens à proprement parler qui se situent entre l'os et le muscle, très en profondeur, et qui ne sont accessibles qu'au moyen d'une aiguille, la plus fine possible, pour saisir l'énergie. Ce point a longuement été développé précédemment.

» Une couche superficielle, « sur la peau », représentée par des capillaires énergétiques. Rappelez-vous, en surface de peau, nous n'avons pas de méridiens à proprement parler, mais des zones Yin et Yang, représentatives du maillage énergétique des trois méridiens Yin et trois méridiens Yang présents sur chaque membre. Cette « couche énergétique » est directement accessible par les différentes techniques de massage.

» Enfin, une couche médiane, située comme le disent les textes « entre la chair et le muscle ». C'est cette couche que nous atteindrons dans les différentes pratiques de digitoponcture.

Se créer une « main de masseur »

Avant d'aborder la technique à proprement parler, nous allons devoir apprendre à nous créer une « vraie main de masseur ». C'est non seulement une main qui peut devenir sèche et chaude très rapidement, mais aussi une main « énergétique ».

Nécessité d'ouvrir le point Lao Gong, au centre de la main

Pour rendre notre main énergétique, nous devons nous attacher à agir sur un point bien précis, situé quasiment au centre de la main : il s'agit du point Lao Gong, le huitième point du méridien du Péricarde.

Gong signifie « palais » et Lao « travail », d'où une des traductions de ce point : « le palais du labeur ».

Nous savons que dans le logiciel Cœur se trouve logé le Shen, l'esprit. Il est dit aussi que le Cœur est « le maître des cinq Shen », des cinq émotions. C'est le Cœur Empereur, le Yang dans le Yang, l'été, la couleur rouge...

Le Péricarde, dont le concept va bien au-delà de la matière, est l'enveloppe protectrice du Cœur sur le plan énergétique. Il était dit que le « Péricarde devait veiller laborieusement au confort du palais », d'où son nom : « palais du labeur ».

Le saviez-vous

Dans le langage populaire, il est dit de ce type de personne qu'elle a « un poil dans la main ». Cela fait référence à ce point et au fait de ne rien faire de ses dix doigts.

Ce point est donc situé au centre de la main, entre le deuxième et le troisième os métacarpien, plus proche du troisième, de l'éminence thénar. En fermant le poing, l'extrémité de l'annulaire indique exactement l'emplacement.

Pour plus de précision en acupuncture, il faut trouver une dépression en regard du dos de la main et tenir entre le pouce et l'index les deux points.

En dehors de ses vertus thérapeutiques spécifiques, comme celle de drainer très fortement le « feu du Cœur », dans toutes les traditions, il possède une très forte charge symbolique.

En Inde par exemple, il est considéré comme un chakra mineur. Dans l'iconographie traditionnelle, on voit souvent la représentation d'un rayon sortant du centre de la main. C'est ce que nous appelons la « sortie de l'énergie de guérison ».

C'est l'ouverture de ce point qui va donner un pouvoir magnétique à la main.

Sans entrer dans les détails, retenez que ce point est en relation directe avec le point Dan Tian, situé à deux travers de doigt sous le nombril. Ceci aura une importance capitale quand nous aborderons plus loin la « véritable technique traditionnelle de digitoponcture ».

Nous allons voir un exercice très simple qui va vous permettre de « travailler ce point ». Vous allez pouvoir le pratiquer en position assise, allongée, en relaxation, ou en position de méditation. Toute l'action qui va suivre se passera très rapidement.

En pratique — OUVERTURE DU POINT LAO GONG

« Vous ouvrez votre main gauche, ciblez le centre de la paume et, avec l'extrémité de l'index droit, vous faites une chiquenaude assez puissante sur le point Lao Gong. Ensuite, très rapidement, vous passez à l'autre main et répétez la même opération. Une fois ce double tapotement effectué, si vous vous mettez à penser à autre chose, si votre esprit vagabonde, vous allez très vite oublier la sensation du point. En revanche, et c'est un excellent exercice de méditation, si vous visualisez mentalement ce point, yeux fermés ou ouverts, vous allez pleinement le ressentir. En état de relaxation ou de méditation, la sensation de ce point pourra même être amplifiée.

Ce ressenti pourra prendre la forme d'une chaleur ponctuelle qui va irradier progressivement dans toute la paume de la main. Ce point pourra même devenir transfixiant et la sensation ressentie du côté Yang, à savoir le dos de la main. »

Tout ce travail de visualisation pourra durer entre 10-15 minutes, voire plus. Et vous serez étonné de voir que, loin de s'atténuer ou de disparaître, uniquement par concentration du mental, la sensation de ce point va s'amplifier. Vous êtes en train « d'ouvrir le point Lao Gong ».

À force de répétition, vous allez effectivement amener l'énergie au centre de la main et pouvoir la dispenser à bon escient.

Tonifier sa main et éliminer les blocages

Mais ce n'est pas tout. Votre main a besoin de force.

Dans le diagnostic par l'observation, on prête une grande attention à la tonicité de l'éminence thénar, lorsqu'on examine la main du patient (voir chapitre 6). C'est une masse musculaire située à la base du pouce. Il est important qu'elle soit bien « bombée » et charnue. Si les muscles de la main sont relâchés, cela indique que l'énergie de la Rate-Estomac est faible. Inversement, si les muscles sont fermes, cela indique que l'Estomac et les Intestins digèrent bien, assimilent bien le bol alimentaire et par là même produisent assez d'énergie dont le corps a besoin pour fonctionner. Rappelons-nous en effet que les « muscles et les chairs » sont à mettre en relation avec ce logiciel organe.

Il convient aussi d'examiner au niveau de l'éminence thénar la présence ou non des petites veinules ou capillaires de couleur bleu ou rouge. Il faut voir si la couleur des vaisseaux a de l'éclat, un aspect terne ou vif, afin de déterminer si la quantité de sang dans les Xue Mai, les vaisseaux, est suffisante. Normalement, quand une personne est en bonne santé, on ne doit voir quasi aucun capillaire.

Il est donc très important de faire régulièrement travailler sa main afin de la tonifier. Il existe des exercices de qi gong spécifiques pour agir dans ce sens, à savoir agir non seulement sur l'énergie, mais aussi sur la tonicité des muscles de la main.

Utilisation des « boules de méditation »

Une méthode tout à fait traditionnelle, c'est l'utilisation des Baoding ball's. Ce sont des boules métalliques, en cloisonné, en pierre, de différentes grosseurs, encore appelées « boules de méditation ».

Ces boules sont d'une utilisation très ancienne. On en retrouve des traces au cours de la dynastie des Ming, le Moyen-Âge des Chinois, aux alentours des années 1400.

L'exercice consiste à maintenir une paire de ces boules dans la paume de la main, en les faisant tourner, tout en les maintenant en contact constant. Petit à petit, on pourra augmenter la vitesse de rotation. Et plus tard, elles pourront tourner dans un sens ou dans l'autre, sans qu'elles se touchent. Toute la surface de la main sera ainsi massée. L'action de tonification musculaire est alors très puissante.

Qi gong de déblocage des mains

Je voudrais en profiter ici pour vous donner un qi gong très important à mettre en œuvre, surtout quand nous nous trouvons en face de patients qui développent un tableau symptomatologique que nous appelons en MTC « stagnation de sang et d'énergie au niveau du Foie ».

Pour faire court, quand nous sommes soumis en permanence à des situations qui se concrétisent par une intériorisation de la colère, nous risquons d'entraver la libre circulation de l'énergie et du sang au niveau du logiciel Foie. Or, nous savons que ce logiciel organe, qui est à mettre en relation avec l'élément bois de la nature, doit avoir la circulation de sa sève (énergie et sang) libre de toute entrave.

Quand nous sommes confrontés à des situations de stress, de colères intériorisées qui perdurent, le sang et l'énergie stagnent au niveau de ce logiciel. Il n'y a pas assez de sang aux extrémités. Le cerveau est une éponge à sang. Si le sang n'arrive pas à le nourrir, cela peut être une grande cause de fatigue. Par ailleurs, le sang a besoin d'énergie pour circuler jusqu'aux extrémités.

Si l'énergie du Foie est bloquée, on aura très facilement les mains et les pieds froids. Au début, ce n'est qu'un simple symptôme signal d'alarme. Mais, si on n'y prend garde, petit à petit, ces micro-stagnations des extrémités peuvent donner naissance à de véritables pathologies et, entre autres, à une maladie auto-immune. On parlera alors dans ce cas extrême de « maladie de Raynaud ».

De toute évidence, en suivant les principes de base de la MTC, nous serons amenés à traiter la cause de cette pathologie, à savoir ici débloquer l'énergie du Foie. Mais ici, il conviendra de faire preuve de pragmatisme. Il faudra en même temps faire un traitement symptomatique, surtout si nos mains sont toujours froides, ce qui non seulement est désagréable pour le patient, mais signe aussi une incapacité à se créer une main énergétique.

En pratique : QI GONG ANTI-MALADIE DE RAYNAUD

Un qi gong très intéressant consiste donc à « secouer ses mains », comme si nous devions éliminer des gouttelettes d'eau qui seraient sur la peau. Vous mettez vos deux mains devant vous, coudes fléchis à 90 degrés, poignets totalement relâchés. Ensuite vous commencez à les secouer très rapidement devant vous. Petit à petit, il n'y a plus d'effort mental à produire. Le mouvement est auto-entretenu par le relâchement du poignet et la force d'inertie qui s'est mise en place. Votre respiration est calme pendant toute la durée de l'exercice, à savoir 2 minutes. Amusez-vous, sans rien changer dans la pratique du mouvement, à concentrer votre mental sur l'annulaire, l'auriculaire, le pouce. En agissant ainsi, vous commencez à ressentir le pouvoir de l'énergie mentale sur le physique.

Au bout de ces 2 minutes de pratique, vous arrêtez brusquement ce mouvement qui est devenu presque automatique. Ressentez alors l'impression de fourmillement, vos doigts étant comme dans du coton. C'est l'énergie qui circule, et les petits capillaires distaux qui sont en train de retrouver leur perméabilité. Testez cet exercice deux fois par jour pendant neuf jours de suite. Les résultats seront surprenants quant au réchauffement de la main. Vous commencerez à ressentir ce qu'on appelle « une libre circulation de sang et d'énergie ». Nous pourrions appeler cet exercice « technique d'ébranlement des mains ».

En art martial, il existe bien d'autres techniques pour se créer des mains puissantes et énergétiques, comme les faire travailler dans un bac de sable, ou gantées, dans un bac à mercure. Mais cela dépasse ici le cadre de notre propos.

La véritable technique traditionnelle

Comment se préparer à une séance

Il convient d'avoir un maximum de concentration avant de commencer une séance. Voici un excellent exercice de préparation qui va très rapidement nous permettre de rendre notre main opérationnelle.

En pratique : PRÉPARER SA MAIN AU MASSAGE

Commencez par frotter vigoureusement vos deux mains devant la zone du Cœur. Ensuite vous les ramenez devant vous et faites un « lavage des mains » pendant une dizaine de secondes. Une opération que vous devriez répéter très souvent : une fois les doigts imbriqués les uns dans les autres, ramenez la paume des mains vers l'avant, le plus loin possible devant vous de manière à assouplir au maximum doigts et poignets. Ensuite, étirez chacun de vos doigts. Si vous les relâchez bien, vous pourrez entendre de temps en temps un « craquement » bénéfique. Massez ensuite chaque doigt sur toute la longueur. Prenez chaque extrémité des doigts, pincez-les et faites une rotation comme si vous vouliez tailler un crayon. On appelle cela en MTC « les dix déclarations ». Enfin mains jointes devant le cœur, faites une courte concentration pendant une dizaine de secondes.

Ne pas se perdre dans le dédale des 10 000 techniques

Spiritualité

Une des caractéristiques de notre monde moderne est ce que nous pourrions appeler « l'explosion du Yang ». Nous avions longuement insisté sur ce point au début de la partie un. Plus nous avançons dans le temps, plus nous nous trouvons en face d'une pluralité de théories de plus en plus complexes et même les plus érudits finissent par en perdre leur latin.

Dans le cas qui nous intéresse ici, la digitoponcture, il faudra par exemple masser dans le sens du courant pour faire une tonification et l'inverse pour une sédation. Et dans d'autres textes, c'est même totalement l'inverse qui est expliqué. Mais ce n'est pas tout. Pour obtenir une tonification, il convient de faire une rotation dans un certain sens avec son pouce ou ses doigts, et l'inverse pour une sédation. Et cela change encore s'il s'agit d'un homme ou d'une femme. De même que selon le sexe, il faudra commencer plutôt à gauche qu'à droite ou l'inverse. Certaines théories font même entrer les cycles horaires dans la pratique, ce qui obligerait le praticien à agir sur certains points à 3 heures du matin.

Nous allons voir que la technique « primordiale » de digitoponcture, si on peut parler de technique, sera beaucoup plus simple. C'est la théorie du rasoir d'Occam qui considère qu'une explication simple d'un fait a plus de chance d'être vraie qu'une explication compliquée.

Oui, mais voilà, cette simplicité n'est qu'apparente, car elle va sous-entendre un changement total de point de vue et de comportement d'un praticien. En effet, le praticien devra totalement s'investir, mais aussi se donner les moyens de cet investissement pour ne pas lui-même être déséquilibré sur son câble de vie. Dans la trilogie ciel-homme-terre, il devra petit à petit devenir un médiateur, et en même temps un transmetteur et régulateur d'énergie pour traiter son patient.

Pour en revenir à notre propos sur la digitoponcture, que dit la Tradition quant à la juste technique de la pratique ? Dans le *Nei Jing* existe un passage qui traite des « neuf aiguilles ». Chaque type d'aiguille a une forme particulière et chacune d'entre elles, en fonction de sa forme, permet d'obtenir un certain effet. En ce qui concerne la digitoponcture, c'est l'aiguille n° 3, l'aiguille appelée Ti, qui servait à faire ce type d'intervention. C'est une aiguille ronde qu'on utilisait pour exercer une pression sur les points des méridiens ou à « frotter » le trajet de celui-ci. Ce n'est que plus tard que s'est imposé le massage par l'intermédiaire des doigts et du pouce. Je vous rappelle que le chiffre 3, c'est l'action de l'homme entre ciel et terre.

Comment créer sa propre formule ?

En digitoponcture, comme en acupuncture, c'est le choix des points qui nous permettra de savoir dans quelle direction nous voulons aller quant au traitement que nous devons appliquer.

LES TROIS CATÉGORIES DE POINTS

» Les **points distaux**, et qui sont situés aux quatre extrémités, aux mains et début des avant-bras et aux pieds et début des jambes. Et dans une moindre mesure, au niveau de la tête.

» Les **points médians** situés le long de la colonne et surtout entre les coudes et les épaules et entre les genoux et les hanches.

» Enfin les **points proches** situés, eux, sur le tronc, face antérieure et pour certains sur la face postérieure.

Il a été fait un juste diagnostic en utilisant les quatre méthodes que sont l'interrogatoire, l'examen visuel comportant l'étude de la langue et de ses enduits, la prise des pouls et la palpation. À partir de là, vous allez donner une direction à votre traitement. Par exemple, s'il y a une faiblesse, un manque, il va falloir tonifier. Si au contraire il y a un excès, il convient de calmer, de faire une sédation. Si on se trouve en présence de blocages, de stagnations, il conviendra alors d'employer des formules à visée circulatoire.

À partir de ces constatations, vous allez élaborer une formule. Si celle-ci comporte plus de points d'extrémités que de points proches, c'est que vous voulez en quelque sorte « vidanger » l'excès d'énergie, faire une sédation pour calmer le jeu de la symptomatologie de l'excès. Si au contraire vous prenez plus de points proches, c'est que vous vous tournez vers une tonification. Ce sont des points que nous serons d'ailleurs très souvent amenés à chauffer grâce à la technique de la moxibustion.

Et très souvent pour harmoniser une formule, on pourra utiliser des points médians comme le 36E ou le 11GI.

Attention

Donc, il n'est pas juste question ici de masser dans un sens ou dans l'autre, mais bien d'un choix des points.

Il est à noter d'ailleurs que si on se trouve en présence de trois praticiens confirmés face à un même patient, ils seront amenés tous les trois à faire un même diagnostic, mais pourront proposer trois formules différentes selon leur propre logique et intuition. Et ils obtiendront tous le même résultat, certes plus ou moins rapidement, à savoir la guérison du patient.

Un point central : la notion d'intention

En dehors du choix des points, qu'est-ce qui compte fondamentalement dans l'acte du soignant ? C'est avant tout L'INTENTION.

Spiritualité

Une définition classique de l'intention est : « un plan délibéré pour accomplir une action, laquelle débouchera sur le résultat désiré ». Ce qui est gênant dans cette définition, c'est la notion de planification. En effet, chaque partie d'un plan génère autant de peurs et de contre-énergies qui peuvent entraver la réussite du traitement. Je préfère de loin cette définition qui découle entre autres des dernières recherches sur la physique quantique : « L'intention est une projection de la conscience, de manière délibérée et efficace, en vue d'atteindre un objectif ou un résultat donné. »

Or, l'intention est un concept central, lorsqu'il s'agit de traiter un patient, qui découle directement des enseignements taoïstes. Je vous renvoie au chapitre consacré au Hun et au Po, les âmes spirituelles et corporelles.

En effet, dans nos sociétés que nous pourrions qualifier « d'évolution exponentielle » à tous les niveaux, notre Shen (sous-entendu notre esprit, notre mental, nos facultés cognitives, nos affects et émotions) est avant tout nourri par nos cinq sens. L'excès d'informations auquel il est soumis finit par le mettre en surchauffe, d'autant plus que la plupart du temps, ce feu du Cœur n'est pas calmé par l'eau du Rein. Et c'est le burn out, le « tilt » du corps qui est souvent au bout du chemin.

Perdant pied avec la nature, étant de plus en plus éloignés de l'unicité, nous nous sommes construit une véritable carapace qui nous empêche d'accéder à notre subconscient le plus profond, qui nous empêche d'être à l'écoute de notre âme.

Le saviez-vous — LES TROIS NIVEAUX DE PRATICIEN

» **Le praticien de niveau 1** est un praticien qui n'a pas « ouvert son cœur », c'est-à-dire qu'il n'a pas appris à émettre son énergie de guérison. Il ne se contente que de recettes, il connaît des listes de points correspondant à certains symptômes et ne sait évidemment pas manipuler l'énergie. Il va avoir une action que nous pourrions qualifier de matérielle, superficielle sur le point. Il aura obligatoirement un résultat, mais le curseur sur une échelle de 1 à 10 restera à 1, et la pathologie ne mettra pas longtemps à réapparaître. Il n'aura fait qu'occulter un symptôme signal d'alarme.

» **Le praticien de niveau 2** connaît les véritables techniques traditionnelles. Il sait manier l'énergie. Il sait écouter son âme, ses intuitions. Il sait puiser dans son énergie, dans sa batterie. Au travers de ses mains, de ses pouces, il va agir directement sur l'énergie du patient. Il y a un corollaire à ceci : ce praticien est alors tenu, dans une même journée, de se recharger autant qu'il a donné, sous peine de s'épuiser rapidement et de vieillir précocement. Ce profil de praticien va faire monter le curseur à 5 sur l'échelle de 1 à 10, qui correspond à l'efficacité du traitement.

» **Le praticien de niveau 3**, lui, se situe alors sur une tout autre vibration. C'est un pratiquant de longue date. Il a appris à « ouvrir son cœur » au travers de ses pratiques. Il devient en quelque sorte un intermédiaire, un intercesseur entre ciel et terre. C'est un médium dans le vrai sens étymologique, à savoir un « moyen terme » entre les deux polarités Yin-Yang, entre ciel et terre. Il capte l'énergie Yang du ciel, l'énergie Yin de la terre et grâce au potentiel de régulation du Zhi, de l'énergie du Rein, il se produit une alchimie au niveau du Cœur, une transmutation très subtile qui lui permet alors d'émettre de la pure « énergie de guérison » à travers ses mains. Certains possèdent ce don, disons à fleur de peau très tôt dans leur vie. Ils arrivent à guérir uniquement par imposition des mains. D'autres le possèdent enfoui sous des couches, des carapaces d'ego, un peu comme une pépite cachée dans sa gangue. À force de pratiques, de qi gong par exemple ou de lâcher prise grâce à la méditation, ce don peut remonter à la surface. C'est à ce moment-là que l'aphorisme « un point suffit pour guérir un patient » prend toute sa valeur. Évidemment, ce profil de praticien fera monter à 10 le curseur de la guérison. Il faudra, pour l'immense majorité d'entre nous « des vies entières » pour en arriver à ce niveau. Mais faire monter le curseur à 7-8 est à la portée de tout le monde, à condition évidemment de s'en donner les moyens.

Ce que nous appelons « retour à l'unicité » dans la Tradition, c'est se départir de cette carapace de l'ego, enlever couche après couche les résidus de l'excès de nos pensées, de nos émotions, de nos affects : se mettre à nu en quelque sorte pour que notre âme spirituelle, notre Hun puisse enfin librement s'exprimer.

Cette vision va nous permettre de tirer la conclusion suivante. Comme nous allons le voir, la digitoponcture est un pur acte intuitif, où le pouvoir de l'émission de la pensée, l'émission de « l'énergie de guérison » qui n'est rien d'autre que l'énergie d'Amour, l'Intention dans l'acte sont non pas sous la direction de notre Shen, de notre ego, de notre mental, de nos facultés cognitives, mais de notre Hun, de notre énergie spirituelle.

Et pour être à l'écoute de notre Hun, il faut savoir, comme il est dit dans certaines sociétés initiatiques, « déposer ses métaux », laisser à l'extérieur l'armure de notre ego. Et cela se travaille.

Notre maître insistait très souvent sur ce qui ne devrait être qu'une évidence : « Tout praticien, ou toute personne qui veut aider l'autre doit mettre en place une politique dite "d'égoïsme salvateur" et s'occuper de sa propre maison pour que l'âme ait envie d'y rester et puisse s'y exprimer. »

Un praticien de médecine chinoise ou toute autre personne ayant l'ardent désir de s'occuper de l'autre et qui ne pratique pas les exercices au quotidien, comme les qi gong, la méditation ou autres techniques, finira par ressembler à ce qu'on appelait au moment de la Révolution culturelle, « un médecin au pied nu », c'est-à-dire un médecin formé la plupart du temps à quelques techniques de base en quelque mois, quelques recettes bien loin évidemment de la médecine énergétique.

Saisir l'énergie

C'est une autre notion tout à fait centrale quant à la pratique de la digitoponcture et bien évidemment de l'acupuncture (voir chapitre 13).

Rappelons-nous que lorsque nous agissons sur un point, nous recherchons avant tout à atteindre le Qi, l'énergie qui circule le long du méridien. Il ne faut pas oublier que cette énergie est issue d'un mélange très subtil entre la quintessence de l'énergie de l'air et la quintessence de la digestion du bol alimentaire. Et que cette énergie va bien au-delà de toute matérialité.

L'énergie dont nous parlons en MTC est d'un tout autre niveau, un niveau que nous pourrions qualifier de métaphysique. Elle ne peut être que ressentie. Et ce ressenti se fera, non pas avec nos facultés cognitives, notre Shen, comme on ressent un point chaud ou froid. Ce ressenti procède de ce qu'on appelle « l'intuition », l'intuition du point. Et c'est ce qui nous différencie totalement de l'acupuncture et de la digitoponcture moderne.

Ce n'est pas le patient qui doit éprouver une sensation, ou si peu. C'est le praticien qui par l'intermédiaire d'un transmetteur, en l'occurrence la pulpe du pouce ici, qui doit « ressentir » que le Qi est là, présent. Et quand le Qi arrive sous son doigt, c'est à ce moment-là qu'on peut dire qu'il a « saisi l'énergie ».

Comment procéder

Nous avons vu jusqu'à maintenant les principes de base qui sous-tendent les pratiques de la digitoponcture. Nous avons pris conscience de l'importance de se créer petit à petit une « vraie main de masseur » grâce à l'ouverture du point Lao Gong et à la tonification des muscles palmaires. Voyons à présent les différentes étapes à mettre en place pour redonner à la digitoponcture sa véritable finalité, à savoir une pure technique énergétique traditionnelle.

Première étape

C'est la plus importante. On pourrait l'appeler « l'étape de la visualisation ». Je me place dans le cadre d'un praticien de niveau 2 dont on a parlé précédemment. Ce praticien va en quelque sorte puiser sur sa propre énergie interne, sur sa batterie du Rein, pour traiter l'autre. S'il y avait un secret bien gardé dans cette pratique, c'est bien cette étape.

Avant tout notre instrument de prédilection, à l'instar de l'aiguille pour l'acupuncteur, c'est le pouce et plus précisément la pulpe du pouce.

Saviez-vous que dans la cartographie du cortex cérébral, le pouce est la zone qui y trouve une des plus grandes projections ? Certes, nous serons amenés de temps en temps à utiliser plusieurs doigts, voire le poing ou la paume de la main. Mais dans la majorité des cas, c'est bien la pulpe du pouce qui servira d'intermédiaire entre l'énergie du praticien et celle du patient.

En pratique : LA VISUALISATION, LE GRAND SECRET

Il existe un méridien qui relie la zone de l'énergie du Rein avec la zone de la gorge. C'est le méridien Zhong Mai qui ne possède pas de points directs en surface du corps. Il monte en avant des corps vertébraux jusqu'à la gorge. Commencez par imaginer une boule de chaleur, d'énergie, dans la région du Dan Tian, sous le nombril, à l'intérieur de votre bas-ventre. Alors que dans une respiration consciente habituelle, le « ventre sort » lors de l'inspiration, ici vous allez faire le contraire : « J'inspire, mon ventre rentre. Je m'imagine alors, à l'instar d'une paille dans un verre d'eau, que l'énergie monte le long de ce méridien Zhong Mai. J'aspire cette énergie, je la fais monter tout le long de l'inspiration. Elle arrive jusqu'aux épaules. J'expire. Mon ventre se relâche. L'énergie descend alors le long de mes bras, pour arriver jusqu'aux mains, et ici en l'occurrence jusqu'à la pulpe de mes pouces. »

Quand vous appliquez la technique de visualisation, petit à petit, à force de répétition, vous allez ressentir cette énergie comme un flux léger, un véritable écoulement d'énergie possédant une certaine consistance. C'est un peu la sensation que vous pouvez avoir, quand vous ressentez la « consistance de l'air » en déplaçant très rapidement vos mains ouvertes. Vous avez bien compris que tout ce ressenti peut être potentialisé par la pratique du qi gong, du tai-chi, du yoga ou autres pratiques traditionnelles.

Donc en résumé : « J'inspire, un flux d'énergie monte le long de la colonne vertébrale en partant du Dan Tian pour s'épandre au niveau des épaules. J'expire et cette énergie descend jusqu'à la pulpe du pouce. »

En pratique — LA TECHNIQUE DU PICOTAGE

Au moment de l'expire, toute l'énergie est concentrée dans la zone de la pulpe du pouce et non au bout du pouce. C'est donc cette large zone de la pulpe qui entre en contact avec le point. À ce moment-là, la technique que nous allons employer, à l'instar de celle que nous pouvons utiliser avec un bâton d'armoire dans la moxibustion, s'appelle la « technique de picotage ». Un peu comme un pivert qui picote. Elle consiste à synchroniser la respiration avec la pression : « À l'inspire, je relâche la pression, à l'expire, j'appuie et ainsi de suite. » À chaque cycle respiratoire, c'est l'énergie de guérison qui arrive au niveau de la pulpe du pouce. Je le répète, cette technique est très puissante et elle est donc dirigée par le Shen du praticien, son mental. C'est un pur flux vibratoire, énergétique, tout cela porté par la visualisation et la pleine conscience.

Combien de fois doit-on répéter cette opération ? Les anciens parlent de 9-18 ou 36 cycles de pression-relâchement. Tout dépend du nombre de points utilisés, de la chronicité de la pathologie, de la direction que nous voulons donner au traitement. En effet, surtout sur les points que nous avions appelés « points proches », plus nous répéterons l'opération, plus nous amènerons de l'énergie pour agir sur le point.

Deuxième étape

À partir de ce moment, que faire de son pouce ? Nous en avons longuement parlé au début de ce cours. Il faut éviter de tomber dans le piège de la « multiplicité », des « 10 000 techniques ». Devons-nous aller dans un sens pour tonifier, dans l'autre pour disperser ? Devons-nous commencer à droite ou à gauche selon le sexe ? Devons-nous masser dans le sens du flux énergétique circulant dans le méridien ou dans le sens contraire ? Etc.

Vous avez bien compris que l'idée première est de nous permettre de revenir à l'unicité, de revenir aux techniques les plus anciennes, en particulier celles préconisées par le *Nei Jing*.

Voici donc la technique qui a fait ses preuves depuis des millénaires, que nous pourrions qualifier de purement énergétique, qui donne des résultats nettement supérieurs relativement à un simple effet mécanique d'un massage ponctuel « sans conscience ».

LA TECHNIQUE DU « SOURIRE INTÉRIEUR »

Dans cet état, vous allez émettre par l'intermédiaire de votre Cœur « une pensée claire de guérison » au travers de ce que la tradition appelle le « sourire intérieur ». Cette émission de flux énergétique se fait donc dans un état de pur détachement, sans aucun effort. Le praticien n'a juste qu'à imaginer que le patient est en train de guérir, surtout ne pas se poser de questions sur le comment. C'est, je le répète, un flux continu, grâce à la pleine conscience qui se fait entre l'énergie du Cœur et la pulpe du pouce. Oui, mais voilà. La durée de cette émission d'énergie de guérison doit se faire au minimum pendant une minute. Les recherches récentes de la physique quantique parlent de 69 secondes. Pendant ce laps de temps, il ne doit y avoir aucune rupture de pensée de guérison. Aucune pensée parasite ne doit interférer avec ce flux d'énergie pour que la technique soit véritablement efficace.

À condition d'avoir pratiqué depuis fort longtemps la méditation comme je l'ai dit plus haut, ou la pleine conscience, peu de personnes sont capables d'une telle concentration. C'est pour toutes ces raisons que la technique de « picotage », qui est donc d'un abord beaucoup plus aisé, sera à privilégier, surtout quand on est jeune praticien ou autodidacte.

À côté de cette technique de picotage, qui somme toute est très simple à mettre en œuvre, à condition de s'en donner les moyens, il en existe une autre encore plus traditionnelle qu'on pourrait appeler « émission en continu de flux énergétique de guérison ». Elle demande d'importantes connaissances et compétences.

Quelques conseils supplémentaires

Quelques conseils pour maximiser cette pratique de la digitoponcture.

Ce n'est pas une démonstration de force !

Avant tout, et nous l'avons bien compris, ne nous situant pas dans le domaine du « grossier », mais dans le domaine de l'énergétique pure, l'appui ne doit pas être une démonstration de force. Ce ne doit pas être une action mécanique provoquant une sensation de douleur chez le patient.

En tant que technique énergétique pure, c'est le praticien qui doit intuitivement ressentir quelle pression il doit appliquer sur le point avec la pulpe de son pouce. Et quand il deviendra praticien confirmé, il n'aura quasiment plus besoin d'appui pour « saisir l'énergie » et agir dessus.

Pas plus que 3, 4, voire 5 points !

À retenir

Fondamental : la formule que vous serez amené à élaborer grâce aux méthodes de diagnostic de la MTC ne comportera jamais un nombre incalculable de points. Selon la tradition, la formule comportera tout au plus 3-4 voire 5 points, ce qui va correspondre à 6-10 points à masser.

Il existe deux types de traitement : les traitements à visée préventive, c'est-à-dire des traitements que nous devrons pratiquer sur nous-mêmes, ou appliqués par un praticien uniquement dans le but de booster notre organisme, notre batterie du Rein pour augmenter nos défenses immunitaires, nos facultés d'adaptation et nos possibilités d'autoguérison. Ce type de traitement que nous pouvons appeler « traitement à visée Yang Sheng Fa », ou de « préservation de la santé », se fera sur de courtes périodes.

L'autre type de formules correspond alors au traitement thérapeutique à proprement parler. Dans la tradition, difficilement applicable dans les cabinets, sauf si vous pratiquez sur vous-même certaines séries que vous aura prescrites votre praticien, il devrait faire un cycle de neuf jours de traitement avec une semaine de repos, suivi d'un autre cycle. Ainsi, deux voire trois autres cycles pourront être dispensés au regard de la chronicité du problème ou de l'état énergétique du patient.

N'employer qu'une formule à la fois

À retenir

Un autre point important. Il convient de n'employer qu'une formule à la fois. Certains auront envie de changer de point d'un jour à l'autre voyant que les résultats se font attendre. N'oubliez pas que nous sommes dans un contexte d'hyper-multiplication générant une notion de rapidité. Le patient ou le praticien voudrait tout, tout de suite. Laissez le temps au temps, surtout lorsqu'il s'agit d'une pathologie chronique. Si votre formule est « juste », la réponse au traitement sera elle aussi juste. Ce n'est qu'au cours de la 2e série que vous pourrez adapter votre traitement selon l'évolution de la symptomatologie.

N'oubliez surtout pas : « C'est l'émission de l'énergie de votre mental, avec comme intermédiaire votre pouce, qui est responsable de la rapidité des résultats. »

Quand vous avez élaboré une formule selon vos propres connaissances, aidées aussi par vos intuitions, ou que vous utilisez une formule « toute faite », avant de passer à un autre point, vous devez ressentir que vous avez bien « saisi l'énergie », le Qi sous votre pouce.

Une fois de plus cette sensation ne peut être quantifiée. Elle fait partie du domaine de l'intuition, de la sensation. Souvent nous trouvons dans les textes la notion de « sensation d'énergie fluide et vivante ». Cette sensation ne vient pas de vos facultés cognitives, de votre Shen, mais de votre âme, de votre Hun, qui est donc située dans le Foie et qui nourrit votre Cœur.

Quand vous serez devenu « compétent inconscient » à force de répétition, fiez-vous à la sensibilité de vos doigts. Effleurez d'abord la zone en pleine conscience et arrêtez-vous sur l'endroit que vous percevez « spontanément », intuitivement comme étant l'emplacement du point.

Très souvent vous sentirez une dépression ou une modification de texture, de consistance des tissus à ce niveau.

Ne tombez pas dans l'écueil du profane qui se contente d'appliquer à la lettre les mesures que nous trouvons dans les traités d'acupuncture. Ces distances ne sont données qu'à titre de localisation générale. Mais il faut savoir que cette localisation surtout en acupuncture peut varier d'un patient à l'autre.

Par ailleurs, notre maître nous disait que si nous nous trompions un peu en amont ou en aval du point, ce n'était pas trop grave. Le tout et de ne pas se tromper de courant de méridien !

Et bien sûr, et je n'aurais de cesse de le répéter, c'est vous, en tant que praticien, qui devez ressentir le point, ce puits d'énergie et non par un détecteur quel qu'il soit.

Les contre-indications

Les quelques contre-indications font appel à la logique. Par exemple, si la zone où se trouve le point est atteinte par une maladie de peau comme du psoriasis ou de l'eczéma, on ne pourra pas « travailler » dessus. De même, en cas de grossesse, il vaut mieux éviter, si on n'a pas la connaissance, de traiter en digitoponcture, surtout si nous utilisons les points d'extrémités. Trop d'action de « sédation » peut en effet faire descendre le fœtus ou risque de lancer le travail de manière trop précoce.

Un point fondamental à bien comprendre. Si vous-même en tant que praticien êtes épuisé, ou si vous sortez d'un repas de fête un peu trop arrosé, si vous venez, surtout pour les hommes d'avoir un rapport sexuel avec éjaculation, vous risquez de perdre toute l'énergie qu'il vous reste. Et ceci est valable même si vous vous traitez vous-même.

Un corollaire également valable surtout pour le praticien de niveau 2. Puisque le traitement consiste, comme nous l'avons vu, à puiser dans l'énergie contenue dans votre batterie du Rein afin de traiter le patient, il est fondamental de recharger ce qui a été déchargé, et ce, dans une même journée. Je vous renvoie pour cela à toutes les méthodes de préservation de la vie que nous appelons « méthodes Yang Sheng Fa ».

De telles méthodes sont d'autant plus nécessaires pour ceux qui pratiquent au quotidien. Faites l'expérience suivante. En début d'après-midi, votre langue est rosée, et théoriquement sans enduit, si vous êtes en bonne santé. En fin de journée, elle a tendance à être pâle avec un léger enduit blanc dessus. Cela signe une grande perte d'énergie. Si vous n'y prenez pas garde, si vous ne mettez pas en place cette fameuse politique d'égoïsme salvateur, vous perdrez petit à petit vos énergies de protection et deviendrez perméable aux pathologies externes, aux « attaques externes ». Et cette perte d'énergie favorisera aussi l'apparition des « maladies dites internes ». Et donc vous vieillirez précocement.

Donc, étudiez bien les chapitres sur le sommeil, la respiration, la diététique, les qi gong que vous retrouverez dans ce livre.

À retenir

Enfin, une séance devrait être un véritable acte qi gong, un acte de pleine conscience. Il n'est pas question de traiter à la va-vite, « entre deux portes ». Pour que cet état de transmission directe d'énergie entre le patient et le praticien puisse se faire, il est très important de se créer un rituel de soin, un espace de soin qui puisse vous permettre très rapidement de vous mettre à l'écoute de votre âme.

Quelques grandes combinaisons de points

Voyons à présent quelques combinaisons de points que vous pourrez pratiquer sur vous-même en cas de besoin.

Formule 1 : tonification générale

En pratique

Si vous n'aviez à retenir qu'une seule grande formule de tonification générale, que vous pouvez faire selon la technique de digitoponcture, mais aussi en moxibustion, ce serait :

Tableau 14-1 Formule 1 de tonification générale.

20DM, Bai Hui	Les cent réunions	Au sommet du crâne, dans une dépression à l'apex des deux oreilles.	Grand point de tonification du corps et anti-fatigue.
36E, Zu San Li	Trois distances	Face antéro-externe de la jambe, à 3 distances de l'articulation du genou.	Point incontournable de longévité. Booste l'organisme dans son ensemble.
6RM, Qi Hai	Mer de l'énergie	À 2 travers de doigt sous le nombril.	Tonifie l'énergie de tout le corps et aide à la captation de l'énergie de l'air.
17RM, Shan Zhong	Centre du thorax	Sur le thorax, sur la ligne médiane joignant le bout des deux seins.	C'est le grand point pour tonifier l'énergie du haut du corps.

Le but de cette formule est de recharger votre batterie du Rein. Vous devriez l'utiliser à chaque changement de saison, là où votre organisme puise dans ses réserves pour s'adapter. Surtout à l'entrée de l'hiver et à la « montée du printemps ». Mais aussi dans toutes les périodes de stress et de grands changements dans votre vie.

Il est important de suivre l'ordre des points.

Formule 2 : tonification générale

En pratique

Une autre formule très puissante de tonification générale.

Tableau 14-2 Formule 2 de tonification générale.

36E, Zu San Li	Trois distances	Face antéro-externe de la jambe, à 3 distances de l'articulation du genou.	Point incontournable de longévité. Booste l'organisme dans son ensemble.
6Rt, San Yin Jiao	Croisement des trois Yin	Face interne de la jambe, à 3 distances au-dessus de la malléole interne, dans une encoche contre le tibia.	Agit sur les 3 méridiens du Foie, du Rein et de la Rate. Régule tout le Foyer inférieur. Grand point des troubles gynécologiques et sexuels.
11GI, Qu Chi	Étang de la courbe	Bras fléchi, à l'extrémité externe du pli de flexion du coude.	Point « anti-inflammatoire » du Foyer supérieur, mais aussi augmente l'effet des autres points.

4GI, He Gu	Réunion des deux os	Dans l'angle haut, entre le 1er et 2e métacarpien.	Entre autres, grand point qui régule la fonction des Trois Foyers.
6RM, Qi Hai	Mer de l'énergie	À 2 travers de doigt sous le nombril.	Tonifie l'énergie de tout le corps et aide à la captation de l'énergie de l'air.

Formule 3 : anti-fatigue et pour les neurasthéniques

Lorsque vous n'arrivez pas à démarrer le matin, quand vous êtes surmené, cela peut souvent générer des problèmes de stagnation de sang et d'énergie. Cette formule peut aussi être utilisée en cas de neurasthénie plus ou moins chronique.

Tableau 14-3 Formule anti-fatigue et pour les neurasthéniques.

1Rn, Yong Quan	Source jaillissante	Dans une dépression sur la plante de pieds quand celui-ci est en flexion.	C'est le grand point pour booster l'énergie du Rein, calmer le feu du Foie (insomnie 3 heures du matin). Les taoïstes disent qu'il augmente l'espérance de vie.
5C, Tong Li	Libre circulation	Face antérieure du poignet, à 2 doigts au-dessus du muscle cubital antérieur.	Point majeur pour tous les troubles psychiques. Point anti-dépression et anti-excès de pensées.
20DM, Bai Hui	Les cent réunions	Au sommet du crâne, dans une dépression à l'apex des deux oreilles.	Grand point de tonification du corps et anti-fatigue.

Vous pouvez aussi vous masser le point 1Rn, le matin au lever, pendant 36 cycles respiratoires. Mais aussi le soir avant de se coucher. Ce point permet alors de rétablir la liaison Rein-Cœur, et de combattre l'insomnie.

Formule 4 : anti-angoisse

Si vous êtes dans des périodes où l'angoisse et l'anxiété vous submergent, une période que la MTC appelle « l'englument du mental », quand les énergies surtout Yin stagnent dans le corps, une très bonne formule à se faire soi-même :

Tableau 14-4   Formule anti-angoisse.

6CC, Nei Guan	Obstruction interne	Face antéro-médiane de l'avant-bras, 2 travers de doigt au-dessus pli du poignet.	Entre autres, il régularise le Qi, l'énergie, en supprimant les stagnations.
7C, Shen Men	Porte du cœur	Extrémité cubitale du pli de flexion du poignet, entre le pisiforme et le muscle cubital antérieur.	C'est le grand point de l'insomnie, de l'anxiété, de la nervosité et des palpitations.
17RM, Shan Zhong	Centre du thorax	Sur le thorax, sur la ligne médiane joignant le bout des deux seins.	C'est le grand point pour tonifier l'énergie du haut du corps, mais aussi calmer le cœur. C'est le Xanax et le Lexomil chinois !
3F, Tai Chong	Grande abondance	Dans une dépression dans l'angle haut, entre le 1er et 2e métatarsien.	Le grand point de l'insomnie de 3 heures du matin. Il permet de calmer le Foie et surtout l'esprit.

Formule 5 : grande formule pour booster la sexualité

Tableau 14-5   Grande formule pour booster la sexualité.

3Rn, Tai Xi	Grande rivière	Côté interne du pied, dans un creux entre la malléole interne et le tendon d'achille.	Le grand point de la sexualité (impuissance, trouble érectile, éjaculation précoce, libido à zéro).
36E, Zu San Li	Trois distances	Face antéro-externe de la jambe, à 3 distances de l'articulation du genou.	Point incontournable de longévité. Booste l'organisme dans son ensemble. Recharge la batterie du Rein.
23V, Shen Shu	Point Shu du Rein	Mettre les mains sur les deux hanches : se trouve sous L2, à une distance et demie de la colonne vertébrale.	Grand point pour renforcer les lombes, booster la batterie du Rein et agir sur la sexualité.
4RM, Guan Yuan	Barrière de l'origine	À 4 travers de doigt sous le nombril.	Grand point de la sexualité, mais aussi pour lutter contre la stérilité.
6Rt, San Yin Jiao	Croisement des trois Yin	Face interne de la jambe, à 3 distances au-dessus de la malléole interne, dans une encoche contre le tibia.	Agit sur les trois méridiens du Foie, du Rein et de la Rate. Régule tout le Foyer inférieur. Grand point des troubles gynécologiques et sexuels.

On pourrait multiplier les formules à l'infini. Cependant je vous renvoie à tout ce qui a été dit dans le chapitre sur l'acupuncture (chapitre 13), et en particulier à la « méthode de choix des points selon le Pr Leung Kok Yuen » (annexe A). Toutes ces formules pourront être pratiquées en digitoponcture. C'est donc une technique qui va vous faire toucher du doigt, c'est le cas de le dire, ce qu'est l'énergie en MTC. Elle peut être pratiquée par tout un chacun et une fois de plus, elle n'a que très peu de contre-indications. Je pense qu'avant la pratique de l'acupuncture, c'est une très bonne méthode pour aborder « l'énergétique » et les méthodes de prévention et de traitement en MTC.

Chapitre 15

La moxibustion pour tous

DANS CE CHAPITRE :

» À la découverte d'une technique plurimillénaire

» Que pratiquer à chaque changement de saison ?

» Contre-indications

Technique plurimillénaire s'il en est, la moxibustion fait partie intégrante des méthodes de prévention et de traitement en MTC.

Qu'est-ce que la moxibustion ?

Le saviez-vous

C'est un acte thérapeutique ou préventif qui consiste à chauffer une zone, ou un point situé sur un méridien d'acupuncture, à l'aide entre autres d'un « cigare » à base de fleur d'armoise séchée qu'on appelle moxa.

Ce terme viendrait de *mogusha* en japonais qui signifie « brûler de l'herbe ».

En MTC, quand on parle d'acupuncture, on retrouve très souvent le terme Zhen Jiu. Zhen signifiant métal, aiguille, et Jiu signifiant « un feu qui réchauffe lentement ».

Dans le *Nei Jing*, il est dit : « Si l'acupuncture ne fonctionne pas, il faut utiliser la moxibustion. »

Un proverbe très connu en Chine : « Quand la maison possède de l'armoise âgée de trois ans ou plus, on n'a pas besoin de docteur ! »

Mode de fabrication

Un autre terme pour signifier la moxibustion en MTC est Ai Jiu Fa, Ai « armoise », Jiu « cautériser », « chauffer » et Fa « méthode ». En effet, c'est l'armoise qui va servir de vecteur pour chauffer certains points du corps.

L'armoise est une plante médicinale à part entière dans la pharmacopée traditionnelle. Elle a entre autres un très bon pouvoir calorifique et la fumée qu'elle dégage en se consumant est très parfumée. Il est dit qu'elle tonifie l'énergie de la Rate.

Le saviez-vous

Sa fumée est beaucoup moins desséchante que la cigarette, ce qui permet au praticien d'être moins exposé à des effets secondaires.

L'*Artemisia vulgaris*, ou artémise, ou « herbe de Saint-Jean », est cette herbe que l'on faisait brûler à la Saint-Jean pour chasser les démons.

Quand elle monte en fleur, les tiges sont coupées, réunies entre elles, séchées les têtes en bas pour concentrer les substances bénéfiques. Après quelques semaines de séchage, on enlève les brindilles et conserve les feuilles et les fleurs qui vont être broyées très finement. On obtient ainsi du « velours d'armoise », qui peut être conservé sous forme de ballots pendant plusieurs années.

On l'utilise alors soit en vrac soit sous forme de bâtonnets : les fameux « cigares d'armoise ». Pour les fabriquer, on prend de la bourre d'armoise qui va être enroulée très serrée dans du papier de riz.

Je vous conseille de prendre les bâtons traditionnels, car souvent ceux qu'on trouve en Occident se consument beaucoup trop vite.

Action et indications de la moxibustion

Trop souvent, on a tendance à confondre chauffer une région de souffrance avec une bouillotte, une lampe, un sèche-cheveux et traiter avec un moxa. Une moxibustion ponctuelle est beaucoup plus puissante. Bien entendu en raison des vertus thérapeutiques de l'armoise, mais également parce que le point de combustion va émettre une certaine vibration énergétique, une chaleur très particulière qui va pouvoir entrer en profondeur dans l'organisme. Mais aussi grâce à la pénétration des vertus thérapeutiques liées à la plante elle-même. À tel point qu'il existe certains « bâtons de moxibustion » avec un mélange de plantes savamment dosées pour traiter certains types de rhumatisme.

Le saviez-vous

Les principales actions d'un tel traitement sont :

>> De « réchauffer » le sang et l'énergie en cas de froid interne.
>> De faire circuler l'énergie.
>> De vivifier le sang (entre autres par une augmentation des globules blancs) et de débloquer la stase.
>> De rafraîchir la chaleur. Cela peut paraître bizarre de chauffer pour rafraîchir, mais il ne faut pas oublier que si nous sommes en présence d'une stase de sang et d'énergie, celle-ci génère de la chaleur et des gonflements. Puisque l'action de la moxibustion permet de faire circuler, nous pouvons dire que dans certains cas, elle permet de « rafraîchir la chaleur ».
>> Certains points peuvent fortifier les Reins, sous-entendu la « recharge de la batterie du Rein ».

Quelques indications :

En pratique

>> La moxibustion pourra être utilisée par un praticien pour certains rhumatismes surtout liés au vent et au froid.
>> Certaines douleurs articulaires.
>> Son action est aussi très puissante dans le cas d'effondrement de l'énergie de la Rate avec des diarrhées persistantes et un état de faiblesse et de froid interne qui génèrent un amaigrissement très important.
>> Cette technique peut traiter aussi certains cas de stérilité. Nous prendrons un exemple un peu plus loin.
>> Et surtout c'est une grande technique pour booster l'énergie du Rein, augmenter les défenses immunitaires et les facultés d'adaptation.

Les différentes techniques

On distingue deux grands types de techniques, à savoir ce que la MTC appelle la moxibustion directe et la moxibustion indirecte.

La moxibustion directe

L'armoise en vrac se présente sous forme de bourre d'aspect très pelucheux.

Elle peut se façonner facilement avec les doigts pour former des cônes, des petites pyramides ou pourquoi pas des grains de riz. Ces cônes peuvent alors être directement posés sur la peau.

En pratique

Lorsque le praticien a choisi un point à « moxer », il humecte la peau et pose ce cône au bon emplacement. Ensuite, il prend une baguette d'encens et en allume le sommet. Dès que le patient ressent une chaleur importante, on enlève délicatement ce cône pour le remplacer par un autre.

Dans la Tradition, on pouvait répéter sept fois la même opération. Mais cela demande beaucoup de technique de doigté de la part du praticien pour ne pas brûler son patient.

La moxibustion indirecte

C'est de loin la plus courante.

Il est relativement facile de se procurer dans le commerce les fameux « bâtons d'armoise ». Certains sont recouverts d'un papier plus épais qu'il conviendra d'enlever. D'autres portent comme nom *pur moxa rolls* directement marqué sur le papier de riz. Ce papier est à conserver.

Ensuite à l'aide d'un briquet ou d'un bâton d'encens, vous allez allumer votre cigare.

Attention

Une fois allumé, un moxa ne peut plus s'éteindre. C'est pour cela que tout praticien de MTC a dans son cabinet ce qu'on appelle un étouffoir. C'est un petit objet en laiton qui permet d'éteindre très rapidement le bâton. Vous pouvez aussi au préalable préparer un moule avec un papier d'aluminium. Certains utilisent même un étui à cigares. Pas question d'éteindre l'armoise avec de l'eau. Et il serait trop bête d'en couper le bout.

Quand vous utilisez un bâton « vierge », la fumée démarre tout de suite. Lors de la deuxième utilisation, s'est formé, au bout, un cône de charbon. Au rallumage, dès qu'un point rouge apparaît, vous savez qu'il ne peut plus s'éteindre. Mais vous allez gagner 2 à 3 minutes de fumée.

Attention

Pour éviter toute brûlure, les assurances étant plutôt chères en ce moment, vous posez sur la peau du patient le tranchant de la main qui tient le moxa. Vous avez alors beaucoup plus de précision quant au chauffage du point. Et dans certains cas, vous pouvez positionner votre autre main, pouce et index écartés (ce que les Chinois appellent la gueule du tigre), autour du point. Vous constaterez alors vous-même si vous chauffez trop la zone.

Toujours dans la technique de moxibustion indirecte, une autre possibilité est offerte au praticien, celle de façonner un cône d'armoise et de l'enfiler sur une aiguille d'acupuncture. Une fois celle-ci insérée sur un des points choisis, il pourra alors l'allumer et le laisser se consumer jusqu'au bout. La chaleur ira alors directement sur le point d'acupuncture. Il existe à l'heure actuelle ce qu'on appelle des mini-moxas qui sont beaucoup plus pratiques.

En pratique — LA MEILLEURE TECHNIQUE

C'est celle du picotage et non du picorage comme on l'entend souvent dire. Pour les Nuls, dont je faisais partie : le pivert picote, c'est-à-dire qu'avec son bec, il tape toujours au même endroit. La poule picore, c'est-à-dire que sa tête va de droite à gauche pour chercher ses graines.

Une fois le bâton allumé et bien tenu en main, vous allez donc chauffer le point. Vous pouvez faire de légère rotation ou pas, mais le bout incandescent se trouve à 2-3 cm de la peau. Dès que la personne ressent un excès de chaleur, vous relevez un peu le bâton, puis vous le rapprochez de nouveau, d'où le non de « picotage ».

Toute l'opération dure environ de 5 à 15 minutes. Tout dépend de l'indication posée par le praticien.

Bien sûr, de temps en temps, vous tapotez le bâton au-dessus d'un cendrier pour enlever la cendre, comme une cigarette.

À la fin du traitement d'un point, la zone doit être bien rosée, presque rouge.

Que pratiquer à chaque changement de saison ?

Les changements de saison, surtout s'ils sont brutaux, demandent un surcroît d'adaptation pour la batterie de l'organisme. Les deux saisons les plus « dangereuses » pour la santé étant le début de l'hiver, là où l'énergie s'enfonce dans la terre et le début du printemps, si la sève n'arrive pas à monter par manque de force, l'arbre meurt. Il est donc préférable dans ces périodes critiques d'aider l'organisme à booster sa batterie (repos, sommeil régulier, moins manger : ce n'est pas pour rien que le carême se situe à la montée du printemps...). La moxibustion fait partie de cet arsenal préventif.

La moxibustion de longue vie

Nous allons voir ici une moxibustion qui peut être pratiquée par tout un chacun, sans aucun effet secondaire, à l'aide d'un bâton d'armoise. Il s'agit des deux points 36$^{E.}$ Zu San Li, situés sur les côtés externes de la jambe, « à trois distances sous le genou », telle est la traduction littérale du nom chinois de ce point. Une autre traduction beaucoup plus symbolique : dans l'ancien temps où les facteurs marchaient beaucoup, dès qu'ils se sentaient fatigués, ils s'arrêtaient sur le bord du chemin pour masser ou « moxer » ce point. Ils pouvaient alors faire trois lieues de plus !

En pratique — UN PEU DE CUISINE !

Vous allez vous procurer du sel fin de Guérande (évitez le gros sel qui peut éclater). Ensuite dans votre supermarché ou magasin asiatique habituel, achetez une racine de gingembre « jeune » (comme nos pommes de terre nouvelles). Dans une des parties bombées, coupez une rondelle de 2 à 3 mm d'épaisseur, de la taille des anciennes pièces de 5 francs. Percez-la avec le manche d'une aiguille ou une fourchette, de plusieurs petits trous. Certes, les trous vont se refermer, mais cela va augmenter la conduction. Ensuite à l'aide d'un couteau tranchant, coupez une tranche d'une longueur de 1 cm d'un bâton d'armoise.

Vous, ou bien le patient, êtes allongé sur le dos. Vous remplissez le nombril de sel, jusqu'à ce que la zone soit bombée. Vous posez la tranche de gingembre dessus. Et encore au-dessus, le bout du bâton d'armoise. Il n'y a plus qu'à l'allumer et le laisser se consumer jusqu'au bout. Ensuite, vous prenez la tranche de gingembre et renversez la cendre dans un cendrier. Sur la même tranche, vous pouvez remettre un moxa. Si vous faites une autopratique et qu'une urgence s'impose, vous prenez toute la tranche et vous la posez dans le cendrier.

Qu'elle est la finalité de cette recette ? Le nombril est le point 8RM, Shen Que, un point qu'on ne pique jamais, mais qu'on peut chauffer. Il est considéré à juste titre comme la racine de la vitalité. Il tonifie très fortement le Yang, accroît le sang et l'énergie dans tout le corps. C'est l'un des grands points toniques de l'énergie.

Pourquoi cela fonctionne-t-il ? Le sel est la saveur du Rein, mais il est aussi conducteur de chaleur. Le gingembre est chaud et piquant. Il réveille le Yang et fait circuler. L'armoise chauffe et traite.

Quand faire cette cuisine ? À chaque changement de saison pour s'adapter au surplus d'énergie dont le corps a besoin. Mais aussi dans les états de grosses fatigues.

En MTC, c'est un point incontournable de longévité pour prévenir les maladies et préserver la santé. En tonifiant et régulant l'énergie de la Rate, il permet de fortifier l'organisme dans son ensemble. Il est essentiel dans le traitement de toute sorte d'affections dues à l'épuisement. La moxibustion de ce point s'appelle donc « la moxibustion de longue vie ». Un ouvrage classique japonais mentionne l'existence d'une famille de centenaires dont les membres avaient l'habitude de chauffer très régulièrement ces points au moxa. L'un d'eux a pu vivre 242 ans et plus d'une vingtaine était centenaire ! Ce n'est pas moi qui l'ai dit. Je vous laisse seul juge.

Tout taoïste qui pratiquait les méthodes de longévité avait à cet endroit une petite cicatrice. Il ne passait pas par quatre chemins. Après avoir fabriqué avec de la bourre d'armoise un petit grain de riz, il humectait le point avec sa salive et posait l'armoise dessus. À l'aide d'un bâton d'encens, il l'allumait et le laissait brûler jusqu'au bout en évitant de percer la phlyctène qui s'était formée. De nos jours, si un praticien fait cela à son patient, cela lui coûte cher en dommages et intérêts !

Ces points doivent donc être chauffés au moins 10 minutes chacun, à chaque changement de saison et quand on se sent tout simplement fatigué.

Quelques précautions

Quand votre praticien a élaboré une formule après un diagnostic approprié en MTC, et que plusieurs points pourront être chauffés, il doit respecter un certain ordre dans le traitement. Il est dit ainsi qu'il convient de commencer à traiter le côté Yang avant le côté Yin. Il commencera donc par le dos avant la poitrine, par le côté ciel (tête et membre supérieur) avant le côté terre (membres inférieurs).

Chez les personnes âgées et chez les enfants, le temps de moxibustion doit être raccourci.

Le saviez-vous

Il est dit dans les textes qu'après une séance, on ne doit pas prendre de douche ni se laver les mains à l'eau froide. Au contraire, il serait bon de boire une tasse de thé, ou toute autre boisson chaude, pour aider à l'élimination des toxines.

Ne jouez pas à l'automédication. Seul un thérapeute formé à la MTC sera à même d'élaborer la formule adéquate, et vous donnera, pourquoi pas, un bâton d'armoise pour continuer le traitement chez vous. Ceci ne s'applique pas forcément aux formules de tonification données précédemment.

Utilisez les véritables bâtons d'armoise et évitez de prendre les moxas dits « sans fumées » ou « sans odeurs ». On n'est plus du tout dans la Tradition et le peu de fumée qui s'en dégage est souvent toxique.

La fumée est dense et très odorante. Il faut s'y faire. Pour les cabinets, il existe des extracteurs de fumée. Je vous rappelle que cette fumée est beaucoup moins asséchante que celle de la cigarette, quant aux liquides organiques.

Si vous pratiquez dans un appartement mal isolé, vos voisins risquent de penser que vous vous êtes mis à fumer quelques herbes aphrodisiaques !

Contre-indications

Que vous chauffiez vous-même certains points, ou que ce soit un praticien, il faut éviter de faire un tel traitement juste après une grosse fatigue physique, un repas trop important ou une perte de semence pour les hommes. De même, si vous venez de subir une grosse contrariété ou une grande peur. Les effets risquent alors d'être contraires.

 Très important : la moxibustion ne convient pas aux tumeurs malignes, surtout quand on est en phase de développement accéléré. Dans certains cas, le praticien pourra aider le patient à se « reconstituer » en utilisant certains points à distance. Mais jamais à côté du foyer de la tumeur. L'action de dispersion de la stagnation liée à l'armoise et à la chaleur risque alors de disséminer les cellules cancéreuses.

Et évidemment, on n'aura de cesse de le répéter, évitez toute automédication.

Chapitre 16
Éléments de pharmacopée

DANS CE CHAPITRE :

- » **La théorie des signatures**
- » **Les quatre natures et les cinq saveurs**
- » **Les sept types d'ordonnance**
- » **Les formes galéniques des prescriptions**
- » **De l'art de combiner les remèdes entre eux**

La pharmacopée traditionnelle chinoise remonte à la nuit des temps. Elle est l'une des plus élaborées et des plus anciennes que nous connaissions.

Shen Nong, personnage mythique s'il en est, fut le découvreur des vertus du thé et des plantes médicinales. Pour la petite histoire, chaque fois qu'il s'intoxiquait avec une nouvelle plante inconnue, il se servait des vertus de nettoyage du thé pour se guérir.

Bref, il laissa un des premiers compendiums de pharmacopée chinoise, le *Shen Nong Ben Ca Jing*, réunissant plus de 360 espèces.

Avec l'acupuncture, la pharmacopée fait partie des deux méthodes curatives et complémentaires en MTC, qui ne sollicitent pas la coopération du patient.

Le saviez-vous

Un médicament, une formule se dit Yao en chinois. Cela peut être un seul produit ou bien une formule, une combinaison de plusieurs produits.

La plupart de ces Yao sont composées en majorité de végétaux, ensuite de minéraux et une part plus réduite pour les produits animaux. La part végétale constitue 80 % de cette pharmacopée.

En effet, on considère de manière tout à fait générale que l'action des végétaux est plus douce et donc suffisante éventuellement quand la maladie est bénigne. En revanche, les minéraux et les produits animaux sont plus toxiques. Ils ont des saveurs et des énergies beaucoup plus prononcées et deviennent nécessaires quand la maladie est très grave.

Nous allons voir qu'une plante, un minéral ou un produit animal possède pour les différencier une nature et une saveur. Mais aussi une couleur, une odeur, une texture et un organe ou un méridien cible de prédilection. Ceci est aussi valable pour tous les produits végétaux ou animaux que nous aurons dans notre assiette.

Certaines de ces formules sont très connues en MTC et vont traiter des syndromes bien particuliers.

Mais il existe un autre aspect passionnant de ce type de traitement. Celui d'adapter une formule au gré de l'évolution des symptômes que le patient présente au jour le jour. Le praticien va devoir procéder pour ce faire à une évaluation des forces respectives qui sont en présence. D'un côté, nous aurons l'énergie droite, l'énergie de défense du patient, ce que nous avions appelé en introduction de ce livre le Zheng Qi, l'énergie droite. De l'autre l'attaquant, « la force de l'agent pervers », le Xie Qi. Pour évaluer ce rapport de force, le praticien devra établir un diagnostic très précis en s'appuyant sur les Ba Gong, les « huit règles ». C'est en se fondant sur ce type de diagnostic qu'il va établir les bases thérapeutiques de manière à combattre la maladie et se coller au plus près de son évolution.

Deux stratégies vont donc s'offrir à lui :

À retenir

- » Soit reconstituer le Zheng Qi, tonifier l'organisme pour que celui-ci puisse de nouveau s'autoguérir ;
- » Soit disperser l'agent pervers, disperser le Xie Qi, en diminuer la force pour que le corps puisse reprendre le dessus.

La théorie des signatures

Avant d'aller plus loin dans cette étude, intéressons-nous à l'un des fondamentaux de la pharmacopée chinoise : « la théorie des signatures ».

En Occident, dès le 1er siècle av. J.-C., Dioscoride est l'un des premiers à véhiculer cette idée. *Simila similibus curantur*, « les semblables soignent les semblables ».

L'idée de la signature a été reprise à la Renaissance par Paracelse (1540). Une simple observation directe d'une plante permettait d'en découvrir le mode d'emploi. Un cadeau fait à l'homme en quelque sorte, un présent de Dieu, à ceux qui voulaient bien faire l'effort de voir les choses cachées derrière les choses. Il n'y aurait donc qu'à observer la forme des végétaux, leur couleur, le lieu où ils poussent, pour en déduire les applications qu'on peut en tirer. C'est ainsi que les plantes « signent » leur usage. « Tout ce que la nature crée, écrivait-il, elle le forme à l'image de la vertu qu'elle entend y attacher. »

Un exemple : le saule. Cet arbre pousse dans les zones humides, aux bords des étangs et des marais. Il doit alors soigner les maladies provoquées par ce milieu. C'est pourquoi Paracelse le préconisait pour soigner les rhumatismes et les fièvres.

Mais cette théorie remonte à la nuit des temps en Chine. Elle est même à la base de toute la médecine chinoise. Elle stipule donc que tout ce qui a été créé dans la nature doit d'une façon ou d'une autre contribuer à conserver ou recouvrer une bonne santé.

Chaque plante a une forme, une odeur, une saveur, une couleur, un habitat spécifique. Mais aussi dans une plante il y a les racines, l'écorce, les feuilles, la graine, la fleur, la tige. Tout cela a une signification, une « signature » qui permettait aux anciens d'en déduire les principales indications quant à leurs propriétés thérapeutiques et préventives.

Par exemple depuis la nuit des temps, on savait que le cerneau de noix ayant la forme des circonvolutions du cerveau et sa couleur nacrée ne pouvait qu'avoir une action spécifique sur celui-ci !

Il existe un champignon très connu en Chine, qui a la forme d'une éponge de mer et évoque les alvéoles pulmonaires. C'est la tremelle en fuseau (*tremela fuciformis*). Ce champignon présentant de nombreuses similitudes avec le Poumon, il était logique qu'on le testât dans ce sens-là. En effet, il « nourrit » et humecte le poumon en dissipant les accumulations de mucosités et s'oppose aux crachats hémorragiques. Encore plus loin, comme ces champignons sont capables de survivre dans des conditions climatiques très rudes, ils renforcent la résistance au froid.

On pourrait citer comme cela des centaines d'exemples de ce type.

Mais, comme il a été dit plus haut, cette théorie s'applique aussi aux différentes parties d'une plante. Comparons par exemple les effets de la graine de café et de la feuille de thé. Le café provient de la graine du caféier. Une graine est énergétiquement très chargée, très concentrée. Une simple graine peut donner un baobab ! Sa concentration en énergie va être « booster » par la torréfaction qui va « yanguiser » ses effets. Le café excite le Foie, fait monter le Yang vers le haut et empêche de dormir. À l'inverse, le thé provient des feuilles naissantes du *camelia sinensis*. Ces propriétés sont beaucoup plus légères, aériennes. C'est pour cela qu'il est dit en médecine chinoise que « le café excite le mental alors que le thé ouvre ce même mental ».

Nature, saveur et lieu d'action

Que ce soit les produits végétaux, minéraux ou animaux, on retrouvera pour chacun d'eux essentiellement deux paramètres importants qui détermineront leurs propriétés, leurs actions thérapeutiques On va ainsi parler des « quatre Qi », les « quatre natures » et des « cinq saveurs ». On en rajoute un troisième critère, à savoir le lieu d'action de la drogue.

Les quatre natures

Les quatre Qi sont :

- ❯❯ Le froid ;
- ❯❯ Le frais ;
- ❯❯ Le tiède ;
- ❯❯ Le chaud.

On y adjoindra une cinquième nature, un cinquième Qi, qui est la nature neutre. La neutralité pure n'existe pas. Cela veut juste dire que la saveur est très peu marquée. Ici, le mot Qi à deux sens, la nature ou l'odeur.

Dans le *Nei Jing*, il est dit : « En présence de froid, utiliser le chaud ; en présence de chaleur, utiliser le froid. »

Les drogues qui améliorent ou éliminent les symptômes de chaleur sont considérées comme de nature froide ou fraîche, comme Huang Qin, la racine du scutellaire indiquée en cas de fièvre avec soif et gorge douloureuse.

Des drogues capables de réchauffer le centre, de disperser le froid seront de nature chaude ou tiède comme Gan Jiang, la racine de gingembre.

À retenir

Les drogues de nature tiède ou chaude permettent de réchauffer l'interne, de disperser le froid, d'aider le Yang, de reconstituer le feu et de désobstruer les vaisseaux.

Au contraire, les drogues de nature froide ou fraîche peuvent rafraîchir la chaleur, disperser le feu, « refroidir » le sang, neutraliser les toxines de la chaleur.

Le frais et le froid sont de nature Yin, alors que le chaud et le tiède sont Yang. Mais dans le premier groupe, le Yin peut être d'intensité différente : on parle de froid et de frais. Comme pour les drogues Yang où l'on parle de tiède ou de chaud.

La cinquième nature, la nature modérée s'applique aux drogues qui n'ont pas d'action réchauffante ou refroidissante évidente. En réalité, il existe toujours une tendance un peu chaude ou un peu froide. C'est la raison pour laquelle on parle de « quatre natures » et non de cinq.

Dans notre alimentation, l'aliment neutre par excellence est le riz.

Le praticien fera toujours attention à bien prescrire la drogue appropriée à l'effet qu'il veut obtenir. Si par exemple il prescrit par erreur des drogues de forte intensité (chaude ou froide) là où une intensité moindre (fraîche ou tiède) est requise, il peut y avoir des complications.

Les cinq saveurs

Ces cinq saveurs vont conditionner les effets des médicaments et elles permettent au praticien de modifier à volonté la formule d'un produit pour ajuster très précisément l'effet qu'il doit avoir. On différencie les cinq saveurs en deux groupes.

Les saveurs piquantes et la saveur douce

La saveur sucrée est comprise dans la saveur douce. C'est par exemple la saveur caractéristique du ginseng. Ces deux saveurs sont de catégorie Yang.

> » **La saveur piquante est une saveur qui a une action dispersante sur le Qi, l'énergie.** Elle agit sur le Qi parce que celui-ci est léger. On dit qu'elle favorise le Qi. C'est en plus une saveur qui va au Poumon.

> » **La saveur douce quant à elle est une saveur ralentissant. Elle ralentit, calme.** Elle est néanmoins classée comme Yang parce qu'elle a la propriété de nourrir le corps. C'est la saveur qui caractérise les aliments qui construisent le corps comme les céréales et entre autres le riz. Elle est transformée par la Rate et donne la base du sang et de l'énergie. En réalité, cette saveur a comme propriété de faire monter les essences nutritives à partir de la Rate. Elle favorise le travail d'ascension de la Rate de même que sa fonction digestive qui lui permet d'extraire les principaux nutriments du bol alimentaire.

Les saveurs acides, amère et salée

Ces trois saveurs sont de nature Yin.

> » **La saveur acide, aigre à la propriété de concentrer, d'être particulièrement utile pour retenir les liquides à l'intérieur du corps.** C'est une action anti-sudorifique. Elle permet également de réduire la perte de liquide par l'excès d'urines. On l'utilise chaque fois qu'il y a trop de liquide qui sort du corps. Elle a une action de constriction. C'est exactement l'inverse de l'action Yang de la saveur piquante, dispersante.
>
> » **La saveur amère a pour priorité essentielle de lutter contre l'humidité.** C'est une saveur qui assèche les liquides. Elle est en plus descendante. C'est une saveur que l'on doit prendre quand on veut faire descendre un feu qui brûle, de même quand on veut favoriser les purgations, favoriser les selles.
>
> » **La saveur salée, elle, est une saveur qui ramollit.** Elle ramollit tout ce qui est induré dans le corps. Tout ce qui représente une concentration de matière dans le corps relève de cette saveur. Elle favorise également l'évacuation des selles par son action ramollissante.

Voici donc les actions essentielles des cinq saveurs. Mais n'oubliez pas la chose suivante, c'est qu'en excès, une saveur se retourne contre son organe cible. On peut alors obtenir l'effet inverse de celui escompté. Par exemple, l'amer lutte contre l'humidité. Mais un excès d'amertume (café, chocolat) se retourne contre l'organisme, entraîne un état de froid interne, et donc favorise l'apparition d'humidité !

Différence entre saveur et nature

Un aliment qui présente une certaine saveur présente également une certaine nature. Mais ce n'est pas toujours « traditionnel ».

Le Qi, la nature de la plante, est attribué au produit lui-même dont l'origine est le ciel, la partie Yang descendante. Le Wei, la saveur, c'est la terre qui la donne. C'est pour cela que l'on dit que « la terre donne les cinq saveurs ».

Et d'ailleurs ce Qi qui est sa nature, c'est aussi l'odeur de la plante. Il y a des plantes qui ont une forte odeur et très peu de saveur. D'autres ont beaucoup de saveur et très peu d'odeur.

C'est pourquoi les médecins traditionnels sélectionnaient leurs plantes selon ces critères. Ils pouvaient même apprécier leurs effets simplement en la regardant pour voir la forme et la couleur (théorie des signatures), en la sentant puis en la goûtant.

La combinaison de ces deux éléments donne une nature globale à la plante qui est donc son Qi, sa nature, son caractère propre qui peut donc être soit Yin, soit Yang, soit frais, froid, tiède ou chaud.

Prenons un exemple : l'alcool est généralement de saveur piquante et sa nature est chaude. La menthe est aussi un produit piquant, mais de nature fraîche.

De même pour la saveur douceâtre. Il y a une saveur douceâtre de nature chaude comme le ginseng. Une saveur douceâtre de nature fraîche comme la pastèque.

Certains produits peuvent avoir en même temps un, deux voire trois saveurs.

Fondamentalement, aucun produit n'est neutre. Tout produit est forcément plutôt Yang ou plutôt Yin. On peut parler néanmoins de produits neutres pour certains aliments comme le riz, le pain bien qu'il ait une légère dominante Yang.

Lieu d'action

Chaque drogue se dirige vers un méridien et l'organe qui lui correspond.

À retenir

Dans le *Nei Jing* il est dit : « L'acide entre dans le Foie, l'amer dans le Cœur, le piquant dans le Poumon, le salé dans le Rein et le doux dans la Rate. L'acide part pour rejoindre les tendons, l'amer le sang, le piquant le Qi, l'énergie, le salé les os et le doux la chair. »

Petit à petit, issue de l'expérience, la connaissance des lieux d'action a permis de mieux cibler l'effet du traitement.

Prenons l'exemple de l'asthme ou de la dyspnée. Deux organes peuvent être incriminés, le Poumon ou le Rein. Une fois l'organe incriminé trouvé, on choisira la drogue adéquate. Si c'est le Poumon et qu'il y a un blocage du Qi, on prendra Ma Huang, l'éphédra, qui a pour lieu d'action le Poumon. Si la cause de l'affection est liée au Rein, le praticien prescrira Ge Jie, le gecko, qui reconstitue le Rein et favorise la rétention du Qi.

Élaboration d'une formule

Nous allons aborder à présent « l'art de combiner les remèdes entre eux » afin d'avoir un résultat ciblé plus précis que l'utilisation d'une simple plante ou autre.

Les huit méthodes thérapeutiques

Ces huit méthodes, encore appelées Ba Fa en chinois, sont :

- >> La sudorification, Han ;
- >> La vomification, Tu ;

- » La purgation, Xia ;
- » L'harmonisation, He ;
- » Le réchauffement, Wen ;
- » Le refroidissement, Qing ;
- » L'élimination, Xiao ;
- » La tonification, Bu.

Ces huit méthodes constituent un outil de premier plan pour la pharmacopée chinoise et elles restent aujourd'hui utilisées par l'immense majorité des praticiens.

La sudorification, Han

C'est une méthode qui consiste à provoquer la transpiration par ouverture des espaces interstitiels, les pores de la peau, ce que l'on appelle les Ku Li. On peut ainsi évacuer la perversité des six excès climatiques résidant dans la surface du corps.

La sudorification, non seulement provoque la transpiration, mais également :

- » Expulse la perversité vers l'extérieur ;
- » Dissipe la perversité de la superficie ;
- » Dégage l'énergie et le sang ;
- » Harmonise l'énergie de défense, Wei Qi, et l'énergie nutritive, Ying Qi.

En pratique

On peut aussi utiliser cette méthode pour repousser vers l'extérieur la perversité au stade précoce des maladies éruptives de l'enfant telles que la rougeole, lorsque l'éruption se développe difficilement ou tarde à se produire.

On peut aussi s'en servir, en présence d'œdèmes plus marqués dans la partie supérieure du corps, dans les stades précoces des affections pustuleuses ou ulcéreuses ou en présence d'un syndrome de Biao, de superficie avec alternance de chaud et de froid.

En fonction de la présence de chaleur ou de froid, de l'état de la perversité ou de l'énergie droite, de la constitution physique du patient, il est possible de provoquer de la sudorification avec des produits piquants et tièdes ou avec des produits piquants et froids.

Nous verrons qu'il est aussi possible de combiner des méthodes de sudorification et de tonification.

La vomification, Tu

Cette méthode permet, comme son nom l'indique, d'expulser par la bouche, en provoquant le vomissement, les mucosités, les aliments ou les substances toxiques qui stagnent au niveau de la gorge, du thorax, du diaphragme ou de l'estomac.

Dans le *Su Wen*, il est dit : « Ce qui est en haut du corps doit passer par le dessus. »

Si la vomification est ponctuellement une méthode très efficace, elle peut provoquer, lorsque c'est répétitif, une irritation de l'œsophage et de la gorge. Son action très puissante au niveau du diaphragme et de l'estomac peut facilement léser l'énergie véritable. C'est un mécanisme qui risque de se retourner contre le patient. Je pense ici aux troubles obsessionnels compulsifs liés à un blocage du Foie, la « boulimie ».

Les praticiens des époques postérieures au *Nei Jing* ont préféré réserver son usage dans des situations cliniques aiguës, pour évacuer rapidement les perversités de type plénitude.

La Purgation, Xia

C'est une méthode qui est avant tout utilisée lorsqu'il y a une stagnation d'aliments ou de matières dans les intestins ou l'estomac. Mais aussi, quand il y a des bouchons fécaux, des problèmes de chaleur (inflammation) de type plénitude, d'amas froids, de stases sanguines, d'amas de Tan ou de liquides.

Dans le *Su Wen*, il est dit : « Ce qui est en bas, il faut le tirer et l'éliminer. Dans les plénitudes du centre, il faut drainer vers l'abdomen. »

En gros, si on ne peut pas évacuer la maladie par le haut, on utilise Xia Fa en cas de stagnation dans le Foyer moyen ou inférieur pour évacuer vers le bas.

C'est évidemment la grande méthode lorsqu'il y a de la constipation, l'accumulation de selles sèches, le blocage des selles dû à l'accumulation de chaleur, le blocage du Tan ou des liquides, l'accumulation des stases sanguines.

En fonction de la présence de froid ou de chaleur, de l'état de l'énergie droite ou de la force de la perversité, on distingue différents types de purgation :

- La purgation froide, Han Xia ;
- La purgation chaude, Wen Xia ;
- La lubrification, Run Xia ;
- La purge drastique ;
- ainsi que l'emploi simultané des méthodes d'attaque, Gong et de tonification, Bu, et leur combinaison avec d'autres méthodes thérapeutiques.

Chapitre 16 : Éléments de pharmacopée

Il faut savoir que dans cette méthode, l'action diurétique est secondaire dans la réduction de Shi et de Tan. Le principe de la purgation se fait prioritairement par les selles.

L'harmonisation, ou régulation, He

Cette méthode a pour objectif de réduire ou d'expulser l'agent pathogène par un effet dit de « conciliation », He Jie, et d'harmonisation. He Jie est une contraction de l'expression signifiant « harmoniser la profondeur et libérer la superficie ».

On applique ce traitement dans les cas où la perversité ne se retrouve plus en superficie, mais pas encore en profondeur. L'expression chinoise est *ben biao ben li*, « à moitié dans la superficie, à moitié dans la profondeur ».

Cette méthode permet donc d'harmoniser la profondeur et de libérer la superficie. Elle permet d'harmoniser l'ensemble des activités fonctionnelles de l'organisme afin de lui permettre de revenir à son équilibre physiologique.

Elle traite les dysharmonies entre les Zang et le Fu, les organes et les viscères, l'énergie et le sang, le Yin et le Yang. Mais aussi dans les syndromes caractérisés par un déséquilibre entre le froid et le chaud, dans les syndromes complexes où se mêlent déficience et plénitude.

En pratique

On peut appliquer cette méthode dans de très nombreuses situations comme :

>> La pénétration de Han Xie, la perversité froide dans l'organisme ;

>> Les syndromes paludéens, Nue Ji ;

>> Les dysharmonies entre le Foie et la Rate, entre les Intestins et l'Estomac, entre l'énergie et le sang, etc., afin de retrouver l'équilibre et arriver ainsi à chasser l'agent pathogène et rétablir la santé.

On peut donc considérer que c'est un traitement neutre lié par exemple aux troubles psycho-émotionnels. On fortifie alors l'équilibre psychologique.

Dans les pathologies où il y a alternance entre le froid et le chaud, la maladie a un double aspect, les symptômes sont contraires et l'on rétablit alors l'équilibre comme dans le paludisme. Mais aussi dans les déséquilibres Yin-Yang où il n'y a pas d'excès important de Yin ou de Yang. On travaille sur les deux de manière antagoniste.

Le réchauffement du Li, de l'interne, ou calorification, Wen

Cette méthode consiste à chasser le froid et à restaurer le Yang en utilisant des principes comme réchauffer la profondeur, Wen Li, expulser le froid, Qu Han, faire revenir le Yang, Hui Yang.

Dans le *Su Wen*, il est dit : « ce qui est froid, le réchauffer » ou « traiter le froid par la chaleur ».

Le saviez-vous

Les syndromes de froid interne peuvent être dus à la pénétration de froid externe directement dans la profondeur, par l'emploi erroné de médicaments de nature froide blessant l'énergie Yang.

Un autre cas est l'insuffisance de Yang originel engendrant directement un froid interne.

Dans les stases localisées entraînant des douleurs dans la cavité abdominale principalement.

En pratique

Cette technique peut prendre différentes formes selon que le froid se trouve au niveau des organes ou des viscères, des méridiens ou des collatéraux. On peut ainsi :

>> Réchauffer le centre et chasser le froid ;

>> Faire revenir le Yang et sauver le malade ;

>> Réchauffer les méridiens et disperser le froid.

Comme les états de déficience et de froid se retrouvent très souvent ensemble, on combine souvent la tonification et le réchauffement.

Le refroidissement, ou clarification, Qing

Cette méthode a pour but de traiter les syndromes de profondeur, du Li, et de chaleur, Re, en tempérant la chaleur et en neutralisant les toxines.

Dans le *Su Wen*, on peut lire : « ce qui est chaud, le refroidir » et « traiter la chaleur par le froid ».

La chaleur peut résider dans la couche du Qi, de l'énergie, dans celle de la nutrition ou dans celle du sang.

Dans les cas graves, elle devient toxique. De Re, elle passe à Du et peut affecter n'importe quel organe ou viscère.

Le refroidissement peut prendre différentes formes comme :

- Tempérer la chaleur dans la couche du Qi ;
- Rafraîchir la nutrition et le sang ;
- Rafraîchir simultanément l'énergie et le sang ;
- Tempérer la chaleur et éliminer les toxines.

Le champ d'application de cette méthode de clarification est très vaste. Il y a une règle qu'il ne faut pas perdre de vue : « Si dans les stades d'une affection de chaleur les Jing Ye, les liquides Yin, sont lésés, ou lorsque la déficience de Yin s'accompagne de l'embrasement du feu entraînant l'apparition de la chaleur, il est impératif d'entretenir le Yin tout en tempérant la chaleur. On ne peut pas alors employer de drogue de nature amère et froide. »

C'est donc une méthode pour traiter les Re Bing, les maladies de chaleur.

L'élimination, la réduction, la dispersion, Xiao

Cette méthode vise à réduire progressivement et à dissoudre lentement les formations pathologies concrètes (le Tan) qui peuvent apparaître aux dépens de l'énergie et du sang ou à partir des productions muqueuses, des aliments, des liquides ou des parasites.

Dans le *Su Wen*, il est dit : « Le dur, il faut le fractionner, les conglomérats, il faut les dissoudre. »

Prises au sens large, ces méthodes visent à :

- Expulser les mucosités ;
- Expulser l'humidité ;
- Éliminer les parasites ;
- Réguler l'énergie ;
- Réguler le sang.

On entend aussi par Xiao, l'élimination, les méthodes qui servent à favoriser la digestion des aliments et conduire le stagnant, réduire les masses et disperser les accumulations.

Rappelons-nous que Qi Yu, la stagnation de Qi, est le point de départ de toutes les stagnations et qu'elle est directement liée au Foie, Gan. Il se produit alors une sensation de tension intérieure, puis les signes suivants peuvent apparaître comme des douleurs aux côtes, aux flancs, dans l'abdomen, des difficultés à avaler, des grosseurs à la gorge, des menstrues perturbées chez la femme.

C'est une méthode que l'on appliquera par exemple pour les fibromes qui correspondent à un Qi Yu, à une stagnation de Qi, avec des signes de Yu Xue. La couleur du sang est alors foncée. Il n'y a pas de caillots. Qi Yu comprend aussi les kystes d'eau.

Xiao, l'élimination se combine avec un léger effet Bu, de tonification, si on veut faire circuler. En faisant circuler, on aide à la résolution des stagnations.

La tonification, Bu

La tonification vise à reconstituer et à nourrir l'énergie, le sang, le Yin ou le Yang de l'organisme, d'un organe ou d'un viscère, lorsque ceux-ci sont en état de déficience ou d'endommagement.

Dans le *Su Wen*, il est indiqué : « Ce qui manque, il faut le compléter. » La tonification permet donc de retrouver un équilibre.

En outre, lorsque l'énergie droite affaiblie n'est plus en mesure de résister à la perversité, au Xie Qi, ou n'est plus capable d'expulser cette perversité, il est possible de recourir à la tonification est ainsi de « soutenir le physiologique pour chasser le pathologique ».

À partir de ce constat, de très nombreuses formes de tonification peuvent s'exercer :

- Celle du Yin, Bu Yin ;
- Du Yang, Bu Yang ;
- De l'énergie Bu Qi ;
- Du sang, Bu Xue ;
- Du Cœur, Bu Xin ;
- Du Foie, Bu Gan ;
- De la Rate, Bu Pi ;
- Du Poumon, Bu Fei ;
- Du Rein, Bu Shen ; etc.

Si le Yin et le Yang sont tous les deux déficients, ou si l'énergie et le sang sont simultanément insuffisants, il faut harmoniser en même temps le Yin et le Yang et tonifier ensemble l'énergie et le sang.

Ces différentes formes de tonification se retrouvent également au niveau des cinq organes.

Les quatre rôles d'une plante

Nous allons voir maintenant qu'au sein même d'une formule, chaque plante, chaque drogue va tenir un rôle bien particulier.

Dans chaque formule, quel que soit le nombre de produits, la drogue entrera dans une de ces quatre catégories :

- L'Empereur ;
- Le Ministre ;
- Le Fonctionnaire ;
- L'Ambassadeur.

Le produit Empereur est en relation avec le but de la prescription.

En fonction du but du traitement, il y aura un ou plusieurs produits qui seront particulièrement concentrés dont l'action essentielle correspondra justement l'effet que l'on doit obtenir.

Ce sont donc les produits les plus puissants dans l'action recherchée pour l'ensemble de la formule.

Très souvent, malgré le nombre de produits existant en pharmacopée chinoise, les produits qui représentent réellement une action très précise et très puissante ne sont pas assez nombreux. Il convient alors de leur adjoindre d'autres produits qui n'ont peut-être pas pour effet essentiel le but du traitement, mais qui parmi leurs propriétés thérapeutiques très nombreuses, ont une indication dans ce sens.

Si par exemple on veut tonifier le Foie, le produit essentiel peut être un produit unique. Mais on peut y adjoindre un autre produit qui agit normalement sur le Cœur, mais qui a pour effet secondaire de tonifier le Foie. C'est un produit dont l'action est moins forte. Il sera là en complément. On le rajoute au produit Empereur. C'est un phénomène d'assistance. C'est ce que l'on appelle le produit Ministre.

On peut considérer que ces deux produits sont les deux principaux de la formule.

Le troisième est le produit Fonctionnaire. C'est une hiérarchie dans la fonction publique chinoise. Le rôle de ce produit est de prévenir les effets négatifs des produits principaux.

Le quatrième type d'ingrédient remplit deux rôles essentiels. On lui attribue généralement une fonction diplomatique, c'est le produit Ambassadeur. Il est assimilé sur le plan hiérarchique à un commercial, un intermédiaire. Il permet aux différents ingrédients de pouvoir fonctionner ensemble. C'est un coordinateur qui fait un lien entre les différentes actions des autres produits.

Il a un deuxième rôle également, c'est de diriger la prescription dans le corps. C'est en général le produit Ambassadeur qui amène les propriétés des précédents là où elles doivent agir dans l'organisme.

Voilà les quatre types de produits auquel on aura à faire. On parlera de produits principaux dans la mesure où ils exécutent le but de la prescription et on parle de produits secondaires dans la mesure où ils complètent les précédents.

Les sept types d'ordonnance

Nous avons donc vu les quatre types de Yao, de médicaments entrant dans une prescription. Nous connaissons la nature, la saveur, le tropisme de chaque plante. Après un diagnostic précis (observation, palpation, interrogatoire), nous savons ce que l'on veut obtenir avec une formule (les huit méthodes thérapeutiques). Nous connaissons la hiérarchie des différents composants de cette formule. Nous allons voir maintenant les « *sept types d'ordonnance* ».

Nous avons successivement :

- la grande ordonnance,
- la petite ordonnance,
- l'ordonnance lente,
- l'ordonnance rapide,
- l'ordonnance à action unique,
- l'ordonnance à action multiple,
- l'ordonnance complexe.

Ces sept ordonnances se justifient en fonction des maladies.

La **grande** et la **petite** ordonnance se différencient essentiellement par le nombre de symptômes que l'on veut prendre en compte. Étant donné une certaine maladie, si elle est dans un état relativement avancé, comprenant de nombreux symptômes, il va être important de prévoir de nombreux produits. Une ordonnance petite concerne les maladies moins graves et qui présentent des symptômes en quantité moins importants en nombre et en variété. Quand il y a 3, 4, 5 produits, c'est une petite ordonnance. Quand il y a 10, 15, 20 produits, c'est une grande ordonnance.

En ce qui concerne l'ordonnance **lente** et **rapide**, ici le critère déterminant est la tonification et la sédation.

Quand on a essentiellement un état de faiblesse, que l'on veut tonifier, il faut procéder de façon lente, par nécessité, car il n'est pas possible de tonifier rapidement. L'ordonnance rapide, c'est l'inverse. Elle est nécessitée par le fait que la maladie est Yang, en plénitude, qu'elle a une progression extrêmement rapide. Même si elle n'est pas encore dangereuse, elle progresse rapidement. C'est le cas en particulier des maladies saisonnières, des maladies de la chaleur ou de toutes les maladies où c'est une perversité qui évolue très rapidement. Ce n'est en principe pas le cas d'une maladie interne due aux émotions ou aux blessures par exemple qui progresse lentement et se manifeste progressivement.

Action unique et action multiple

L'action unique et **l'action multiple** se rapportent également aux différentes spécificités de la maladie.

» La formule **à action unique** est en général composée d'un seul ou de deux produits à action très rapide. Si par exemple, il y a une certaine maladie qui présente une évolution grave et dangereuse, il convient d'appliquer un seul produit contre cette maladie, quels qu'en soient les effets secondaires de ce produit. On ne fait pas de raisonnement. On ne prévoit pas de contrepoison. On emploie un ou deux produits qui ont tous la même action. C'est avant tout une action dispersante. On considère de ce fait que l'ordonnance est une ordonnance forte et très violente. On la considère comme étant de type Yang. Cette ordonnance dite « ordonnance Yang » n'est pas due à la nature de ses produits, mais à l'action du produit sur le Yang dans le corps.

» On lui oppose une **ordonnance double**. C'est une ordonnance que l'on appelle encore « Yin et Yang mélangés ». C'est une ordonnance qui contient également très peu de produits, mais où on donne deux produits antagonistes. Et dans ce cas l'effet final est l'obtention d'un résultat plus lent.

» **L'ordonnance complexe** concerne les maladies qui sont le résultat de la superposition de plusieurs maladies. Par exemple, si le Rein est faible, si le Foie est pléthorique, on va combiner deux ordonnances, l'une pour le Rein, l'autre pour le Foie. Si en même temps le Poumon présente un certain état pathologique, on peut rajouter une troisième ordonnance. On met les trois ordonnances ensemble et on compose une ordonnance complexe.

Exemple d'une formule : un simple rhume

Nous allons prendre à présent un exemple de formule que l'on pourrait utiliser lors d'une banale « attaque externe », de type rhume simple, par une agression du vent et du froid. En médecine chinoise, la perversité froide est facile à appréhender. Le vent, c'est le vent du climat, mais aussi tout ce que véhicule le vent, à savoir les microbes, les virus, etc. On utilisera une formule très connue en Chine, à savoir : Gui Zhi Tang, décoction à base *de ramulus cinnamomi*, composée de cinq ingrédients :

- *Ramulus cinnamomi*, rameau du cannelier : 10 g ;
- *Radix paeoniae albae*, racine de pivoine blanche (racine pelée et découpée en tranche) : 10 g ;
- *Radix glycyrrhizae*, racine de réglisse sautée au miel : 6 g ;
- *Rhizoma zingiberis recens*, gingembre jeune : 10 g ;
- *Fructus jujubae spinosae*, le jujube : 5 pièces.

Préparation

Les trois premières plantes sont hachées et les cinq ingrédients de la prescription sont mis dans un litre et demi d'eau, réduits à feu doux jusqu'à obtention d'environ 60 cl de décoction. On filtre, on en boit environ 20 cc à température chaude. Après quelques instants, il faut consommer un gruau de riz clair bien chaud, pour renforcer l'action des drogues. Puis il faut se couvrir chaudement. Une transpiration légère doit couvrir tout le corps. Elle ne doit pas sortir à grosses gouttes sous peine de blesser les liquides organiques et d'aggraver le cas. Très souvent, cette seule prise peut guérir le patient.

Explications

À la lumière de tout ce que nous avons vu précédemment, étudions d'un peu plus près cette formule. Elle est donc principalement destinée à traiter les « syndromes de superficie » dus à l'attaque d'un vent-froid. Lorsque ce « vent-froid » agresse le corps, lorsqu'il franchit la barrière de la peau parce que les pores, à cause d'une faiblesse interne ou d'un état de fatigue, n'ont pas pu se refermer à temps, il va y avoir l'apparition d'un conflit, d'un combat. Les deux protagonistes sont d'un côté l'attaquant, le « pervers » qui peut être plus ou moins puissant. Et de l'autre, l'énergie de défense, les défenses immunitaires du patient. Ce combat se fait au niveau des chairs superficielles. Les preuves que ce combat a bien lieu sont les symptômes qui apparaissent : les maux de tête, de la fièvre, la congestion du nez, etc.

Dans cette formule :

- Le rameau de cannelier est le produit Empereur. Sa saveur est piquante et douce et sa nature tiède. Il a pour effet de libérer les chairs et d'expulser le « vent » de la couche défensive.
- Il est assisté de la racine de pivoine blanche qui est le produit Ministre dont la saveur acide et douce, et sa nature froide ont une action astringente, ayant pour effet de retenir le Yin, de ne pas provoquer une trop forte transpiration, mais aussi de réguler la digestion.

> » Le gingembre jeune, de saveur piquante et de nature tiède aide l'écorce de cannelle à mobiliser l'énergie défensive et à chasser le vent. Il permet aussi de disperser le froid et d'arrêter les vomissements s'ils sont présents.
>
> » Le jujube, de saveur douce et de nature tiède renforce l'action harmonisante de la racine de pivoine sur la nutrition et le sang. Ces deux derniers dont les saveurs combinées sont piquantes et douces, sont les produits Fonctionnaires de la formule. Ils ont comme propriété de tonifier l'énergie de la Rate, chef d'orchestre de la digestion du bol alimentaire et de renforcer les défenses de l'organisme.
>
> » La racine de réglisse sautée au miel harmonise l'action des autres plantes pour qu'ensemble ils puissent soutenir l'énergie de défense et chasser la perversité. C'est le produit Ambassadeur de cette formule.

La combinaison de ces plantes permet donc d'obtenir un effet reconstituant et un effet astringent. Elle permet de chasser la « perversité » et de rétablir un bon niveau des défenses immunitaires.

Voilà l'exemple d'une formule très ancienne, bien équilibrée et qui, si elle est appliquée à bon escient, peut donner d'excellents résultats.

Les formes galéniques des prescriptions

Les formes galéniques sont les différentes façons de préparer les prescriptions. Au cours du développement historique de la pharmacopée, les médecins ont été amenés à créer de nombreuses formes galéniques. Voici les présentations les plus traditionnelles :

> » La décoction, Tang ;
>
> » La pilule, Wan ;
>
> » La poudre, San ;
>
> » La pâte médicinale, Gao ;
>
> » Le vin médicinal, Jiu.

La décoction

C'est de loin la plus traditionnelle. C'est une préparation qui consiste à mélanger les drogues pour les faire décocter, puis à en éliminer le résidu solide pour ne conserver que le liquide qui est alors consommé.

Le saviez-vous

C'est la préparation la plus usitée, car elle est adaptée aux traitements des affections générales ainsi qu'à celui des affections aiguës.

Les caractéristiques propres à une décoction sont la rapidité d'assimilation des drogues et l'efficacité avec laquelle l'effet thérapeutique peut se produire.

Elle a l'immense avantage de se prêter aux modifications et de permettre donc de s'adapter aux particularités du patient, aux affections rencontrées et à l'évolution au jour le jour des symptômes.

Traditionnellement, les produits destinés à être décoctés devaient préalablement être hachés. De nos jours, on les utilise surtout après débitage en tranches afin que leurs propriétés thérapeutiques puissent se développer plus rapidement au moment de la décoction.

Les pilules

Cette forme de préparation consiste à réduire le mélange des drogues en poudre puis à les mélanger à différentes substances comme le miel, la farine de riz, l'eau, du vin, du vinaigre pour obtenir une pâte qui est ensuite formée en billes.

La particularité de ces pilules est d'avoir une action progressive, lente et durable. C'est une des formes de préparation les plus utilisées à l'heure actuelle.

D'une manière générale, les pilules sont adaptées aux affections chroniques, mais certaines peuvent être utilisées en cas d'urgence. C'est également une forme de préparation privilégiée quant à l'administration de drogues très toxiques, difficiles à décocter, très coûteuses ou aromatiques et qu'on ne peut pas faire cuire trop longtemps.

En pratique

Dans la pratique courante, les pilules les plus fréquemment employées sont les pilules au miel, à l'eau, à base de farine.

Les poudres

Cette préparation consiste à réduire le mélange de substances médicinales en une poudre sèche et homogène. Elle peut alors être utilisée par voie interne.

Une fois les produits finement moulus, ils sont administrés en petites quantités après infusion. Ils peuvent être aussi broyés plus grossièrement, cuits à l'eau bouillante et absorbés après filtrage.

Ces poudres peuvent aussi être utilisées en externe sur certaines pustules, ou boutons, ou certaines zones malades.

Les pâtes médicinales

Les pâtes médicinales sont obtenues par concentration d'une décoction des différents Yao, médicaments dans de l'eau ou de l'huile végétale.

On peut les trouver sous de nombreuses formes comme les extraits liquides, les extraits solides, les pâtes décoctées, les onguents, les emplâtres ou cataplasmes.

La science des cataplasmes est très utilisée en MTC. Il existe des compendiums de pharmacopée uniquement destinés à leur usage.

Le saviez-vous

En chinois, on les appelle Gao Yao. La base utilisée pour la fabrication est un savon spécial dans lequel les substances sont mélangées ou dissoutes de manière à obtenir une pâte de couleur grise ou noire, qui est ensuite appliquée sur un support en tissu ou en papier.

L'ensemble est appliqué sur la peau.

Elle reste solide à température ambiante et se ramollit à la température de la peau, ce qui permet à l'action thérapeutique des drogues de s'exprimer pleinement.

Ce type de préparation est d'un emploi simple, facile à stocker et à transporter.

Les cataplasmes sont très utilisés pour traiter les traumatismes, les contusions, les douleurs rhumatismales, les abcès. Certains cataplasmes peuvent directement être utilisés sur les points d'acupuncture.

Les vins médicinaux

La préparation des vins médicinaux, ou Yao Jiu, consiste à faire macérer des drogues dans de l'alcool de riz ou de sorgho. La fraction claire de la macération est ensuite administrée par voie interne ou employée en application externe.

Ce type de préparation est le plus souvent utilisé pour les traitements reconstituants et nutritifs, le traitement des douleurs rhumatismales, ainsi que les blessures ou contusions.

Dans cette catégorie, on trouve les différentes teintures médicinales.

Le saviez-vous

L'avantage de l'alcool du fait de sa nature Yang est de faire très rapidement disperser les différents Yao, les différentes drogues qu'elle contient, dans le corps.

DERNIÈRES MISES EN GARDE

En Chine, la pharmacopée et les plantes médicinales constituent un « trésor national ». La pharmacopée est considérée comme plus puissante que l'acupuncture. Même si une grande partie des connaissances qui lui sont propres découle d'une pratique traditionnelle populaire, avec des variations d'une région à l'autre, les médecins au fil des siècles ont accumulé de très volumineux corpus de données sous la forme de compendium, de Ben Cao.

Certaines plantes nous sont familières comme la verveine, la réglisse, le jujube. Plusieurs sont toutefois peu ou pas connues dans nos cultures occidentales. C'est donc encore un territoire inexploré pour les scientifiques occidentaux.

Il est à noter que l'utilisation de ces formules et de ces plantes est sous-tendue une extrême logique et une grande pertinence. Les étudier séparément et essayer d'en découvrir les principes actifs pour ensuite les synthétiser risque de nous éloigner de cette théorie des signatures. À l'instar d'une substance unique souvent beaucoup trop puissante, nous perdrions les effets inhérents à cette synergie de plusieurs ingrédients qui permet d'éviter des effets trop puissants et incontrôlables.

Mais il est évident qu'il ne faut pas jouer aux apprentis sorciers en la matière et que de très longues études s'imposent pour devenir en quelque sorte un chef d'orchestre capable de déceler les plus petites variations dans l'évolution de la symptomatologie d'un patient et d'affiner au jour le jour la composition d'une formule.

Chapitre 17
La respiration au centre de toutes les pratiques

DANS CE CHAPITRE :

» **Respiration consciente et inconsciente**

» **Les vertus de la respiration ventrale**

» **Les trois exercices du Pr Leung**

» **La pleine conscience**

Dans le cadre des méthodes de préservation de la vie, des méthodes dites Yang Sheng Fa en chinois et dans toutes les pratiques qui vont suivre, la respiration, comme nous allons le voir, va avoir une place centrale.

Pourquoi respirer ?

La respiration est par essence, l'élément fondamental à mettre en œuvre pour recharger la « batterie du Rein » (voir chapitre 10).

Le seul problème est que, la respiration étant un élément si évident pour nous depuis notre naissance, nous la considérons comme allant de soi et ne prenons pas le temps de bien la mettre en pratique.

Et si on demande aux personnes, depuis ce matin, combien de fois avez-vous respiré en pleine conscience, les réponses les plus courantes sont : « j'ai oublié », « je ferai cela plus tard », « je n'ai pas eu le temps », « je ne savais pas que c'était si important », « je n'arrive pas à passer à l'acte », autant de faux alibis qui ne font que retarder notre accès à la pleine santé et d'une certaine façon à la plénitude d'un bonheur constant.

À retenir

La respiration est tellement importante que notre maître, le Pr Leung Kok Yuen, nous disait la chose suivante : « Si, mis bout à bout, tout au long d'une journée, vous ne respirez pas en pleine conscience 2 à 300 fois, toute autre pratique de santé sera alors quasiment inopérante. »

Quelques points de repère

Pour bien comprendre l'importance de ce sujet, il faut posséder un minimum de points de repère, de connaissances d'anatomie et de physiologie de la respiration.

La respiration apparaît avec la vie. À la naissance, vous allez prendre votre première inspiration, qui est un acte Yin, centripète au regard du mouvement de l'énergie et au moment du passage, vous allez émettre votre dernier souffle, l'échappement complet du Yang. Entre les deux, depuis votre naissance jusqu'au passage, vous n'allez pas arrêter de respirer.

Mais si on prend un peu de recul, nous allons très vite nous rendre compte qu'il existe deux types de respirations. D'un côté, ce qu'on appelle une respiration inconsciente, et de l'autre côté la respiration consciente. C'est une lapalissade que de dire : « Si cela existe, c'est pour s'en servir ! »

Respiration consciente et inconsciente

Que veut **dire respiration inconsciente** ? Cela signifie que vous ne savez pas que vous respirez. En ce moment, vous êtes en train, je l'espère, de respirer, et vous ne vous en rendez pas compte. Je dis « j'espère », car tout est fait dans notre mode de vie pour nous donner des situations où on arrête de respirer, où on se met en apnée. Télévision et ordinateur font partie, avec bien d'autres facteurs externes ou internes, de ces éléments qui accaparent tellement notre mental que l'organisme en oublie lui-même de respirer.

Quant à la **respiration consciente**, il est intéressant de comprendre que c'est le seul élément physiologique interne qu'on puisse rendre instantanément conscient. À titre d'exemple, on peut grâce au mental agir sur les battements cardiaques pour les augmenter où les ralentir. Par exemple certains exercices tirés du yoga nous permettent grâce à la médiation et à la visualisation d'accélérer le rythme cardiaque pour nous protéger par exemple du froid extérieur grâce à l'augmentation de la circulation sanguine. Mais tous ces processus physiologiques sont lents à s'installer et vont demander des dizaines de secondes pour se mettre en place et surtout beaucoup d'entraînement. En revanche, quand il s'agit de respiration, c'est dans l'instantanéité que je peux la rendre consciente. J'inspire, j'expire en pleine conscience. Je viens d'occulter la respiration inconsciente pour la rendre consciente.

LES TROIS GRANDS PILIERS DE LA VIE

Pour comprendre l'importance de cette respiration, nous pouvons dire que dans notre vie existent trois grands piliers de prévention.

» Premier pilier : nos émotions et notre mental qui peuvent effectivement être à l'origine de pathologies internes. Petit à petit, par une mauvaise gestion des émotions, on va pouvoir se « fabriquer » pas à pas un cancer, une dépression ou toute autre pathologie d'autodestruction. La mauvaise gestion des émotions peut alors raccourcir notre espérance de vie, mais il va falloir plusieurs mois, plusieurs années avant que cela devienne un problème létal.

» Deuxième pilier de la vitalité : boire et manger. Arrêtez complètement de manger et de boire, vous vivrez encore de 5 à 10 jours.

» Le troisième pilier : la respiration. Arrêtez de respirer, vous ne vivrez que 3 à 4 minutes.

La respiration est donc la première prise de courant, la première source d'énergie qui nous relie à notre environnement et qui permet de faire fonctionner l'incroyable complexité de notre organisme. Sans air, plus de vie humaine sur cette terre.

En vingt-quatre heures, vous respirez entre 14 000 et 17 000 fois, et ce, depuis que vous êtes né. Si on envisage un cycle respiratoire, soit une inspiration suivie d'une expiration, vous échangez en moyenne 500 cc d'air. En revanche, dès que vous êtes soumis au stress, dès que vous êtes fatigué, en excès de pensée, de réminiscence, en excès de tristesse, dès que vous avez des blocages au niveau du Foie et donc aussi de votre diaphragme, vous n'échangez plus que 200 à 300 cc d'air.

Quand cela devient chronique, on ne peut plus parler de santé, mais juste de « survivance » au quotidien. Vous avez perdu toute possibilité d'adaptation à votre environnement, votre batterie est à plat, car elle n'a plus de carburant, et le premier choc émotionnel qui se présente, ou un changement brutal dans la météo, ou bien encore un stress qui surgit inopinément vous déséquilibrera fortement sur votre câble de vie. Votre organisme aura perdu la capacité de vous envoyer des signaux d'alarme. Une maladie pourra apparaître alors brutalement.

Dans cet état de sous oxygénation, de sous énergie, votre organisme émet quand même quelques réflexes de survie pour récupérer un peu de cet air vital. On le constate beaucoup chez les déprimés qui ont le diaphragme complètement bloqué : ce sont les soupirs à répétition. Chaque fois que vous soupirez, que vous inspirez fortement, vous amenez une grande quantité d'énergie dans votre organisme. C'est un réflexe archaïque de survie. Le bâillement à répétition fait aussi partie de ce type de réflexe.

En pratique — APPRENDRE À RESPIRER, MÊME PAS DUR !

Comme dans toute initiation, nous allons essayer de nous créer une image mentale, en l'occurrence ici un « film mental ». On visualise ainsi deux gros ballons dans le thorax qu'on réunit en un seul. Ce ballon, vous allez le gonfler en inspirant, en faisant entrer de l'air dans votre cage thoracique. Mais vous décidez un peu arbitrairement de ne pas bouger le thorax, un peu comme si vous aviez une main dessus pour empêcher de se dilater. Comme ce ballon se gonfle et qu'il est « emprisonné dans cette cage », il ne peut alors que descendre, se développer vers le bas.

En réalité, c'est le diaphragme qui va être poussé vers le bas. Quand celui-ci descend, la masse des viscères abdominaux va être comprimée. Comme cette masse ne peut pas aller en arrière du fait de la présence des côtes et de la colonne vertébrale, elle va avoir tendance à « sortir » en avant. C'est pour cela qu'on dit que le « ventre gonfle ». Ce n'est pas l'air qui entre dans le ventre !

Ensuite dans un deuxième temps, vous « rentrez » le ventre. Du coup, les viscères abdominaux remontent vers le haut, appuient sur le diaphragme. Du fait de cette compression, les deux poumons se vident et l'expiration se produit alors.

Un des très grands avantages de ce mécanisme respiratoire, c'est de faire travailler ce qu'on appelle la base des poumons. Quand on ne respire que par en haut, on ne respire que par les sommets. Or, il faut savoir que toutes les toxines et la pollution, les déchets, ont tendance, du fait de la gravité, à aller vers la base des poumons. Le simple fait de pratiquer cette respiration permet à tous ces déchets d'être mobilisés et d'être évacués des poumons.

La manière dont ce mouvement vient d'être décrit rend cette respiration abdominale excessivement simple à comprendre. J'inspire, le ventre « sort » et je souffle, le ventre « rentre ».

Souvent comme la respiration inversée est devenue un réflexe conditionné, certains ont des difficultés à apprendre cette respiration naturelle. Alors, une image mentale supplémentaire : vous recevez un coup de poing dans le ventre, ce qui déclenche une brusque expiration. Ensuite l'air entre à nouveau dans les poumons et le ventre « ressort ».

La respiration abdomino-diaphragmatique

Mais à côté de cela, vous pourriez mettre en œuvre ce que l'on appelle la « respiration consciente ». La respiration consciente est avant tout une « respiration diaphragmatique », connue souvent sous le terme aussi de « respiration ventrale » ou encore « abdomino-diaphragmatique ».

 Si vous avez l'occasion de voir un bébé dans son berceau, vous pouvez observer qu'il ne respire que par le ventre. Plus tard, de très nombreuses habitudes de vie ont fini par « inverser » notre respiration. Les couches des bébés trop serrées, les ceintures empêchant toute amplitude respiratoire, certaines gymnastiques corporelles nous faisant inspirer en tirant les épaules en arrière.

Tout cela a un impact non seulement sur la quantité d'air que nous inhalons, mais on ne fait travailler alors principalement que le sommet de ses poumons.

Ne pourrait-on pas dire que le niveau d'évolution non pas matériel, mais spirituel d'un peuple était directement lié à leurs habitudes vestimentaires ? Toges, gandouras, « robes » des lettrés, etc. La plus ou moins grande amplitude respiratoire influe directement sur l'oxygénation de nos neurones !

Figure 17-1   La respiration abdomino-diaphragmatique.

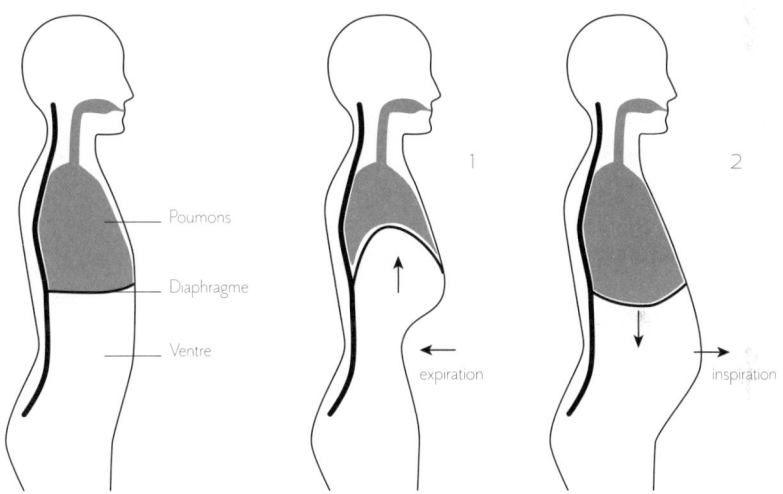

Si on parlait du diaphragme ?

Le diaphragme en réalité est le muscle principal de la respiration.

 Or, ce sont les muscles accessoires de la respiration qui sont devenus les muscles principaux, chez tous ceux qui présentent une respiration dite inversée. Ces muscles sont entre autres les muscles intercostaux ou les muscles sterno-cléido-mastoïdiens. Ce sont des muscles qui tirent vers le haut les côtes pour ouvrir un peu plus la cage thoracique. Ils sont visibles au moment des crises d'asthme, ou chez les insuffisants

respiratoires. C'est ce qu'on appelle dans le jargon médical un « tirage respiratoire ». Mais c'est bien le diaphragme qui est le muscle principal de la respiration.

Cependant, pour être encore plus performant dans ce type d'exercice, il convient de connaître un minimum de son anatomie.

Le diaphragme est une double coupole tendino-musculaire qui divise en deux notre tronc, qui sépare le thorax de l'abdomen.

À partir de là, il convient de visualiser la chose suivante : le cœur qui est dans la cage thoracique ainsi que les deux poumons sont « posés » sur le diaphragme. En dessous du diaphragme, vous avez le foie-vésicule biliaire, à droite de votre abdomen, l'estomac, le plexus solaire au centre, ainsi que la partie transverse du côlon et la Rate-Pancréas à droite, ainsi que les reins en arrière. Tous ces organes sont en contact direct avec cette nappe tendino-musculaire.

Il est facile de se rendre compte que cette zone est fondamentale. Quand, petit à petit, vous allez débloquer et faire travailler votre diaphragme, grâce à cette respiration, d'hypotonique, il va retrouver une certaine force et surtout sa mobilité. En effet, il va retrouver son amplitude. Elle peut aller jusqu'à 15-20 cm d'amplitude, entre les mouvements de montée et descente dans le thorax. On parle alors d'un déblocage du diaphragme.

Les vertus de la respiration ventrale

Vous allez masser directement tous ces organes internes entre autres le Foie, véritable éponge à sang. Et tout cela par la montée et la descente du diaphragme. C'est là le point fondamental de cette respiration.

Vous allez éviter que des stagnations perdurent et qu'elles génèrent de la chaleur, de la douleur, des inflammations, des gonflements, de la transformation de déchet en poisons à l'origine de quasiment toutes les maladies internes.

À retenir

Un autre effet de cette respiration, et non des moindres : un peu plus haut, nous avions vu que dans les respirations inconscientes nous échangions entre 300 et 500 cc d'air entre l'inspire et l'expire. Quand nous pratiquons ce type de respiration abdomino-diaphragmatique, nous échangeons entre 3 000 et 7 000 cc d'air, soit 10 fois plus. Sur le moment, nous n'avons pas besoin d'autant d'énergie. Tout le surplus va donc nous servir à recharger notre batterie du Rein.

Le sommeil et la respiration sont les deux grands moyens que Dame Nature a mis à notre disposition pour cette recharge.

Une fois cette respiration de base bien assimilée, nous allons pouvoir y greffer une multitude d'exercices. Notre maître nous en avait appris trois que je vais à présent vous exposer.

Juste une petite mise en garde. Au bout de quelques jours de pratique, vous risquez d'avoir des tiraillements, de petites contractures surtout sous les côtes. C'est là où s'attache le diaphragme. C'est tout à fait normal. Ce sont de simples contractures liées au fait de travailler un muscle qui a été trop longtemps laissé au repos. N'allez pas consulter pour autant !

Certains auront peur de pratiquer par crainte de « prendre du ventre ». Mais c'est tout le contraire qui arrive. Plus vous « sortez le ventre », plus les muscles transverses et autres muscles abdominaux devront travailler pour « rentrer » ce même ventre. Résultat des courses, ce type d'exercice vous fait perdre du ventre.

Les trois exercices du P\ Leung

Ces trois exercices vont agir sur quasiment tout le panel des pathologies que nous nous créons pas à pas par méconnaissance du fonctionnement de notre corps. Cette action sera aussi bien préventive, que curative. Deux exercices se feront allonger sur le sol, ou dans son lit, et un exercice que vous allez mettre en œuvre tout au long de la journée, et ce, dans n'importe quelle position.

Une particularité quant aux exercices que l'on pratiquera allongé : pour une meilleure visualisation, on inspirera par le nez et on soufflera par la bouche pour canaliser le souffle. Quant à ceux pratiqués tout au long de la journée, l'inspire et l'expire ne se feront que par le nez pour éviter le dessèchement des fausses nasales.

La respiration pour se réveiller en pleine forme le matin

Mieux que la douche ou le café du matin. Cet exercice doit être pratiqué le matin au lever avant de poser les pieds par terre. Vous allez quand même prévenir votre conjoint avant pour éviter qu'il n'appelle tout de suite le SAMU. En effet, cette respiration va être assez violente.

« J'inspire au maximum de mes possibilités assez rapidement et j'expire tout aussi rapidement en vidant totalement les poumons. »

Évitez de vous lever dans la minute ou les deux minutes qui suivent : en effet, vous allez être momentanément shooté à l'oxygène, ce qui risque de déclencher quelques vertiges.

Vous allez ainsi pratiquer deux séries de dix respirations conscientes.

Premier effet : quand vous allez respirer par le ventre de manière assez violente, en faisant monter et descendre votre diaphragme, vous allez masser physiquement le Foie et obliger le sang à repartir vers les extrémités. Si vous pratiquez ce type des respirations tous les matins pendant une quinzaine de jours, vous allez voir que vos mains et vos pieds vont commencer à se réchauffer. C'est le sang qui repart vers les extrémités.

Deuxième effet : grâce à cet afflux sanguin très rapide au niveau du cerveau, vous allez atteindre beaucoup plus rapidement l'état de pleine conscience. C'est le meilleur moyen pour se réveiller.

Troisième effet : le fait de mobiliser « le ventre » et les viscères abdominaux, par ces mouvements de va-et-vient du ventre et du diaphragme, va déclencher ce qu'on appelle le « péristaltisme intestinal » qui a ralenti pendant toute une nuit de sommeil. Il y a alors de grandes chances que vous ayez à ce moment-là envie d'aller à la selle.

Donc un simple exercice peut vous masser le Foie, éviter sa congestion, ses problèmes de stagnation, mais aussi tous les autres organes internes et ce, dès le matin. Il vous amène sur le moment dix fois plus d'oxygène qu'une respiration inconsciente, elle vous réveille et vous permet aussi de nettoyer vos intestins.

La respiration pour les insomniaques

En pratique

Souffler la bougie pour mieux s'endormir. Cet exercice se fera le soir avant de se coucher. On pourra aussi le pratiquer pendant les périodes d'insomnie. Surtout l'insomnie de deuxième partie de nuit encore appelée « insomnie de trois heures du matin », qui est directement liée à une stagnation de sang et d'énergie au niveau du Foie.

Le soir avant de vous endormir, quand vous êtes dans votre lit, vous allez pratiquer deux séries de dix respirations, mais différentes des précédentes. Vous laissez tranquillement l'air pénétrer par vos narines, sans forcer l'inspiration. Ensuite vous imaginez que vous avez une bougie devant vous et, lorsque vous expirez, la flamme doit quasiment ne pas bouger. L'expiration va donc être très lente et progressive. Ce temps expiratoire peut se faire en 30, 40 secondes, voire avec de l'entraînement, une minute. Vous ne devez jamais être à bout de souffle. Il convient donc de s'arrêter avant d'arriver à l'apnée, au blocage respiratoire. Sur cet exercice respiratoire, vous allez pouvoir rajouter une visualisation. Vous vous imaginez que l'air que vous inspirez est blanc, immaculé et vient nourrir votre corps. L'air que vous allez expirer beaucoup plus longtemps est un air un peu grisâtre, chargé des toxines de votre organisme. C'est tous les déchets du corps qui s'en vont. On s'est rendu compte que grâce à cette visualisation, on pouvait décupler l'élimination des déchets par l'expiration, surtout à la base de nos poumons. Rappelez-vous, c'est l'énergie mentale, la puissance de nos pensées qui dirigent tous les phénomènes physiques à l'intérieur de notre organisme.

Quand vous faites une telle pratique, un autre phénomène va se produire. Si nous avions à parler ici de la fatigue en général, « je suis fatigué », une des grandes causes provient de l'excès de pensées. Notre cerveau est en ébullition permanente et nos pensées se succèdent sans discontinuer. C'est une grande cause d'insomnie, ou tout au moins cela nous empêche d'avoir un endormissement profond.

Tout le but de cette technique est de nous permettre de canaliser progressivement toutes nos pensées sur une seule, à savoir la visualisation de la respiration. C'est un peu comme si vous arrêtiez votre ordinateur central, un peu comme si vous le déconnectiez.

À retenir

Dans un ordinateur, vous entendez un bruit : c'est le ventilateur qui permet en permanence de refroidir les éléments vitaux du fonctionnement d'une telle machine. Et plus vous lui donnez de travail à faire, de calculs à effectuer, plus le ventilateur tournera vite. Si celui-ci tombe en panne, c'est la surchauffe et votre ordinateur grille. Si on ne ventile pas grâce à notre respiration notre « corps-ordinateur » et si nos pensées se succèdent à un rythme effréné, cette « masturbation du mental » va finir par produire un dernier symptôme signal d'alarme : le burn out. C'est le corps-esprit qui au bout d'un moment disjoncte. Il vous envoie alors comme dernier signal d'alarme une profonde lassitude, une pré-dépression jusqu'à ce que le burn out vous oblige à vous reposer complément. La respiration en pleine conscience telle que je viens de vous la décrire est l'antidote de cet état. En canalisant votre mental, vous arrivez progressivement à une seule pensée : la respiration. Vous n'êtes plus que respiration.

Vous verrez alors que vous allez vous endormir beaucoup plus facilement.

En pratique

Vous pouvez rajouter un « ingrédient » à cet exercice : quand vous êtes en période d'insomnie, laissez l'air entrer « sans forcer », ensuite l'expiration se fait très lentement. Cela représente un cycle respiratoire. Vous allez vous mettre à compter mentalement ces cycles, un peu comme on compte les moutons pour s'endormir. Un inspire et un expire égal 1, puis un deuxième cycle jusqu'à 10. À 10, vous repartez à 1 et vous allez jusqu'à 9. À 9, vous repartez à 1 et allez jusqu'à 8 et ainsi de suite… En règle générale, au bout du troisième cycle, vous êtes déjà retourné dans les bras de Morphée. Le simple fait de canaliser vos pensées sur un seul point, ici le comptage vous permet de vous rendormir très rapidement. Faites l'expérience la prochaine fois que vous avez cette insomnie de trois heures du matin.

La respiration pour gérer ses émotions

Le soir, 2 fois 10 respirations, 2 fois 10 le matin, cela nous fait 40 respirations conscientes. Où allons-nous placer nos 260 autres respirations dans la journée ? C'est là où nous arrivons à une notion fondamentale en MTC, « la pleine conscience ».

Dans une journée en réalité, vous avez pléthore de moments qu'on pourrait appeler « moment mort » et vous pensez beaucoup trop pendant ces moments morts.

En réalité, dans la journée, vous êtes tout à fait capable de vous arrêter, là, ici et maintenant, comme le font spontanément les enfants après une période d'hyperactivité. Ils s'arrêtent, se posent et on a l'impression qu'ils ne pensent plus à rien, qu'ils sont ailleurs.

Par exemple vous êtes à un feu rouge, ou dans un bouchon, plutôt que de vous laisser envahir et phagocyter par vos pensées, vous allez vous dire : « Tiens, je vais en profiter pour faire pendant 30-40 secondes 7, 8, 10, voire plus de respirations conscientes. » Et ce, que vous soyez dans n'importe quelle position, debout en train de marcher, assis devant votre ordinateur, etc., vous inspirez tranquillement par le nez, sans obligatoirement forcer sa respiration abdominale, puis vous expirez par le nez.

La respiration est ample, abdominale, mais non forcée et se fait en pleine conscience. De l'extérieur, les gens ne se rendent pas compte de votre pratique.

À ce moment-là, non seulement vous échangez quand même entre 2 000 et 4 000 cc d'air, 10 fois plus qu'une respiration inconsciente, mais le jour où vous êtes capable de vous arrêter comme cela 10, 20, 30 fois dans la journée en respirant une dizaine de fois en pleine conscience à chaque fois, donc entre 2 et 300 respirations, vous allez toucher du doigt, vous allez progressivement vous initier au : « ici et maintenant ».

Le simple fait de s'arrêter plusieurs fois dans la journée ne peut être que bénéfique pour votre santé. Toutes les activités que vous avez dans la journée, du matin au lever jusqu'au soir au coucher, sont des activités qui ont une action que l'on pourrait appeler centrifuge quant à l'émission de votre énergie. Vous puisez dans votre énergie interne, dans votre batterie, et vous l'émettez vers l'extérieur. On pourrait dire que c'est du Yang qui s'échappe du corps. Ainsi quand vous parlez, pensez, bougez vos articulations, digérez un bol alimentaire, etc., tout cela demande de l'énergie.

Si vous ne prenez pas, dans la journée, le temps de recharger cette énergie qui s'est échappée du corps, vous finiriez par épuiser vos réserves, par vider votre batterie. À l'inverse, si vous vous arrêtez de temps en temps 30, 40 secondes, chaque fois que vous respirez en pleine conscience 3 000 à 5 000 cc d'air, vous êtes en train de recharger votre batterie que vous venez de décharger.

Le maître mot en MTC, dans les méthodes Yang Sheng Fa de préservation de la vie est : « Je décharge, je charge, je décharge, je charge en permanence tout au long d'une même journée », alors que dans notre mode de vie occidental, « Je décharge, je décharge, jusqu'à épuisement du matin jusqu'au soir. J'essaye tant bien que mal de recharger la nuit par le sommeil, pendant les week-ends ou les vacances. » Mais ceci est une utopie, car votre organisme à ce moment-là va être en dispersion d'énergie due à cet excès de fatigue (en MTC, c'est le Yin qui n'arrive plus à retenir le Yang) et vous n'arriverez pas à vous recharger. Or, nous apprenons ici à nous recharger dans une même journée !

Pourquoi et comment la pleine conscience ?

On peut atteindre l'état de pleine conscience, du ici et maintenant, grâce à la méditation. Mais peut-être que la pleine conscience de ceux qui méditent n'est pas la même pleine conscience dont je suis en train de vous parler.

Quelle est alors la finalité de cette pleine conscience ? Apprendre à gérer nos émotions ! Une émotion en médecine chinoise est à mettre en relation avec l'énergie d'un logiciel organe spécifique et c'est l'énergie du Cœur qui génère et régule l'ensemble des émotions. On parle alors en MTC, du Shen, de l'esprit.

Chaque famille d'émotion est donc directement reliée au fonctionnement de chaque organe (voir chapitre 2). Si on s'attache à étudier un type d'émotion comme la colère, la tristesse, la peur, la réminiscence, on pourrait aller jusqu'à dire que vous en êtes l'écrivain, le scénariste, le réalisateur et en même temps l'acteur.

À retenir

Il y a toujours des liens de causalité dans le crescendo de l'émotion. Mais au départ, il y a une première image, à laquelle se juxtapose une deuxième, puis une autre et encore une autre. C'est ainsi que se déroule le film. La pleine conscience nous permet de nous arrêter à la première image.

Spiritualité

JE RESPIRE DONC JE NE PENSE PLUS !

La pleine conscience des méditants est d'arriver à une non-pensée totale. Et qui dit alors non-pensée, dit non-temps. C'est un peu compliqué à expliquer, mais pour faire court, nous pouvons dire que le temps n'existe que parce qu'il y a un avant et un après, les deux pôles Yin-Yang de la dualité. Parce qu'il y a un passé et parce qu'il y a un avenir, il y a entre les deux un « passage à vide », car deux pensées ne peuvent pas se juxtaposer. Fondamentalement la pleine conscience, telle qu'on la définit au niveau de nos pratiques, n'existe pas vraiment, car c'est aussi du temps. Les neurobiologistes ont essayé de donner leur propre vision sur la notion de temps. Ils partent du principe que nous émettons en permanence des pensées. Sauf qu'entre deux pensées, il y a quelques millisecondes où il n'y a rien. Les méditants essayent d'allonger progressivement la durée de ce vide entre deux pensées pour arriver à la non-pensée. On pourrait appeler cela l'Éveil. Mais en ce qui nous concerne, avant d'y arriver, il nous faudrait des générations et des générations de « réincarnation » ou des heures de pratique quotidienne bien incompatibles avec notre mode de vie actuel. Quand on parle de santé, de préservation de la santé, quand on parle de pleine conscience, c'est : « Je suis là, je focalise ma pensée sur un point pour canaliser et arrêter le flot des pensées » et la respiration consciente nous permet effectivement d'arriver à cet état.

C'est dans ce sens-là qu'on apprend à gérer ses émotions, à faire que dans une discussion familiale, on ne prononce pas une parole assassine capable de détruire une famille. Vous êtes en plein contrôle et vous ne jouez pas le film jusqu'au bout. Vous vous arrêtez à la première image.

Il n'est pas question de devenir des êtres « a-émotionnels », sans émotion. Les émotions sont obligatoires pour un bon fonctionnement de l'organisme et permettent d'alimenter, de nourrir énergétiquement les différents logiciels organes. En revanche, il ne faut pas qu'une émotion soit trop violente d'un seul coup ou qu'une émotion soit toujours en permanence au-dessus des autres.

Nous avons comme cela à notre disposition des méthodes de régulation des émotions et la pleine conscience en fait partie. Cette pleine conscience, vous allez l'apprendre grâce à la respiration, grâce à ces multi-arrêts dans la journée.

En pratique

COMMENT FAIRE ENTRER LA RESPIRATION DANS NOS GÈNES

Dans tout acte de changement quel qu'il soit, vous allez passer par quatre étapes successives. Au départ, il y a ce qu'on pourrait appeler une incompétence inconsciente qui va se transformer ensuite en incompétence consciente. Ensuite, vous avez l'étape de compétence consciente, jusqu'arriver à la compétence inconscience.

- Au départ, vous n'aviez aucune notion quant à l'importance cruciale que représente la respiration et de tout ce que vous apportent de telles pratiques. Vous n'aviez pas accès à la connaissance et par là même, vous ne pouviez pas l'inventer.

- Ensuite, on passe à cette deuxième phase qui est l'incompétence consciente. C'est-à-dire que maintenant vous savez que cela existe, vous êtes encore incompétent puisque vous ne l'avez pas encore mis en œuvre. C'est une étape un peu critique parce qu'à force de remettre au lendemain la pratique, vous risquez de l'oublier. Et même de vous persuader que cela ne fonctionne pas et pourquoi pas, vous retourner contre les enseignements traditionnels.

Mais si on vous demande : depuis ce matin, combien de fois avez-vous respiré en pleine conscience ? Je vous laisse répondre à cette question. Vous risquez alors de vous culpabiliser : « Je sais que je devrais mettre cela en œuvre, mais je n'y arrive pas. » Si vous avez alors la chance de rencontrer quelqu'un qui est capable de vous expliquer ce qu'est le passage à l'acte, la confiance en soi, et comment pratiquer, vous allez passer dans la phase de compétence consciente.

- La compétence consciente est la répétition, encore et encore, de tous ces exercices. Mais cela ne se fait pas du jour au lendemain. Il faut à peu près un an, pour apprendre à respirer en pleine conscience ! Vous allez pratiquer, abandonner, le remettre en place, etc.

- À un certain moment, vous allez atteindre la phase de l'autorégulation permanente : c'est la compétence inconsciente. Vous ne vous rendrez même plus compte que vous pratiquez ce type de respiration, elle deviendra quasiment automatique. Et là, vous aurez fait le vrai travail de l'initiation en étant passé par ces quatre étapes. Je souhaite du fond du cœur que vous arriviez tous à cette étape.

Chapitre 18
Le dao yin ou exercices de santé

DANS CE CHAPITRE :

» Le concept d'exercices selon la médecine traditionnelle chinoise

» Les deux grands types de pratiques du dao yin

» L'art du qi gong

» Méditation, mode d'emploi

Le concept d'exercice en MTC

Qu'entendons-nous par exercices physiques en MTC ? Notre culture occidentale a trop tendance à occulter le concept d'exercice interne et quand on parle d'exercices, on pense tout de suite au sport, à la gymnastique, ou autres pratiques externes. Nous allons voir qu'il y a une différence très importante entre le concept de sport occidental et les exercices chinois connus sous le nom de dao yin en MTC.

Quand nous pratiquons un sport, une des premières caractéristiques est que notre mental, notre esprit sont totalement mobilisés vers un seul but à savoir vaincre, gagner, se surpasser, quand cela ne devient pas l'objet d'un état narcissique exacerbé.

Le saviez-vous

À partir de la vision énergétique de l'organisme basée sur le Yin-Yang, le sport est de nature Yang : il a une action centrifuge sur l'énergie. Quand on frappe sur une balle de tennis, dans un ballon, quand on court, on puise dans ses réserves, sa batterie du Rein pour produire ce type de mouvement. Mais si on n'y prend garde, les réserves peuvent se dilapider très vite, et le corps casser très rapidement. Un sportif de haut niveau est à la retraite à 40 ans !

Une autre exigence de la pratique du dao yin, c'est le concept très important de régularité, pour ne pas dire de la quotidienneté. En effet, l'idéal serait de pratiquer une demi-heure de sport, marche ou mouvements gymniques, sans atteindre le stade de la fatigue. On pourrait dire : « Trop de sport d'un seul coup tue le sport. » Or, en Occident, nous sommes trop souvent des pratiquants du dimanche, par à-coups.

Trop souvent les sports pratiqués en Occident favorisent une transpiration excessive. Au début, une légère transpiration est bénéfique. C'est une transpiration de surface qui nettoie la peau. En revanche, quand elle devient excessive, elle va « épuiser le Cœur ». En effet, elle va prendre sa source dans les liquides organiques en les épuisant. Un antidote passager sera la prise de boissons hydratantes comme le thé vert. Tout ceci sera développé dans le chapitre sur la diététique.

Le sport à trop tendance en Occident à être séparé de nos activités quotidiennes. Or, la respiration consciente et certains mouvements peuvent être pratiqués tout au long d'une journée.

Quand vous êtes assis par exemple, le fait de vous tenir bien droit sans s'appuyer sur un dossier tonifie les muscles de votre dos et de votre ventre. La marche en pleine conscience uniquement concentrée sur la respiration est un autre exemple de « sport » quotidien. De même que monter les escaliers plutôt que de prendre l'ascenseur. Mille gestes de la vie quotidienne peuvent se transformer en exercices externes à condition évidemment de ne jamais oublier la respiration.

LES DROGUÉS DU SPORT

Les muscles sont à mettre en relation avec le logiciel Rate en MTC. Foie et Rate sont en relation directe. L'excès de travail musculaire entraîne la sécrétion d'endotoxines au niveau du Foie qui est responsable, en autres, des états de manque, de dépendance. Le sport pratiqué à haute dose peut devenir une drogue. À force de pratique Yang, l'individu va épuiser son Yin. Or le Yin, c'est l'huile ancestrale, la lampe à huile. Au bout du chemin, c'est le vieillissement précoce.

Et un grand conseil ! Ne dites jamais : « Je connais mes limites ! » C'est déjà trop tard puisque vous les avez déjà atteintes. Il faut apprendre la voie du juste milieu, trouver un équilibre et surtout éviter les changements d'habitude trop brutaux.

Qu'est-ce que le dao yin ?

Dao yin est un terme très ancien à forte connotation énergétique dans sa définition. Puisque nous allons de plus en plus vers la matérialité, le terme beaucoup plus moderne est Yun Dong : Yun pour déplacer et Dong, bouger, se mouvoir. C'est le sport moderne tel que nous le connaissons.

Nous retiendrons donc ici le terme dao yin qui va être le précurseur d'un autre terme générique, un peu passe-partout, que nous connaissons tous : le qi gong.

Dans le *Nei Jing*, il est dit que : « Pour toutes les maladies de stagnation et d'accumulation, il convient à la fois d'utiliser le dao yin et les Yao, les médicaments. » Il mettait sur un même piédestal ces deux pratiques.

Dans dao yin :

- *Dao* signifie « diriger », « régir », mais aussi « être dirigé ». Attention, ce n'est pas le même Dao des taoïstes qui signifie la Voie.
- *Yin* veut dire ici « guider ».
- Donc le dao yin met en œuvre certaines techniques pour diriger, guider le sang et l'énergie. En fait, le but de ces pratiques et de favoriser la libre circulation du sang et de l'énergie, d'empêcher que des blocages et des stagnations puissent se mettre en place.

Toutes les techniques réunies sous ce vocable permettent aussi de recharger la batterie du Rein, donc d'augmenter les défenses immunitaires et les facultés d'adaptation et d'autoguérison de l'organisme.

Les différents types de dao yin

Le dao yin peut se diviser en deux grands types de pratiques. On aura ainsi le dao yin passif et les dao yin actif.

Le dao yin passif

C'est le thérapeute qui l'exécute, le patient, lui, reçoit. Ce sont toutes les techniques de massage, de digitoponcture dont nous avons longuement parlé précédemment. En effet, le thérapeute pourra appuyer sur les points d'acupuncture, masser certains endroits particuliers, réaliser des mouvements de va-et-vient sur la peau avec les bras, pincer, tirer, frotter, pousser, pétrir. Mais aussi faire des frictions, des vibrations, des percussions. Les différentes « manipulations » entrent dans ce cadre du dao yin passif.

Mais il y a un autre aspect de ce dao yin passif. Ce sont des pratiques qui consistent à lâcher prise ou à se concentrer sur un point particulier. Nous allons y revenir. Ce sont toutes les techniques de méditation.

Le dao yin actif

C'est le patient lui-même qui doit pratiquer. Pour commencer sous la surveillance d'un maître de dao yin ou d'un praticien chevronné, et ensuite tout seul, une fois la phase d'initiation achevée.

Il existe différents types de dao yin actifs qui seront appelés par la suite « qi gong actifs ».

Un dao yin qui concerne les mouvements du corps, les exercices dits « externes ».

Citons le jeu des cinq animaux, Wu Qin Xi, mis en place par un célèbre médecin de la dynastie des Han, Hua Tou. C'est un qi gong externe, mais en même temps un art martial. Il contient 10 mouvements basés sur l'imitation de « cinq animaux » (deux mouvements par animal). Ainsi, il y a le tigre qui s'apprête à bondir, le mouvement imitant la démarche de l'ours, le mouvement du cerf, du singe, de l'oiseau.

Plus tard sont apparus les « huit embellissements », ou « huit pièces de brocard », Ba Duan Jin, couramment pratiqués dans les temples bouddhistes, en particulier par les moines Shaolin. Ce sont huit exercices relativement simples à mémoriser. Chaque exercice a un nom très pratique pour cela. Citons : « Soutenir le ciel avec les mains pour prendre soin du Trois Foyers », « Bander l'arc et viser l'aigle », « Soutenir le ciel et s'appuyer sur la terre pour stimuler la Rate-Estomac d'un seul geste »...

Encore plus tard est apparu le tai-chi-chuan, « boxe du Faîte suprême ». C'est un enchaînement qui se compose de 75 à 108 mouvements, selon les différentes formes. C'est en même temps un art martial et en même temps un exercice externe de santé. Plusieurs écoles se disputent la paternité comme l'école Shen, l'école Yang, l'école Wu... Basé sur l'enracinement à la terre, à l'inverse d'un exercice de force physique, il sera caractérisé par une force souple, dynamique. Le corps est en relâchement complet pendant la pratique ce qui garantit la fluidité des mouvements ainsi que leur coordination. Pour faire court, on peut dire que c'est le summum des qi gong.

À retenir

Le tai-chi-chuan fait non seulement travailler le corps, mais aussi l'esprit. C'est un exercice de méditation en mouvement. Lorsqu'il est pratiqué de manière adéquate, il peut être très puissant pour aider à traiter et prévenir de nombreuses maladies internes comme le cancer.

Ensuite apparut le Wu Shu. Quand les mouvements, les enchaînements sont pratiqués rapidement, c'est un art martial. Quand les enchaînements se font lentement, c'est un qi gong externe.

Attention

Il existe encore d'autres dao yin externes. Par exemple ceux qui consistent à diriger et canaliser le souffle sur tel ou tel endroit du corps. On peut encore coupler la respiration avec l'émission de certains sons. Mais faite attention. Pour pratiquer ce type de dao yin, il convient absolument d'être accompagné par un maître lors de l'initiation.

CERTAINS SONS PEUVENT GUÉRIR

Le *Nei Jing* a établi le classement de cinq sons, chacun correspondant à un des cinq éléments, des cinq mouvements. Ainsi, on a les sons :

- Gong, +/− notre do qui correspond à la terre, la Rate ;
- Shang, +/− ré, qui correspond au métal, au Poumon ;
- Jiao, +/− mi, qui correspond au bois, au Foie ;
- Zhi +/− sol, relié au feu, Cœur ;
- Yu, +/− la, relié à l'eau, Rein.

Ce type de dao yin consiste à émettre un des cinq sons qui, utilisé de manière adéquate, peut agir sur le Qi des organes, stimuler la circulation de sang et d'énergie. Le son Gong est le plus grave, c'est un son très sourd. En remontant dans la gamme, on a ensuite le son Shang, puis au milieu, ni trop aigu, ni trop sourd, le son Jiao. Quant au son Zhi, il est bien plus aigu que Jiao et le son le plus aigu est le son Yu.

Ce n'est pas pour rien que des acouphènes aigus de type « chant de cigale » peuvent apparaître lors d'une faiblesse du Yin du Rein (les oreilles sont l'ouverture du Rein en MTC).

Autrefois en Chine, très tôt le matin, des maîtres des méthodes Yang Sheng Fa, d'entretien de la vitalité, se levaient pour aller pratiquer régulièrement dans la nature ce type de dao yin. Le point important dans l'émission de ces cinq sons est que ces cinq notes doivent monter du Dan Tian, sous le nombril. C'est le Qi du Dan Tian qui émet le son, qui monte dans la gorge.

La combinaison de tous ces dao yin s'appelle qi gong à l'heure actuelle. On parlera ainsi de qi gong calmes et de qi gong actifs. Ces différents types de pratiques léguées par les taoïstes ont comme première finalité, l'entretien de la vitalité. Pratiqués sur une longue période et avec assiduité, ils apportent un mieux-être tant sur le plan physique, que mental. Ces pratiques peuvent aussi prolonger la vie.

Il ne faut pas oublier qu'un des premiers buts du taoïsme est de préserver sa propre santé, la vitalité de son corps afin de pouvoir vivre longtemps, et d'arriver ainsi au plein développement de son esprit.

L'art du qi gong

Depuis des temps immémoriaux, dans leurs méthodes aussi bien préventives que curatives, les différentes civilisations ont mis en place, des séries de mouvements qui avaient comme vocation d'aller encore plus loin qu'une simple gymnastique corporelle. En Inde, on a appelé ce type de mouvements le yoga. En Chine, primitivement appelé dao yin, le nom le plus courant en Occident est le qi gong. Que cela soit yoga ou qi gong, leurs finalités seront les mêmes : combiner souplesse des articulations, respiration consciente et méditation en mouvement.

Attention

Cependant, attention de ne pas chercher trop rapidement à atteindre certaines postures de yoga. Si vous commencez ce type de pratiques vers la cinquantaine, vos articulations seront évidemment plus raides, et vous risquez de déclencher certaines pathologies articulaires. Nous verrons que les qi gong seront alors peut-être plus adaptés chez de nombreuses personnes.

Le terme Gong sous-entend une direction, un effet, un effort et Qi c'est l'énergie. Le qi gong est la maîtrise du Qi, de l'énergie vitale.

Le qi gong. Tout le monde en a entendu parler. Mais il est vrai que l'on s'y perd un peu. En effet, il existe des milliers de qi gong, autant que de maîtres chinois et quand vous allez en connaître les lois essentielles, vous pourrez, pourquoi pas, créer votre propre série.

Buts de la pratique des qi gong

Nous allons voir qu'une telle pratique vise trois buts essentiels à savoir conserver la souplesse de ses articulations, respirer en pleine conscience pour alimenter et faire circuler l'énergie dans le corps. Et enfin d'arrêter nos facultés cognitives, nos excès de pensée qui nous fatiguent à longueur de journée.

Niveau 1 : Conservation de la souplesse des articulations

Étudions cela de plus près et prenons l'exemple suivant : vous décidez de monter vos deux mains, bras tendus devant vous, jusqu'à la verticale et de les redescendre sur les côtés, de telle manière que les mains épousent la forme du corps. C'est un qi gong.

Si vous visualisez le mouvement de votre poignet, il est tantôt en hyperflexion, puis en hyperextension. De même, le coude sera à un moment complètement fléchi et un autre moment étendu. Enfin, vos épaules vont faire un mouvement complet de rotation externe. Avec un seul mouvement, vous venez de faire travailler trois articulations !

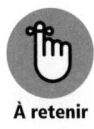

Une bonne série de qi gong devra être à même de faire travailler toutes les articulations, dans le but d'en conserver la souplesse.

Mais, comme le corps est parcouru par un maillage de réseaux énergétiques, cette mobilisation articulaire va aussi agir sur les différents méridiens du corps et en mobiliser l'énergie. D'où le nom donné à ce type de mouvements, « qi » voulant dire énergie et « gong », mouvement.

Rappelons-nous le chapitre sur les méridiens. Au niveau de chaque articulation, nous trouvons six méridiens, trois Yin et trois Yang. Or, ces méridiens sont directement en relation avec chacun des organes internes. En conservant la souplesse des articulations, nous favorisons la libre circulation de sang et d'énergie au niveau des cinq logiciels organes.

Niveau 2 : la respiration au centre de la pratique

En Chine, quand on va tôt le matin dans les espaces publics, on voit un très grand nombre de pratiquants et ce qui interpelle et dérange un peu l'Occidental, c'est l'extrême lenteur de ces mouvements ! La vie moderne, tout en explosion du Yang, nous incite à mettre en œuvre des pratiques qui ne supportent pas le ralenti : on court vite, toujours plus vite, on saute. Bref, on essaye de rattraper notre ombre !

Reprenons le même mouvement : quand vous montez les bras jusqu'à la verticale, vous inspirez très lentement en essayant de faire une respiration ventrale. Lorsque les bras redescendent sur le côté, vous expirez tout aussi lentement. C'est pour cela que le mouvement est lent. Il est juste rythmé par la respiration.

Un qi gong est avant tout dirigé par la respiration.

À tel point que lorsque la série que vous avez choisi de pratiquer est devenue en quelque sorte une « compétence inconsciente », un geste automatique sans implication du Shen, de la pensée, vous n'êtes plus que « respiration ».

Et pendant une série qui dure 15-20 minutes, vous avez respiré plus d'une centaine de fois sur les 300 cycles respiratoires « en pleine conscience » que vous devriez faire dans la journée.

Non seulement le qi gong libère la circulation de sang et d'énergie en assouplissant les articulations, mais dans une deuxième étape il recharge la batterie du Rein, grâce à cette hyperventilation.

Niveau 3 : Un exercice de méditation en mouvement

Ce type de pratique va encore bien au-delà. Prenons l'image d'une sphère pour représenter le conscient, nos facultés cognitives, l'ensemble des informations reçues par nos cinq sens, notre ego, notre Moi et à l'intérieur une autre sphère, celle du subconscient avec, au plus profond d'elle, notre âme spirituelle, le Hun.

Notre mode de vie « moderne » a pour conséquence de créer une véritable armure du conscient, une carapace nous empêchant d'écouter la « voix de l'âme ».

Une fois atteintes, les deux premières étapes du qi gong, celui-ci devient un véritable exercice de « méditation en mouvement ». Petit à petit, à force de pratiques quotidiennes, nous cassons cette armure et nous nous créons ainsi un entonnoir entre conscient et subconscient.

Notre maître nous enseignait que chacun d'entre nous possède un certain nombre de dons, et une des conséquences de ces pratiques est de les faire remonter à la surface.

Mais surtout, pendant le laps de temps de la pratique, nous arrêtons de « penser », nous mettons en veille notre ordinateur qui est trop souvent au bord de la surchauffe, du « burn out ».

Petit à petit, à force de pratiques, vous allez apprendre à vivre en pleine conscience et par là même redevenir le général en chef du fonctionnement de votre corps. Grâce à « ici et maintenant », je suis capable de m'arrêter au premier signe d'une colère et d'éviter de déclencher un tsunami mental.

En pratique — **EXERCICE DE QI GONG**

« 1. Pliez légèrement les bras et levez-les au-dessus de la tête, les doigts et poignets décontractés. Dès que vous commencez à lever les bras devant vous, inspirez, et maintenez cette inspiration jusqu'à ce que les bras soient parfaitement à la verticale.

2. Pliez les genoux, expirez et commencez à vous accroupir. Au cours de l'accroupissement, gardez le corps droit. En même temps, abaissez les bras et pliez les coudes de manière à ce que les mains remontent.

3. Baissez les mains le long des jambes. Relevez-vous, levez les bras et inspirez profondément. Recommencez l'exercice dix à vingt fois. »

Important : les mouvements doivent être exécutés lentement et graduellement. La respiration doit être aussi profonde et régulière que possible.

La première partie met à contribution le méridien de la Vessie surtout dans le haut du dos, là où se trouvent les points contrôlant le Poumon, le Cœur et la circulation sanguine. Dans la deuxième partie, c'est l'ensemble du méridien de l'Estomac qui est actionné. Ce qi gong prévient l'hypertension artérielle et les maladies chroniques. Le mouvement Hunt physique active la circulation sanguine et la digestion. On améliore les fonctions respiratoires, en renforçant les muscles de la poitrine et de l'abdomen.

Faut-il avoir peur des qi gong ?

Souvent, de fausses idées sont véhiculées quant à ces pratiques. D'aucuns vont mettre en avant la dangerosité de pratiques en solitaire sans être en permanence dirigé. Certes, il faut au départ un professeur, un maître qui nous apprendra une série. Mais une fois la série bien intégrée, il faut savoir se détacher de la perche.

À retenir

La pratique du qi gong est un acte solitaire. On doit être seul, face à soi-même, en étroite relation avec la terre mère et le ciel créateur.

Peut-on imaginer que, parce que le mouvement n'atteint pas une certaine perfection, nous allons « tomber malades » !

En réalité, si on vous demande au départ une certaine justesse, c'est pour que vous soyez focalisé sur le mouvement afin de disperser toutes les idées parasites. Cela vous permet progressivement de faire le vide dans le mental. Ensuite, les mouvements auront une certaine « rondeur » pour que l'énergie puisse circuler plus librement, avec fluidité.

Mais si au départ, une raideur articulaire vous empêche d'accéder au bon mouvement, cela n'a aucune espèce d'importance. Et même, du fait de la symétrie du mouvement, cela pourra être un excellent moyen pour récupérer la totale amplitude de l'articulation enraidie.

En réalité, le qi gong peut effectivement comporter un certain « danger » s'il est pratiqué dans le but d'obtenir quelque chose, un pouvoir, un don. À ce moment-là, l'esprit est tendu. De même, si on se concentre pour amener l'énergie dans telle ou telle zone de l'organisme, et qui plus est, si nous ne savons pas faire circuler l'énergie accumulée, cela peut générer des stagnations localisées.

À retenir

À partir du moment où on pratique dans le but de conserver une bonne santé, en lâchant prise, en étant dans le ressenti, un qi gong ne pourra qu'avoir des effets positifs sur notre santé.

De même, il ne faut pas tomber dans l'écueil occidental du « toujours plus ». Nul besoin de devenir un « collectionneur de mouvements ». Pour citer une phrase très connue dans la pratique des arts martiaux : « Je n'ai pas peur de la personne qui connaît mille techniques, mais qui ne les a pratiquées qu'une seule fois. Mais je crains plus que tout celui qui ne connaît qu'un seul coup et qui l'a pratiqué mille fois. »

Il convient juste d'apprendre une série qui « fasse travailler toutes les articulations, qui agissent sur tous les méridiens énergétiques et sur tous les organes internes ». Des séries très connues en Chine comme les « huit pièces de brocard », le « jeu des cinq animaux » obéissent à ces critères. Nous en avons parlé en introduction.

Lorsqu'un maître vous a enseigné une série, c'est celle que vous allez devoir pratiquer quotidiennement, pourquoi pas toute votre vie. Et un jour, si vous avez le temps ou l'envie, vous pouvez vous initier au « tai chi chuan ». C'est aussi bien un art martial qu'un « qi gong amélioré ». Pour faire court, il s'agit du « summum des qi gong ». Mais pour l'apprendre, il convient d'avoir un maître, le voir une ou deux fois par semaine et se donner deux ou trois années pour maîtriser cet art.

Une série de qi gong peut s'apprendre en quelques semaines.

LE QI GONG AU CENTRE DES PRATIQUES

La pratique quotidienne des qi gong peut devenir l'élément essentiel dans la batterie des méthodes de prévention de la maladie d'Alzheimer, dans « l'art de bien vieillir », dans la prévention des cancers et bien d'autres pathologies encore. Par ses actions conjointes de libération de circulation de sang et d'énergie, de recharge de la batterie du Rein, de changement de notre profil mental et psychologique, cette pratique va nous permettre de vivre le restant de notre vie, en toute sérénité. La seule vue de ces centenaires, en Chine, qui pratiquent au quotidien et dont on sait qu'ils ne finiront pas séniles, devrait nous donner l'envie de pratiquer cet « art de santé » le plus régulièrement possible. Tout en étant un exercice de méditation en mouvement, les qi gong actifs agissent surtout sur la souplesse des articulations et la circulation de sang et d'énergie. C'est une des raisons pour laquelle, il vaut mieux les pratiquer le matin, au saut du lit. En effet le sommeil, qui nous a permis de recharger nos batteries, a eu aussi pour conséquence de nous engourdir. Cette pratique matinale permet de retrouver notre souplesse et surtout de permettre au sang et à l'énergie de circuler jusqu'aux extrémités, en particulier au niveau du cerveau.

Le cavalier de fer, entre qi gong calme et actif

Il existe parallèlement à cette pratique un excellent exercice que je vous invite là aussi à mettre le plus souvent possible en œuvre.

Les quatre muscles les plus importants de l'organisme en rapport direct avec l'énergie du Rein sont : les quadriceps, les muscles fessiers, la partie basse des abdominaux, et le muscle pubo-coccygien. Or, un seul exercice peut les faire travailler tous les quatre, et bien d'autres muscles encore. C'est la position dite « du cavalier de fer ».

La position du cavalier de fer, Ma Bu en chinois, se fait les jambes écartées de part et d'autre du corps dans une position large, les pieds sont parallèles et dirigés vers l'avant, les genoux sont pliés et le buste est vers l'avant le plus droit possible. Vous devez trouver une position médiane entre l'hyperlordose et l'hypercyphose. Le haut du corps lui reste libre. 50 % du poids repose sur chaque pied. Vous devez avoir l'air d'être assis en ayant les jambes écartées. C'est une position qui doit devenir très stable. Plus les pieds sont parallèles, plus la position est statique. Attention de ne pas descendre trop bas au début.

La règle est que l'on ne doit pas ressentir de tensions excessives dans les genoux. Dans certaines pratiques d'endurance en kung-fu, on peut aller jusqu'à manger dans cette position. Très rapidement, vous allez ressentir les muscles précités devenir durs comme du béton. Et dans cette position, vous contractez des muscles du plancher pelvien, comme si vous vouliez soulever quelque chose de la terre avec les testicules pour l'homme.

Au niveau énergétique, on dit que « cet exercice renferme l'énergie interne du Dan Tian du bas en l'éloignant, en la séparant de l'énergie environnante ». Avec cette position s'ouvre le canal énergétique du bas, qui est lié à l'énergie de la terre. La membrane périnéale se décontracte plus, ce qui produit spontanément son activation énergétique.

Au début, vous ne tiendrez ce mouvement que quelques minutes mais avec de l'entraînement vous pourrez tenir un quart d'heure, voire plus. C'est un exercice que vous pouvez faire par exemple en vous brossant les dents, ou à bien d'autres moments dans la journée.

La méditation pour tous

Nous allons voir à présent un autre type d'exercice capable de rééquilibrer notre caractère, nos émotions, en harmonisant les énergies Yin et Yang dans notre corps. C'est la méditation que l'on appelle aussi qi gong calme.

À retenir

Son rôle essentiel est de « nourrir le Yin » du corps, de recharger la batterie du Rein. En pratiquant ce qi gong calme très régulièrement, on acquiert progressivement la capacité de contrôler son esprit et son énergie, mais on redonne aussi à l'organisme la capacité de s'autoguérir et de s'adapter à quelque situation que ce soit.

Méditation, mode d'emploi

La pratique de méditation que nous allons découvrir pourrait être appelée « la méditation du juste milieu ». En effet trop souvent, nous avons tendance à aller dans des pratiques compliquées, non adaptées à notre mode de vie occidental, à notre hérédité. Et les fruits que nous pourrions retirer de telles pratiques sont loin d'être au rendez-vous et peuvent même de temps en temps se retourner contre nous. C'est la théorie du rasoir d'Occam : l'explication ou la pratique simple d'un fait a plus de chance d'être vraie qu'une explication ou une pratique compliquée.

Premier point : se préparer

Il est préférable d'être vêtu d'habits amples, de penser à bien décontracter son cou, ne serait-ce que par de petits massages ou frottements avec les mains.

Juste avant de s'asseoir, on devrait pratiquer quelques mouvements, quelques étirements afin de relaxer son corps.

Il convient aussi de prendre quelques respirations profondes pour relâcher les tensions du corps, pour dégager l'esprit de ses préoccupations. Traditionnellement, on pratique ainsi trois respirations profondes.

Il est très important d'oublier ses soucis avant de méditer.

Deuxième point : la bonne position

Quand on commence ce type de pratique à un âge moyen ou avancé, il n'est nul besoin de prendre des positions telles que le lotus ou le demi-lotus. En effet, les articulations sont souvent raides. Ces positions ont tendance à bloquer la circulation de sang et d'énergie et à devenir très inconfortables. C'est l'opposé de ce que l'on veut obtenir dans ce type de pratique.

» Il vaut mieux tout simplement s'asseoir sur une chaise, les jambes dans une position relaxée, les hanches, les genoux et les pieds à 90 degrés. La colonne dorsale doit être bien droite, le menton légèrement ramené vers le thorax pour redresser la colonne cervicale.

» La chaise ne doit être ni trop haute, ni trop molle.

» Le dos ne sera pas en contact avec le dossier.

» Les yeux ne doivent pas être perdus au loin, mais « regarder sans voir » à peu près à un mètre devant soi.

» Il faut absolument être assis de façon confortable et naturelle, relaxé, totalement détendu.

» Progressivement les muscles des épaules, des mains, des pieds, des bras, des jambes, du visage se relâchent. On a l'impression d'émettre alors un léger sourire intérieur.

Troisième point, la respiration

C'est le plus important. Il faudra au préalable avoir appris à « respirer par le ventre ». L'air absorbé dans la poitrine ne va pas la dilater. On va le pousser dans l'abdomen. Quand on expire, l'abdomen se contracte et l'air est éliminé. Dans ce mécanisme, ce sont les poumons qui se dilatent vers le bas, poussent sur le diaphragme.

Quand on respire de cette manière, les relations entre les organes sont favorisées et surtout, on lutte contre les stagnations de sang et d'énergie.

Pendant toute la pratique, notre esprit ne va donc être concentré que sur un seul point, le mouvement respiratoire. On pourra ainsi se libérer de toutes pensées.

Pendant toute la durée de l'exercice, l'inspiration se fait par le nez et l'expiration par la bouche à peine entrouverte pour mieux suivre la sortie de l'air.

Il est très important dans une méditation de ne pas provoquer, mais de suivre sa respiration.

Points de repère pour une bonne méditation

Le but principal de ce type de qi gong interne est de cultiver le calme intérieur qui est Yin à l'opposé de l'agitation qui est Yang. On dit qu'il « nourrit le Yin ».

À force de pratiques régulières, le caractère change. Le Shen, le mental, l'esprit vont se calmer. C'est un état très particulier, dit de « pleine conscience », qui se met en place, état qui permet le contrôle des émotions par l'esprit, qui n'est plus agité.

On peut pratiquer cette posture deux, trois fois par jour.

Si on devait choisir, le meilleur moment pour pratiquer serait le soir. En effet, la fin de journée est un moment critique quant à la gestion des émotions. La batterie du Rein s'est déchargée durant tout le jour, et perd son rôle de contrôle des « logiciels organes ». C'est l'heure de tous les TOC (troubles obsessionnels compulsifs) qui vont de la boulimie, à la prise d'alcool ou de saveurs sucrées en excès. Les parents n'ont plus de patience avec leurs enfants. C'est l'heure des disputes, des violences conjugales. Les révolutions, les guerres, les conflits de toutes sortes commencent toujours le soir et que très rarement dans la journée !

Pratiquer le soir va permettre de recharger puissamment cette batterie qui reprend alors le contrôle.

Le sommeil de fin de soirée qui s'ensuivra sera alors beaucoup plus profond et réparateur. C'est un excellent exercice contre les insomnies.

Quant à la durée de la pratique, elle peut varier d'un jour à l'autre. Un jour que quelques minutes et à d'autres moments pourquoi pas une heure.

Vous vous concentrez donc sur la respiration, sans forcer, vous visualisez, sans la diriger, la colonne d'air qui entre et sort de votre corps. Quand apparaissent des tensions ou de la nervosité, il est important alors de s'arrêter tout de suite.

 Mais le point le plus important est la quotidienneté de l'exercice pour que cela puisse avoir un impact sur le caractère, le Shen. Ne serait-ce que quelques minutes de pratique suffisent à vider l'esprit et à mieux réagir au stress.

Et avec un peu d'entraînement, vous allez pouvoir ainsi vous détendre, lâcher prise dans n'importe quel lieu.

C'est au prix de telles pratiques que nous pouvons atteindre la longévité. En effet, cette dernière est déterminée par la préservation et l'économie de l'huile ancestrale. Pour ne pas y toucher, il convient d'avoir notre batterie rechargée en permanence. Le qi gong interne est l'un des exercices les plus puissants pour conserver le Shen, l'esprit, dans son corps, et donner à notre Hun, notre âme spirituelle, l'envie d'y rester.

Chapitre 19
Les vertus méconnues du sommeil

DANS CE CHAPITRE :

» **De l'importance du sommeil**

» **Conseils pour bien dormir**

» **La relaxation au secours du sommeil**

On ne peut terminer cette partie sur les pratiques de la MTC sans parler du sommeil. Le sommeil est un acte physiologique indispensable dans notre vie terrestre. En 100 années de vie, on passe 33 ans à dormir, soit plus d'un tiers de notre vie ! Il est caractérisé par une suspension de la vigilance, de la conscience, ce que nous avons appelé le Shen en MTC, mais aussi par un ralentissement de certaines fonctions métaboliques (diminution du rythme cardiaque, respiratoire, baisse de la température...). Tous les muscles du corps vont se relâcher. On peut dire que l'homme endormi est déconnecté des stimuli émanant du monde extérieur.

Pourquoi dort-on ?

Le sommeil est le moyen le plus naturel pour recharger la batterie du Rein. C'est la méthode la plus efficace que nous a léguée Dame Nature.

En effet, toujours en se référant à la dualité Yin-Yang, à partir du moment où on se réveille le matin, tous nos actes de la journée vont avoir une action centrifuge sur notre énergie. Tous les actes de la vie quotidienne comme parler, bouger, digérer, agir, penser et bien d'autres encore vont être des actes à polarité Yang. Ils vont puiser dans notre énergie interne accumulée, dans notre batterie.

Mais si nous n'avons pas appris à bien la recharger, si nous dormons mal, cette batterie va vite se décharger tout au long de la journée. Et c'est la fatigue qui apparaît.

Nous avons vu dans les chapitres précédents que cette batterie était responsable de l'autorégulation et de l'adaptation de l'organisme. Si, en fin de journée, cette batterie est complètement vide, nos différents logiciels organes ne seront plus contrôlés.

En particulier tous les TOC (troubles obsessionnels compulsifs) sous la dépendance du logiciel Foie vont se réveiller. C'est le moment où l'on se met à boire, où l'on se précipite sur sa tablette de chocolat, où l'on fume plus que de raison.

Mais la colère appartenant au Foie, celui-ci n'étant plus contrôlé par le Rein, c'est l'heure où les violences éclatent. Avez-vous remarqué que les guerres, les révolutions ne commencent que très rarement le matin, mais très souvent en fin de soirée ?

Une torture bien connue est d'empêcher un suspect de dormir. Les batteries vont complètement se décharger. C'est le moment idéal pour faire avouer ou faire un lavage de cerveau. Et si cela dure trop longtemps, la mort peut subvenir.

Conseils pour bien dormir

Quelle position prendre ?

La meilleure position est couchée sur le côté droit, la jambe droite allongée et la jambe gauche légèrement repliée au-dessus.

Si vous vous couchez du côté gauche, ce n'est pas trop grave. Vous fatiguez juste un peu votre cœur qui est comprimé par le poumon.

Certains dorment sur le dos. Mais si leur luette, cette petite languette au fond de la gorge est un peu enflée (alimentation trop chargée en Tan, en déchets), c'est le ronflement qui apparaît, et votre conjoint a tôt fait de vous faire remettre sur le côté.

Attention

» La « pire » des positions est à plat ventre. Non seulement ce n'est pas une position physiologique pour vos articulations, surtout du cou, mais vous comprimez votre cage thoracique et perdez ainsi une grande partie de votre capacité respiratoire.

» Le matelas doit être relativement dur.

» La courbure physiologie de la colonne cervicale doit être respectée. Attention au trop gros coussin.

> La pièce bien aérée et non surchauffée. Il vaut mieux prendre quelques couvertures de plus qu'une pièce surchauffée qui dessèche l'air ambiant et épuise (« blesse ») les liquides organiques de l'organisme.

Durée du sommeil

Le saviez-vous

On dit en MTC qu'il ne faudrait pas dormir moins de six heures par nuit et pas plus de huit heures.

> Une heure de plus pour une femme qui, de par sa nature plus Yin que l'homme, a besoin de plus de recharge. Nous parlons ici du sommeil quotidien et non de celui des jours de fête.

> Un enfant qui est en pleine croissance (la multiplication cellulaire est directement à mettre en relation avec l'énergie du Rein) a besoin de plus de sommeil qu'un adulte.

> Un cérébral, de nature plutôt Yin, aura besoin de moins d'heures de sommeil qu'un sportif.

> Une personne âgée qui ne fait pratiquement plus d'effort, chez qui les déperditions énergétiques sont moins importantes, aura besoin de beaucoup moins d'heures de sommeil.

À retenir

Mais d'une façon générale, un excès ou un manque de sommeil chronique est obligatoirement néfaste pour la santé.

Le fait de dormir trop longtemps affaiblit le système musculaire et par là même le logiciel Rate. Cela peut devenir la signature d'une dépression latente et avoir une influence néfaste sur la digestion du bol alimentaire et la transformation des aliments en énergie.

Un déficit chronique en heures de sommeil empêche l'organisme de reconstituer ses réserves. Les défenses immunitaires s'amenuisent, ainsi que les facultés d'adaptation. Affaiblissement des protections de l'organisme et maladies sont au bout du chemin.

Il convient aussi de s'adapter au rythme des saisons. En hiver, la nuit étant plus longue que le jour, on devra dormir davantage. En revanche, en plein été, nous avons besoin de moins d'heures de sommeil.

Les meilleurs créneaux horaires

Si nous nous en référons au cycle jour-nuit, le jour éclairé par le soleil est le côté Yang de la force. C'est là où l'on décharge son énergie. En revanche, la nuit est le côté Yin de la force. C'est à ce moment-là qu'on doit recharger.

Les meilleurs créneaux horaires se situent entre 22 heures-23 heures jusqu'à 6-7 heures du matin.

Partant du principe que la recharge optimale de vos accus se situe aux alentours de minuit (entre 23 heures et 3 heures), si vous vous couchez tous les jours vers une heure du matin et que vous dormez vos 8 heures, vous perdez quand même une partie de la recharge de la batterie.

À retenir

Un élément essentiel : la notion de RÉGULARITÉ est un maître mot en MTC. Plus que les créneaux horaires, le danger vient de la rupture des rythmes surtout quand ceux-ci sont répétitifs. Il est difficile par exemple de récupérer en travaillant trois nuits dans une semaine et trois journées dans l'autre. En cas d'obligation, on peut remédier à ces « cassures » de rythme, en s'initiant à la relaxation.

Qu'est-ce qu'un sommeil idéal ?

Quand il est parfaitement régulé, avec une batterie bien rechargée, un sujet en bonne santé doit pouvoir s'endormir dans les minutes qui suivent le coucher et se réveiller en pleine forme sans l'aide d'aucun réveil, l'heure ayant été programmée mentalement la veille.

Il y a un autre critère en MTC. On ne doit pas se souvenir de ses rêves.

On considère qu'il y a deux types de rêves : ceux à mettre en relation avec les émotions correspondant aux différents logiciels organe. Une autre activité nocturne : ce sont les informations données par le Hun, l'âme spirituelle, logé dans le Foie. Ce sont les fameuses « intuitions nocturnes ».

Sans s'avancer plus loin dans ce type de considération, il faut savoir que se souvenir de ses rêves peut être la conséquence d'un excès d'énergie au niveau de tel ou tel organe. Cela fait d'ailleurs partie des méthodes de diagnostic en MTC, relativement à l'interrogatoire (voir chapitre 7).

Le saviez-vous

Quand la personne se souvient de certains rêves récurrents, on lui demande de les décrire. Si ce sont par exemple des rêves violents, guerriers, c'est sûrement l'énergie du Foie qui est trop tendu. Des rêves érotiques avec émission à répétition de liquide spermatique chez l'homme signeront un effondrement de l'énergie du Rein.

On peut donc, grâce à l'analyse des rêves, faire un relationnel avec les logiciels organes déséquilibrés.

Comment se préparer à un bon sommeil

En pratique

- Une règle de base : il convient de se mettre au lit quand on est sûr d'avoir terminé sa digestion. À vous de prendre les précautions nécessaires, sachant qu'une digestion dure entre 1 h 30 et 3 heures Cet aspect sera développé dans la cinquième partie sur la diététique.
- Ensuite il est important d'avoir l'esprit au calme. Donc d'éviter les films violents avant de se coucher.
- Ne surtout pas s'endormir devant la télé.
- Éviter les conflits, les discussions trop vives.

Que faire si vous n'arrivez pas à vous endormir ?

Les trois types d'insomnie

- Vous n'arrivez pas à vous endormir. Vous tournez dans votre lit. Souvent cet état est accompagné d'impatiences au niveau des jambes. Cela signe une faiblesse au niveau du Yin du Rein qui ne contrôle plus le Shen, le mental qui est logé dans le Cœur. C'est l'excès d'activité mentale qui vous empêche de dormir.
- Dans un autre cas, vous vous endormez par épuisement, vous vous réveillez, vous rendormez, et ce plusieurs fois dans la nuit. On appelle cela « l'insomnie du Foyer moyen ». Les aliments dans votre estomac « pourrissent ». Vous avez trop mangé et n'avez pas entendu la digestion avant de vous endormir.
- Un troisième type d'insomnie et ce que l'on appelle en MTC « l'insomnie de trois heures du matin », de deuxième partie de nuit. On se trouve alors devant un tableau de blocage, de stagnation d'énergie au niveau du Foie. Syndrome très courant dans notre mode de vie occidental.

Ces trois types d'insomnie peuvent évidemment se combiner entre eux.

Quelques petits trucs

- Commencez par pratiquer l'exercice respiratoire que nous avions vu dans le chapitre sur la respiration pour lutter contre l'insomnie (voir chapitre 17) : Respirez le plus lentement possible, sans aucun bruit, en insistant sur l'expiration après une courte inspiration.
- Endormez-vous sur une relaxation profonde.

> » Prenez votre pied, c'est le cas de le dire : massez pendant 10-15 minutes votre pied. Vous débutez par un massage général. Ensuite vous vous arrêtez sur certains points. Je vous renvoie au chapitre sur la digitoponcture. Insistez sur les points 3F, 3Rn et surtout le 1Rn. C'est un des grands points de l'endormissement.

> » En cas d'insomnie rebelle, vous pouvez rajouter le 7C, mais celui-ci sera massé plutôt le matin. Ou le 6CC que vous pouvez faire avant de vous coucher.

En pratique : QUE FAIRE LE MATIN AU RÉVEIL ?

Théoriquement, votre batterie s'est rechargée au cours de la nuit. Mais le sang et l'énergie ont tendance à stagner du fait de l'état de repos prolongé.

Il est fondamental de s'étirer. Comme le font les animaux, vous vous étirez sur une inspiration très lente de la pointe des pieds jusqu'à l'extrémité des doigts.

Vous pouvez aussi prendre de grandes inspirations suivies d'expirations forcées (voir chapitre 17 sur la respiration).

N'hésitez pas à vous masser très rapidement tout le corps. Vos mains suffiront pour cela, ou bien une serviette roulée pour frotter chaque zone.

Et si vous connaissez une série de qi gong, c'est le moment de les pratiquer. Cela va totalement libérer la circulation de sang et d'énergie (voir chapitre 18).

La relaxation au secours du sommeil

La relaxation est en effet le grand antidote d'un mauvais sommeil, d'un sommeil non récupérateur.

Mais aussi, vous pourrez la pratiquer chaque fois que vous sentez une fatigue vous envahir. Normalement on ne devrait jamais être fatigué. C'est un symptôme signal d'alarme de « trop tard ». Autant le prévenir, ou agir dès qu'il est émis.

Mettez donc à profit les extraordinaires vertus de la relaxation.

Le saviez-vous

Dix minutes de relaxation bien menée équivalent à trois heures de sommeil.

La relaxation consiste à relâcher un à un tous les muscles du corps, se trouver dans un état proche de l'endormissement.

Au départ, n'hésitez pas à vous initier auprès d'un professionnel. De très nombreux enregistrements audio dirigeant des séances de relaxation sont à votre disposition sur Internet.

Une fois que vous savez vous relaxer, vous n'avez plus besoin d'aucun support. En quelques minutes, vous obtenez cet état « second », cet état de captation énergétique optimale. Vous devriez d'ailleurs prendre l'habitude de faire de telles séances aux quotidiens.

Les deux meilleurs moments dans la journée sont :

À retenir

>> **Après le repas de midi.** En effet la digestion d'un bol alimentaire demande beaucoup d'énergie. Si votre batterie n'est pas rechargée, votre corps choisit de digérer, mais alors vous n'arrivez plus à « digérer » les informations dans votre travail. Ou il fait le choix de la concentration, mais vos aliments pourrissent dans l'estomac et en fin d'après-midi vous n'avez toujours pas digéré.

>> **En rentrant chez vous, en fin d'après-midi.** Vous avez vidé votre batterie tout au long de la journée. Il est grand temps de vous relaxer pour éviter de tomber dans tous les travers d'autodestruction de votre corps. C'est aussi une excellente méthode pour avoir un endormissement plus profond lors de votre prochain sommeil.

Bref, dans nos sociétés modernes, on ne peut pas se passer de ces techniques qui ont été déjà décrites il y a des centaines d'années en MTC.

Yin-Yang, sommeil-éveil : apprenons à jongler avec ces deux états. Nous mettrons ainsi toutes les chances de notre côté pour accéder à la longévité en bonne santé.

PARTIE 5
LA DIÉTÉTIQUE DE LONGUE VIE

DANS CETTE PARTIE...

Cette partie dédiée à la diététique du juste milieu va vous apprendre à devenir le chef d'orchestre de votre alimentation, avec des aliments de saison et de région. Pas question de « s'enchinoiser » outre mesure. Et ce, au travers de neuf règles incontournables qui bien comprises et appliquées le plus régulièrement possible permettront non seulement de « faire maigrir les gros et grossir les maigres », mais surtout d'arrêter de fatiguer inutilement votre organisme et de retrouver un état d'équilibre, de bonne santé sur votre câble de vie. Tout un chapitre sera consacré au problème si controversé de l'hydratation du corps. Les données de la MTC en la matière vont vous aider à vous départir des erreurs véhiculées dans notre monde moderne.

Chapitre 20
Les neuf règles

DANS CE CHAPITRE :

» La diététique du juste milieu selon la médecine traditionnelle chinoise

» Découvrez les neuf piliers d'une alimentation équilibrée et saine

» Tous les bons conseils pour une diététique préventive

La diététique est d'une importance capitale pour la préservation de notre santé. Tout le monde en est conscient. Mais c'est aussi un domaine où il existe le plus de théories, le plus souvent contradictoires entre elles. Les systèmes diététiques se multiplient à foison, mais trop souvent, ils tendent vers un certain radicalisme qui peut mettre en jeu la santé même de l'individu.

Contrairement aux enseignements modernes, la diététique chinoise n'est pas fondée uniquement sur une représentation physique et biochimique du corps humain. Elle tient compte de concepts beaucoup plus subtils tels que la notion d'énergie ou la notion de symbiose existant entre l'homme et l'univers.

La philosophie taoïste qui sous-tend les principes et les pratiques de la MTC prône avant tout la voie du juste milieu et c'est comme cela que sera abordée ici la diététique.

Il n'est pas question ici d'aller à l'encontre de votre nature. À partir de règles, d'axiomes de base très faciles à comprendre, nous allons aborder « la diététique du juste milieu » applicable à tout un chacun. Bien comprise, elle permettra non seulement de retrouver une bonne santé, de « faire grossir les maigres et maigrir les gros ». Mais surtout de jouer un rôle préventif qui est le fondement même de la MTC.

Une mise en garde s'impose. Quelles que soient la justesse et la logique des principes qui vont être énoncés, vous devrez vous garder de changer vos habitudes trop rapidement. Laissez à votre corps le temps de passer d'un état de déséquilibre auquel il s'est habitué pendant des années, à un nouvel état d'équilibre. Il faut un délai de quelques semaines à parfois plusieurs mois pour définitivement changer ses mauvaises habitudes. Vouloir changer trop vite reviendrait à faire une marche arrière sur une voiture qui roule à cent à l'heure. Attention à la casse. Donc, donnez du temps au temps.

Attention — **NE PAS JOUER AUX APPRENTIS SORCIERS !**

La plupart des livres parlant de diététique en MTC sont réservés à des praticiens confirmés, capables de faire le bon diagnostic chez leur patient. Ces livres ne parlent que de diététique thérapeutique. Ce praticien sera alors à même de faire une ordonnance de diététique à son patient, en lui conseillant momentanément de se tourner vers telle saveur, telle nature d'aliment, pourquoi pas telle couleur.

Ce type de diététique sera tout à fait intéressant pour potentialiser les effets des différents traitements. Le praticien sera amené à prescrire certains menus, à abandonner tels ou tels légumes ou fruits.

Mais, et c'est très important, une fois le patient rééquilibré, il devra lui apprendre à élargir sa diététique et retrouver la voie du juste milieu.

Prenons un exemple simple. Vous venez de subir une attaque externe, un « vent-froid » avec tous les symptômes grippaux qui s'ensuivent.

Votre organisme a besoin de force pour mener à bien le combat et rejeter la perversité. Votre praticien vous dira alors de vous « mettre au vert ». C'est-à-dire de ne consommer pendant une semaine que du riz et des légumes à chaque repas, sans aucun autre ingrédient, et surtout pas de protéines qui risqueraient d'amener un excès de chaleur dans votre organisme. Mais une fois guéri, vous devrez repende un régime normal. Un autre exemple : vous êtes de nature Yin et décidez de vous mettre à ne manger que des crudités, qui plus est sans les mastiquer très longuement pour les cuire dans votre bouche. Vous allez déclencher des pathologies de stagnation de sang et d'énergie à plus ou moins long terme qui risquent d'être très préjudiciables pour votre santé.

Donc attention à l'automédication alimentaire. Vous risquez, par faute de connaissances très précises sur l'état actuel de l'énergie de votre corps d'augmenter les déséquilibres, si ce n'est de vous mettre en état de carence.

La diététique qui va suivre va vous permettre d'être le chef d'orchestre de vos propres aliments occidentaux, de saison et de région, même si de temps en temps nous pouvons nous permettre d'importer certains produits. Mais pas question de devenir chinois pour autant !

La particularité des règles qui vont suivre est qu'elles sont communes à toutes les diététiques que nous pourrions qualifier de traditionnelles. Avec quelques bémols selon les latitudes où nous nous trouverons, on sera à même de les appliquer dans quelques pays où nous nous trouvons.

Une bonne diététique à elle seule ne suffit pas à conserver une bonne santé. En effet, vous pouvez avoir la meilleure diététique du monde et quand bien même « tomber » malade. Alors, pourquoi avoir une bonne diététique ? Tout simplement pour arrêter de fatiguer inutilement notre organisme, de perdre trop d'énergie à digérer des aliments qui arrivent en trop grande quantité dans l'estomac ou qui sont impropres ou inutiles pour la conservation d'un bon équilibre.

Rappelez-vous le vieil adage : « Dis-moi ce que tu manges, je te dirais qui tu es. » Ou encore ce que disait Michio Kuschi : « L'homme peut tout manger, et pourtant, il doit maintenir un certain ordre dans ce qu'il consomme. C'est un point crucial pour l'amener au développement ou au déclin. »

Enfin, le mot « régime » doit être exclu de notre langage. Cela sous-entend obligatoirement des mots comme « carence », « manque », « déséquilibre », « privation ». Et cela va à l'encontre de la conservation d'un bon équilibre énergétique.

Règle n° 1 : Faire la différence entre repas de fête et repas quotidiens

Depuis la nuit des temps, dans toutes les diététiques traditionnelles, le concept de repas de fêtes a été mis en avant. Que l'on fêta les dieux, les saints, les anniversaires, les jours marquants d'un calendrier, ces jours de fête jalonnaient et jalonnent encore le cycle annuel des cinq saisons.

À retenir

Ces repas de fêtes sont appelés Xiang Shou en MTC, la « jouissance par l'alimentation ». Ils ont comme finalité de « nourrir » le mental, le Shen, l'esprit. Nous verrons plus loin que les repas quotidiens, eux, servent à nourrir le corps, à lui apporter l'énergie nécessaire pour sa survivance quotidienne, mais aussi être une aide très appréciable dans la recharge quotidienne de sa batterie.

Les repas de fête permettent de réincorporer en leur sein certains aliments que nous serons amenés à écarter des repas quotidiens. Ces repas auront ainsi l'immense avantage de nous permettre de vivre en société.

Attention

Attention à certaines modes, certains courants de pensée qui prônent tel ou tel type de diététique plus ou moins radical. La diététique ne se réinvente pas. Elle est, et a toujours été. À être trop extrémiste, cela peut devenir pour certain un enfer de manger certains repas, s'ils ne sont pas sûrs, par exemple, de la provenance des aliments qui les composent. Ils en arrivent à fuir ces repas de fêtes. Je n'aurais de cesse de rappeler que l'énergie de la peur est beaucoup plus nocive que certains écarts alimentaires.

Dans un mois de repas, entre le repas de midi et le repas du soir, nous avons 60 repas. Nous allons voir que l'on peut s'octroyer 8 à 10 repas de fête par mois, à condition que les 50 autres soient « diététiques ». À la lumière des prochaines règles qui vont suivre, nous allons voir que la majorité des personnes font entre 40 et 50 repas de fête par mois !

Dans ces repas de fête qui dureront plus longtemps, c'est la beauté de la disposition des mets, les différentes odeurs, couleurs, saveurs qui vont rendre ce repas festif.

Mais il y a un corollaire à ceci. Si votre état d'esprit est ouvert, positif, vous pouvez à ce moment-là effectivement manger certains aliments, certaines associations qui seront contre-indiqués dans les repas quotidiens. Cela ne fera pas de mal à votre organisme, mais au contraire, cela l'excitera et l'obligera à avoir des pics de digestion qui lui seront tout à fait bénéfiques.

À l'inverse, si pendant ces repas de fêtes vous n'êtes pas dans votre « assiette », si vous êtes dépressif ou confronté à des problèmes qui vous fatiguent mentalement, alors ces mêmes aliments peuvent devenir un poison pour votre corps.

Cette division entre repas de fête et repas quotidien permet ainsi de ne pas sombrer dans la monotonie et surtout de ne pas vous culpabiliser si vous êtes amené à faire un écart. Toujours selon l'incontournable loi du juste milieu.

Règle n° 2 : Connaître les grands interdits

Nous allons voir à présent toute une série « d'interdits ». Ce sont des aliments auxquels il faudra porter une grande attention, car ils sont à même de déséquilibrer fortement l'être humain sur son câble de vie, quand ils sont pris en excès. Mais, toujours dans cette vision prônée par la loi du juste milieu, ces « interdits » pourront être réincorporés dans les repas de fête dans les conditions vues précédemment. Cette vision a l'avantage de vous déculpabiliser quand vous transgressez certaines règles diététiques, et surtout de ne pas vous exclure de la communauté.

Vous avez dit lait de vache ?

Jouons à l'avocat du diable. Pourquoi un tiers de l'humanité, à savoir les peuplades asiatiques, n'a jamais fait entrer dans leur alimentation, ou alors sous certaines conditions le lait de vache et tous ses dérivés ? Pourquoi l'Inde a-t-elle rendu la « vache sacrée » et a mis à l'index la consommation de tous ses produits, le beurre qu'ils consomment n'ayant plus rien à voir avec notre beurre ?

À l'inverse, comment peut-on expliquer la forte concentration des fractures du col du fémur, dans les zones où la consommation des laitages est à son maximum, comme dans le nord de l'Europe ?

Le saviez-vous

Quelques points de repère : un bébé d'homme à l'âge de 9 mois pèse une dizaine de kilos, alors qu'un veau au même âge plus de 200 kg. Les protéines responsables de la croissance contenues dans le lait de vache sont beaucoup plus volumineuses que celles contenues dans le lait maternel. Avec un peu de recul, nous pouvons voir que notre organisme n'est fait que de filtres. Ces protéines vont de mois en mois, d'année en année, boucher tous ces filtres, entraînant des maladies cardio-vasculaires et bien d'autres encore. Elles sont considérées comme du Tan, des déchets. C'est autant d'énergie mobilisée en pure perte pour que le corps puisse les éliminer.

L'autre danger de ces produits est le suivant. Quand nous sommes devant un quelconque phénomène inflammatoire, un processus d'hypermultiplication cellulaire qui s'effectue de manière anarchique ou excessive dans certaines zones : rhumatismes chroniques, boule des graisses, kystes, nodules, processus tumoraux et autres. Toutes ces pathologies peuvent s'apparenter à des pathologies « auto-immunes ». C'est le corps qui en fait trop pour s'autoguérir. Le simple fait de consommer ces produits dérivés du lait de vache va augmenter de manière très significative ce phénomène de multiplication cellulaire.

À l'heure actuelle, de très nombreux cancérologues qui se penchent sur cette question tirent effectivement la sonnette d'alarme et prônent l'arrêt de ce type de produits.

En pratique

POURQUOI NE PAS FAIRE UN ESSAI ?

Si je souffre d'une de ces pathologies, ou de multiples douleurs inflammatoires chroniques, pourquoi ne pas faire moi-même l'expérience suivante. J'arrête le lait et tous les dérivés du lait de vache pendant trois mois. Ce n'est rien dans une vie et je vais voir ce qui se produit dans mon corps. Je vais d'abord petit à petit mieux dormir et surtout ne plus avoir cette sacrée insomnie de trois heures du matin qui est à mettre en relation avec un engorgement du filtre du Foie. Ensuite, pas à pas, mes douleurs chroniques vont s'estomper. D'abord celles situées sur le trajet des méridiens du Foie et de la Vésicule biliaire : cervicalgies, douleurs herniaires, douleurs aux genoux... Si je souffre de sinusite chronique, *a fortiori* si elles sont dues à des allergies saisonnières, cela va avoir un impact direct. Mais je vais me rendre compte aussi que, très rapidement, cela va avoir un effet bénéfique sur mon mental, ma concentration, ma nervosité. Donc, faites le test. Cela ne vous coûtera rien et pourra « rapporter gros »...

Combien de fois dans ma carrière, j'ai demandé l'arrêt total de ces produits à mes patients qui souffraient de polyarthrite rhumatoïde, de spondylarthrites ankylosantes, de sinusites aiguës ou chroniques à répétition ou autres. Et combien de fois avons-nous obtenu (patient et praticien) des résultats spectaculaires.

Et évidemment, si vous avez retenu la philosophie de ce message, les dérivés du lait de vache doivent être totalement arrêtés en cas de cancer ou pour en prévenir une récidive.

Le saviez-vous

Bon. Nous sommes épicuriens (épicurisme d'ailleurs prôné par les taoïstes), et aimons la vie. Eh bien, entre amis, rien ne nous empêche de consommer du fromage de chèvre ou de brebis, le moins salé possible. Tout simplement parce que le cabri pèse le même poids que le bébé d'homme...

Je voudrais juste terminer ce propos par cette réponse laconique que nous avait fait notre maître quand nous lui avions demandé des précisions sur la diététique de l'enfant en bas âge. « Je ne peux pas répondre à cette question, car, depuis des générations et des générations, l'enfant jusqu'à l'âge de deux ans minimum se nourrissait uniquement au lait de sa mère » et un peu plus loin, il nous disait « le lait de vache est pour le veau, le lait maternel est pour le bébé d'homme » !

Vais-je me transformer en gruyère ostéoporotique si j'arrête le lait de vache ?

À retenir

Si j'arrête le lait de vache, où vais-je trouver ma dose de calcium quotidienne ?

Avant tout, on ne devrait pas parler de décalcification, ni même de déminéralisation, mais d'ostéoporose. Quand un mot se termine par le suffixe -ose, cela nous ramène à la notion de protéines. Ce qui donne la solidité aux os de notre squelette, ce sont les travées osseuses qui sont des fibres de protéines. C'est sur ces travées que viennent se fixer, non seulement le calcium, mais aussi bien d'autres minéraux. Or, le fond du problème est que, dans certaines conditions, peut s'installer progressivement une raréfaction de ces fibres de protéine. Et, quelle que soit la quantité de minéraux que l'on puisse ingérer, ils vont se fixer partout dans l'organisme, mais pas sur les os.

Que dit la médecine chinoise ? « L'énergie du Rein est la mère des os du squelette. » Depuis des millénaires, les médecins chinois ont mis en relation l'énergie du Rein et les os du squelette. En ce qui nous concerne, ce relationnel se fait à deux niveaux. L'énergie du Rein a en effet sous sa dépendance la fixation des minéraux sur les travées osseuses, mais aussi la production même de ces fibres de protéines.

Revenons à la question de base : où vais-je trouver mon calcium, sous-entendu les minéraux, si j'arrête les produits laitiers ? Il faut savoir que tous les aliments en contiennent dans une plus ou moins grande proportion. En particulier, nous les trouvons dans les légumes qui viennent de la terre, principal pourvoyeur de minéraux. L'eau que l'on boit est une eau minéralisée. Pas tous, mais certains de ces minéraux sont complètement assimilables par l'organisme. Donc, en réalité, lorsque nous avons une alimentation équilibrée, nous ne rencontrons aucun problème en ce qui concerne le quantitatif au niveau de l'apport de minéraux, et entre autres de calcium. Et si vous vous êtes mis dans la tête que votre future hypothétique ostéoporose est due à ce manque de minéraux, vous allez vous rabattre sur les compléments alimentaires qui pris en excès vont être considérés comme un apport de Tan, de déchets, par l'organisme.

Faute d'être rejetés par le corps ou fixés par les os, ils vont venir durcir vos artères et favoriser l'apparition de calculs et autres...

La vraie question est : Comment recréer ou conserver mon capital osseux, mon capital de fibres de protéines, de travées osseuses ?

> En premier lieu, on peut citer une méthode simple, encore faut-il y penser et que cela soit possible : l'exposition au soleil au moins 10 minutes par jour. Rappelez-vous les cours de biologie à l'école sur le rachitisme et la synthèse de la vitamine D. Statistiquement, on trouve moins de cas d'ostéoporose dans le Sud, que dans le Nord.

> Ensuite, il y a la mise en pression de l'os. Quand vous bougez, sautez (trampoline, « retour du printemps » en qi gong) vous mettez l'os en pression. Cela va l'obliger alors à reconstituer son capital de fibres. Nos diététiques modernes sont faites à base d'aliments trop lisses et trop raffinés. Du coup, on perd l'habitude de mâcher. Mais on perd aussi nos dents, car elles ne sont pas retenues par un tissu osseux devenu ostéoporotique.

> Il y a la troisième méthode, la plus importante, pour se mettre à l'abri de ce type de déséquilibre. C'est la recharge permanente et quotidienne de la batterie du Rein par la mise en application des méthodes Yang Sheng, des méthodes de préservation de la vie. Si vous apprenez à respirer, à vous relaxer, à boire, à manger, à bouger, à faire l'amour de manière adéquate, vous conservez une recharge optimale de cette batterie du Rein. Cela va avoir un retentissement direct sur la solidité de vos os.

On peut totalement démontrer en MTC que trop boire épuise le Rein et favorise l'ostéoporose. Qu'être soumis en permanence à la peur, à l'excès de stress épuise aussi le Rein. Il faut prendre conscience qu'une mauvaise gestion du stress a un impact beaucoup plus important sur votre capital osseux, que la quantité de calcium que vous pourriez ingurgiter.

Une des visions de la vie et la mort en médecine chinoise est un déclin physiologique normal de notre huile ancestrale logée dans notre énergie du Rein. Quand il n'y a plus d'huile, le Rein « s'éteint » et le Passage se fait. Il est donc normal qu'en quatrième partie de vie, on ait beaucoup moins de capital osseux.

Donc, soleil, mouvement et recharge de la batterie du Rein sont les grandes méthodes de prévention de l'ostéoporose.

Qu'en est-il des graisses saturées ?

Il existe deux types de graisses dans nos aliments. Les graisses dites saturées et celles qui sont insaturées.

Les graisses insaturées

Les graisses insaturées sont capables de se diviser au moment de la digestion et sont indispensables. Elles fournissent de l'énergie, nourrissent le cerveau, régulent la température corporelle, régulent la synthèse des hormones...

Ces graisses se trouvent principalement dans les végétaux. La première huile végétale, la plus connue au monde est l'huile d'olive. C'est elle qui a le plus grand éventail de vertus thérapeutiques.

Mais il est bon, de temps en temps, d'en changer et se tourner vers d'autres huiles comme l'huile de noix, de colza, de tournesol, de pépins de raisins, de sésame...

En pratique : TOUTES LES HUILES NE SE VALENT PAS !

Il existe une huile végétale qui est saturée, qui est considérée comme déchet, Tan en MTC, qui « entartre » l'organisme, c'est l'huile d'arachide. Faites attention aux apéritifs : une poignée de cacahuètes donne l'équivalent d'une cuillère à soupe de « mauvaise » graisse. Mais aussi l'huile de coco, de palme. Pour rester en bonne santé, nous devrions consommer au quotidien l'équivalent de deux à trois cuillères à soupe de graisse insaturée.

Les graisses saturées

Les graisses saturées perdent leurs capacités à se diviser. En MTC, elles sont considérées comme du Tan, des déchets, que l'organisme doit s'efforcer d'éliminer. *A minima*, c'est une perte inutile d'énergie pour faire cet autonettoyage. En revanche, si l'apport de ces graisses est excessif, ce sont tous les filtres de l'organisme qui vont lentement mais sûrement se boucher. Maladies cardio-vasculaires, entartrage du cerveau, des artères, rhumatismes, différentes formes de cancers et autres pathologies sont au bout du chemin.

Où les trouve-t-on ? Principalement dans le règne animal et leur transformation : beurre, fromage, charcuterie, crème fraîche, viandes rouges, graisse de porc, etc.

Apport quotidien, voire bi-quotidien, de ces graisses et longévité ne font pas bon ménage. Réservons-les pour les jours de fête !

Le saviez-vous

Une seule graisse animale peut encore se diviser, c'est celle du canard ou de l'oie. Non, je n'ai pas dit que le foie gras devait entrer dans les repas quotidiens !

Pourquoi fuir les sucres rapides ?

Là aussi, il existe deux grandes familles de sucres : les sucres lents et les sucres rapides. Nous laisserons momentanément de côté les sucres lents qui devront devenir la base de notre alimentation quotidienne.

Au contraire des sucres lents qui vont demander du temps à l'organisme pour être assimilés, les sucres rapides sont tout de suite pris en charge par le sang, *via* le logiciel Rate-Pancréas. Tout le monde connaît le rôle de l'insuline pour réguler le taux de sucre dans le sang.

Prendre du sucre rapide va donc momentanément vous mettre en état hyperglycémique. L'insuline sécrétée par le Pancréas régule très rapidement cet état.

Mais quand la quantité absorbée de sucre, ou d'équivalent sucre, est trop importante et surtout quand cela devient une habitude pluriquotidienne, le logiciel Rate-Pancréas se dérègle. Trop d'insuline est alors sécrétée, vous mettant en hypoglycémie. Hyper-hypo, un cycle infernal se met en place avec, au bout du chemin, toutes les étapes du prédiabète et diabète. Mais aussi l'entartrage de l'organisme, puisque l'excès de sucre se transforme en graisse, en Tan, en déchets qui peuvent se stocker dans n'importe quelle partie de l'organisme.

Si vous reconsidérez le cycle des cinq éléments vu dans la première partie, logiciel Foie et Rate-Pancréas sont en étroite relation. Quand un des deux se dérègle, l'autre se déséquilibre aussi. Or, le Foie gouverne tous les tics, les TOC, les états de dépendance. Très rapidement, « à l'insu de votre plein gré », vous allez devenir drogué du sucre.

Dans la tradition chinoise, il est dit, que nous pourrions consommer cinq morceaux de sucre ou équivalent sucre au quotidien, sans que cela soit dommageable pour le corps.

Mais voilà. Tout est fait dans nos civilisations occidentales pour vous rendre totalement dépendant à cette saveur au travers de ces fameux « équivalents sucres » qui garnissent les têtes de gondole de nos supermarchés. Voici quelques points de repère qui nous montrent l'étendue des dégâts :

Tableau 20-1 Équivalences en sucre.

Produit	Équivalent sucre
Une barre chocolatée	12 morceaux de sucre
Un litre de soda (noir, orange ou jaune)	28 morceaux de sucre
Une canette des mêmes boissons	11 morceaux de sucre
Un thé glacé	14 morceaux de sucre
Un cornet glacé	12 morceaux de sucre
Une tablette de chocolat	16 morceaux de sucre
Une tranche de gâteau	7-10 morceaux de sucre
Un bonbon	1,5 morceau de sucre
Une cuillerée à soupe de confiture, de gelée, de miel	4 morceaux de sucre
Un flan du commerce	5 morceaux de sucre

En MTC, on dit qu'un excès de saveur sucrée génère un « état d'humidité » au niveau du logiciel Rate qui peut progressivement être à l'origine de l'apparition de Tan, de déchets de plus en plus épais. C'est la voie ouverte dans l'apparition des stagnations et des obstructions.

Mais si on se réfère au tableau des cinq éléments (voir chapitre 4), nous avions vu que la réflexion, la « digestion des informations », ressasser le passé étaient à mettre en relation avec ce logiciel.

Cet excès de sucre va avoir un impact sur la digestion du bol alimentaire, sur la capacité de la Rate à tirer l'énergie des aliments. Très souvent s'ensuivent un état d'embonpoint, et un « entartrage » rapide de l'organisme. Mais l'impact sur le mental et les émotions peut prendre le premier plan dans ce tableau, et ce sont les états dépressifs qui sont au bout du chemin.

Attention **NE SOYEZ PAS LIGHT...**

Vous croyez vous en sortir en prenant du « light », des édulcorants principalement à base d'aspartam : c'est pire encore ! Quand on parle de saveur en MTC, c'est aussi du qualitatif, de la pure énergie. Avez-vous déjà goûté une « sucrette » à base d'aspartam ? Sa saveur douce est 10 fois plus importante qu'un sucre normal. Cela génère un pic énergétique au niveau de la Rate beaucoup plus nocif que celui généré par un sucre roux.

Dernière recommandation. Autant vous pouvez arrêter les produits dérivés du lait de vache du jour au lendemain si le cœur vous en dit, autant la diminution des sucres rapides devra prendre beaucoup plus de temps. Elle devra se faire sur plusieurs semaines, pour retrouver de jour en jour un nouvel équilibre, sous peine de vous trouver dans des états d'hypoglycémie.

Saveurs en excès, danger !

Il y a cinq grandes familles de saveurs dans nos aliments selon la MTC, chacune étant à mettre en relation avec un logiciel organe spécifique. De même, nous aurons les cinq couleurs, les cinq odeurs, les cinq consistances.

Tableau 20-2 Les saveurs liées aux organes.

	FOIE	CŒUR	RATE	POUMON	REIN
Saveurs	Aigre-Acide	Amer	Doux	Acre-Piquant	Salé
Couleur	Bleu-vert	Rouge	Jaune	Blanc	Noir
Odeur	Rance, fétide	Brûlé-roussi	Parfumé	Acre, viande crue	Décomposition
Consistance	Mou	Dur	Fibreux	Charnu	Croquant

La règle est la suivante : il n'est nullement question de se passer de telle ou telle saveur. La saveur « nourrit » énergétiquement l'organe cible avec lequel elle entre en vibration. Mais prise en excès, elle se retourne contre ce même organe.

Une saveur ne doit pas prendre le dessus en permanence sur une autre saveur. Ainsi vous ne devez pas dire : « Je suis plutôt sel, plutôt acide... » De même une saveur ne doit pas être trop prononcée, trop puissante dans la bouche. Je vous renvoie à ce qui a été dit sur l'aspartam.

Excès de saveur salée

Un excès de saveur salée est très préjudiciable pour l'organisme. Appartenant au logiciel Rein, elle va déséquilibrer celui-ci, lorsqu'elle est prise en trop grande quantité.

Il est dit que « le Rein est la mère des os du squelette ». Il est dit aussi que « manger trop salé blesse les os ». Cette mauvaise habitude peut déboucher sur des pathologies comme des rhumatismes, de l'ostéoporose, des lombalgies...

« L'excès de saveur salée durci » : c'est une grande cause de tumeurs malignes ou bénignes. L'énergie du Rein affaiblie, perdant sa capacité à évacuer les liquides, est évidemment une grande cause de prise de poids.

Dans le « cycle des cinq éléments », le Rein est la mère du Foie. Celui-ci n'étant plus contrôlé, « son Yin n'étant plus nourri », le Yang risque de s'échapper. C'est une grande cause d'hypertension artérielle.

La norme est la suivante : du pain sans sel, c'est fade et pas très bon. Quand on prend un bon pain, on ne doit pas sentir qu'il est salé. Si c'est le cas, c'est déjà trop tard.

Il convient absolument de proscrire la salière sur une table, et de ne jamais rajouter du sel sur un plat.

Excès de saveur acide

Un excès de saveur acide blesse le Foie. Or, l'énergie du Foie gouverne tous les tendons de l'organisme. C'est entre autres une grande cause de rhumatismes, de raideurs, d'inflammation des tendons.

L'acide se retrouve en excès dans les jus de fruits, les pizzas. Conservez ces mets pour les repas de fête, mais surtout pas au quotidien.

Malheureusement, on retrouve cette saveur dans presque tous les rehausseurs de goût.

Absorber un verre d'eau tiède avec un quart de citron le matin en se réveillant, ou bien, l'acidité contenue dans une orange est la norme. Un verre de jus d'orange vous amène trop de saveur acide !

Excès de saveur piquante

Le piquant appartient au logiciel Poumon. Il est dit qu'un excès de cette saveur blesse le Poumon, mais altère aussi les muqueuses internes comme celles de l'œsophage, de l'estomac ou des intestins.

Les cellules de notre organisme ont besoin de baigner dans un liquide interstitiel qui sera « asséché » par trop de piquant. Elles s'en trouveront fragilisées.

Excès de saveur amère

Nous avons déjà parlé du « doux » dans les interdits. Voyons à présent ce que peut générer un excès de saveur amère.

Cette saveur qui appartient au Cœur a pour propriété de raffermir le Qi. L'amer va par exemple renforcer l'énergie de l'Estomac. Ne prend-on pas un apéritif (ouvrir l'appétit) amer à base d'artichaut par exemple pour favoriser une bonne digestion ? Mais en cas d'excès d'apport de saveur amère, il est dit en MTC que « la température de l'organisme va diminuer ».

Ce froid interne va favoriser un ralentissement de toutes les fonctions physiologiques du corps. Cela peut être à l'origine de constipations, de prise de poids par rétention de liquides, d'une transformation trop lente du bol alimentaire...

Des stagnations pourront s'installer en particulier au niveau de la circulation de sang et d'énergie.

Or en Occident, nous sommes de très grands consommateurs de ce type de saveurs, même si elles sont cachées par un excès de sucre. Il s'agit en effet du café et du chocolat.

Entendons-nous bien : un café après le repas de midi avec un carré de chocolat, de par sa nature Yang est tout à fait bénéfique pour digérer le bol alimentaire.

Mais plusieurs cafés dans la journée, surtout chez les femmes qui possèdent une nature plus Yin que les hommes, deviennent alors tout à fait préjudiciables.

Il convient donc d'avoir une alimentation comportant toutes les saveurs, pourvu qu'elles ne soient pas trop fortes.

Règle n° 3 : Adopter l'assiette unique

Le menu classique d'un Occidental consiste à prendre une entrée, le plat principal et un dessert. Pour toutes les diététiques traditionnelles, il s'agit là d'un repas de fête.

La meilleure manière de prendre son repas quotidien est d'opter pour l'assiette unique où tout ce que vous allez manger se trouve disposé.

Si nous nous concentrons sur les entrées, c'est l'heure de manger, on a faim et on a tendance à se précipiter sur ce début de repas. Or dans ces entrées, on trouve soit des charcuteries, des pâtés, du saucisson ou autres. Ceci étant réservé pour les repas de fête.

Mais aussi des crudités. Nous pourrions penser que c'est un moindre mal. Certes, les légumes crus contiennent beaucoup de vitamines. Mais la diététique chinoise ne raisonne pas tout à fait sur ces bases.

À retenir

Chaque aliment possède intrinsèquement une nature : fraîche, froide, tiède ou chaude. La plupart des légumes sont de nature fraîche ou froide, *a fortiori* s'ils sont crus. Or, si nous comparons l'estomac à un fourneau (le Foyer moyen) pour que la cuisson, la digestion puisse se faire, il faut une température moyenne de 38 degrés. Ce « froid » qui entre en premier dans l'estomac oblige l'organisme à puiser dans ses réserves énergétiques pour amener la température à 38 degrés et donc commencer la digestion.

De plus, comme nous avons faim, nous avons tendance à nous servir copieusement. Or, les légumes contiennent beaucoup de liquides. Ces liquides diluent les sucs gastriques et la digestion se fait mal.

Pour toutes ces raisons et encore bien d'autres, dans les repas quotidiens, il est préférable de se passer d'entrée.

Attaquons-nous maintenant au bastion des desserts. Il s'agit le plus souvent de fromages, à conserver pour ceux qui y tiennent absolument pour les repas de fête. Encore vaudrait-il mieux préférer les fromages de chèvre à ceux de vache, pour toutes les raisons vues précédemment et choisir les moins salés possible.

Le saviez-vous

Les fruits quant à eux, quand ils viennent à la fin du repas, ont tendance à bloquer, à faire stagner la digestion. Dans la tradition, on ne mange pas les fruits après un repas, mais entre ou avant les repas. Amusez-vous à manger du melon après un repas, il y a de grandes chances que vous en remangiez toute l'après-midi.

N'essayez pas de vous rabattre sur un yaourt. Ce sont des laitages à conserver pour les repas de fête. De même pour les pâtisseries.

En conclusion, les desserts n'entrent pas dans le cadre d'une diététique quotidienne.

SOMMES-NOUS TROP RICHES, EN OCCIDENT ?

De nombreux nutritionnistes pensent que nous mangeons 30 % de plus que la norme. Avec une vision profonde, nous pourrions dire que, de la bouche à l'anus, nous ne sommes qu'une série de processus de digestion, d'assimilation, de métabolisation, de triage. Le Foie, l'estomac, la Rate-Pancréas, les Intestins sont autant de machines qui, lorsqu'elles sont trop mises à contribution, finissent par s'user prématurément. Un raccourcissement de l'espérance de vie est au bout du chemin. Supprimer entrées et desserts dans les repas quotidiens permet de manger 30 % en moins. C'est autant d'énergie de gagner pour aider les autres fonctions du corps, entre autres les défenses immunitaires, à être au top. Mais c'est aussi un excellent moyen de réguler son poids !

Règle n° 4 : Connaître la loi de la transformation des céréales par la mastication

Bien comprise, la règle qui va suivre va complètement simplifier la mise au point de vos menus quotidiens.

Lorsque j'avais 10 ans, je me souviens avoir eu un professeur de sciences naturelles qui était venu en classe avec une baguette de pain. Il l'avait partagé entre tous les élèves en nous demandant d'en mettre un morceau dans la bouche et de le mâcher. C'était la célèbre expérience de la transformation des céréales en sucres lents. Au bout d'une vingtaine de mastications, nous avions un goût de sucre dans la bouche.

Quel est le meilleur goûter pour les enfants ? Donnez-leur un quignon de pain à grignoter, ils vous en seront éternellement reconnaissants. Cela va permettre de leur découvrir le vrai goût de la saveur sucrée. C'est un très bon moyen pour qu'ils n'aiment pas plus tard les sucres rapides. De plus, cela leur permet de masser leurs gencives.

Notre corps a besoin d'énergie pour fonctionner. L'un des buts essentiels de l'alimentation est de justement lui fournir cette énergie. La véritable source d'énergie se trouve être dans la transformation de l'amidon contenu dans les céréales, les tubercules, en sucres lents.

À retenir

Mais retenez la règle suivante : Cette transformation ne peut se faire que dans la bouche, sous l'action de la salive, à condition que ces céréales soient natures, c'est-à-dire simplement cuites à l'eau avec la possibilité de mettre très légèrement du sel ou un filet d'huile d'olive sur les pâtes et rien d'autre. Si elles sont mélangées à de la sauce tomate, du beurre, du gruyère, ou tout autre ingrédient, la salive n'arrive plus à reconnaître la céréale et perd donc une grande partie de ses possibilités de la transformer en sucre lent.

En pratique

Rappelez-vous que cette action ne se produit que dans la bouche, sous l'action de la mastication, et très peu dans l'estomac. La transformation de l'amidon en sucre demande un certain temps. Et il faut pour cela pas mal de salive. C'est pourquoi, dans toutes les traditions, il est dit qu'il faut mâcher 20-30 fois chaque bouchée alimentaire.

Si vous mastiquez du riz nature ou du pain, il se transforme en sucre lent et vous donne effectivement l'énergie dont votre corps a besoin. Cette énergie brûle les aliments et vous permet entre autres de conserver la ligne. Inversement, si ce même pain vous sert à saucer un plat, non seulement cette transformation en sucre lent ne se fera pas, mais en plus, vous prendrez du poids.

À partir de cet axiome de base, nous allons pouvoir élaborer la composition de l'assiette unique.

Règle n° 5 : Composer l'assiette unique

Dans cette assiette, vous allez mettre tout ce que vous allez manger pendant le repas.

Dans la première moitié de l'assiette, obligatoirement et à chaque repas, des céréales. Les plus classiques sont le riz, les pâtes, le pain complet, le pain au son, le pain aux céréales, les pommes de terre. Moins connue, la patate douce qui contient un amidon moins agressif que la pomme de terre et amène beaucoup plus d'énergie.

RIZ COMPLET

Une petite mise en garde au sujet du riz complet. Théoriquement, c'est une excellente chose, puisqu'en plus des sucres lents, il va donner les fibres nécessaires à un bon brossage des intestins. Mais assurez-vous de sa provenance biologique et que sa dernière gangue ne contienne pas d'insecticides ou de pesticides. Assurez-vous aussi qu'il soit bien cuit. Et surtout, mâchez-le bien. Pour le transformer en sucres lents, 30 à 40 mastications sont nécessaires.

Pour le pain, il faut savoir que la baguette classique, du fait du raffinement de sa farine, n'apporte que très peu de sucres lents. En outre, une croûte trop grillée, trop « yanguisante », a des effets nocifs pour le sang et le Foie. Choisissez donc d'autres catégories de pain comme le pain complet, au son, aux céréales. Quand vous mangez du pain, vous ne mangez ni riz ni pâtes, et inversement. Et ne vous contentez pas d'une tranche, mais bien l'équivalent d'une demi-assiette.

Qu'allons-nous mettre dans l'autre moitié de l'assiette ?

Un repas sur deux sera végétarien. À vous de choir : à midi ou le soir. Si vous arrivez à manger assez tôt le soir, il vaut mieux prendre ce repas végétarien à midi, car la digestion n'entamera pas l'activité cérébrale de l'après-midi. C'est à vous de choisir votre rythme.

Ces légumes qui entrent donc dans la composition de chaque repas vont jouer un rôle de premier plan, grâce à leurs fibres, d'élimination des déchets, mais augmentent aussi le travail de malaxage de l'estomac et le péristaltisme intestinal. En effet, les céréales, d'où vont être tirés les sucres lents, sont longues à digérer. Fondamentalement, les légumes permettent d'en éviter les amas au niveau de l'estomac.

Ensuite, votre corps a besoin de protéines pour nourrir les muscles et les chairs. Pour les végétariens, il faudra apprendre à utiliser le soja et ses dérivées, en veillant bien sûr à leur provenance biologique. En ce qui concerne les OGM, évitez de tomber dans des radicalismes qui par la peur qu'ils génèrent finissent par être plus nocifs pour la santé que le produit lui-même.

Le saviez-vous TOFU

Traditionnellement le tofu est, entre autres, un excellent moyen de remplacer la viande. Mais il y a une règle que les Occidentaux connaissent peu : il doit être découpé en petit dés, augmentant ainsi la surface de contact et cuit très longtemps pour qu'il puisse être effectivement digéré et qu'il ne vienne pas générer un état de froid à l'intérieur de l'Estomac.

De même, les germes de soja traditionnellement ne se mangent pas crus, mais blanchis, c'est-à-dire à peine cuits pour atténuer la froideur de leur nature.

Pour celles et ceux qui ont l'habitude de manger des produits animaux, il est évident qu'il faut en restreindre l'apport, ne serait-ce qu'un repas sur deux.

Cela équivaut, pour une semaine de repas, à une fois de viande rouge, une fois ou deux de poisson, une fois de viande blanche, une fois de jambon maigre et enfin une fois d'omelette. Cette dernière est beaucoup plus digeste que les œufs au plat, les œufs durs ou à la coque, qu'on conservera pour les repas de fête. Et bien sûr pas au fromage, mais par exemple aux fines herbes, aux champignons.

Cela vous suffit amplement en apport protéinique et ainsi, vous ne risquerez pas d'encrasser votre organisme.

Dans certains plats, les légumes peuvent être mélangés aux produits animaux ou au soja. Mais n'oubliez pas : les céréales et tubercules doivent être consommés natures.

Figure 20-1 Composition d'un repas végétarien.

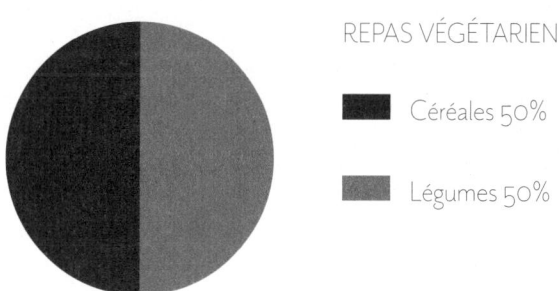

Figure 20-2 Composition d'un repas complet.

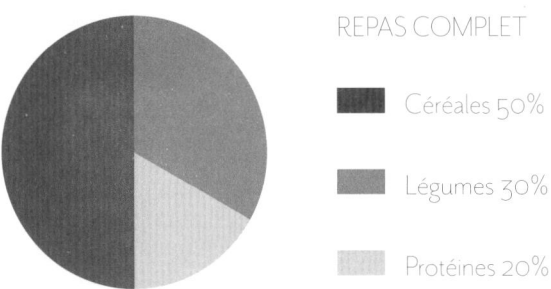

Le saviez-vous — LES LÉGUMINEUSES, DU « 3 EN 1 »

Que ce soit les haricots rouges, noirs, blancs, les pois cassés, les pois chiches, les petits pois, les lentilles, le soja, toutes ces légumineuses peuvent devenir nos amis, si nous les consommons à bon escient. C'est une source de protéines très appréciable capable de remplacer la viande. Mais aussi un apport très important en sucres lents, à faible indice glycémique. Enfin, leur haute teneur en fibres est fondamentale pour digérer et améliorer le transit intestinal. Un véritable « 3 en 1 ».

Oui, mais voilà ! Toutes ces légumineuses fermentent très vite, et leur rôle principal en MTC est de nettoyer les villosités intestinales par le « vent interne » qu'elles génèrent. Nous sommes pour la « réhabilitation du pet » en MTC. Ce n'est que dans nos civilisations puritaines qu'émettre certains bruits dérange. Il en va tout autrement en Inde, en Afrique ou en Chine... Cependant, existe l'envers de la médaille. Si vous êtes sous l'emprise d'émotions intériorisées, si l'énergie de votre Foie est bloquée, au mieux, ces légumineuses vont vous faire roter. Au pire, cela va vous ballonner très rapidement avec toutes les douleurs qui s'ensuivent. Les légumineuses oui, à condition d'être en bonne santé mentale.

Règle n° 6 : Apprendre à bien manger

C'est là la clé de voûte de cette diététique du juste milieu.

En pratique

Vous commencez par prendre une ou deux cuillerées de riz, de pâtes ou une bouchée de pain. Vous prenez soin de la mastiquer consciencieusement, jusqu'à ressentir un goût sucré dans la bouche.

Ensuite, mangez une ou deux cuillerées de légumes, de viande, de poisson.

Ces mets peuvent être cuisinés avec des fines herbes, tous les aromates de la création, de l'huile d'olive. Ce plat a du goût, tout en évitant les saveurs trop prononcées.

Ensuite, vous reprenez des céréales et ainsi de suite.

LA DAUBE FAIT-ELLE PARTIE DE LA DIÉTÉTIQUE DU JUSTE MILIEU ?

Oui, selon tous les critères qui précèdent. Encore faut-il savoir la manger. Vous vous posez les bonnes questions : y a-t-il du beurre, du fromage, des charcuteries, du lait, des sucres rapides, dans ce plat ? Non. C'est de la viande, la moins grasse possible, qui a cuit très longtemps. Les légumes sont les carottes et l'oignon. N'oublions que la véritable daube, c'est un kilo de carottes pour peu de bœuf. Bien sûr, les vitamines ont en partie été éliminées par la longue cuisson, mais bien d'autres composants tout aussi importants sont présents dans le plat. Vous vous rattraperez ailleurs pour les vitamines. Enfin, la sauce, c'est du vin qui a perdu son alcool et le liant, c'est de la farine ou de la maïzena.

C'est donc *a priori* un repas diététique. Mais c'est la manière dont on va la manger qui risque de ne pas l'être du tout. Admettons que vous mangiez ce plat avec des pâtes. Si vous mélangez le tout dans l'assiette, non seulement vous perdez cet aspect diététique, mais en plus vous allez prendre du poids. Le comble serait de saucer ensuite son assiette avec du pain. La meilleure façon de procéder est la suivante. Vous vous servez la moitié de l'assiette avec des pâtes cuites à l'eau, très peu salées et un filet d'huile d'olive pour éviter qu'elles ne collent. Dans l'autre moitié, vous mettez votre daube. Vous mangez et mastiquez une ou deux cuillerées de pâtes, puis vous passez à la daube et ainsi de suite. Ce n'est pas grave si à la fin du repas des pâtes se sont mélangées à la daube. Les trois quarts des céréales se seront transformés en sucres lents, en énergie vitale.

Quand on y regarde de plus près, toutes les civilisations traditionnelles fonctionnent sur ce principe. Voyons quelques exemples.

Le saviez-vous

» Le vrai couscous dans le désert se mange de la façon suivante : la graine de blé forme une pyramide au centre, et les différents mets sont disposés tout autour. On pioche avec les doigts dans la graine, on en fait une boulette qui va être longuement mastiquée. Ensuite, on pique dans les différents plats et on revient à la graine.

» Les hindous font leur galette de blé qu'ils évitent de faire griller. Ils en mastiquent quelques bouchées pour ensuite se servir dans d'autres plats. Mais ils ne se servent pas de cette galette pour saucer.

> Les Asiatiques, presque un tiers de la population mondiale, ont toujours opté pour le sacro-saint bol de riz qui accompagne leur plat. Avec leurs baguettes, ils prennent du riz qu'ils mâchent vigoureusement, puis ils piquent ensuite dans les différents plats. On ne doit jamais mélanger le riz aux autres ingrédients.

Il n'est pas si compliqué que cela que de préparer de tels repas. Vous mettez par exemple dans une moitié d'assiette du riz et dans l'autre, des haricots verts encore un peu craquants cuisinés avec un peu d'ail et de persil. Une cuisse de poulet est aussi possible ou du blanc de poisson. Vous avez là un repas diététique.

Une autre assiette pourra être composée de pâtes et de macédoine de légumes. Un bon morceau de pain complet, de l'omelette aux fines herbes et aux champignons peuvent entrer dans le cadre des repas diététiques.

À retenir

LE PETIT DÉJEUNER AU CENTRE DES CONTROVERSES !

Repas du roi ou non ? Tout dépend de l'orientation que vous voulez donner à votre vie ! Vous venez de dormir 6-8 heures pour recharger votre batterie du Rein pour la journée. Peut-être avez-vous fait quelques exercices au réveil pour augmenter cette recharge ? Et là deux solutions s'offrent à vous :

» Soit vous décidez de faire un petit-déjeuner pantagruélique. Rappelons-nous qu'une digestion épuise de moitié la batterie du Rein pour être menée à son terme. Comme celle-ci est théoriquement bien rechargée, vous allez digérer ce repas copieux. Mais que d'énergie perdue pour rien ! Vous privilégiez à ce moment-là la terre au ciel.

» Soit vous faites un petit-déjeuner frugal. Quelques fruits de saison et de région. Ou encore du müesli mouillé avec du thé chaud ou du lait de soja chaud. Ou bien deux ou trois tranches de pain complet, sans beurre, avec deux ou trois cuillerées de miel ou de confiture. Ce petit-déjeuner amène alors assez d'énergie pour tenir jusqu'au repas de midi sans pour autant amputer, vider votre batterie pour le digérer. On dit qu'il est autosuffisant. Vous privilégiez alors l'énergie dans votre organisme.

Une règle commune à bon nombre de centenaires : un petit déjeuner frugal, un repas de midi, un goûter de 16 heures et un repas du soir tout aussi frugaux. « Trop manger nous ramène à la terre. Ne pas mettre la quantité des aliments au centre de ses préoccupations nous relie au ciel, au spirituel ». L'avenir appartient à ceux qui mangent peu ! Profitez d'investir sur la qualité plutôt que sur la quantité. Quant aux viennoiseries et autres, ce sera pour les petits déjeuners de fête !

Règle n° 7 : Retenir la règle des trois heures

Cette règle pourrait aussi s'intituler la « loi anti-grignotage ».

À retenir

Il est dit : « Pendant trois heures d'affilée, après la dernière bouchée d'un repas, vous ne devriez pas mettre ne serait-ce qu'une seule bouchée de pain dans votre bouche. »

Une digestion peut être comparée à une machine à laver. Le prélavage se fait dans la bouche grâce à la mastication et à la salive. L'estomac étant le tambour de la machine. La dernière bouchée de votre repas avalée, tout un processus de digestion va se mettre en marche. Tout cela sous le contrôle du logiciel Rate-Pancréas.

Les lessives et assouplissants vont être incorporés au bol alimentaire : ce sont les sucs gastriques, pancréatiques, la salive, la bile un peu plus bas. Ensuite se produit une montée en température : une digestion se fait à 38 degrés. C'est l'allumage du « Foyer moyen ». D'où la nécessité pour ne pas perdre trop d'énergie qui est puisée dans la batterie du Rein de ne pas manger trop d'aliments de nature froide, de crudités et d'éviter de boire froid.

Tout cela est suivi d'une période de brasse, de malaxage, avant que l'orifice inférieur de l'estomac ne s'ouvre et que l'assimilation commence.

Toutes ces opérations durent entre 1 h 30 et 3 heures. Tout dépend de la quantité d'aliments ingérés, si oui ou non vous avez bien mâché, de votre état d'esprit au moment de la digestion, de la quantité d'énergie dont vous disposez...

Que se passe-t-il si vous commencez à grignoter ? C'est un peu comme si vous aviez invité un certain nombre de convives et que deux ou trois personnes viennent se rajouter à l'improviste. Vous décidez alors de rajouter du riz sur un riz déjà en cours de cuisson. Résultat : le premier riz sera immangeable, car trop cuit, et le second le sera tout autant, car pas assez.

C'est exactement ce qu'il se produit quand vous grignotez. Votre estomac n'est jamais vide. Petit à petit des amas d'aliments, des stagnations se produisent dans l'estomac. L'énergie de la Rate perd tout discernement dans le triage du bol alimentaire. Au bout du chemin, c'est l'entartrage, la prise de poids et de grosses fatigues.

Cette loi est donc au centre des pratiques de longévité, au centre des méthodes de préservation de la vie, des méthodes Yang Sheng Fa en MTC.

Le saviez-vous : DEUX TYPES DE SALIVE ?

Il existe deux types de salive en MTC. Celle qui est sécrétée lors de la mastication des aliments. Ce sont les glandes parotidiennes qui participent à son élaboration. Cette salive est directement à mettre en relation avec le logiciel Rate-Pancréas. Elle contient certains éléments favorisant la digestion du bol alimentaire. L'autre salive est sécrétée sous la langue par une glande spéciale.

Lors des exercices de dao yin, quand vous faites toucher la langue au palais supérieur, vous obligez cette salive à être sécrétée. On l'appelle alors « liquide d'or ». Elle est en relation avec l'énergie du Rein, et tonifie celle-ci. Le baiser amoureux, qui favorise la sécrétion de cette salive, augmente la libido ! Le baiser platonicien n'a pas sa place dans la sexualité en MTC...

Règle n° 8 : Suivre la loi des neuf jours

Cette règle va nous permettre de varier le plus possible notre alimentation et de nous départir de la pizza, du kebab, du sandwich, du steak frites quotidien.

À retenir

Il est dit que : « Neuf jours de suite, vous ne devriez pas remanger le même légume, le même fruit ou la même protéine. »

Puisque dans neuf jours, entre le repas du midi et celui du soir, nous avons 18 repas, nous pourrons manger deux fois d'un même aliment.

Plusieurs raisons à cela. Nous sommes tombés dans le travers où la composition nutritionnelle d'un aliment est vue à la loupe. Alors que la MTC parle de saveur, de couleur, de nature d'un fruit ou d'un légume, donc de pure énergie, les nutritionnistes parlent de calories, de minéraux, de vitamines, de lipides, de protides, de glucides, etc.

Cette vision nous fait perdre de vue l'ensemble des interactions de ces différents éléments au sein d'un même aliment. Et la tentation est alors grande de suppléer par les fameux « compléments alimentaires » tel ou tel manque supposé.

Nous avons ainsi perdu de vue « l'intelligence » de notre organisme, capable de capter les différents éléments dont il a besoin, pour son bon fonctionnement, du bol alimentaire et même, dans certains cas, faire des réserves. Et tout cela est sous le contrôle de l'énergie du logiciel Rate-Pancréas, chef d'orchestre de la digestion du bol alimentaire.

Si votre batterie est bien rechargée, c'est votre organisme lui-même qui fait de l'autorégulation.

À retenir

On insiste, dans cette règle, sur la nécessité de consommer des fruits et des légumes de saison et de région. En effet, chacun d'entre eux est considéré comme un véritable « alicament » avec son organe-méridien cible, sa nature, sa saveur et sa couleur.

Si la saison de la tomate s'étale de juillet à septembre, ce n'est pas le fruit du hasard. De nature légèrement fraîche et de saveur acide et douce, elle permet de produire les liquides organiques, de réhydrater les compartiments liquidiens, de dissiper la chaleur et de calmer le Foie. Elle est donc tout à fait indiquée pour la nature Yang de l'été. En revanche, si nous en prenons tous les jours, ces vertus vont se retourner contre l'organisme, et affaiblir le Yin du Rein.

Donc consommer de la tomate deux à trois fois, pendant une période de neuf jours, est tout à fait bénéfique.

Si vous n'avez pas d'idée, fiez-vous au tableau ci-dessous. Vous redécouvriez l'extrême variété des fruits et légumes de saison et de région.

Tableau 20-3 Les fruits et légumes selon les saisons.

Printemps	Été	Automne	Hiver
Ail, artichaut, asperge blanche, asperge verte, aubergine, bette, betterave, carotte, céleri-rave, chou blanc, chou-fleur, chou frisé, chou-rave, chou rouge, concombre, courgette, cresson, endive, épinard, fève, fenouil, laitue romaine, lentille, navet, oignon, oseille, patate douce, petit oignon blanc, petit pois, poireau, pois gourmand, poivron, pomme de terre, radis, radis long, salade frisée,	Ail, artichaut, asperge blanche, asperge verte, aubergine, batavia, bette, betterave rouge, blette, brocoli, carotte, céleri-rave, céleri-branche, chou blanc, chou de Bruxelles, chou chinois, chou-fleur, chou frisé, chou Romanesco, chou-rave, choux rouges, concombre, cornichon, courge, courgette, cresson, épinard, fenouil, fève, haricot vert, laitue romaine, lentille, maïs, mesclun, navet, oignon, oseille, patate douce, pâtisson, petit oignon blanc, petit pois, pois mange-tout, poireau, poivron, pomme de terre, potiron, radis, radis long, salsifis, tomate	Artichaut, aubergine, bette, betterave rouge, blette, bolet, brocoli, carotte, catalonia, céleri-rave, céleri-branche, cèpe, chou chinois, chou de Bruxelles, chou-fleur, chou frisé, chou rouge, citrouille, coprin chevelu, courge, cresson, endive, épinard, fenouil, laitue, mâche, maïs, navet, oignon, panais, patate douce, pied de mouton, pleurote, poireau, potimarron, potiron, radis, rosé des prés, salsifis, topinambour, trompette de la mort	Betterave, brocoli, cardon, carotte, catalonia, céleri, chou, chou blanc, chou de Bruxelles, chou-fleur, chou frisé, chou rouge, chou chinois, citrouille, courge, cresson, crosne, endive, épinard, mâche, navet, oignon, oseille, panais, patate douce, pissenlit, poireau, pomme de terre, potiron, radis, salsifis, topinambour

Printemps	Été	Automne	Hiver
abricot, amande fraîche, ananas, avocat, banane, cassis, cerise, citron, datte, fraise, fraise des bois, framboise, fruit de la passion, kiwi, mandarine, melon, mûre, pomme, orange sanguine, pamplemousse, papaye, prune (quetsche, reine-claude), rhubarbe	abricot, airelle, amande, avocat, banane, brugnon, cassis, cerise, citron, figue, fraise, fraise des bois, framboise, fruit de la passion, groseille, kiwi, litchi, mangue, melon, mirabelle, mûre, myrtille, nectarine, papaye, pastèque, pêche, poire, pomme, prune (quetsche, reine-claude), raisin, rhubarbe	avocat, châtaigne, citron, clémentine, coing, datte, figue, fruit de la passion, kaki, kiwi, litchi, mandarine, mangue, marron, myrtille, noisette, noix, olive, orange, papaye, pêche de vigne, poire, pomme, prune (quetsche, reine claude), raisin	ananas, avocat, citron, clémentine, datte, fruit de la passion, goyave, grenade, kaki, kiwi, litchi, mandarine, mangue, orange, orange sanguine, pamplemousse, papaye, poire, pomelo, pomme

Quant aux protéines, puisqu'un repas sur deux doit être plus ou moins végétarien, il est très facile d'en changer. Une fois de l'omelette, du poulet, de la daurade, du tofu, du jambon maigre, etc.

À retenir

La consommation des céréales et tubercules n'entre pas dans cette règle. Certes, nous pouvons varier nos céréales, mais avant l'existence des moyens de transport actuels, là où il y avait de l'eau, c'est le riz qui prévalait. Au centre des continents, c'était le blé. Retenez cependant que le riz en tant que « céréale du juste milieu » est le plus à même d'amener la bonne énergie dont le corps a besoin.

Tableau 20-4 Quelques exemples de légumes avec leurs vertus en MTC.

LÉGUMES	Qualité et modalité d'action	Indications
Algues	– nature froide et saveur salée – rafraîchit la chaleur interne, aide la fonction thyroïdienne, draine le système	– fatigue, constipation, hypothyroïdie, goitre – toux avec mucosités épaisses, asthme – œdème, obésité, rhumatisme, hypertension artérielle (HTA)
Artichaut	– nature fraîche, saveur amère et douce – nourrit le Cœur et calme l'esprit – stimule le Foie/VB, antitoxique	– manque d'appétit, état de surmenage, d'anxiété – paresse digestive, diarrhée chronique, troubles hépatiques, goutte, calculs rénaux, diabète.

LÉGUMES	Qualité et modalité d'action	Indications
Asperge	– nature fraîche, saveur amère et douce – humecte les poumons, dissipe les glaires – rafraîchissant et fluidifiant sanguin, fait baisser la tension artérielle	– bronchite, toux sèche, HTA, artériosclérose – parasitose digestive, constipation – conseillée en cas de feu intérieur
Aubergine	– nature fraîche, saveur douce et astringente – purifie la chaleur, fait circuler le sang, calme la douleur – tonique de l'estomac, du GI, antiseptique – calme l'esprit	– hépatite, douleurs abdominales, diarrhée irritante, hémorroïdes, état de nervosité
Avocat	– nature fraîche, saveur douce et amère – stimule les fonctions digestives, tonifie l'énergie générale, calme le Cœur émotionnel	– aérophagie, ballonnements intestinaux, mauvaise haleine, grossesse, croissance, convalescence, surmenage, nervosité, angoisse, stress
Blette	– nature fraîche, saveur douce et insipide – chasse la chaleur, libère les toxines de la peau, dissipe les hématomes, arrête les hémorragies, tonifie le cœur, calme l'esprit	– anémie, faiblesse cardiaque, fatigue, surmenage, constipation chronique, ivresse, cystite, dermatose, irritabilité, rougeole, herpès
Betterave	– nature neutre et fraîche, saveur sucrée – nutritive, recharge rapidement en énergie d'entretien, rafraîchissante, favorise les menstruations	– anémie, névrites, cancer, grippe, convient aux sujets exposés au stress Yang
Brocoli	– nature fraîche, saveur douce – apaise la chaleur des bronches en été, purifie le foie, améliore la vue	– difficultés urinaires, irritabilité, presbytie, conjonctivite, grippe, bronchite
Carotte	– nature fraîche et Yin, saveur douce, légèrement amère et piquante – stimule l'appétit, tonifie les capacités digestives, tonifie la batterie du Rein, élimine les stagnations	– fatigue physique et morale, troubles de la croissance, déminéralisation osseuse, caries dentaires, ulcère gastroduodénal, paresse de la VB, hépatite, parasitose, vers intestinaux, dermatoses, toux chronique, asthme, angine, baisse vision nocturne, rétention urinaire, difficulté urinaire, rétention d'eau, surcharge pondérale

LÉGUMES	Qualité et modalité d'action	Indications
Céleri	– nature fraîche ou froide, saveur douce et légèrement amère – consolide le Rein, arrête les saignements, tonifie l'Estomac, la Rt et la VB, tempère la chaleur, améliore la miction, baisse la TA	– surmenage, convalescence, fatigue sexuelle, HTA avec maux de tête et vertiges, obésité, insomnie, colère des enfants, irritabilité de la ménopause, aphtes, laryngite
Champignon de Paris	– nature fraîche, saveur douce, astringente – stimule l'appétit, tonifie l'énergie, détoxique le sang, arrête les diarrhées, réduit le Tan, calme l'esprit	– manque d'appétit, diarrhée, toux grasse, hépatite, rougeole
Chou-fleur	– nature fraîche, saveur douce – lubrifie les Intestins, tonifie le Pancréas	– digestion lente, manque d'appétit, constipation
Citrouille, courge, courgette, potiron	– nature fraîche et Yin, saveur douce – élimine la chaleur, dissipe l'humidité – tonifie le pancréas et les poumons – calme la douleur, neutralise les toxines – les pépins et les graines tuent les parasites et les vers	– douleurs intestinales, diabète, vers intestinaux, cystite, asthme, bronchite, insomnie, colère rentrée, contrariétés, fœtus hyperactif
Chou vert ou rouge	– nature fraîche ou froide, saveur douce et amère – nourrit la peau et les poumons, cicatrise et lubrifie les muqueuses de l'Estomac et des Intestins, calme la chaleur, les infections et la nervosité	– toux grasse, asthme, maladie de la peau, engelure, blessure, piqûre d'insecte, brûlure, fièvre, grippe, constipation, bouffées de chaleur, rhumatisme, ulcère de l'estomac, infections intestinales
Concombre	– nature froide et Yin, saveur douce et amère – rafraîchissant, apaise la soif, favorise la circulation de l'eau	– extrémités gonflées, conjonctivite, rougeur et douleur de gorge, état fébrile, tempérament sanguin, trop Yang, anxiété des enfants
Chou chinois	– nature froide, saveur douce, glissante – rafraîchissant, diurétique, favorise la transpiration, lubrifie et cicatrise la muqueuse digestive	– ulcère gastro-duodénal, constipation, ballonnement abdominal, paresse vésiculaire, conjonctivites, inflammation de la gorge, grippe, fièvre, cystite, difficultés urinaires, surmenage, stress, ++ tempérament Yang ou hyper Yang

LÉGUMES	Qualité et modalité d'action	Indications
Cresson	– nature fraîche, saveur douce-amère, légume d'été, très Yin – élimine la chaleur, désaltère, humecte les poumons, favorise la miction	– toux sèche, bouche sèche, aphte, herpès, perlèche, fatigue, mauvais appétit, chute de cheveux, dermatoses, rétention d'eau, irritabilité, colère des enfants, tempérament Yang
Endive	–– nature fraîche et Yin, saveur douce-amère, légume d'hiver – élimine la chaleur, améliore la digestion	– fièvre, troubles de l'appétit, convalescence, hépatite, excès pondéral, calme les effets de Yang
Épinard	– nature fraîche, saveur douce-amère – tonifie tous les organes, lubrifie les Intestins, nourrit le sang, étanche la soif	– soif, respiration courte, convalescence, ivresse, diabète, constipation, hémorroïdes, difficultés urinaires, conjonctivite, mauvaise vision nocturne, anémie, déminéralisation, stress, surmenage physique et moral, excès alimentaire, obésité
Fenouil	– nature tiède Yang, saveur piquante – réchauffe et tonifie le Rein, disperse le froid, équilibre la fonction de l'Estomac, régule la respiration, favorise la venue des règles et augmente la sécrétion lactée	– lombalgie chronique, œdème des chevilles, incontinence urinaire, épuisement batterie du Rein, ballonnement, douleur ventre avec sensation de froid, flatulence, diarrhée, manque d'appétit, règles douloureuses
Laitue	– nature fraîche et neutre, saveur amère et douceâtre – revigore l'énergie, mobilise les stagnations de sang et de Tan	– nervosité, irritabilité avec palpitation du Cœur, insomnie, bouffée de chaleur, constipation, hépatite, diabète, douleurs abdominales des règles, abcès du sein, acné, furoncle, piqûre, brûlure, conjonctivite, sujets bilieux et Yang
Mâche	– nature fraîche et yin, saveur amère et douce – nourrit le Cœur et le Poumon, lubrifie les Intestins, action sédative et tranquillisante	– nervosité, troubles du sommeil, tempérament Yang, toux, oppression thoracique, athérosclérose, constipation, spasmes intestinaux
Navet	– nature fraîche et Yin, saveur amère et douce – rafraîchissant, mobilise les stagnations d'aliment, élimine l'humidité, purifiant, pectoral, calme le Cœur émotionnel	– fatigue par stress, énervement, anxiété, bruits dans les oreilles, bronchite, angine, toux, rhume, obésité, goutte, calcul rénal, eczéma, acné, brûlures de la peau, engelure, abcès, pelade de l'enfant
Oseille	– nature froide et Yin, saveur acide, astringente – rafraîchit le sang, chasse la chaleur, diurétique, antiparasitaire	– diarrhée glaireuse et douloureuse, difficulté urinaire, leucorrhée, yeux rouges, chaude pisse

LÉGUMES	Qualité et modalité d'action	Indications
Patate douce	– nature neutre et Yin, saveur douce – améliore les fonctions de l'Estomac et du Pancréas, fortifie la constitution physique, dissipe la chaleur, purifie, favorise la montée de lait	– colopathie fonctionnelle avec alternance diarrhée et constipation, diabète, hépatite, cholécystite, lésions cutanées, mauvaise vision nocturne, insuffisance de lait maternel
Pissenlit	– nature fraîche, saveur amère et légèrement sucrée – améliore les fonctions du foie et de la VB	– trouble du foie/VB, conjonctivite, dermatose, piqûre d'insecte, verrue, obésité, cellulite, excès alimentaire, début de grippe, rhume
Poireau	– nature tiède, saveur piquante – tonifie le Rein, fortifie le Yang, fait circuler l'énergie, dissipe les stagnations de sang, diurétique, neutralise les toxines des Intestins, provoque la transpiration	– rhume, coup de froid, nausée, éructations, excès d'alcool, lombalgie, goutte, infection urinaire, douleur région cardiaque, athérosclérose, obésité, impuissance, ++ pour sujet Yin
Pomme de terre	– nature fraîche, saveur douce – améliore les fonctions de l'Estomac et du Pancréas, lubrifie les Intestins, favorise la diurèse, calme les inflammations	– douleur et ulcère de l'estomac/duodénum, constipation, régurgitation, nausée, lésion de la peau
Radis noir et rouge	– nature fraîche et Yin, saveur douce, piquante et âcre – supprime les stagnations digestives, améliore la capacité respiratoire, dissout les mucosités bronchiques, calme la toux, diurétique et antiallergique	– digestion lente, manque d'appétit aérophagie, calcul ou paresse de la VB, migraine, toux, asthme, coqueluche, saignement de nez, goutte, rhumatisme articulaire
Rhubarbe	– nature très froide et Yin, saveur amère et douce – élimine la chaleur et les toxiques, favorise la circulation de l'eau et des aliments dans le tube digestif, favorise le flux menstruel	– constipation sèche, ballonnement abdominal, stagnation de sang avec douleur et congestion pelvienne pendant les règles, état de chaleur avec fièvre, maux de tête, rougeur des yeux, aphtes, crise d'hystérie ou de grande colère
Tomate	– nature légèrement fraîche, saveur acide et douce – produit les liquides organiques, étanche la soif, tonifie l'Estomac, facilite la digestion, accélère le transit, calme l'énergie du Foie, dissipe la chaleur, combat les microbes et les mycoses intestinaux	– HTA, rougeur des yeux, mal de tête par excès de chaleur, douleur de gorge, inappétence, soif, constipation sèche, mauvaise haleine, excès de viande, intoxication alimentaire, douleur lombes, genoux, goutte, convalescence, état de fatigue

Règle n° 9 : Hydrater son corps sans fatiguer ses reins

Quel est le rôle de la boisson ?

Notre organisme est constitué de 70 % d'eau repartie selon des compartiments liquidiens spécifiques.

L'élaboration de ces liquides organiques résulte d'un processus très complexe. À chaque niveau du corps, les liquides ingérés sont transformés en pur et en impur. Les éléments purs montent et les éléments impurs descendent.

C'est le logiciel Rate-Pancréas qui effectue ce tri. Il est dit en MTC que : « L'énergie de la Rate conditionne la qualité de la production des liquides organiques. »

Ces liquides lubrifient et nourrissent tous les tissus, les organes, les tendons. Les larmes, la salive, les liquides intraoculaires, intra-auriculaires, les liquides synoviaux, le sang, la lymphe, les cellules, tout baigne dans ces liquides.

En pratique : UN SAVANT ÉQUILIBRE ENTRE LES ENTRÉES ET LES SORTIES

Et si nous parlions de balance hydrique ? L'eau, sauf quand elle se transforme en graisse, ou en liquides lymphatiques ou autres, n'est pas stockée dans l'organisme. Au quotidien, il doit exister un équilibre entre les entrées et les sorties. Par ailleurs, tous les compartiments liquidiens de l'organisme se renouvellent en permanence. Il est donc nécessaire au quotidien d'hydrater intelligemment son corps.

Au niveau des sorties, nous trouvons les urines (1,5 litre), la sueur, l'évaporation de la peau (0,8 à 1 litre), les matières fécales (0,2 litre), l'air qu'on expire qui est très humide. Nous perdons donc entre 2,5 et 3 litres de liquides que nous devons absolument reconstituer. Voyons à présent les entrées : la nourriture qui est humide, surtout si on consomme des fruits et légumes comme nous devrions le faire chaque jour (0,8-1 litre), la dégradation des aliments (0,4 litre), l'air que nous inspirons qui est chargée d'humidité. Certaines personnes en insuffisance d'énergie du Rein peuvent prendre du poids quand il pleut ou que l'air est très chargé en humidité. La peau peut favoriser la pénétration de liquide, surtout quand nous prenons trop de bains sans y rajouter au préalable du sel pour rééquilibrer la pression osmotique. Il ne reste plus pour équilibrer les entrées et les sorties qu'un litre à 1,3 litre apporté par la boisson.

À retenir

Le plus important à comprendre, c'est qu'il doit y avoir un équilibre entre les entrées et les sorties. Et cet équilibre doit être trouvé de telle manière que les organes ne s'épuisent pas, ne se mettent pas en surrégime justement par un excédent de ces apports liquidiens.

La grande règle

Nous devons savoir que la manière de boire est un des fondamentaux de la diététique, commun à toutes les traditions. Faute de connaissances et de visions profondes, nous ne savons pas boire et cela peut avoir de lourdes conséquences sur notre santé.

À retenir

La règle est la suivante : « Un individu normalement constitué, dans des conditions climatiques moyennes, ne devrait pas boire plus d'un litre à 1,2 litre de liquides au quotidien, à condition de boire en petites quantités fractionnées, jamais un gros bol d'un seul coup et en évitant de boire pendant un repas, sauf quelques gorgées de thé chaud, ou pour les épicuriens un bon verre de vin rouge par petites lampées tout au long du repas. »

Si nous considérons l'organe Rein comme une machine à filtrer les déchets et non pas les liquides, comme toute machine, elle a été conçue avec une certaine capacité de travail. La tradition chinoise parle d'un apport quotidien de six bols de liquides, soit environ 2 litres. Cette quantité tient compte non seulement des différentes boissons que nous ingérons, mais aussi des liquides contenus dans les aliments. Cela équivaut à boire en moyenne un litre de liquides.

Attention

Si nous augmentons cet apport liquidien, nous allons obligatoirement mettre cette machine en surrégime. Pendant des années, il ne se passera rien. Mais arrivera un moment où la machine s'épuisera. Elle perdra alors sa capacité à tout éliminer. Une partie de ces liquides va rester dans l'organisme et favoriser la prise de poids par rétention d'eau.

Dans certains cas, ce phénomène peut se produire très brutalement, en quelques mois. Lors d'un grand stress par exemple (divorce, changement de vie, décès d'un être cher). Il existe des saisons de la vie comme la ménopause ou la préménopause chez une femme qui favorise un affaiblissement naturel d'une certaine qualité de l'énergie du Rein qui peut venir se rajouter à un déséquilibre préexistant. Si elle ne change pas ses habitudes hydriques, elle peut alors très vite prendre du poids.

Oui, mais voilà. C'est toute l'énergie du Rein qui va être atteinte par cet excès d'apport hydrique. Et les conséquences vont être beaucoup plus importantes et insidieuses qu'on pourrait le penser. Nous avons vu que l'énergie du Rein gouvernait en MTC non seulement la filtration des liquides dans le but d'éliminer les déchets, mais aussi les défenses immunitaires, les facultés d'adaptation, l'immense potentiel d'auto-guérison du corps, la fixation du calcium au niveau des os, les différentes moelles, cerveau y compris.

Par ailleurs, l'énergie du Rein joue un rôle très important au niveau de la mémoire, du contrôle de la peur, de l'angoisse et de la confiance en soi.

Obliger les gens à boire à longueur de journée 2 litres de liquides par jour risquera alors d'avoir de graves conséquences sur le physique, mais aussi sur le mental de la personne.

Selon la théorie du Yin-Yang, quand la machine Rein se fatigue, c'est le Yin qui diminue, favorisant l'augmentation du Yang, donc un excès de chaleur. Cette apparition de chaleur favorisera non seulement la multiplication microbienne locale pouvant être à l'origine de cystites, de vaginites, mais aussi une évaporation des liquides et donc un épaississement de ceux-ci. Ce sont les calculs rénaux qui seront au bout du chemin.

Donc quitte à heurter vos convictions profondes, la MTC explique qu'un excès d'apport hydrique comporte beaucoup plus d'inconvénients que de points positifs quand on parle de préservation de la santé.

Bien sûr, il convient de moduler cette règle selon les circonstances. Il est évident que si vous êtes en pleine infection urinaire ou que vous êtes en train d'éliminer des calculs, il conviendra ponctuellement de boire beaucoup plus qu'un litre. Mais cela risque d'être à double tranchant. En effet, si après la crise, vous continuez à boire 2-3 litres de liquides au quotidien, les mêmes causes produisant les mêmes effets, vous créerez de nouveau un terrain propice à l'apparition de tels déséquilibres.

LE COMPTE EST TRÈS VITE BON !

Cinq verres à moutarde à ras font un litre ! Prenons un exemple simple. Le ministère de la Santé préconise de boire selon le schéma suivant, tout au long d'une journée : au petit déjeuner, un grand bol de café, de chicorée ou de thé, et un verre de jus d'orange. En matinée, un verre d'eau. Au déjeuner, 2-3 verres d'eau, au goûter une tasse de thé nature ou au lait, de chocolat ou de chicorée. Au dîner, une assiette de potage et deux verres d'eau et en soirée une tisane. Mis bout à bout, cela fait deux litres et demi au quotidien ! Regardez autour de vous. Au petit déjeuner, le demi-litre est très vite atteint. Au restaurant, une cannette de boisson noire gazeuse et deux ou trois verres d'eau à côté, cela fait déjà presque un litre !

Toutes les peuplades traditionnelles connaissent cette règle d'hydratation. Quand vous allez en Inde, en Afrique, et évidemment dans tous les pays asiatiques, vous ne buvez que dans de petits verres, dans de petites tasses. Vous avez l'impression de boire toute la journée, mais ce sont à chaque fois de petites quantités. On est loin de notre « mug » occidental.

Trop boire est aussi nocif que de jouer au chameau, à savoir rester plusieurs heures sans boire. N'oubliez pas une des règles princeps de la prévention, c'est la régularité.

Les différents types de boisson

En passant par les soupes, les boissons alcoolisées, les jus de fruit, les thés, les tisanes, l'eau, faisons un petit tour des différentes boissons proposées.

Boissons alcoolisées

Dans les boissons alcoolisées, nous avons les alcools « durs », les vins et la bière.

Les alcools durs sont réservés aux repas de fêtes pour égayer son mental, avec toutes les précautions qui s'imposent. Une bière entre amis, ou quand il fait très chaud ne pose aucun problème. En revanche, comme toujours, pris en excès c'est une boisson qui se retourne contre l'organisme. Le mélange de froid et de gaz va très vite faire ballonner l'estomac. Et comme ce n'est pas un coupe-soif, plus on boit, plus on a soif.

Quant au vin, il y a d'un côté les vins rosés et blancs et de l'autre le rouge. Quitte à décevoir beaucoup d'entre vous, le blanc et surtout le rosé contiennent trop de dérivés sulfuriques et agressent excessivement le Foie. Une cuite au vin rosée vous donne des maux de tête très aigus.

En revanche, le vin rouge, pris en petites lampées tout au long d'un repas, peut être considéré comme un médicament vous permettant de digérer votre bol alimentaire et même de détartrer vos artères. Mais vous n'y êtes pas obligé !

Évidemment, les boissons alcoolisées ne peuvent pas devenir notre boisson quotidienne.

Jus de fruits et de légumes

Les jus de fruits et les jus de légumes présentent l'inconvénient de couper les fibres longues dont le corps a absolument besoin pour bien digérer. Aucune tradition diététique ne les a jamais mis en avant. Si on prend l'exemple du jus d'orange, ou plusieurs oranges sont nécessaires pour remplir un verre, on dépasse la quantité d'acide. Or, trop de saveur acide se retourne contre l'énergie du Foie.

L'eau

Bien évidemment, c'est la première boisson qui nous vient à l'idée quand nous parlons d'hydrater l'organisme. Sauf que l'eau fraîche descend tout de suite dans l'Intestin grêle et nous oblige à aller uriner pour rien. Pour qu'elle nourrisse les compartiments liquidiens, il faudrait la prendre à une température de 38 degrés. Ce qui avouons-le n'est pas très bon !

Alors, nous allons nous tourner vers les tisanes. Mais il faut savoir que chaque plante, que ce soit le thym, la verveine, la menthe, etc., a une vertu médicinale bien spécifique. Dès qu'elle est prise sur une trop grande durée, non seulement elle n'a plus les effets escomptés, mais elle se retourne contre l'organisme. Cela ne peut donc devenir notre boisson au quotidien.

Attention

L'ÉPIDÉMIE DU SODA

C'est une maladie à bas bruit, liée à une surconsommation de soda, qu'ils soient de couleur jaune, orange ou surtout noir ! Considérée comme le « foie gras humain », cette pathologie atteindrait plus de 6 millions de Français ! Le nom savant est la stéatose hépatique. En dehors de la sédentarité, de la malbouffe, plusieurs facteurs directement liés à une surconsommation de soda sont à mettre en cause. Un soda sous quelques formes que ce soit contient, pour une cannette, l'équivalent de 10 à 12 morceaux de sucres rapides !

En MTC, on dit que cela déséquilibre totalement le logiciel Rate-Pancréas, chef d'orchestre de la digestion du bol alimentaire. C'est une grande cause d'apparition de prédiabète, de diabète et de maladies cardio-vasculaires, mais aussi de maladies mentales et émotionnelles comme la dépression. Or, il existe un lien très étroit entre ce logiciel, et celui du Foie. Non seulement cet excédent de sucre va « engraisser votre Foie » comme une oie qu'on gave. Mais comme ce logiciel à sous sa dépendance tous les tics et TOC de l'organisme, c'est un véritable état de dépendance qui va s'installer, identique à ce qui se produit pour n'importe quelle drogue. La plus déstabilisante de toutes ces boissons est une certaine boisson noire gazeuse. La couleur noire appartient à l'énergie du Rein en MTC. Quand elle devient excessive, elle déséquilibre la racine même du fonctionnement du corps. D'autant plus que le quantitatif entre en jeu et que très rapidement c'est plus d'un litre de cette boisson qui est quotidiennement ingérée.

Par ailleurs, cette boisson a une acidité proche de celle qui est sécrétée par la paroi de l'estomac pour digérer le bol alimentaire, soit 2,5 de pH ! Il n'est pas étonnant que ce soit au départ un très bon médicament pour la tourista ! Mais pris au quotidien, cela détruit complètement votre équilibre acido-basique. Excès d'acide, tendon et Foie ne font pas bon ménage. Ce sont les douleurs rhumatismales qui apparaissent. Enfin, elle contient certaines plantes qui sont déjà de la drogue. Bref, avec tout ce cocktail détonnant, il n'est pas étonnant de voir se mettre en place une telle épidémie ! Et vous l'avez bien compris, l'obésité qui en découle n'est que le sommet de l'iceberg.

Les soupes

Les soupes peuvent entrer dans le quota de liquides quotidiens. D'ailleurs, dans la tradition, on préfère les soupes claires aux soupes mixées. Le quantitatif est très important. Pas plus d'un bol à riz. Tous les ingrédients bénéfiques sont présents, sans qu'un trop-plein de liquides ne vienne blesser l'énergie du Rein.

Alors qu'elle pourrait être la boisson idéale pour hydrater son corps sans fatiguer l'énergie de ses reins ? Nous allons voir qu'il existe une boisson universelle, connue depuis la nuit des temps, consommée par plus de la moitié de la population mondiale : c'est le thé et plus particulièrement les thés chinois qui sont adaptés à nos climats tempérés. Cette boisson pourra effectivement être prise toute une vie au quotidien, et hydrater très fortement le corps sans générer de fatigues de la batterie du Rein.

Chapitre 21
Les thés chinois, la boisson de longue vie

DANS CE CHAPITRE :

» **Les vertus du thé**

» **Comment bien préparer le thé ?**

Pour la MTC, cette boisson représente une sorte de panacée tant par ses vertus thérapeutiques que préventives. C'est la boisson quotidienne de milliards d'habitants sur cette planète. Des études très poussées sur le thé sont faites par les Russes et les Américains. Certaines vont jusqu'à dire que le thé pourrait devenir la boisson du troisième millénaire quant à la prévention du cancer et bien d'autres pathologies encore.

Les catégories

Avant tout il est important de savoir que les thés chinois n'ont que très peu de points communs avec les autres types de thés indiens, ceylanais, himalayens et autres.

Le thé vient du camélia, de la même famille de ceux qui poussent dans votre jardin, mais les camélias qui servent à faire le thé en Chine sont très différents de ceux qui poussent en Inde et dans d'autres contrées. On les appelle d'ailleurs *camelia sinensis*.

Le saviez-vous

Contrairement aux autres types de thé, ils n'ont pas d'action agressive sur le Foie ayant pour conséquence de provoquer des carences en fer. Ils n'excitent pas l'esprit. Vous pouvez en prendre le soir sans que cela vous empêche de dormir.

Verts, noirs, oolong

Il existe trois sortes de thé chinois : les thés verts, les thés oolong ou demi-fermentés et les thés noirs que les Chinois appellent thés rouges, du fait de leur couleur d'infusion.

En réalité, il s'agit de la même feuille qui a subi des préparations différentes.

Si on cueille les plus jeunes feuilles de thé et qu'on les laisse sécher dans les heures qui suivent au soleil, ou devant une source de chaleur, il s'agit de thé vert. Le Dom Pérignon des thés est le thé blanc, cueilli une seule fois dans l'année dans des conditions climatiques bien précises. Vu sa cherté, il est préférable de le consommer lors d'un repas de fête !

Quand on laisse fermenter ces mêmes feuilles quelques jours et qu'on les sèche ensuite, c'est le thé demi-fermenté encore appelé oolong.

Enfin, si on les laisse fermenter beaucoup plus longtemps pour certains, une année entière dans une cave, ils prennent l'appellation de thé noir.

Après la fermentation, ils peuvent être séchés et s'imprégner de l'odeur de certaines écorces. Il s'agit alors de thé noir fumé.

Il faut savoir que toutes les catégories de thé ont un très haut pouvoir hydratant. Ce pouvoir comme nous allons le voir est d'un pour trois ou un pour quatre par rapport à l'eau !

Un thé pour chaque moment

En pratique

Ce sont les thés verts qui devraient être consommés le plus souvent. Mais ne succombez pas à la mode actuelle. Au début, prendre pluri-quotidiennement de cette catégorie de thé vert risquerait d'être préjudiciable à votre santé. En effet, ils sont de nature fraîche, et même consommé chaud, s'il fait froid dehors ou que vous êtes en faiblesse de Yang, une quantité déraisonnable de thé vert risquerait de générer des stagnations de liquides au niveau de l'estomac, d'être indigeste. Pour vous initier aux thés chinois, il vaut mieux commencer par les thés oolong.

On devrait avoir chez soi les trois sortes de thé. Le matin, vous choisissez le thé de la journée selon les critères suivants :

» S'il fait chaud dehors, si vous vous sentez en pleine forme, alors vous optez pour le thé vert.

» Si vous avez besoin de perdre un peu de poids, que votre Foie est quelque peu « engorgé », que vous ne digérez pas très bien, c'est alors le thé noir qui vous convient.

> » Quand vous hésitez, vous prenez alors le thé du juste milieu, à savoir le thé oolong. C'est en règle générale celui qu'on vous sert dans les restaurants asiatiques.

Il en va des thés comme nos vins. Il en existe des dizaines de marques, autant que de familles productrices. À vous de progressivement affiner vos goûts et d'apprendre à pleinement les déguster.

Leurs vertus

Depuis des temps immémoriaux, les Chinois connaissaient les vertus thérapeutiques et préventives des thés. C'est Shen Nong, le « Divin Moissonneur », un des trois empereurs mythiques de la Chine, qui fut un des pères de la médecine. C'est un des premiers qui conseilla vivement de faire bouillir l'eau avant utilisation afin de l'assainir.

Selon la légende, un jour, se reposant sous un arbre, des feuilles vinrent à tomber dans de l'eau frémissante. Il testa cette infusion, et fut étonné des pouvoirs revitalisants de celle-ci. La boisson « thé » venait de naître en l'an 2737 av. J.-C.

Shen Nong dit alors : « Le thé éveille les humeurs et les pensées des sages. Il rafraîchit le corps et apaise l'esprit. Si vous êtes abattu, le thé vous rendra la force. »

Nous allons voir quelques vertus de cette « boisson de longue vie », données par la tradition, mais aussi par les recherches modernes.

Le thé fait « monter l'esprit »

Le saviez-vous

Il est dit dans tous les Ben Cao, les compendiums de pharmacopée chinoise, que le thé fait « monter l'esprit », le Shen, réveille le mental, éclaircit les idées. En quelque sorte, il vous rend plus intelligent.

Si on se réfère à la théorie des signatures, en comparant le café et le thé, le café provient d'une graine. Une graine possède une très forte énergie concentrée. Elle peut donner un baobab. Au départ Yin, cette graine est devenue Yang par la torréfaction. Elle va donner un pic énergétique très puissant sur l'énergie du Foie, et du Cœur, générant insomnie et nervosité.

Au contraire, la feuille de thé en plein épanouissement a une nature aérienne, légère. Son action est beaucoup plus lente. D'où cette notion de faire monter l'esprit sans générer un pic de Yang dans l'organisme.

UNE SOURIS INTELLIGENTE !

Les Japonais ont mis en place une expérience scientifique pour prouver les dires de la tradition. Les éléments : un labyrinthe, un morceau de gruyère à la sortie et au départ un lot de souris uniquement hydraté à l'eau. Le but est pour ces charmantes bêtes de trouver la sortie pour manger ce fromage ! En moyenne, après de nombreux passages, elles mettaient cinq minutes pour trouver la sortie. Nouvelle expérience, même protocole, nouveau labyrinthe, nouveau lot de souris, mais cette fois-ci hydratées uniquement avec du thé vert chinois. À la fin de l'expérience, elles ne mettent que deux minutes et demie pour trouver le morceau de gruyère. Elles sont plus intelligentes ! Le thé permet de mettre en permanence l'esprit en état d'éveil. Et comme on devrait en consommer en petites quantités fractionnées tout au long de la journée : plus besoin de café en excès !

Le thé élimine les déchets

Au contraire du café, le thé permet de faire circuler, de faire disparaître les amas d'aliments, de dissoudre et d'éliminer les matières grasses. Il permet aussi d'éliminer les déchets et les toxines présents dans l'organisme. Ce sont surtout les thés noirs qui auront cette action de « nettoyage ».

C'est une des seules plantes qui a comme action conjointe de favoriser l'élimination des selles et dans le même temps d'être très légèrement diurétique. En faisant « circuler », elle favorise le péristaltisme intestinal, mais aussi l'élimination des déchets par les urines. Par son action de lubrification, elle permet l'avancée des matières.

Il contient certaines protéines capables d'englober les « poisons » au niveau du Foie et de les rejeter par les selles et les urines. Il permet ainsi d'éliminer les toxines et les poisons contenus dans certains médicaments, dans certaines drogues. Mais également d'agir sur les effets de la pollution, sur certaines substances retrouvées en suspension dans l'eau ou les substances radioactives contenues dans l'air. Par cette action, le thé permet à l'organisme de résister aux cancers dus à des substances iatrogènes.

Le saviez-vous

Le thé permet entre autres d'aider à l'élimination de la nicotine et est donc tout à fait indiqué pour les fumeurs.

Le thé a la propriété de dissiper les effluves de l'alcool. Sa nature « fraîche » va s'opposer à la nature chaude, Yang, des boissons alcoolisées. Du thé vert concentré est capable de très rapidement dissiper l'état d'ivresse, mais aussi permet de chasser la gueule de bois des lendemains festifs.

Le thé hydrate

Le thé possède un très fort pouvoir hydratant. Pour s'en persuader, il n'y a qu'à observer la peau des Asiatiques, des Africaines qui a un âge avancé continuent à avoir une peau très lisse. Quand vous avez la bouche sèche, que vous avez soif, surtout quand il fait chaud, ou après un effort prolongé ayant déclenché une forte transpiration, quand apparaît le symptôme signal d'alarme qu'est la soif, si à ce moment-là vous vous précipitez sur de l'eau froide, qui plus est gazeuse, vous allez très rapidement transpirer et surtout, plus vous buvez plus vous avez soif. Vous allez déclencher ce qu'on appelle la pépie.

L'effet du thé est à l'opposé. Il favorise la production de liquides organiques, reconstitue la salive et supprime la sensation de soif. Les Touaregs dans le désert ne boivent que du thé chaud et pas plus d'un litre à 1,5 litre dans une journée, malgré les 40 degrés à l'ombre.

Le thé permet aussi d'humidifier le Poumon. Or, on dit en MTC que la peau appartient au Poumon. C'est, entre autres un excellent antirides !

Le thé, à condition d'être bu en petites quantités fractionnées tout au long de la journée, permet réduire les nausées de la femme enceinte.

Les recherches modernes ont montré que le thé chinois contenait un tanin, appelé Dan Ming, substance se trouvant en grande quantité dans les jeunes feuilles des théiers. Lorsque ce produit entre en contact avec des produits alcalins, des toxines ou des métaux lourds, il s'assemble à ces derniers pour former un composé insoluble qui peut alors être facilement évacué par les selles et les urines. Il est dit à ce moment-là qu'il permet de neutraliser les substances toxiques, de protéger les muqueuses intestinales et stomacales, de prévenir les problèmes d'ulcération, de prévenir la craie dentaire.

La théine contenue dans le thé est, au contraire du café, très lente à agir. C'est pour cela que le thé n'excite pas, n'énerve pas. Une fois ses effets estompés, on ne ressent pas de fatigue.

Mode de préparation du thé

Quelle eau choisir ?

Une expérience à faire ! Prenez deux verres transparents, avec la même quantité de thé. Versez de l'eau bouillante par-dessus. Dans un des verres vous aurez mis de l'eau minérale, ou issue d'un filtre à charbon, ou mieux encore d'un filtre mis en dérivation sur le robinet de votre cuisine, à osmose inverse. Dans l'autre de l'eau du robinet. Au bout de quelques heures d'infusion, le thé du premier verre reste translucide. Ce n'est pas le cas pour le deuxième verre. Le thé est trouble et un dépôt huileux se trouve à la surface. Si le thé devient votre boisson quotidienne, préférez une eau « propre ».

Quel récipient ?

Les théières en terre, en bronze, sont à réserver pour les thés noirs. Une théière ne se lave jamais au savon. Les tanins successifs finissent par en culotter les parois. Il existe ainsi en Chine des théières centenaires.

Les théières en porcelaine sont à réserver au thé vert ou blanc.

Mais à l'usage, préférez des théières en verre transparent. Vous serez à même d'apprécier la couleur des différents thés, puisque tous les thés pourront y être infusés.

Comment le préparer ?

Deux modes de préparation : la cérémonie du thé, avec un rituel très précis, différent selon les catégories de thé. Chaque thé a en effet une température et un temps d'infusion qui lui est propre. Ce n'est pas notre propos ici.

Nous allons nous attacher à voir comment faire que le thé puisse, petit à petit, sans aucune précipitation, devenir notre boisson quotidienne. Nous allons voir qu'en réalité, ce ne sera que de l'eau chaude avec quelques feuilles dedans.

En pratique

PRÉPARATION DES THÉS POUR LES NULS PRESSÉS !

Le plus simple est de procéder de la manière suivante : dans une théière en pyrex transparente, vous mettez deux pincées de thé entre le pouce, l'index et le majeur tendus, sans que cela ne dépasse entre les trois doigts (et pas plus !). Et ce, pour trois quarts de litre d'eau bouillante. Il faut savoir que le thé quotidien ne doit pas être fort en goût. Il est normal qu'il reste clair, translucide. C'est d'ailleurs ce qui le différencie des thés indiens. Ensuite, vous faites bouillir de l'eau. Dès que les premières bulles apparaissent, vous la verser dans la théière. Cependant, s'il s'agit de thé vert, vous l'aurez au préalable « mouillé » avec de l'eau à température ambiante, pour éviter que celui-ci ne soit « brûlé » par l'eau chaude. Une fois l'eau versée, les feuilles vont remonter à la surface, puis au bout de quelques minutes vont redescendre au fond. Une dizaine de minutes après, le thé est buvable.

Comment le déguster ?

Si vous êtes chez vous, sur le même thé, vous pouvez répéter l'infusion deux ou trois fois dans la journée. Il est dit : « Le thé de la première infusion commence à donner le goût du thé. Celui de la deuxième donne une sensation très lisse et très agréable au niveau du palais et de la gorge. Le thé de la troisième infusion est plus âcre. Il annonce que le Dan Ming, le tanin, apparaît. Les véritables effets médicinaux du thé agissent à ce moment-là. »

L'autre solution est de préparer votre thermos de thé, l'idéal étant de se procurer une thermos à double paroi d'aluminium traité, pour qu'il n'y ait pas d'échanges d'ions avec la boisson. On en trouve chez tous les revendeurs spécialisés en thé. Vous pouvez ainsi le garder chaud toute une journée.

Certes, au bout de quelques heures, il fonce très légèrement, car de la poussière de thé aura continué à infuser. Mais cela à l'avantage d'être plus commode à l'usage et de vous permettre de voir la quantité de liquide que vous ingérez dans la journée. Il n'y a pas un pays au monde où l'on ne puisse faire bouillir de l'eau et préparer une thermos. Plus de tourista au bout du chemin, puisque les bébêtes sont tuées !

Quelques conseils supplémentaires

En pratique

- » Il convient d'éviter de boire du thé bouillant. Cela pourrait irriter et brûler les muqueuses de la gorge et de l'œsophage.
- » À l'inverse, un thé ne se boit jamais froid, sous peine de le rendre indigeste et de lui faire perdre ses vertus thérapeutiques et préventives. Et mettez à l'index les « thés glacés » tout prêts qui contiennent l'équivalent de 12 morceaux de sucre et qui n'ont évidemment plus rien à voir avec le thé, si ce n'est le nom !
- » N'oubliez surtout pas la règle : « Boire en petite quantité fractionnée sans inonder son corps. »
- » Vous ne devez rajouter aucun ingrédient au thé. Bien évidemment pas de « larme de lait » à la mode anglaise, ou de citron !
- » Le sucrer est totalement inutile et même déconseillé. Vous perdriez beaucoup de ses vertus.
- » Et n'ajoutez aucune plante dans l'infusion ! C'est cette dernière qui prendrait le dessus au regard des effets très subtils du thé. Prenons l'exemple du thé au jasmin. C'est une plante piquante et qui agit en surface du corps. Prise en excès, elle peut facilement donner de l'urticaire.

> Abstenez-vous de boire le thé de la veille. Les protéines se dénaturent et il devient indigeste.

> Ne jetez pas les feuilles de thé. C'est un excellent engrais pour vos plantes.

> Un dernier conseil. Ne changez pas vos habitudes trop brutalement. Commencez par quelques prises, puis petit à petit, prenez cette boisson une douzaine de fois, dans de petits verres arabes ou chinois, tout au long de la journée. Cela devra devenir un acte de pleine conscience, un acte qi gong. À l'instar de la respiration, s'arrêter ainsi plusieurs fois de penser, arrêter son ordinateur central nous permettra de vivre de plus en plus dans la pleine conscience. Cette pleine conscience est l'une des conditions majeures pour apprendre à gérer nos émotions et ainsi devenir zen.

Attention

LE THÉ VERT À LA MENTHE, OUI, MAIS !

Lorsqu'un Occidental va dans le désert pour suivre une caravane de Bédouins, il a tout intérêt à se plier aux rituels locaux. Les Bédouins ont l'habitude de consommer le fameux thé vert à la menthe par petits verres tout au long de la journée, tiède ou chaud, et guère plus d'un litre à 1,5 litre alors qu'il fait 40 degrés à l'ombre. Bien sûr leurs efforts sont comptés. Mais quand même ! Ils importent le thé vert de Chine depuis des centaines d'années. Effectivement, c'est un breuvage très sucré, mais ce sucre rapide est tout de suite pris en charge par l'organisme, sans créer de pics d'insuline, pour donner l'énergie nécessaire pour éviter toute surchauffe en interne. La menthe de nature piquante et fraîche provoque une très légère transpiration tout en refroidissant le corps. À la manière d'une bouteille d'eau qu'on entourerait d'un chiffon humide pour conserver la fraîcheur du breuvage. Dans une même optique, par 40 degrés à l'ombre, les Bédouins recouvrent entièrement leur corps de cotonnades afin d'éviter l'évaporation des liquides organiques.

Mais attention de ne pas s'habituer au thé à la menthe dans un climat tempéré. Non seulement le sucre reprendrait rapidement ses effets pervers, mais l'excès de menthe finirait par « blesser l'énergie du Poumon » et se retourner contre l'organisme. Sans compter les effets néfastes d'un excédent de sucre rapide. Sur place, l'Occidental qui ne se plie pas à ces rituels, *a fortiori* s'il fait un rallye, ou qu'il dépense inconsidérément ses forces, est obligé de boire 3 à 4 litres d'eau dans la journée, quand ce n'est pas plus. Résultat des courses, quand il revient chez lui, l'énergie du Rein s'effondre et il perd ses défenses immunitaires, et vieillit précocement.

PARTIE 6
LA PARTIE DES DIX

DANS CETTE PARTIE...

La vie ne peut être que si nous respirons, si nous mangeons et si nous pensons. Ce sont là les trois grands piliers de la vitalité. Nous allons donc diviser cette partie en trois fois dix commandements, conseils ou règles qui vous permettront de retrouver un nouvel équilibre et un nouvel élan sur votre câble de vie. Nous commencerons par une charte en dix points pour apprendre à gérer nos émotions. Ensuite ce que devons mettre en place du matin au soir pour recharger en permanence sa batterie du Rein. Quant à la diététique, nous en verrons un aspect essentiel, à savoir les dix raisons pour lesquelles il convient d'apprendre à mâcher. Vous pouvez avoir la meilleure des diététiques, si vous ne mâchez pas votre bol alimentaire, elle finit par perdre toute sa valeur.

Chapitre 22
La charte en dix points pour apprendre à gérer nos émotions

En MTC, on considère que les émotions mal gérées sont à l'origine de l'apparition de quasiment toutes les pathologies internes. Ne parle-t-on pas du « vent destructeur des émotions » ! Nous avions vu dans la théorie des cinq éléments que les cinq familles d'émotion entraient en résonance avec les cinq logiciels organes. Rappelons-nous les couples colère-Foie, tristesse-Poumon, peur-Rein, réminiscence-Rate et joie-Cœur.

Une émotion est pure énergie, sans consistance physique, sans odeur ni couleur. Elle « nourrit » l'organe auquel elle appartient. Il n'est pas question ici de devenir des êtres « vides » de toute émotion puisque sans elles, nous ne serions pas des êtres humains. Mais si une émotion particulière vient à prendre le devant de la scène en permanence, ou si elle devient trop brutale, elle est alors destructrice pour l'organisme, et se retourne contre son organe cible. Voyons dix points fondamentaux qui vous permettront de conserver votre équilibre sur votre câble de vie et de vous sentir toujours bien « ici et maintenant ».

Relativiser

Face à une épreuve de vie, une source de peur, une « chose » qui dérange vos habitudes de vie, c'est tout le champ de votre mental qui finit par être accaparé par cette énergie négative. Le problème est là, devant vous ! Il vous semble insurmontable ! Il obscurcit jour et nuit votre champ de vision ! Il devient idée fixe qui tourne en rond, comme une mouche qui tape aux fenêtres sans pouvoir sortir. Mais si vous reculiez de votre champ de vision cette « chose », cette « idée fixe », sans consistance, sans matière, sans odeur qui taraude votre cœur.

Si vous mettiez en perspective ce qui paraît être une épreuve de vie insurmontable, histoire de voir tout ce qu'il y a à côté : vos œillères finiront progressivement par s'estomper. Et si vous vous répétiez comme un mantra : « Il n'existe pas de problème considéré comme insurmontable qui ne puisse être divisé en plusieurs petits problèmes qui, chacun pris à part, seront surmontables. ». Ou encore, ce que disent à longueur de journée les Burkinabés et d'autres encore : « Y'a pas de problème ! » Combien d'épreuves « sans issues » avez-vous eues dans votre vie et qui, quelques jours, quelques semaines ou mois après étaient retournées aux oubliettes. Donc relativiser, diminuer l'importance, permet de dissoudre à la racine ces vagues émotionnelles pour éviter qu'elles deviennent des déferlantes destructrices.

Sortir de la scène de théâtre

Les taoïstes comparent souvent la vie à une scène de théâtre. Chacun d'entre nous, dans cette scène, joue un rôle particulier et chaque rôle est indispensable pour que le jeu de la vie soit équilibré. Du rôle principal au balayeur de scène, chacun doit donner le meilleur. Quand un grain de sable vient se mettre dans ce rouage, c'est tout le spectacle qui en pâtit. Cependant, il y a un corollaire à cette vision. Combien de scènes théâtrales se jouent en famille, ou entre « amis », où les acteurs s'insurgent, s'invectivent, se haïssent, avalent leur bile ! Combien de cordons ombilicaux non coupés ! Combien de dominés qui finissent en dépression, en blocage de l'énergie du Foie, en cancers ! Une solution : sortir de la scène de théâtre, devenir spectateur. Les assaillants, faute de répondant, finiront par choisir une autre cible, puisque la vôtre devient transparente. Et en un seul instant, tous vos nœuds vont se dissoudre.

Regarder sans émotion, regarder sans jugement, écouter sans répondre. Mais tout cela ne peut se faire que par l'émission d'une énergie très puissante, à la base des relations de notre humanité : l'amour altruiste, l'amour gratuit sans obligation de retour.

Attendre que l'orage passe

Nous avons vu dans la première partie que la vie procédait de la dualité Yin-Yang, et que rien ne pouvait avoir d'existence sur cette terre sans que son opposé-complémentaire n'existât. Il faut nous y faire ! Le bonheur ne peut exister sans le malheur, le rire sans le pleur, la joie sans la tristesse, les états de grâce sans les états de disgrâce. Sur notre câble de vie, des épreuves surgissent de l'invisible.

Ce sont des épreuves qui nous déstabilisent et qui risquent de nous faire tomber au fond du précipice. Personne ne peut y échapper ! Quand elles arrivent, acceptons de pleurer, de passer des nuits d'insomnies sans rien prendre pour nous abrutir. En MTC, la tristesse combat la colère, selon le cycle des cinq éléments. C'est une émotion d'autocontrôle nécessaire. Fuyez ceux qui vous disent : « Tu es un homme mon fils, tu ne dois jamais pleurer. » On finit par en faire des « amputés » de l'amour. Épousons ce vieil adage : « Celui qui touche le fond de la rivière a plus de chances de se propulser à la surface que celui qui reste entre deux eaux. ». À force de lectures, de compréhension des « choses de la vie », de nous mettre à l'écoute de notre âme, nous comprendrons un jour qu'il n'y a pas fondamentalement d'épreuves négatives. Seulement des épreuves qui nous font évoluer. Et puis après l'orage vient le beau temps !

Travailler le pardon

C'est un des points centraux dans la philosophie confucéenne. Le pardon est l'antidote de la colère, ces deux mots ne pouvant coexister. Nous savons que la colère, cette émotion à tendance Yang appartient au Foie en MTC. Le côté Yin de cette émotion, l'autre face d'une même pièce, celle que prônent toutes les religions, toutes les philosophies traditionnelles y compris le taoïsme, ce don total que vous faites à l'autre ou à vous-même (*per-donnare*) est un véritable médicament. Il permet d'éliminer peu à peu ce « virus émotionnel » tellement dévastateur qu'est l'énergie de la colère, quand celle-ci devient excessive.

C'est l'histoire du type qui se fait bousculer dans la rue. Plusieurs cas de figure sont possibles.

Son « agresseur » est beaucoup plus faible que lui, limite insolent. Il ne s'excuse même pas. C'est la colère extériorisée qui prend alors le dessus. Cela peut aller jusqu'au pugilat. Plus le Yang du Foie monte, plus le Yin s'épuise. Quand ces situations se répètent, cela peut devenir une des grandes causes d'hypertension artérielle. Cette énergie de la colère est là, tapie dans le cœur de la personne. Et lors d'une plus grande tempête émotionnelle, un vent interne très puissant peut se lever. C'est l'accident vasculaire cérébral ou la crise cardiaque qui sont au bout du chemin.

Son « agresseur » est beaucoup plus fort que lui. Un sentiment d'infériorité, de rancœur, de colère intériorisée apparaît. En effet, il sait que s'il répond, il va se faire battre à plates de coutures. Si cette situation se répète, cette émotion, comme un feu qui couve, un vers qui ronge la pomme, va être à l'origine d'une multitude de pathologies de blocage et de stagnations surtout au niveau de l'énergie du Foie. En MTC, c'est une des grandes causes d'apparition de cancer du sein chez la femme, surtout quand il est situé sur le côté latéral externe de cet organe, là où passe le méridien de la Vésicule biliaire. Une solution pour se sortir de cette situation qui peut paraître souvent sans issue, pour éradiquer ce virus : le pardon.

Quatre raisons pour pardonner :

- Il ne l'a pas fait exprès, et donc il était inutile de se mettre en colère.
- C'est sciemment qu'il vous a bousculé. Vous avez quelques notions de « philosophie de vie », en particulier la loi de causalité qui dit : « Celui qui fait volontairement du mal à l'autre envoie une énergie négative, qui lui reviendra tôt ou tard en pleine figure. » Vous ne le souhaitez pas, mais c'est ce qui arrivera. Tout est une question de temps.
- Vous pardonnez aussi, car vous connaissez maintenant les dégâts de ce virus émotionnel. C'est en quelque sorte de « l'égoïsme salvateur ». Les bouddhistes appellent cela « endurer ». Ce n'est pas de la lâcheté. Bien au contraire. C'est une véritable force, pas donnée à tout le monde.
- Vous pardonnez, mais lui accordez aussi des circonstances atténuantes. C'est la faute à sa condition de vie, à sa mauvaise éducation, à son karma, etc. C'est l'empathie. Vous pouvez même essayer de l'aider à changer. Mais tout le monde n'est pas un saint. Si vous adhérez à cette vision des choses, c'est, au début du travail, cent fois par jour que vous serez amené à pardonner. Petit à petit, cela va devenir « compétence inconsciente ». Vous n'en sortirez que grandi.

Dissoudre la peur de la mort

Et si le sens de notre vie était de comprendre notre mort, de lui donner un sens ? Nous avons la chance en tant qu'être humain d'avoir la faculté de méditer sur cette échéance inéluctable. Alors, ne la remettons pas au lendemain ! La méditation qui nous permet de nous mettre à l'écoute de notre âme peut nous en donner des compréhensions fulgurantes. La lecture des anciens textes, certaines initiations et l'aide de maîtres peuvent nous être d'une très grande aide.

En MTC, la peur de la mort est la cause émotionnelle première de l'apparition de quasiment toutes les maladies internes. Que nous lui donnions le nom de peur de la maladie, peur de la souffrance, peur de vieillir, cela revient au même.

N'oublions pas que l'énergie de la peur vidange littéralement notre batterie du Rein qui est à la source de notre vitalité. Nous avons vu dans la première partie, ce concept métaphysique à la base même de la compréhension de la MTC, à savoir la notion d'âme spirituelle et d'âme corporelle. Ces hôtes en quelque sorte ne demandent qu'à vivre dans une maison bien rangée et propre pour avoir envie d'y rester. Et si l'un des grands sens de la vie était de nous mettre à l'écoute de notre âme, celle qui sait tout, qui est à même de nous donner les intuitions de vie au travers de nos pratiques méditatives, de relaxation, de qi gong, de culture de l'instant présent. Et si le sens de la vie était de nourrir notre âme par cette envie intuitive d'apprendre, de comprendre, de lire, d'écrire, et ce, jusqu'à notre dernier jour. En donnant ce sens à notre vie, petit à petit le concept de la mort se dissout pour donner naissance à celui d'un passage. Ce passage, où le corps physique, les émotions, notre ego, les attachements-répulsions disparaîtront plus ou moins rapidement, mais où l'âme suivra son chemin.

Ce sont les enseignements princeps du taoïsme, mais aussi de toutes les philosophies et religions. Alors, attachons-nous à aimer la vie, pour, lorsque notre temps sera terminé sur cette terre, aimer la mort.

Atteindre la pleine conscience

Et si c'était le grand secret pour apprendre à gérer nos émotions ? La pleine conscience est différente de l'état de vacuité que recherchent les bouddhistes. C'est un état d'esprit qui s'acquiert à force de pratiques pluriquotidiennes. On peut appeler cela : « l'ici et maintenant ».

Comment arriver à cet état ? En premier lieu par la méditation. Oui, mais voilà ! Qui est capable dans notre monde moderne de consacrer plusieurs heures par jour à ce type de pratique. La méthode la plus simple pour les débutants, c'est d'apprendre tout au long de la journée à se poser vingt, trente secondes, sans penser à rien, ou tout au moins être concentré sur un seul point.

Dans le cours sur la respiration (voir chapitre 17), il a été préconisé de s'arrêter 10-15 fois dans la journée, pendant une trentaine de secondes, pour respirer en pleine conscience. Dans le cours sur le thé, au chapitre 21, nous avons vu que nous devons boire en quantités fractionnées et en pleine conscience nos petits verres à thé.

Quand vous vous relaxez une à deux fois, 10 minutes dans la journée, méditez 5 minutes par jour en position assise sur une chaise, pratiquez 15 minutes de qi gong : toutes ces actions quotidiennes vous permettent d'être là, ici et maintenant, de vous créer un surmoi, un « Jiminy Cricket » qui vous voit agir. C'est une entité immatérielle, sans consistance, sans odeur ni localisation qui vous voit en train de lire ce texte. Servez-vous-en pour vous arrêter à la première image d'un film émotionnel qui se constitue en vous. Si nous prenons l'exemple de la colère qui appartient au Foie, avant qu'un mot qui tue ne sorte de votre bouche, avant de frapper ou injurier quelqu'un, vous serez à même de diriger le film qui se construit, de jouer un rôle sans que cela ne vienne blesser ni vous-même, ni autrui. Vous pourrez vous arrêter à la première image et même la transformer.

Ne pas se perdre dans les méandres du jugement négatif

Ce n'est pas une mince affaire que de désapprendre à juger ! Je ne parle pas ici du jugement altruiste, positif, le côté Yang, lumineux de la force, mais de ce jugement négatif permanent sur tous et toutes choses. Imaginez un monde sans calomnie, sans critique, sans accusation, ni déblatération, sans commérage : il n'y aurait plus grand-chose à se dire en repas de famille. Nous serions alors dans la nécessité de réapprendre à parler de l'essentiel, des « choses de la vie ».

N'oubliez pas ce que nous enseigne la MTC : « Ce que ton Cœur émet, ton Cœur reçoit. » À force d'émissions d'énergies négatives, il ne faut pas s'étonner de se retrouver dans des situations de négativité, de mal-être ou de souffrance. C'est ce physicien quantique russe qui prenait comme exemple la visite d'une exposition de peinture. À un moment, un tableau vous déplaît. Pourtant s'il est là, c'est qu'il a au moins plu à quelqu'un, ne serait-ce qu'à son auteur ! Au lieu de cracher son venin, de juger négativement, vous n'avez qu'à passer votre chemin et nourrir votre œil d'un tableau qui est sur la même vibration que votre câble de vie.

Comme un caléidoscope, toute vérité ultime possède en elle mille et une facettes, mille et une manières de l'appréhender. Sortez du côté sombre de la « force » pour aller vers la lumière des pensées positives. Acceptez la contradiction comme un élément essentiel du dialogue. Mais cela demande ici aussi beaucoup d'amour altruiste et l'abandon progressif de la carapace de son ego.

Recharger la batterie du Rein

Il y a mille et une méthodes pour apprendre à gérer ses émotions, mais quasiment toutes viennent de supports extérieurs. Depuis notre plus tendre enfance, on nous a fait croire que nous étions des effets dans l'apparition de tous nos maux et non des causes : « Si je suis sous l'emprise de colères récurrentes, de tristesses destructrices, de peurs chroniques, c'est à cause de l'autre et je n'y suis pour rien. » Et si nous regardions de l'autre côté de la lorgnette ?

Vous n'êtes plus sans savoir l'importance en MTC de cette fameuse batterie du Rein, centre de l'autoguérison, de l'autorégulation et de l'adaptation de l'organisme. Quand nous mettons en œuvre toutes les pratiques pour l'amener au quotidien à son taux de recharge maximum, c'est l'organisme lui-même qui s'autogère au niveau émotionnel. Soit en autorégulant le logiciel organe auquel correspond l'émotion déséquilibrée, ou en mettant en avant une émotion capable d'en contrôler une autre.

Si un matin au lever, vous avez un sentiment de tristesse, c'est juste un autocontrôle qu'émet l'organisme pour calmer un état de colère excessif. Je vous renvoie au cycle des cinq éléments (voir chapitre 4) où nous pouvons voir que la tristesse combat la colère. Si vous venez de subir un important traumatisme émotionnel, votre corps, grâce à la batterie du Rein, sera à même de mettre en avant ce qu'on appelle « un état de résilience », un état d'amnésie ciblé. Mais plus encore, quelque temps après, votre corps se débarrassera de ses « déchets émotionnels », capables de remonter à la surface dans les périodes de faiblesse. C'est le but des méthodes Yang Sheng Fa, de prévention en MTC. On pourrait aller jusqu'à dire qu'un vrai praticien en MTC ne guérit pas son patient. Il redonne au corps de celui-ci la capacité de s'autoguérir, en faisant circuler ce qui stagne et en l'aidant à recharger ses accus.

Adopter le sourire intérieur

Nous avons vu que le Cœur, tout en étant le maître des cinq émotions, avait la même vibration énergétique que la joie. Pas la fausse joie qui enflamme les stades, mais cette joie caractérisée par le sourire permanent. Dans un premier temps, il est fondamental de réapprendre à sourire. Pourquoi ne pas prendre une glace comme témoin et travailler au quotidien le « sourire du bouddha » ou des saints ? Petit à petit, ce sourire fera partie de votre personnalité. D'externe, ce sourire s'intériorisera. On l'appellera alors « le sourire intérieur ».

En MTC, on nomme cet état « le Cœur ouvert ». C'est notre capacité à sourire en permanence, à admirer le bon côté du monde qui nous entoure, à adopter une attitude positive envers toutes choses, à se satisfaire de tout, à ne jamais se plaindre. Un point commun à de très nombreux centenaires, c'est de voir se dessiner sur leurs visages les « rides du sourire ». Avoir une telle attitude permet de calmer le feu des émotions, de « nourrir le Cœur », de débloquer la circulation de sang et d'énergie.

Adopter une nouvelle philosophie de vie

Le Pr Leung, dans son testament philosophique, nous avait légué le texte suivant : « Modifiez progressivement votre alimentation en suivant les conseils. Commencez progressivement à faire des exercices chinois en les adaptant à vos besoins. Et surtout, adoptez une philosophie de vie, une manière de voir les choses qui mettent l'accent sur les points suivants :

- ❯❯ Rendez-vous responsable de vos actions et de vos choix.
- ❯❯ Extériorisez-vous et impliquez-vous dans des activités et des pensées altruistes. Ces pensées doivent déboucher sur des actions qui soient plus grandes que vous, soient enrichissantes et vous rendent plus fort moralement.

- **»** Employez-vous à résoudre le plus rapidement possible les conflits pour éviter les déperditions d'énergie émotionnelle. Juste ou injuste, bonne ou mauvaise, quelle que soit votre décision, qu'elle vous fasse perdre ou gagner, essayez de trouver la meilleure solution de votre point de vue le plus rapidement possible et passez à autre chose.
- **»** Vivez pleinement le reste de votre vie. Si vous avez commis une erreur, corrigez-la et passez à la suite.
- **»** Acceptez-vous, aimez-vous, respectez-vous. Sachez dire "oui" ou "non". Soyez attentif à vos impressions intérieures et appréciez-les. Soyez à l'aise avec vous-même quand vous êtes seul.
- **»** Aimer son entourage est une absolue nécessité si l'on veut pouvoir vivre en société, ce qui contribue à favoriser la santé. »

Chapitre 23
Les dix pratiques quotidiennes de longévité en MTC

Dans ce chapitre, vous allez avoir accès à dix pratiques quotidiennes destinées à recharger votre batterie du Rein afin de prévenir tous types de pathologies physiques, mentales ou émotionnelles. Ces pratiques seront aussi d'une aide très appréciable pour la guérison de ces mêmes pathologies. Il n'est pas question de passer des heures et des heures à cultiver notre ego, notre narcissisme, notre nombrilisme, à devenir des drogués de la salle de sport. Mais juste d'incorporer dans notre journée, une série d'actions fondamentales à mettre en œuvre pour conserver l'équilibre de vie.

Oui, mais je n'ai pas le temps ! À méditer : une journée de 24 heures peut être divisée en trois fois huit heures. Ainsi nous avons huit heures pour dormir, huit heures pour travailler et huit heures pour s'occuper de soi et des autres. Nous allons voir que même dans le métro ou dans la voiture, on peut s'occuper de soi.

Élargissons notre champ de vision. Et si nous considérions qu'une journée est à l'image d'une vie entière ! Le matin, à la montée du Yang, une nouvelle vie commence. Son apogée est à midi. Puis en fin d'après-midi, le Yang commence à décliner faisant sa place au Yin. Le soir, on s'endort. Les Chinois appellent cela une petite mort. C'est comme cela que se passera le début de notre Passage. Ensuite, l'autre facette inconnue de la vie se produit pendant notre sommeil. Et de nouveau le matin, une autre vie redémarre, avec son lot d'épreuves positives et négatives, d'émotions, de rencontres, de lectures... Dans cette journée-vie, nous devons trouver un équilibre entre le Yin-Yang, entre l'égoïsme salvateur et l'altruisme, l'intériorisation et l'extériorisation. Les pratiques qui vont suivre devront s'intégrer harmonieusement dans le cadre de cette journée-vie.

La respiration consciente au centre des pratiques

Le matin au lever, le soir avant de se coucher, tout au long de votre journée, la respiration doit devenir un véritable *leitmotiv*. Posez-vous quotidiennement la question : « Combien de fois ai-je respiré en pleine conscience depuis ce matin ? » Vous pouvez pratiquer mille et une choses pour votre santé. Mais si la respiration ne suit pas, tout le reste ne sert quasiment à rien, sauf peut-être à vous permettre se survivre (voir chapitre 17).

Le sommeil, l'autre facette de la vitalité

Prendre soin de son sommeil est un aspect essentiel dans les méthodes de prévention en MTC. C'est le moyen le plus naturel que nous a donné Dame Nature pour recharger notre batterie. Si vous dormez 33 ans en 100 années de vie, ce n'est pas pour rien (voir chapitre 19).

La relaxation au secours des coups de barre

Dès que vous sentez poindre le signal d'alarme qu'émet votre corps, à savoir la fatigue, toutes affaires cessantes relaxez-vous quelques minutes. N'oubliez pas : 10 minutes de relaxation bien menées équivalent à 3 heures de sommeil. Les deux meilleurs moments pour se relaxer sont après le repas de midi et vers 17-18 heures. Respectez les règles du sommeil et vous ne vous en porterez que mieux (voir chapitre 19).

Le mouvement, c'est la vie

Pratiquez quotidiennement, pendant 10-15 minutes, une série d'exercices qui mobilisent toutes vos articulations, agissent sur tous les méridiens qui sont en relation rappelons-le avec les organes internes. Et pourquoi ne pas vous initier à la pratique d'une série de qi gong. C'est un très grand legs de la MTC pour nous permettre d'atteindre la longévité en bonne santé (voir chapitre 18).

Massez-vous encore et encore

Prenez un moment dans la journée pour masser le bas de votre dos, vos cervicales et tout autre endroit de raideur et de douleur. Pourquoi pas le matin dans sa salle de bains. Comme on dit : « On n'est jamais mieux servi que par soi-même ! » Le soir, avant de vous coucher, massez-vous les pieds une dizaine de minutes. Et si vous connaissez quelques points fondamentaux à ce niveau, comme le 1Rn, le 3F, le 60V, le 3Rn, n'hésitez pas à y pratiquer un automassage en digitoponcture à leurs endroits (voir chapitre 14). C'est un excellent moyen pour atteindre un état de détente général et contre les insomnies. Le fin du fin est de se faire masser. Le massage libère, fait circuler l'énergie le long des méridiens, agit indirectement sur les stagnations des organes internes.

La méditation pour se mettre à l'écoute de son âme

Il n'est nullement besoin de mettre la barre trop haut au début de la pratique. En position assise sur une chaise, 5 à 10 minutes de méditation peuvent transformer votre vie. Ce type de méditation nous permet de nous départir de la carapace de notre ego, alimentée en flux continu par nos cinq sens, par trop d'informations. Petit à petit se crée un « entonnoir » entre cette armure qu'est notre hyper-conscience et notre subconscient le plus profond. N'oubliez pas, un des grands sens de la vie et de nous mettre à l'écoute de notre âme (voir chapitre 18).

La régularité, mot-clé de la longévité

À l'instar de la régularité du cycle des saisons, du cycle jour-nuit, notre organisme n'est fait que de cycles (circulation de sang et d'énergie, digestion-assimilation-évacuation, etc.). Nous avons besoin de points de repère réguliers qui jalonnent notre journée-vie. N'hésitons pas à planifier notre journée le matin au lever, planification bornée par des horaires fixes et réguliers quant aux heures de lever et de coucher, aux heures des repas, aux heures de certaines pratiques comme le qi gong, la relaxation ou la méditation. Cependant, ne devenez pas esclave de ces « planifications » ! Trop de régularité tue la régularité. Je vous renvoie à la notion de « jouissance » développée dans la partie sur l'alimentation.

Un bon tonus musculaire au quotidien

Pas besoin de vous enfermer dans des salles pour cela ou de faire du sport jusqu'à épuisement. Un sport régulier est nécessaire pour la conservation de la santé, mais c'est au quotidien que vous devriez travailler vos muscles. Montez des escaliers lentement et en pleine conscience pour muscler vos jambes. Pratiquez la position dite du « cavalier de fer » (voir chapitre 14) quand vous vous brossez les dents ou séchez vos cheveux. C'est un excellent moyen de tonifier les quatre muscles les plus importants pour l'énergie du Rein : les quadriceps, les fessiers, les muscles abdominaux bas et le périnée. Quelques « abdos » par-ci par-là, quelques mouvements lents en tension musculaire extrême, une dizaine de pompes à la hauteur d'une baignoire, seront très efficaces pour conserver un bon tonus musculaire, garant d'une bonne circulation de sang et d'énergie dans le corps. Mais tout cela sous-entend bien sûr que vous ayez de la volonté, de la détermination, de la confiance en vous et du passage à l'acte. Mais là, c'est une tout autre histoire...

La marche de longue vie

La marche est considérée en MTC comme l'un des premiers antidépresseurs. Elle libère les pensées, fait circuler, évite les stagnations, tonifie l'énergie de la Rate, chef d'orchestre de la digestion du bol alimentaire. Chaque fois que vous devez vous déplacer d'un point à un autre, optez pour la marche méditative, la marche de « pleine conscience » (voir chapitre 17).

Le retour du printemps

Il existe un exercice connu de tous les pratiquants de qi gong : « le retour du printemps ». Sans décoller les talons, il consiste à impulser un mouvement de secousses verticales, auto-entretenues par le ballant des épaules. Le balancement part exclusivement des jarrets, sans que les épaules ne soient ni tendues ni haussées. Une fois le mouvement impulsé, le corps suffisamment détendu, à l'instar d'un ressort, ce mouvement ne demandera plus aucun effort musculaire. Vous sentirez vos yeux bouger dans vos orbites, vos poumons dans la cage thoracique. Votre respiration ne doit pas être dirigée. Elle doit se faire tout simplement. Elle s'adapte à votre rythme. Les effets deviennent visibles au bout de deux ou trois semaines de pratique. Les plus visibles se produisent au niveau du métabolisme des cellules de la peau. Le visage prend un teint rosé, car la circulation sanguine se régularise, d'où le nom de « retour du printemps ».

Ces secousses mobilisent tous vos fascias, vos plans de glissement, favorisant l'élimination des déchets et la libération des stagnations. Le système immunitaire est déchargé des toxines et par là même fortifié.

Cet exercice améliore globalement l'état de santé, stimule les fonctions sexuelles et favorise la perte de poids. Bref, un véritable exercice de longue vie et qui plus est, gratuit. Plus besoin d'investir de grosses sommes dans des appareils qui produiront le même résultat. Les quelques contre-indications sont évidentes : les femmes enceintes, durant la période des règles quand celles-ci sont importantes ou à la suite de couches, en cas de douleurs aux genoux ou aux lombes. Je n'ai pas le temps ? Cet exercice ne doit être pratiqué que deux fois par jour et pendant une durée de deux minutes seulement ! Et si vous n'y arrivez pas, faite de la corde à sauter ou du trampoline !

Chapitre 24
Les dix raisons pour se mettre à mâcher

Nous pouvons avoir la meilleure diététique possible, bio et tout le reste, mais si nous ne réapprenons pas à mâcher, au lieu de gagner en énergie grâce aux repas quotidiens, c'est la batterie du Rein qui va progressivement s'épuiser. L'énergie de votre Rate, chef d'orchestre de la digestion du bol alimentaire, faute de prédigestion du bol alimentaire dans la bouche grâce à cette mastication, devra produire un effort supplémentaire et « s'usera » prématurément. Regardez autour de vous. On mastique 4 à 5 fois, on engloutit sans savoir même ce que nous venons d'avaler et on engouffre à nouveau. Alors que selon les dires de toutes les traditions, c'est 20 à 30 fois que nous devrions mastiquer notre bouchée. En MTC, on va jusqu'à dire qu'il faut mastiquer les soupes ! Un des signes que nous retrouvons chez de nombreux centenaires, ce sont les masséters, les muscles masticateurs situés au niveau des pommettes qui sont très développés.

Une action directe sur l'énergie du corps

Pour se réaliser, une digestion peut mobiliser plus de la moitié de l'énergie contenue dans la batterie du Rein (voir chapitre 2). En mâchant, non pas comme une tortue ou comme cet enfant qui n'arrête pas de mâcher un aliment qu'il n'arrive pas à avaler, mais rapidement 20 à 30 fois chaque bouchée, vous évitez de perdre inutilement de l'énergie. Vous facilitez d'autant le travail de l'Estomac. C'est le temps de la digestion qui s'en trouve raccourci. Vous évitez ainsi les fatigues postprandiales, les états de somnolence d'après repas.

L'analyse du bol alimentaire

La salive est « intelligente ». Elle est capable de reconnaître chaque composant de la bouchée alimentaire. Mais aussi l'énergie très subtile présente dans la couleur, l'odeur, la nature, la saveur de l'aliment. À partir de là, elle donne des ordres en conséquence au système digestif pour une meilleure digestibilité de celui-ci. Grâce à cette même mastication, vous n'avez plus besoin de rehausseur de goût. Vous saurez reconnaître par exemple le goût des différentes catégories de riz comme le ferait un goûteur de vin. C'est des raisons pour lesquels la MTC préconise le régime dissocié dans un même repas. Cela permettra à la salive de distinguer encore mieux les composants de la bouchée.

La salive transforme les céréales en sucres lents

Nous savons que la finalité d'un repas quotidien à l'inverse des repas de fête est de nourrir le corps en énergie et par là même d'aider à la recharge de la batterie du Rein. La salive, grâce entre autres à certains enzymes qu'elle contient, hydrolyse, transforme l'amidon contenu dans les céréales, les tubercules et les légumineuses en maltose, en sucres lents. Quand nous mâchons longtemps du pain ou du riz, nous ressentons progressivement ce goût sucré dans la bouche. C'est ce goût que nous appelons « saveur douce » en MTC. Je vous renvoie à la règle fondamentale qui consiste à manger les céréales et les tubercules « nature » dans la bouche, sans adjonction d'aucun autre ingrédient, pour que cette transformation soit optimale.

La salive, grand nettoyeur du bol alimentaire

De pH légèrement acide, la salive contient certaines substances capables de neutraliser poisons et petites bébêtes indésirables. Par exemple, manger crus des légumes bio ou de son jardin, c'est bien ! Mais cela ne peut se faire que si on « cuit » ce légume dans sa bouche grâce à une longue mastication pour réchauffer la nature trop froide de ces aliments. La salive va permettre aussi de détruire parasites et petits œufs accrochés aux feuilles. C'est grâce à la salive que les plaies de la bouche guérissent très rapidement. C'est cette même salive qui joue le rôle d'un antiseptique naturel pour des petites plaies ou piqûres cutanées.

Mâcher favorise le renouvellement des liquides organiques

Quand nous mâchons suffisamment notre bol alimentaire, c'est un demi-litre de salive qui se retrouve dans l'estomac. C'est l'une des raisons pour laquelle il est inutile de boire en excès pendant un repas. Car les sucs digestifs et l'efficacité de la digestion sont diminués et le temps de digestion rallongé. Cette salive est constituée de 95 % d'eau, puisée dans les liquides organiques. Une bonne mastication oblige à régénérer ces mêmes liquides. C'est un grand moyen pour s'opposer aux stagnations de sang et d'énergie dans le corps.

La salive, un puissant lubrifiant

La salive a un grand pouvoir humectant, mais aussi de lubrification des voies digestives, œsophage et intestins. Elle facilite donc la déglutition, en particulier quand on est en présence de ce que la MTC appelle le « syndrome du noyau de prune », dont l'origine se trouve dans le blocage de l'énergie du Foie sous l'effet d'émotions intériorisées. Souvent retrouvé chez les femmes, le fait de mâcher longuement favorise la descente des aliments, évitant ainsi cette sensation de boule dans la gorge.

Lutter contre la dépression !

Deux raisons à cela. Le propre d'un dépressif est d'être replié sur lui-même. Si on arrive à le persuader de mâcher longuement son bol alimentaire, on défait en partie les nœuds de sa camisole émotionnelle. Par ailleurs, nous avions vu qu'il existait deux types de salive, une appartenant à l'énergie du Rein et l'autre à la Rate. Quand nous mastiquons notre bol alimentaire, c'est cette dernière qui est sécrétée par les glandes parotidiennes. En obligeant l'organisme à sécréter cette salive, on régularise indirectement le logiciel Rate. Or, il est dit en MTC que la Rate gouverne la réflexion, le fait de ressasser le passé, émotions qui quand elles sont en excès contribuent à l'apparition de la dépression. C'est pour cela que dans certains textes anciens de MTC, on trouve l'aphorisme en raccourci : « Mâcher permet de lutter contre la dépression. »

Perdre du poids

Le fait de mâcher longuement prend plus de temps. On engouffre moins de bouchées, tout en étant plus vite rassasié. Par ailleurs, nous avons vu que le logiciel Rate était le chef d'orchestre de notre digestion. Si on lui demande de fournir un travail excessif par un trop gros effort de digestion d'aliments mal mâchés, il va s'affaiblir. Il s'ensuit un déséquilibre interne qui entraîne une prise de poids anormale. À l'opposé, en avalant des aliments « prédigérés » dans la bouche, en plus petites quantités, on va harmoniser l'action de ce logiciel. En l'espace de quelques mois et sans « régime », on peut retrouver son poids idéal.

Mâcher éloigne du dentiste

Le fait de mâcher permet de mettre l'os en pression. Or, c'est un des seuls moyens de favoriser la création de fibres de protéine, sur lesquelles viennent se fixer les minéraux pour donner la solidité aux os. Or, en MTC, les dents sont considérées comme l'extrémité des os. Si celles-ci ne sont pas maintenues par un os solide, elles deviennent branlantes et tombent facilement. Il existe un exercice taoïste qui consiste à claquer des dents une centaine de fois le matin, pour lutter contre ce problème de déchaussement. Mais mâcher longuement permet d'aboutir au même résultat.

Un acte de pleine conscience

Avant que la mastication ne devienne compétence inconsciente, de l'eau sera passée sous les ponts. Nous devrions considérer la mastication comme un acte de pleine conscience. Nous ne devrions pas parler pendant les repas quotidiens, pour nous permettre de nous concentrer sur notre bol alimentaire et la mastication. Mais soyons réalistes. Comme la respiration consciente, apprendre à mâcher est très facile. Mais la pratique régulière est tout autre. On le pratique, puis on oublie. Puis on recommence... C'est un bon enseignement sur « l'inconstance des choses ». Mais le fait de remettre en permanence l'ouvrage sur le métier nous aidera à acquérir cet état si important en MTC de « pleine conscience », « d'ici et maintenant ».

PARTIE 7
ANNEXES

DANS CETTE PARTIE...

Les annexes A et B sont plus techniques, et réservées aux praticiens, ou futurs praticiens de la MTC. Le Pr Leung Kok Yuen a légué à ses élèves sa technique de poncture la plus proche de la Tradition. N'oublions pas qu'il était grand maître en acupuncture et considéré comme tel en Chine, puis aux États-Unis. Vous y trouverez aussi la grille de choix des points qui vous permettra de faire face à quelques situations pathologiques. Si vous avez la vision profonde, vous verrez que cet enseignement constitue un véritable trésor.

Pour tous les Nuls, les annexes C et D offrent des adresses utiles et un lexique des termes les plus usuels en MTC.

Annexe A
La technique de poncture du Pr Leung Kok Yuen

Nous avons vu au chapitre 13 une introduction aux techniques antiques concernant la manipulation des aiguilles. Dans ce qui va suivre, vous allez avoir accès à la véritable technique de notre maître. Cette partie s'adresse donc plus spécialement aux professionnels. La technique personnelle qu'il nous transmet est peut-être un peu différente des techniques antiques, mais elle a le mérite d'être très simple à comprendre et surtout de nous aider à obtenir des résultats très probants. Et c'est surtout le résultat de l'expérience thérapeutique de plus de vingt générations de praticiens de père en fils ! Voyons cela, étape après étape.

La profondeur de l'insertion

En pratique

Au niveau du choix de la longueur des aiguilles, le praticien doit savoir d'abord quelle est la profondeur qu'il va appliquer et à partir de là, choisir l'aiguille qui convient le mieux. S'il sait que le point qu'il va piquer est seulement de 0,5 cun, pourquoi choisir une aiguille de 1,5 cun ? D'une manière générale, la prise des aiguilles de 1,5 cun est plus difficile que celle de 1 cun. (Cun est une unité de longueur traditionnelle chinoise. La référence est la largeur d'un pouce qui fait 1,5 cun, soit +/− 20 mm.)

Pour piquer des points tels que 36E, 34VB, il faut utiliser une profondeur plus élevée. Pour ces raisons, il faut utiliser des aiguilles 2,3 cun. Pour piquer des personnes ayant un fort embonpoint, il faudra choisir une aiguille plus longue.

Si on prend l'exemple du 4GI, dans le texte, il est dit que pour piquer ce point, on utilise une profondeur moyenne de 0,5 cun. Mais ceci est théorique. Il faut bien comprendre que la profondeur que l'on doit utiliser reste expérimentale ; c'est au moment où l'on pique que l'on décide de la profondeur. La profondeur des aiguilles dépend notamment des réactions du patient, mais aussi et surtout du moment où on a saisi l'énergie.

Technique de travail de l'aiguille

D'une manière générale, on ne prend pas les aiguilles au niveau du corps. La meilleure prise se trouve entre le manche et l'aiguille.

Fondamental, dans la majorité des cas, il conviendra de piquer perpendiculairement à la surface de la peau. S'il y a des points que l'on doit piquer en oblique, la main doit alors se mettre dans la direction de l'aiguille. Ce n'est pas l'aiguille qui change de position dans la main, mais la main qui se positionne par rapport au point.

Il faut utiliser la force du poignet et non pas la force des doigts. Quand on pique avec la force du poignet, l'aiguille ne bouge pas, tandis que si l'on pique avec les doigts, l'aiguille bouge, et on risque de la tordre.

Après avoir piqué, il faut faire attention au moment où le Qi arrive. Lorsque l'on sent que le Qi est arrivé, on arrête la pénétration de l'aiguille, et cela est la bonne profondeur. On compare souvent le Qi à la marée : il y a des moments où elle est haute et des moments où elle est basse. Pour ces raisons, il y a des moments où l'on pique superficiellement, et d'autres où l'on pique plus profondément.

Le Qi est influencé par plusieurs facteurs, tels que les états émotionnels, les aliments ingérés, le type de travail et le Xie Qi, l'énergie perverse. Lorsque le Qi est haut, la profondeur n'est pas importante, mais lorsque le Qi est bas, la profondeur est importante. La bonne profondeur est saisie lorsque le Qi est arrivé. Lorsque celui-ci est là, on ne pénètre plus l'aiguille.

Lorsque le praticien a des aiguilles courtes, et qu'il n'arrive pas à avoir une bonne profondeur, quelques conseils :

>> Dans le choix des points, il vaut mieux piquer dans ce cas l'endroit à côté des os. Si on prend 4GI par exemple, d'une manière générale, on met l'aiguille au milieu où se trouve la chair. Mais lorsque l'on sait que l'aiguille n'est pas assez longue, on la met plutôt vers le côté des os. Cela ne veut pas dire que l'on pique l'os, mais on pique juste à côté de l'os.

>> Souvent, pour piquer le point 30VB, point au niveau de la fesse (là où pique l'infirmière), il faut utiliser des aiguilles de 5 cun. Mais on ne les trouve pas souvent. On ne peut utiliser que des aiguilles de 3 cun ou de 2,5. Dans ce cas, il faut utiliser cette technique : on demande au patient de se coucher sur le côté, la jambe du dessous est droite, celle du dessus est fléchie et on pique où se trouve le creux. C'est là la bonne position. Donc quand on n'a pas des aiguilles suffisamment longues, il faut piquer à l'endroit où se trouve l'os dans l'articulation entre les deux os.

> ▶▶ Il y a une autre méthode. Lorsque l'on doit utiliser une aiguille de 1,5 cun et que l'on a seulement une aiguille à 1, on retire l'aiguille juste un peu, on la laisse un moment, puis soit on tourne, soit on bouge l'aiguille vers le haut ou vers le bas. Mais évidemment, l'idéal est d'avoir la bonne aiguille.

D'une manière générale, on doit laisser un espace entre le corps de l'aiguille et le manche par rapport à la peau. Il ne faut pas enfoncer l'aiguille jusqu'au niveau du manche. En effet, celui-ci risque d'être absorbé en partie par le Qi qui arrive. Dans ce cas, le patient ressentira une douleur. Pour ces raisons, il faut toujours laisser une petite distance entre l'aiguille et le manche.

Quand le Qi n'est pas là, il faut tourner un peu l'aiguille par des petits va-et-vient pendant un moment, et quand on sent qu'il arrive, l'aiguille est un peu absorbée. Là, on laisse l'aiguille.

Beaucoup d'acuponcteurs ne savent pas reconnaître le moment de l'arrivée du Qi. Souvent ces personnes laissent les aiguilles dans le corps du patient sans les manipuler, parce qu'en laissant les aiguilles, le Qi peut arriver par la suite, mais cela n'est pas une bonne méthode. Souvent, dans ce cas, le Qi peut arriver 10, 15 ou 20 minutes après.

En pratique

Un bon acupuncteur doit avoir une expérience sur l'arrivée du Qi. Il faut sentir le moment où le Qi arrive, c'est très important. Si on laisse le Qi arriver tout seul, ou si on laisse l'aiguille comme cela, sans savoir le moment de l'arrivée du Qi, on perd l'occasion pour tonifier ou pour disperser. Parce que c'est à ce moment-là, quand le Qi arrive, qu'on peut faire les techniques Bu ou Xie, de sédation ou de tonification.

Durée de la poncture

Entre la pénétration de l'aiguille et la sortie de l'aiguille, il y a entre une respiration et sept respirations, quelle que soit la technique de tonification ou de sédation. Laisser les aiguilles n'est pas tellement important. Ce qui est important, c'est la manière de laisser les aiguilles entre une ou sept respirations.

On ne peut pas dire que le fait de laisser les aiguilles plus longtemps ou de les retirer plus rapidement donne de meilleurs effets. L'important, c'est la manipulation et le ressenti de l'aiguille.

Si on laisse les aiguilles un peu plus longtemps, on obtient seulement un effet modéré, que ce soit en tonification ou en sédation. Donc, quand on parlera de tonification-sédation équilibrée, ce sera sur la durée de la poncture que cela se jouera.

Ordre de la poncture

D'une manière générale, pour tonifier, on choisit des points proches de l'endroit de la maladie. Pour disperser, on choisit des points éloignés. (Nous allons y revenir.)

Cependant, pour obtenir de bons résultats, il faut savoir manipuler et changer l'ordre des points. Il y a trois points auxquels on doit faire attention :

En pratique

C'est le praticien qui se positionne par rapport au patient. Prenons un exemple. Quand on doit utiliser des points tels que 36E (au genou), 14DM (en haut du dos), 6CC (sur avant-bras). Quand c'est une pathologie de type plénitude, Shi, on commence par les points à distance, puis par la suite, les points proches. On demande alors au patient de se coucher sur le dos pour atteindre le 36E et le 6CC. Ensuite il se mettra sur le côté pour le 14DM. Tandis que si c'est une maladie de type Xu, on prend d'abord les points proches et ensuite les points à distance.

Le deuxième point est aussi important. Lorsque l'on pique les points au dos, il vaut mieux éviter de demander au patient de se coucher sur la poitrine. C'est la position en décubitus latéral qui est la meilleure. On met un coussin entre les deux jambes, pour bien caler le patient. Ceci pour relever un peu la cuisse. Les muscles seront alors parfaitement relâchés. Sur la poitrine, les muscles du dos sont plus contractés. On a du mal pour pénétrer les aiguilles et le point est plus difficile à trouver.

Quand le patient est en décubitus latéral, pour prendre le point, on palpe d'abord la colonne vertébrale. En effet, certaines personnes ont la colonne déviée vers la droite ou vers la gauche. Cette position permet aussi de trouver plus facilement le muscle, qui se trouve à côté de la colonne. Souvent dans cette position, on peut trouver un creux qui se trouve à côté de la colonne et là, on enfonce plus facilement les aiguilles.

Donc, dans cette position, on peut piquer verticalement les points du dos, parce qu'on voit les muscles. Ils ne sont pas contractés et on trouve facilement le creux qui se trouve entre les deux muscles.

Mais la position sur le côté n'est pas absolue.

En ce qui concerne les problèmes des points distaux ou proches, il faut décider selon l'état du patient. Si le patient a vraiment très peur d'être piqué, il faut surtout piquer les points qui se trouvent aux membres, c'est-à-dire à la main ou au pied. Pour un patient qui est très tendu, en général, il faut éviter de piquer les points tels que 20VB (dans le cou) ou 14DM (en haut du dos), car ce sont des endroits qui sont un peu dangereux.

Et si, malgré tout, il a des maux de tête, on essaie d'éviter de piquer ces endroits-là, car cela fait peur au patient et il serait effrayé. Quand le patient est tendu, il ne faut pas piquer des points qui sont destinés à sa maladie. On pique plutôt le point Shen Men, 7C (au poignet) ou Yang Ling Quan, 34VB (au genou) : ces deux points sont très bons pour les personnes nerveuses.

En pratique

LE SÉSAME DE L'ACUPUNCTEUR

J'ai appliqué la méthode qui va suivre, comme tous les fidèles élèves de mon maître, pendant plus de trente ans avec cette sensation très profonde de pur partage énergétique.

Lorsqu'on pique, il faut faire attention au doigt qui appuie. Quand il est bien appuyé sur la peau, et qu'on s'est bien concentré, on commence à piquer. En principe, on perce la peau rapidement. Une fois que l'aiguille a traversé la peau, on pousse l'aiguille en profondeur, tout doucement, jusqu'au moment où on sent que l'aiguille est un peu tendue ou un peu absorbée, on s'arrête. Que ce soit pour la tonification ou la sédation, on s'arrête d'enfoncer l'aiguille quand on sent que le Qi est arrivé.

Pour tonifier, Bu, on continue à maintenir l'aiguille, quand le Qi est arrivé, jusqu'au moment où on sent que le Qi est suffisamment arrivé. À ce moment-là, on lâche l'aiguille. Après avoir lâché la main, on laisse en général l'aiguille entre une et sept respirations du patient. Si on doit appliquer le moxa, on peut laisser l'aiguille un peu plus longtemps. Si on doit tonifier plus en se servant de moxa, on laisse l'aiguille en place une dizaine de minutes. Dans le cas contraire, on commence à retirer l'aiguille, en suivant la respiration du patient, mais tout doucement. En principe, le Qi arrive tout doucement et puis massivement. Lorsque le Qi est arrivé massivement, on peut déjà retirer l'aiguille. Pour ces raisons, on n'a pas besoin de laisser l'aiguille encore plus. Le fait de laisser l'aiguille dépend surtout de l'endroit où l'on pique.

Pour disperser Xie, on laisse le Qi arriver tout doucement, puis massivement. Quand on sent que le Qi est complètement arrivé, on pénètre un peu plus en profondeur l'aiguille et puis on tremble l'aiguille, jusqu'au moment où on sent que l'aiguille est complètement tendue. Là, on lâche.

On lâche l'aiguille pour tonifier, quand le Qi est à peine arrivé. Pour disperser, on lâche la main quand le QI est complètement arrivé. Après cela, on laisse l'aiguille entre trois et sept respirations. Si on estime que l'on doit laisser l'aiguille pendant trois respirations, on doit avant tout avoir l'impression que l'aiguille est complètement tendue, dès la première respiration. À la deuxième respiration, soit on tourne l'aiguille, soit on la tremble, on fait un mouvement de va-et-vient vertical. Cela dépend de notre besoin. Après la deuxième respiration, on lâche la main et puis on tourne une dernière fois l'aiguille et on se trouve là, à la troisième respiration. Au bout de la troisième, on commence à ressortir l'aiguille doucement.

Cependant, il y a deux sortes de dispersion : pour la grande dispersion, on utilise un peu plus de force, c'est-à-dire que l'on tremble ou l'on tourne un peu plus les aiguilles. Pour la petite dispersion, on bouge moins les aiguilles.

Pour faire une tonification sédation-équilibrée, Bing Bu, Bing Xie, on enfonce l'aiguille, on attend le Qi. Quand celui-ci arrive, on continue à tourner les aiguilles jusqu'au moment où le Qi arrive massivement. À ce moment-là, on lâche la main. Après cela, on laisse l'aiguille entre trois et sept respirations, et puis on sort l'aiguille en la tournant tout doucement.

Dans chacune de ces trois techniques, on pénètre et on sort tout doucement l'aiguille et, après cela, on doit faire un massage. Tout cela concerne les expériences personnelles du Pr Leung qu'il nous a demandé d'appliquer dans notre pratique. Sinon, on peut toujours utiliser les techniques anciennes.

Annexe B
La méthode de choix des points selon le Pr Leung Kok Yuen

Nous allons voir les critères qui, à partir de tout ce qui a été posé au chapitre dédié à l'acupuncture (chapitre 13), vont permettre au praticien d'établir la bonne formule pour traiter son patient. Deux groupes de points vont être à la base de cette méthode.

Le mode d'emploi

Nous avons en effet des points dits « principaux » qui se divisent en trois parties :

- >> Les points proches ;
- >> Les points médians ;
- >> Les points distaux.

Et les points complémentaires qui sont souvent à usage spécifique.

En pratique

La règle est que les points principaux seront obligatoirement utilisés. Les points complémentaires ne sont pas forcément obligatoires. Ils pourront augmenter l'effet de la formule, mais il faudra alors tenir compte de la constitution du sujet au moment de la poncture.

Je vous rappelle que le Pr Leung Kok Yuen insistait sur le fait que l'on ne devait utiliser que peu de points à chaque traitement. Entre cinq et sept en moyenne. Et surtout faire attention aux premières séances où, pour être schématique, cela « déménage » au niveau énergétique.

Vous allez voir qu'avec cette méthode, si la pathologie est vraiment bénigne, un seul point suffit. Ensuite, nous en rajoutons selon la gravité.

Pour les points principaux, nous avons vu que :

> - Les points proches étaient donc près du foyer de la maladie ;
> - Les points distaux étaient eux éloignés, la plupart du temps aux pieds et aux mains ;
> - Les points médians eux sont surtout vertébraux ou sur le Du Mai.

En ce qui concerne l'ordre de poncture, on piquera toujours les points principaux en premier. Et ensuite, selon les cas, les points complémentaires.

Pour les points principaux :

> - Quand on se trouve devant un syndrome Xu, de faiblesse, on piquera les points proches en premier, les points médians ensuite, et les points distaux en fin.
> - Devant un syndrome Shi, en excès, on pique les points distaux en premier, les points médians ensuite et enfin les points proches.
> - Si on a décidé de faire une moxibustion avec l'acupuncture, on commencera par l'acupuncture et ensuite les moxas.

Les 57 points du Pr Leung Kok Yuen

Le Pr Leung nous a ainsi donné une liste de 57 points avec laquelle il va falloir apprendre à jongler parfaitement. La plupart de ces points se retrouvent d'ailleurs dans les différentes séries de points vus précédemment.

Tableau B-1 Les 57 points du Pr Leung Kok Yuen.

Zones du corps	Les points de la méthode	Particularités
Main	11P, Shao Shang	Points à usage particulier
	9P, Tai Yuan	
	1IG, Shao Ze	
Poignet	5C, Tong Li	Points distaux
	6CC, Nei Guan	
	7P, Lie Que	
	4GI, He Gi	
	4IG, Wan Gu	
	6IG, Yang Lao	

Zones du corps	Les points de la méthode	Particularités
Coude	3CC, Qu Ze 5P, Chi Ze 3C, Shao Hai 11GI, Qu Chi	Points distaux
Épaule	15GI, Jian Yu	Point médian
Pied	1F, Da Dun 1Rn, Yong Quan	Usage particulier
Pied, coup de pied	6Rn, Zao Hai 3F, Tai Chong 44E, Nei Ting	Points distaux
Jambe	39VB, Xuan Zhong 6Rt, San Yin Jiao 57V, Cheng Shan	Points distaux
Genou	36E, Zu San Li 34VB, Yang Ling Quan 40V, Wei Zhong 9Rt, Yin Ling Quan	Points distaux
Hanche	30VB, Huan Tiao	Point distal
Tête	26DM, Shui Gou 24DM, Shen Ting 20DM, Bai Hui 20VB, Feng Shi 14DM, Da Zhui	Les deux premiers à usage particulier Les autres : points médians
Dos	13V, Fei Shu 14V, Jue Yin Shu 15V, Xin Shu 18V, Gan Shu 19V, Dan Shu 20V, Pi Shu 21V, Wei Shu	Points proches

Zones du corps	Les points de la méthode	Particularités
Lombes	22V, San Jiao Shu	Points proches
	23V, Shen Shu	4DM, point médian
	25V, Da Chang Shu	
	27V, Xiao Chang Shu	
	28V, Pang Guang Shu	
	4DM, Ming Men	
Thorax, abdomen	1P, Zhong Fu	Points proches
	25E, Tian Shu	
	12RM, Zhong Wan	
	13F, Zhang Men	
	14RM, Ju Que	
	4RM, Guan Yuan	
	3RM, Zhong Ji	
	25VB, Jing Men	
	17RM, Tan Zhong	
	5RM, Shi Men	
	24VB, Ri Yue	
	14F, Qi Men	

Allons plus loin dans la méthode

Il convient tout d'abord de différencier une maladie de type Xu, faiblesse, ou de type Shi, plénitude. On peut, par exemple, de prime abord, considérer qu'une malaria est une maladie Shi. Mais quand elle devient chronique, c'est une maladie Xu.

Ensuite, on va décider de la politique du traitement. Est-ce que l'on va traiter le Ben, la racine de la maladie, ou uniquement soulager la manifestation apparente. Par exemple, si l'on se trouve devant un symptôme ou une maladie aiguë, on sera tenté, ce qui est logique, de traiter d'abord le Biao, le symptôme, pour ensuite, plus tard, en revenir à la racine.

On peut se trouver devant trois cas de figure :

> » Si on se trouve en présence d'une pathologie dont la cause est bien cernée et que l'évolution symptomatique est normale, on ne s'occupe pas des symptômes pour traiter. On se préoccupe du Ben, de la racine, pour des résultats plus efficaces et plus durables et la plupart du temps nous avons à notre disposition des traitements préétablis.
>
> » Si la cause de la maladie et les modifications pathologiques ne sont pas claires, et que l'on n'a pas à notre disposition de traitements efficaces préétablis, on ne peut employer qu'un traitement palliatif symptomatique, en particulier si les symptômes sont soudains et dangereux.
>
> » Enfin, on peut quelquefois faire à la fois un traitement curatif, en s'intéressant à la racine, au Ben, du dérèglement et palliatif, en traitant le Biao. Afin d'éviter qu'il n'y ait un antagonisme entre les points à piquer, il faut tout d'abord éviter d'en prendre trop et il convient de les piquer dans l'ordre.

C'est à partir de ces trois critères que l'on va choisir notre traitement.

Pour résumer

Tableau à prédominance Xu

Si nous sommes en présence d'un tableau à prédominance Xu, nous prendrons comme critères de choix de points :

> » Le plus proche pour une maladie bénigne.
>
> » On ajoutera un point médian pour une maladie plus sérieuse.
>
> » On rajoutera un point médian et des points distaux pour des maladies à très forte symptomatologie.
>
> » De toutes les manières, il y aura plus de points proches que de points distaux.

Quant à la procédure de traitement, on prendra les points proches en premier et les points distaux ensuite. Par ailleurs, on prendra les points du haut du corps avant ceux du bas.

Quant au mode opératoire, la stimulation sera légère sur les points proches. Elle sera moyenne ou légère sur les points distaux. Ce sera le plus souvent des moxas.

Tableau à prédominance Shi

Si nous sommes en présence d'un tableau à prédominance Shi, nous prendrons comme critères de choix de points :

- Le point distal pour une maladie bénigne.
- On rajoutera un point médian pour une maladie plus grave.
- Et si la maladie est plus importante, en plus des points médians, on rajoutera des points proches.
- De toutes les façons, les points distaux seront plus nombreux que les points proches.
- Pour obtenir un drainage fort, on utilisera ou les points distaux associés sur un même méridien, ou une association haut-bas, mains et pieds.

Quant à la procédure de traitement, on prendra le point distal en premier, ensuite le point proche s'il y a lieu. On privilégiera les points du bas du corps en premier, puis les points du haut.

Quant au mode opératoire, on fera une stimulation forte sur les points distaux et une stimulation moyenne sur les points moyens et proches.

Nous allons prendre un exemple concret tiré de cette règle générale.

Si nous nous trouvons en face d'une gastrite, d'une douleur inflammatoire au niveau de l'estomac. Elle peut être chronique ou aiguë.

Si nous nous trouvons en face d'un cas chronique qui peut donc être considéré comme Xu :

- Dans un cas bénin, on utilisera le 12RM qui est donc le point proche.
- On pourra y adjoindre le point Mu qui est le 17V, qui servira à tonifier le Yin et le Yang.
- Si la pathologie est un peu plus grave, on pourra y adjoindre le 21VB, qui sera le point médian.
- Dans les cas plus importants encore, on y adjoindra le 44E comme point distal ou le 36E.

Pour un cas de gastrite aiguë, donc Shi :

- Si le cas est bénin, on pourra se contenter du 44E, qui est le point distal.
- Pour un cas un peu plus aigu, on y adjoindra le 17V, le point Mu ou le 20VB considéré comme point médian.
- Si le cas est beaucoup plus aigu, on rajoutera le 21V, point proche, et le 36E, point associé au même méridien, avec le 44E ou le 6CC si l'on tient compte de la théorie de l'association haut-bas.

Il existe une comptine que nous a donnée notre maître : « Pour les cas Xu, points proches, stimulation légère, pour les cas Shi, points distaux, stimulation forte. »

La méthode appliquée à différentes pathologies

Les maladies peuvent être divisées en :

- ❯❯ Maladie du tronc ;
- ❯❯ Maladies des mains et des pieds ;
- ❯❯ Maladies des Zang Fu, des organes ;
- ❯❯ Maladies de l'ensemble du corps.

Tableau B-2 Maladie du tronc.

Type de cas	Prendre	Exemples
Cas Xu chronique	Des points proches et médians comme points principaux. En point complémentaire et en cas de besoin, on piochera selon le cas parmi les cinq points distaux qui sont : – Pour la zone abdominale, le 36E ; – Pour la zone des lombes et du dos, le 40V (anciennement dénommé 54V) ; – Pour la zone de la tête et du cou le 7P ; – Pour la zone de la bouche et du visage, le 4GI ; – Et enfin pour la zone de la poitrine et des flancs, le 6CC. Donc, suivant le degré de gravité de la maladie, on prendra plus de points proches et médians. Et en fonction de la zone affectée, on complétera par une action de drainage avec des points d'action générale. Donc, suivant le degré de gravité de la maladie, on prendra plus de points proches et médians. Et en fonction de la zone affectée, on complétera par une action de drainage avec des points d'action générale.	*En cas d'atonie musculaire abdominale ou plus précisément en cas d'hernie, on prendra comme points : – Le 25E, point proche ; – Le 4RM, point proche ; – Le 4DM, point médian ; – Le 36E, point complémentaire. *En cas d'atrophie musculaire des lombes : – Le 23V point proche ; – Le 4DM point médian ; – Le 40V point complémentaire. *En cas de vertiges : – Le 23DM, point proche ; – Le 20VB point médian ; – Le 7P point complémentaire. En cas de parésie ou de paralysie faciale : – Le 6E en point proche ; – Le 20VB en point médian ; – Le 4E en point proche ; – Le 4GI en point complémentaire. *En cas de douleurs chroniques du thorax et des flancs : – Le 1P en point proche ; – Le 14DM en point médian ; – Le 6CC en point complémentaire.

Type de cas	Prendre	Exemples
Cas Shi aiguë	On considérera les points à action générale comme points distaux. – Pour la zone abdominale, le 36E ; – Pour la zone des lombes et du dos, le 40V ex 54V ; – Pour la zone de la tête et du cou, le 7P ; – Pour la zone de la bouche et du visage, le 4GI ; – Enfin pour la zone de la poitrine et des flancs, le 6CC. Ensuite, suivant la règle générale, on prendra les points médians et proches comme points complémentaires. Suivant la gravité, on prendra un ou plusieurs points complémentaires.	*En cas de spasme musculaire de l'abdomen, d'hernie aiguë par exemple, on prendra : – Le 36E, comme point distant ; – Le 4DM, point médian ; – Le 6RM, point proche. *En cas de lumbago, le 40V comme point distant. *En cas de maux de dents : le 4GI comme point distant auquel on pourra rajouter le 7E ou le 6E. *Pour des névralgies intercostales antérieures comme le zona : – Le 6CC comme point distal ; – Le 14DM comme point médian. La comptine dit : « prendre en complément les cinq points à action générale ».

Tableau B-3 Maladies localisées aux mains et aux pieds.

Type de cas	Prendre	Exemples
Cas Xu chronique	On prendra un point au-dessus de la zone affectée sur le même méridien. Pour les points complémentaires, on utilisera : – Le 30VB pour le pied ; – Le 15GI pour la main ; – Le 14DM ou le 4DM pour les points médians.	Par exemple, en cas de blocage de l'auriculaire, on prendra le 5C et le 3C. En cas de blocage au niveau du coude, on prendra le 15GI et le 10TF.
Cas Shi aiguë	On prendra un point au-dessous de la zone affectée sur le même méridien. Ensuite, choisir entre : – Le 30VB pour le pied ; – Le 15GI pour la main ; – Le14DM ou – Le 4DM pour les points médians.	Par exemple, en cas d'inflammation de l'articulation du coude, on prendra le 15GI et le 5P. En cas de sciatique, le 40VB comme point distant, le 30VB, point médian et le 36V comme point proche. La comptine dit : « prendre des points sur le même méridien, point du haut pour un état Xu, point du bas pour un état Shi ».

Tableau B-4 Maladie localisée aux Zang (organes pleins) et aux Fu (organes creux).

Cas Xu chronique	En premier, prendre comme points proches les points Shu du dos, les points Mu ou les points de la zone affectée.
	Deuxièmement, sélectionner parmi les quatre points médians suivants :
	o Le 20DM, Ba Hui ;
	o Le 20VB, Feng Shi ;
	o Le 14DM, Da Zhui ;
	o Le 4DM, Ming Men.
	Troisièmement, choisir les points distaux soit en relation avec les méridiens. Par exemple, en cas de maladie pulmonaire, des points du méridien du poumon ; soit parmi les points les plus utilisés par expérience. Par exemple, le 6Rt pour les organes génitaux.
	Le quatrième point est le suivant :
	o Pour les maladies au-dessus du diaphragme, organes respiratoires, cœur, cerveau, colonne cervicale et dorsale, on utilise un point distal sur la main à action de drainage.
	o Pour les maladies sous l'ombilic, organe urinaire ou reproducteur, on utilise un point distal sur le pied.
	o Pour une maladie au milieu, entre le diaphragme et l'ombilic, on utilise un point distal sur la main ou au pied.
Cas Shi aiguë	Les quatre premiers points sont identiques. Il y a juste une différence pour les maladies du milieu où l'on utilise simultanément un point distal de la main et du pied, alors que dans le cas Xu, c'était ou au niveau de la main ou au niveau du pied.

Exemples de pathologies types

Nous allons voir beaucoup d'exemples. Pour chaque pathologie, il y aura trois ou quatre niveaux de gravité.

Maladies des organes respiratoires (le nez, le pharynx, le larynx, les poumons, la trachée)

>> Les points distaux : le 7P, le 5P et le 14DM ;
>> Les points médians : le 20VB, le 1P, le 13V et le 23DM ;
>> Les points proches : le 20GI, le 22RM.

Tableau B-5 Maladies des organes respiratoires.

Cas Xu chronique	En cas d'asthme chronique : o *Le 13V (ou le 12V)* ; o *Le 14DM+13V* ; o *Le 13V+14DM+7P* ; o *Le 13V+1P+14DM+7P.* En cas de tuberculose pulmonaire : o *Le 17V+43V* ; o *Le 17V+14DM* ;	o *Le 13V+14DM+7P* ; o *Le 13V+1P+14DM+7P ou encore* o *Le 13V+1P+14DM+5P.* Pour une rhinite chronique : o *Le 23DM, ou* o *Le 20GI+20VB, ou* o *Le 20GI+20VB+7P, ou* o *Le 20GI+20VB+7P+23DM.*
Cas Shi aiguë	En cas d'angine aiguë : o *Le 7P ou le 4GI* ; o *Le 7P+20VB* ; o *Le 7P+20VB+22RM* ; o *Le 7P+5P+20VB+22RM.* En cas de bronchite aiguë : o *Le 7P, ou* o *Le 7P+14DM, ou*	o *Le 7P+14DM+12V* ; o *Le 7P+5P+14DM+1P.* En cas de rhinite aiguë : o *Le 4GI ou le 7P, ou* o *Le 4GI+20VB* ; o *Le 7P+20VB+20GI ou* o *Le 7P+20VB+20GI+5P.*

Maladies de l'appareil circulatoire

- ❯❯ Les points distaux : le 6CC, le 11GI, le 40V ex 54V ;
- ❯❯ Les points médians : le 14DM et le 20VB ;
- ❯❯ Les points proches : le 15V, le 43V (ex 38), le 14RM et le 17V.

Tableau B-6 Maladies de l'appareil circulatoire.

Cas Xu chronique	Arythmie cardiaque : selon le degré de gravité : o Le 17 (ou 14JM) ; o Le 17V +20VB ; o Le 17V+20VB+6CC et enfin o Le 17V+14RM+20VB+6CC.	En cas d'hypotension : o Le 43V (ou le 15V) ; o Le 15V+20VB ; o Le 15V+20VB+6CC et enfin o Le 15V+43V+20VB+6CC.

Cas Shi aiguë	En cas d'hypertension o Le 11GI (ou 40V) ; o Le 11GI+20VB (ou 14DM) ; o Le 11GI+14DM+15V et enfin o Le 11GI+14DM (ou 20VB)+ 6CC+ 43V.	En cas d'angine de poitrine : o Le 6CC ; o Le 6CC+20VB ; o Le 6CC+20VB+15V et enfin o Le 6CC+20VB+15V+11GI.

Maladies du système nerveux, cerveau et moelle épinière

>> Les points distaux : le 5C et le 3C ;
>> Les points médians : le 20DM, le 14DM et le 20VB ;
>> Les points proches : le 43V (ex 38), le 15V, le 17RM, le 8RM, le 26DM, le 24DM et le 13F.

Tableau B-7 Maladies du système nerveux, cerveau et moelle épinière.

Cas Xu chronique	En cas de ramollissement cérébral : o Le 24DM ; o Le 24DM+20DM (ou 20VB) ; o Le 24DM+14DM+5C ; o Le 20DM+26DM+14DM+3C.	En cas d'hystérie chronique : o Le 13F ; o Le 13F+20VB ou 14DM ; o Le 13F+14DM+5C ; o Le 13F+14DM+3C+43V.
Cas Shi aiguë	En cas d'accès maniaque : o Le 5C ; o Le 5C+14DM ; o Le 5C+14DM+26DM ; o Le 5C+14DM+26DM+3C.	En cas d'épilepsie : o Le 5C ; o Le 5C+20VB (pour le vent) ; o Le 5C+20VB+12RM ; o Le 5C+20VB+15V+3C.

Maladies du système digestif (Estomac-Rate)

>> Les points distaux : 44E, 36E, 6CC ;
>> Les points médians : 20VB ;
>> Les points proches : 12RM, 8RM, 17V, 18V, 20V, 21V.

Tableau B-8   Maladies du système digestif (Estomac-Rate).

Cas Xu chronique	En cas d'indigestion par fatigue : o Le 12RM ; o Le 12RM+le 20VB ; o Le 12RM+20VB+36E ; o Le 12RM+20VB+36E+17V.	En cas de ptose gastrique : o Le 12RM ou le 8RM en moxa ; o Le 12RM+20VB ; o Le 8RM+20VB+44E ; o Le 12RM+20VB+36E+21V.
Cas Shi aiguë	En cas de gastrite aiguë, de spasmes de l'estomac, de douleurs nerveuses de l'estomac : o *Le 36E ou 6CC* ; o *Le 36E+20VB* ; o *Le 36E+20VB+12RM* ; o *Le 36E+44E ou le 6CC+20VB+21V/*	En cas de vomissements nerveux : o *Le 6CC ou le 44E* ; o *Le 6CC+20VB* ; o *Le 6CC+20VB+12RM* ; o *Le 6CC+36E+20VB+17RM ou 22RM.*

Maladies du système digestif (Foie-Vésicule biliaire)

» Les points distaux : 3F, 34VB, 6TF ;

» Les points médians : 4DM et 20VB ;

» Les points proches : 14F, 13F, 18V, 19V, 24VB et 9DM.

Tableau B-9   Maladies du système digestif (Foie-Vésicule biliaire).

Cas Xu chronique	En cas de jaunisse : o Le 9DM ; o Le 9DM+20VB.	o Le 9DM+20VB+3F ; o Le 9DM+20VB+3F+14F.
Cas Shi aiguë	En cas d'inflammation de la VB : o Le 3F ou 6TF ; o Le 3F ou 6TF+20VB ; o Le 3F ou 6TF+20VB+19V.	En cas de douleur nerveuse du Foie : o Le 3F ; o Le 34VB ou 6TF+4DM ; o Le 3F+6TF+4DM+14F.

Maladies du système digestif (Gros Intestin-Intestin grêle)

» Les points distants : 57V, 36E ;

» Les points médians : 4DM ;

» Les points proches : 10RM, 8RM, 25E, 6RM, 4RM, 25V, 27V.

Tableau B-10 Maladies du système digestif (Gros Intestin-Intestin grêle).

Cas Xu chronique	En cas d'entérite chronique : o Le 25E ; o Le 25E+4DM ;	o Le 8RM (moxa au sel)+4DM+57V ; o Le 25E +8RM (moxa)+4DM+36E.
Cas Shi aiguë	En cas d'entérite aiguë épidémique : o Le 57V ; o Le 57V ou le 36E +4DM ; o Le 57V+4DM+25E ; o Le 57V+4DM+25E+36E.	En cas d'entérodynie avec douleurs intestinales : o Le 36E ; o Le 36E+4DM ; o Le 36E+4DM+25E ; o Le 36E+57V+4DM+25E.

Maladies du système urinaire (Rein-Vessie)

» Les points distants : 6Rn, 9Rt ;

» Le point médian : 4DM ;

» Les points proches : 23V+28V+4RM+3RM+28E+25VB.

Tableau B-11 Maladies du système urinaire (Rein-Vessie).

Cas Xu chronique	En cas d'atonie de la vessie : o Le 3RM ; o Le 3RM+4DM ; o Le 3RM+4DM+9Rt ; o Le 3RM+4DM+6Rn+28V.	En cas d'énurésie : o Le 3RM ; o Le 3RM+4DM ; o Le 3RM+4DM+6Rn ; o Le 3RM+28V+4DM+6Rn.
Cas Shi aiguë	En cas de néphrite aiguë : o Le 6Rn ; o Le 6Rn (ou le 9Rt)+4DM ; o Le 6Rn+4DM+23V ; o Le 6Rn+9Rt+4DM+23V.	En cas de spasme de la vessie : o Le 6Rn (ou le 9Rt) ; o Le 6Rn (ou le 9Rt)+le 4DM ; o Le 6Rn + le 4DM +le 3RM ; o Le 6Rn+9Rt+4DM+3RM.

Maladies du système reproducteur

» Les points distants : 6Rt, 9Rt ;

» Les points médians : 4DM, 23V ;

» Les points proches : 6RM, 4RM, 3RM, 29E, 25VB, 32V + points extra : Bai-Lao ou Si Liao et Wei Bao dans le pli inguinal.

Tableau B-12   Maladies du système reproducteur.

Cas Xu chronique	En cas de spermatorrhée : o Le 23V ; o Le 4RM+I4DM ; o Le 4RM+4DM+6Rt ; o Le 4RM+4DM+6Rt+23V. En cas de leucorrhée : o Le 29E ; o Le 29E+4DM ;	o Le 3RM+4DM+6Rt ; o Le 3RM+32V+4DM+6Rt. En cas de retard des menstrues : o Le 29E ; o Le 4RM+4DM ; o Le 4RM+4DM+6Rt ; o Le 23V+4DM+4RM+6Rt.
Cas Shi aiguë	En cas d'orchite : o Le 6Rt ; o Le 6Rt+4DM ; o Le 6Rt+4DM+29E ; o Le 6Rt+4DM+29E+9Rt.	En cas de douleurs nerveuses de l'utérus et de dysménorrhées : o Le 6Rt ; o Le 6Rt+4RM ; o Le 6Rt+4DM+4RM ; o Le 6Rt+9Rt+4DM+4RM.

Maladies concernant l'ensemble du corps

Dans les cas Xu, de faiblesse :

> - Points proches : 16DM, 12DM, 13DM, 9DM ;
> - Points médians : 20DM, 20VB, 14DM, 4DM ;
> - Points distaux : 10Rt, 11GI, 4GI, 36[E].

Avec les points distaux et les points médians, faire une action de drainage en haut et en bas, à savoir : pour les atteintes en bas, prendre les points du haut. Pour les atteintes en haut, prendre les points du bas. Dans les maladies dangereuses, on utilisera les points à usage spécial. Exemple :

> - En cas de collapsus, on prendra le 16DM en point proche + le 20DM en point médian et le 15GI en tant que point à usage spécial.
> - Pour les vertiges avec atonie : le 20VB et le 4DM en point médian et le 4GI en distal.

Dans les cas Shi, d'excès

La méthode est la même que pour les cas Xu, sauf que pour les maladies dangereuses, on peut faire saigner les points spéciaux. Exemple :

> » En cas d'insolation : les 12 points Tsing et le 11GI en saignée + le 14DM.
>
> » En cas d'hyperthermie : le 1Rn, le 11GI, 14DM, 12DM.
>
> » En cas de dermatose généralisée : 10Rt, 11GI, 14DM, 12DM. Si les symptômes sont sévères, ajouter un point sur zone affectée.
>
> » Pour un rhume avec fièvre très importante : le 1GI, 4GI, 14DM, 20VB.

L'ensemble des exemples que nous venons de voir vont vous permettre de vous approprier la méthode. Ensuite très rapidement, vous apprendrez vous-même, selon les pathologies, à créer votre propre formule. Cette technique de choix des points en acupuncture-moxibustion est bien évidemment applicable dans les techniques de digitoponcture.

Annexe C
Lexique

Ba Gang : les huit règles : Yin-Yang, interne (LI)-externe (Biao), Han (froid)-Re (chaud), faiblesse (Xu)-plénitude (Shi).

Cycle Ke : cycle de contrôle.

Cycle Shen : cycle d'engendrement.

Dao De Jing : écrit en 600 av. J.-C. et attribué à Lao Tseu.

Dao yin : consiste à mettre en œuvre certaines techniques pour diriger, guider le sang et l'énergie.

Fu : les six organes creux (IG, GI, Est., VB, Vessie, Trois Foyers).

Huang Di Neijing : livre fondateur de la MTC remontant à 2 500 ans.

Hun : l'âme spirituelle, sous l'emblème du Foie, le Yang originel.

Jin Kui Yao : bréviaire du *Coffre d'or* de Zhang Zhong Jing, début du IIIe siècle.

Jin Ye : les liquides nourriciers.

Jing Luo : les méridiens comprenant les 12 méridiens Jing Mai, et les 15 vaisseaux Luo se reliant au Jing principaux.

Jing Qi : la batterie de l'organisme qui gouverne les cinq logiciels organes.

Ku Qi : énergie du bol alimentaire tiré par la Rate.

Lao Tseu : fondateur du taoïsme.

Ling Qi : énergie très subtile provenant du ciel.

Ming Men : petite flamme de la lampe à huile, starter de tous les métabolismes du corps.

Nan Jing : classique des difficultés (220-280), commentaire du *Nei Jing*.

Po : l'âme corporelle, sous l'emblème du Poumon, le Yin originel.

Qi : l'énergie située en amont de la matière.

Qi gong : la maîtrise du Qi, de l'énergie vitale.

Qi Zi : blocage ou stagnation d'énergie dans l'organisme.

Qian Jin Fang : prescription valant mille pièces d'or de Sun Si Miao (fin du VIIe siècle).

San Bao : les Trois Trésors que sont le Jing, l'essence, le Qi, l'énergie et le Shen, l'esprit.

San Jiao : les Trois Foyers.

Shang Han Za Bing : traité de maladies fébriles de Zhang Zhong Jing (an 160).

Shen : l'esprit, le mental sous l'emblème du Cœur.

Shen Ming : la vitalité.

Tai Ji : symbole du un. Tout est en devenir. Contient toutes les potentialités.

Tan : terme générique signifiant les déchets, substances que l'organisme n'a pas eu la force d'éliminer.

Wen Zhen : l'interrogatoire.

Wu Ji : le zéro métaphyisque.

Wu Xing : les cinq éléments (bois, feu, terre, métal, eau).

Xie Qi : énergie perverse.

Xue Wei : point d'acupuncture.

Yang Qi : énergie de l'air tiré par le Poumon.

Yi Jing : remontant à plus de 5 000 ans, ce livre pose les bases de toute la culture chinoise.

Yi Shi : la conscience, mélange de l'innée (le Shen) et des connaissances acquises.

Yin-Yang : en rapport avec le chiffre 2. Principe de la dualité inhérent à la vie.

Yu Xue : stagnation de sang, stases sanguines.

Yuan Qi : Qi fondamental du démarrage de la vie, stocké dans le Rein, lampe à huile.

Zang : les cinq organes pleins (F, P, C, Rt, Rn).

Zhen Qi : le Qi originel qui entretient la vitalité, issu de l'énergie léguée par nos ancêtres et de celle provenant du ciel et de la terre.

Zheng Qi : ensemble des Qi physiologiques permettant le bon fonctionnement du corps.

Zhong Qi : Qi du centre, énergie du Foyer moyen.

Annexe D
Adresses utiles

Quelques bonnes écoles de MTC

- Le CATC, le Collège des arts thérapeutiques chinois : https://www.catc.fr/
- Le CEDRE, le Collectif d'étude, de développement et de recherche en ethnomédecine : http://www.cedre.org/
- L'Institut ChuZhen : http://www.chuzhen.com/
- Cercle sinologique de l'Ouest : http://www.chine.org/

Pour la pratique des qi gong

- L'IEQG, l'Institut de qi gong dirigé par Yves Réquéna : http://www.ieqg.com/

Un praticien à côté de chez vous ?

- L'UFPMTC, l'Union française de médecine traditionnelle chinoise : https://www.ufpmtc.fr/

Un praticien en techniques corporelles selon les principes de la MTC (shiatsu)

- L'Institut français de shiatsu : https://www.shiatsu-institut.fr/

Les moxas, le matériel d'acupuncture

- Planeta Verde : https://www.planetaverd.net/
- Sinolux : https://www.sinolux.lu

Les sites d'enseignement de l'auteur

- » http://www.jeanpelissier.com/ pour l'actualité du trimestre, les nouveaux stages et les conférences gratuites.
- » https://boutique.jeanpelissier.com/ pour tous les cours de MTC.
- » http://blog.jeanpelissier.com/ pour le blog sur les alicaments.
- » https://www.jeanpelissier.net/ pour l'abonnement aux cahiers de sinobiologie.
- » Vous pouvez contacter l'auteur à l'adresse mail suivante : pelissier.j@wanadoo.fr

Index

A

Abcès, 84, 199, 274
Abdomen, 75, 76, 78, 111, 214, 266, 388
Accidents vasculaires cérébraux, 152, 217
Accouchement, 149
Acide, 50, 59, 111
Acné, 81
Acouphènes, 98, 113, 295
Activité sexuelle, 105
Acuité visuelle, 219
Acupressing, 225
Acupuncteur, 181
Acupuncture, 11, 17, 27, 31, 182, 187
Adaptation, 47, 53
Adénomes, 174
Adolescent, 81, 124
Aérophagie, 339
Affectivité, 44
Âge, 109, 124
    mûr, 53
Agents toxiques, 162
Aiguille, 15, 32, 86, 106, 184, 189, 197, 380
Air, 27, 40, 46, 50, 52, 120, 198
Alcool, 105, 201, 346
Alimentation, 23, 27, 98, 145, 200, 259
Aliments, 40, 46, 106, 163, 263
    acides, 132
    épicés, 132
Allergie, 138
Alphabet, 14
Ambition, 78
Âme, 23, 42, 369
Aménorrhée, 219
Amer, 50, 59, 111
Anémie, 150, 339
Angine, 394
    de poitrine, 219
Angoisse, 113, 124, 243
Animaux, 33
Anorexie, 110
Antalgiques, 183
Anthrax, 219
Antifongique, 36

Antiseptique, 374
Anxiété, 124
Aphte, 341
Apoplexie, 217
Appendicite, 221
Appétit, 58, 101, 110
Armoise, 247
Artères, 59, 119
Articulations, 163, 169, 296
Arts martiaux, 33, 294
Arythmie, 394
Assimilation, 47
Asthme, 219, 260, 281, 394
Astrologie, 37
Attitude, 71
Attraction, 44
Audition, 101
Auscultation, 64
Autisme, 42
Autodestruction, 43, 155
Auto-guérison, 22, 58
Automne, 53, 54, 59, 72
Avidité, 76

B

Ba Gang (huit principes), 47, 48, 64, 95
Bactérie, 140
Bain, 146
Ballonnements, 147, 221
Bébé, 319
Ben, 183, 184
Beurre, 36
Biao, 183, 184
Bio, 158
Bipolarité, 42
Blanc, 59, 72
Blessure, 149
Bleu, 59
Blocage, 34, 90, 105, 110, 118, 145, 146, 147, 228
Bois, 50, 59, 72, 74, 90
Boissons, 36, 81, 109, 175, 343
Bol alimentaire, 46, 98, 116, 120, 146, 198, 286, 374
Borborygmes, 219, 221
Bouche, 52, 59, 64, 85, 208
Bouffées de chaleur, 80
Bougie, 45

Boules de méditation, 229
Boutons, 81, 85
    de fièvre, 86
Bras, 219
Bronchite, 339
Bruit, 113
Burn out, 116, 233, 285, 298

C

Café, 258
Caillot, 85, 267
Calculs, 174, 321
Calme, 97
Calorification, 188
Cancer, 22, 33, 43, 107, 141, 153, 158, 169, 300, 320
    de la peau, 172
    du pancréas, 36, 147
    du sein, 34
Cannabis, 108
Cannelier, 271
Capillaires, 88
Caractère, 44, 76
Carcinomes péritonéaux, 85
Cardio-pneumopathies, 138
Carence, 316
Caries, 87
Cataplasmes, 182
Cauchemars, 116
Cavalier de fer, 300
Cellulite, 342
Céphalées, 58, 105, 184, 220
Céréales, 329
Cerveau, 16, 20, 322, 395
Cervicalgies, 319
Chagrin, 59, 147
Chairs, 59, 80, 85
Chaleur, 38, 48, 49, 80, 85, 86, 101, 102, 104, 161, 165, 170, 248
Champignons, 36
Chaud, 258
Cheveux, 59, 74, 156
Cheville, 210
Chiropraticien, 181
Chocolat, 157
Cholestérol, 174
Ciel, 13, 15, 33, 34, 37, 40, 41, 49
Cigarette, 173
Cinq éléments (théorie des), 54

Circulation sanguine, 192
Clarification, 188
Climat, 49, 52, 97, 161, 271
Cœur, 16, 20, 25, 59, 72, 112, 177
Colère, 52, 57, 59, 117, 150, 152, 229
Collapsus, 398
Colonne vertébrale, 27
Colopathie fonctionnelle, 342
Coma, 80, 177
Comportement, 76
Concentration, 16, 97
Conflits, 309
Conjonctivite, 339
Conscience, 44
Conservation, 51
Constipation, 170, 342
Constricteur du Cœur, 25
Contractures, 218
Contre-indications, 240, 253
Contusions, 274
Convalescence, 116
Corps, 42, 52, 104, 343, 373
Cosmogonie, 37
Cou, 208, 218
Couleur, 59, 69, 72, 79, 84, 260
Crachats, 170, 219
Crampes, 87
Créativité, 42
Crise cardiaque, 152, 177
Croissance, 51, 53, 146
Cun, 205, 206
Cycle circadien, 31
Cystite, 219

D

Dao yin, 182
Dao, 12, 293
Déchets, 149, 174, 203, 352, 353
Décision, 44
Décoction, 272
Défenses immunitaires, 22, 66, 139, 159, 271
Démangeaisons, 36, 86, 118
Démarche, 74
Déminéralisation, 341
Dentiste, 376
Dents, 86, 156

Dépression, 21, 33, 42, 43, 110, 112, 116, 150, 153, 223, 375
Dermatose, 43, 399
Déséquilibres alimentaires, 157
Désir, 44, 52, 154
    aveugle, 155
    de gloire, 155
    de possession, 155
    matériel, 154
    sexuel, 156
Désirs illusoires, 156
Diabète, 33, 36, 66, 84, 141, 158, 338
Diagnostic, 61, 186, 200
Dialyse, 56
Diaphragme, 263, 281, 302
Diarrhée, 66, 83, 89, 100, 108, 169, 217, 221, 249, 338-342
Diététicien, 181
Diététique, 18, 81, 157, 313
Digestion, 46, 47, 53, 98, 146
Digitoponcture, 27, 225
Digitopuncteur, 181
Dispersion, 188
Doigts, 88
Dos, 33, 74, 74, 75, 106, 387
Douleurs, 62, 101, 104, 164, 184
    abdominales, 66, 169, 221
    articulaires, 249
    aux côtes, 177
    cholédociennes, 221
    costales, 170
    émotionnelles, 107
    lombaires, 218
    oculaires, 164
Doux, 50, 59
Drainage, 195
Drogues, 258
Duodénum, 85
Dysenterie, 221
Dysménorrhée, 219
Dyspnée, 261
Dysurie, 221

E

Eau, 38, 50, 54, 59, 72, 76, 91, 109, 175, 347, 353
Écoles de MTC, 405
Économie, 78
Écoute, 97

Écriture, 37
Eczéma, 138, 149
Éducateur sportif, 181
Effort physique, 124
Ego, 14, 42, 203, 234
Éjaculation, 105
    précoce, 244
Élimination, 47, 262 266
Embryon, 45
Éminence thénar, 88, 228
Émotions, 6, 22, 30, 33, 52, 44, 51, 52, 53, 70, 79, 90, 96, 99, 105, 150, 151, 234, 286, 359
Énergie, 15, 20, 27, 32, 173, 229, 235, 279
    acquise, 21
    droite, 40
    innée, 21
Enfance, 53
Enfant, 109, 122, 124, 253
Engelure, 340
Entérite, 397
Énurésie, 109
Envie, 76
Environnement, 53, 171
Épaules, 75, 76, 216
Éphédra, 261
Espérance de vie, 22, 43
Esprit, 42, 44, 69
Essence, 51
Estomac, 22, 25, 36, 46, 85, 216, 263, 390, 395
État affectif, 99
Été, 54, 59, 72, 104
Étoiles de Ma Dan Yang, 221
Évacuation, 46
Examens (quatre), 64
Exercices, 292

F

Faiblesse, 126, 149, 186, 188, 398
Famille, 154
Fatigue, 24, 36, 83, 116, 158, 163, 195, 243, 253
Féminin, 38
Femme, 18, 36, 105, 106, 110, 117, 118, 124, 266
    enceinte, 110
Feng Shui, 32
Feu, 38, 40, 50, 54, 59, 72, 74, 90, 161, 170
    de Ming Men, 145
Fibrome, 146, 267

Fièvre, 66, 102, 165, 184, 207
Fleurs, 70
Foie, 16, 20, 34, 44, 46, 58, 59, 72, 73, 80, 201, 202, 210, 212, 213, 214, 215, 216, 217, 218, 219, 229
Formule, 261
Foyer
    inférieur, 46, 107
    moyen, 46
    supérieur, 46
Frais, 258
Frayeur, 52, 124
Froid, 50, 53, 84, 86, 101, 102, 106, 161, 165, 258
Fromages, 36
Fruits, 337
Furoncles, 219

G

Gastralgie, 219
Gastrite, 390, 396
Gastro-entérite, 168, 185
Gaz, 112
Gecko, 261
Gencives, 87
Générosité, 76
Genoux, 74, 218, 387
Gentillesse, 76
Gerçures, 86
Gestuelle, 71
Gingembre, 258, 272
Globules blancs, 40
Gonflement, 106, 168
Gorge, 263, 266
Goût, 46, 52, 59, 111
Goutte, 338
Graisses
    insaturées, 322
    saturées, 36, 322
Grippe, 163, 184, 342
Gros Intestin, 25, 27, 29, 30, 31, 59, 86, 87, 107, 108, 203, 204, 396
Grossesse, 117
Guérison, 238

H

Habitudes
    alimentaires, 98, 110
    de vie, 98

Haleine, 339
Halètements, 177
Hanches, 74, 387
Harmonisation, 188, 262, 264
Hématurie, 217
Hémoglobine, 27
Hémorragie, 149
Hémorroïdes, 339
Hépatite, 339
Herboriste, 181
Herpès, 339
Hiver, 53, 54, 59, 72
Homéostasie, 58
Homme, 13, 15, 37, 49, 54, 55, 70
Hormones, 322
Huiles, 322
Humidité, 35, 36, 48, 50, 80, 86, 106, 110, 161, 163, 164, 168
Hun, 21, 41, 45, 116, 234
Hydratation, 81, 343, 353
Hygiène de vie, 199
Hypersomnie, 115
Hypertension, 21, 66, 73, 155
Hyperthermie, 399
Hypotension, 394
Hypothyroïdie, 338
Hystérie, 342

I

Ictère, 80
Idéogramme, 114
Impuissance, 244, 342
Index, 92
Indigestion, 110, 126, 396
Inflammation, 107, 195
Inquiétude, 52, 107, 151, 177
Insolation, 399
Insomnie, 44, 62, 104, 115, 147, 154, 177, 223, 284, 309
Insuffisance rénale, 56, 98
Intellection, 46, 52
Intelligence, 44
Intention, 233
Interrogatoire, 64, 94
Intestin, 84, 263
    grêle, 25, 59, 204, 210, 212, 214, 215, 219, 221, 347, 396
Intoxication, 201
Intuition, 42, 235

J

Jambes lourdes, 163
Jaune, 59, 72
Jaunisse, 80
Jeunesse, 53
Jing, 29, 45, 46
    Qi, 40, 82
    Sheng, 107
Joie, 52, 57, 59, 79, 150
Joues, 76, 216
Jugement, 364
Jujube, 272
Jus de fruits et de légumes, 346

K

Ku Qi, 40
Kystes, 174, 319

L

Lait, 36, 320
    de vache, 318
Langue, 59, 62, 128
    enduit de la, 132
    avec petits points, 132
    édentée, 132
    effilée, 131
    ferme, 131
    fissurée, 132
    gonflée, 131
    pâle, 132
    qui tremble, 131
    rouge foncé, 132
    tirée vers le côté, 131
    violet verdâtre, 132
Larre, Claude, 17
Larynx, 393
Légumes, 337, 339
Légumineuses, 332
Lèvres, 85, 170
Libido, 155, 244
Lipomes, 174
Liquides nourriciers, 51
Lombalgie, 156, 220
Longévité, 252, 367
Lumbago, 146, 392

Lumière, 83
Lune, 37
Luo, 29

M

Mâcher, 373
Mâchoires, 75
Magnésium, 157
Mains, 62, 64, 69, 74, 75, 88, 102, 106, 203, 226
Maladie, 47, 53, 64, 79, 94, 128, 135, 183
    d'Alzheimer, 42, 44, 300
    de Raynaud, 229, 230
    évolution, 66
    externe, 139
    Huo Re, 171
    Huo, 171
    interne, 139
Maladies
    auto-immunes, 43, 229
    cardio-vasculaires, 133, 141, 155, 158
    chroniques, 212
    de l'appareil circulatoire, 394
    des organes respiratoires, 393, 394
    du système digestif, 396
    du système nerveux, 395
    du système reproducteur, 397
    du système urinaire, 397
    émotionnelles, 43, 141
    mentales, 43, 141
Marche, 370
Masculin, 38
Massage, 17, 182, 226, 369
Masseur, 181
Maturation, 51, 53
Maux
    de gorge, 164, 171
    de tête, 58, 104, 165, 200, 218, 271
Médecin chinois, 35, 96
Médecine préventive, 17
Médicaments, 100
Méditation, 143, 301, 369
    en mouvement, 298
Mélancolie, 43
Mémoire, 16, 19, 20, 223
Ménopause, 340
Menstruations, 106, 117, 149, 266

Mental, 44, 45
Menton, 74, 87
Méridien
    de l'Estomac, 28
    de l'Intestin grêle, 28
    de la Rate, 28
    de la Vésicule biliaire, 28, 34
    de la Vessie, 28
    des Poumons, 28, 146
    des Reins, 28
    du Cœur, 28, 65
    du Foie, 28
    du Gros intestin, 28
    du Péricarde, 28, 65
    du Triple réchauffeur, 28
Méridiens, 25, 26, 51, 201
Métabolisme 47
Métal, 50, 54, 59, 72, 75, 91
Métaphysique, 13
Métrorragie, 217, 219, 220
Microbe, 66, 162
Mise en réserve, 53
Moelle, 59
Morphologie, 69, 73
Morphotype, 62
Mort, 38, 43, 51, 362
    subite, 75
Mouvement, 368
Moxibustion, 17, 182, 247
Mucosités, 266
Muqueuses, 59
Muscles, 33, 59, 71, 74, 80, 85, 88
Mycose, 36

N

Naissance, 45, 51, 53
Nature, 258, 260
Nausée, 342
Négatif, 140
Nei Jing, 12, 14, 15, 16, 18, 37, 47, 49, 50, 64, 70, 74, 76, 190, 195, 199
Neige, 50
Néphrite, 397
Nerfs, 144
Nervosité, 319
Névralgies, 392
Nez, 52, 59, 64, 83, 170, 271, 393
Nodules, 174, 319

Noir, 59, 72
Nombril, 214
Nong, Shen, 255
Nourriture, 110
Nuages, 50
Nuque, 218
Nutrition, 46

O

Obésité, 338
Observation, 64, 69
Odeurs, 64
Odorat, 46, 52, 59
Œdème, 80, 89, 217
    aigu du poumon, 25, 176
Œsophage, 263
Olfaction, 64
Oligurie, 221
Ongles, 90, 91
Oralité, 16
Ordinateur, 19
Ordonnance, 269
Oreilles, 52, 59, 63, 84, 216
Organes, 25, 41, 59 104, 119
    creux, 51
    génitaux, 213
    pleins, 51
    vitaux, 33
Orientation, 59
Os, 59, 74, 86, 165, 218, 320
Ostéopathie, 182
Ostéoporose, 320
Otites, 113
Ouïe, 46, 52, 59, 113
Oxygène, 27
Oxyures, 36

P

Palpation, 64
Palpitations cardiaques, 65, 104
Paracelse, 254
Pancréas, 36
Pancréatite, 36, 147
Paralysie faciale, 391
Parasites, 87, 266

Pardon, 361
Parole, 59
Particules fines, 162, 172
Passion, 154
Pâtes médicinales, 274
Pathologie, 33, 391
Patient, 96, 199
Paume, 88, 102
Paupières, 82
Peau, 46, 59, 81, 88, 112, 165, 262
Pensée, 44, 52, 71
Péricarde, 25
Personnalité, 76
Personne âgée, 124, 253
Perte de connaissance, 217
Pertes vaginales, 118
Petit déjeuner, 334
Peur, 52, 57, 59, 79, 151
Pharmacopée, 17, 255
Pharynx, 293
Philosophie, 365
Picotage, 237
Pieds, 74, 75, 106, 202
Pilules, 273
Piquant, 50, 59
Piqûre, 364
Pivoine, 271
Plaie, 374
Plantes, 70, 182, 268
Plaques
    d'athérome, 174
    dentaires, 87
Pleine conscience, 121, 287, 363, 376
Pluie, 50
Po, 21, 42, 45, 51, 152
Poids (perdre du), 376
Poignet, 91, 120, 145, 210, 296
Poils, 59
Point Lao Gong, 228
Points, 27, 30, 31, 32, 63, 64, 119, 185, 187, 206, 232, 385
    de confluence des huit merveilleux vaisseaux, 215
    distaux, 207
    fantômes de Sun Si Miao, 222
    Luo, ou points de communication, 211
    médians, 208
    Mu antérieurs, ou points de rassemblement, 214
    proches, 207

     Shu du dos, ou points de communication, 212
     Shu, antiques, 208
     Yuan, ou « points-sources », 210
Poitrine, 33, 78, 214
Politique, 78
Pollens, 162
Pollution, 171, 172
Polyarthrite rhumatoïde, 319
Pommettes, 87
Poncture, 379
Positif, 140
Poudres, 273
Pouls, 58, 62, 64, 119, 171, 200
Poumon, 20, 21, 25, 40, 43, 46, 59, 72, 81, 107, 216, 393
Praticien, 64, 97, 196, 199, 234, 405
Prévention, 48
Printemps, 54, 59, 72, 370
Production, 51
Profession, 98
Pronostic, 64
Prostatite, 156
Protection, 46
Protéines, 356
Psoriasis, 138, 149
Psychose maniaco-dépressive, 223
Psychothérapeute, 181
Psychothérapie, 17
Pulsations, 123
Pulsions, 152, 156
Pulsologie, 18
Pupilles, 82
Purgation, 188, 262, 263

Q

Qi gong, 17, 46, 230, 296, 405
Qi, 20, 39, 51, 81, 107, 145, 146, 197
     quatre, 258

R

Radicaux libres, 174
Radioactivité, 172
Rafraîchissement, 188
Raideurs, 218
Rate, 16, 20, 24, 35, 46, 48, 59, 72, 100, 148
Rayons X, 170

Réchauffement, 188, 262
Récolte, 51, 53
Rectorragie, 217
Refroidissement, 262, 265
Réduction, 188
Réflexion, 44
Regard, 83
Règles, 105, 219
    abondantes, 117
    douloureuses, 118
Réglisse, 264
Rein, 16, 20, 59, 72, 74, 86, 146, 343, 364, 397
Relaxation, 116, 197, 309, 310, 368
Réminiscence, 52
Repas
    de fête, 317
    quotidiens, 317
Reproduction, 47
Répulsion, 44
Respiration, 22, 43, 71, 121, 145, 176, 277, 302, 368
    abdomino-diaphragmatique, 280
    consciente, 278
    inconsciente, 278
    ventrale, 282
Rétention
    d'eau, 195
    urinaire, 221
Réveil, 310
Rêves, 42, 101, 116, 177, 308
Rhinites, 394
    allergiques, 138
Rhumatisme, 33, 43, 89, 97, 141, 158, 164, 248, 274
Rhume, 163, 270, 399
Rides, 76, 81, 86
Riz, 259, 329, 330
Rosée, 50
Rouge, 59, 72
Rougeole, 339
Rougeur, 106
Rumination, 59

S

Sagesse, 51
Saignement de nez, 164, 217
Saisons, 49, 54, 59, 72, 251
Salé, 50, 59, 98, 111

Salive, 110, 336, 374
Saule, 257
San Jiao, 46
Sang, 42, 47, 59, 69, 80, 83, 86, 89, 105, 112, 117, 126, 266
    stagnation de, 148
Sauna, 103
Saveurs, 50, 111
    acides, 260
    amères, 260
    douces, 259
    piquantes, 259
    salées, 260
Sécheresse, 50, 81, 88, 161, 164, 169
Sécrétions vaginales, 36
Sédation, 188, 232
Sein, 219
Sel, 252
Selles, 83, 87, 101, 107, 175, 184, 263
Sénilité, 109
Sens, 46, 51
Sentiments, 44, 52
Sérial killer, 156
Sexe, 124, 156
Sexualité, 163, 244
Shao Yang, 78
Shao Yin, 77
Shen, 44, 45, 46, 69, 70, 82
Shiatsu, 225
Sida, 48
Sieste, 116
Sinusites, 320
Six énergies perverses, 161
Sixième sens, 46
Soda, 347
Soif, 101, 114
Soleil, 37, 50, 172
Sommeil, 83, 101, 114, 143, 157, 159, 305, 368
Somnolence, 116
Sons, 295
Sophrologue, 181
Soucis, 57
Souffle, 113
Soupes, 348
Sourire, 364
Souvenir, 150
Spasmes, 87, 195
Spasmophilie, 157

Spermatorrhée, 398
Spondylarthrites ankylosantes, 319
Sport, 292
Squelette, 182
Stagnation, 184, 205, 229
Stérilité, 244, 249
Stress, 81, 113
Sucré, 98
Sucres, 36, 323
Sudation, 188
Sudorification, 261, 262
Sueur, 103
Surdité, 98, 113
Surmenage, 105, 158
Symptômes, 24, 34, 47, 48, 65, 95, 100, 183
Syncopes, 58, 220
Tabagisme, 201

T

Tae Yang, 78
Tai Ji, 12, 36, 37, 38
Tai Yin, 76
Tai-chi, 237
Tan, 83, 89, 111, 116, 149, 174
Taoïsme, 12, 233
   Tseu, Lao, 12
Tartre, 87
Teint, 70, 71, 74, 79, 80
Température corporelle, 109, 322
Temps, 38
Tendons, 59, 74, 165, 218
Tensions, 191
Terre, 35, 43, 46, 49, 50, 51, 54, 55, 59, 72, 75, 90
Testicules, 219
Tête, 74, 208, 387
Théorie des signatures, 256
Thés chinois, 349
   noirs, 350
   oolong, 350
   vert à la menthe, 356
   verts, 81, 350
Thorax, 74, 102, 106, 111, 216, 263, 388
Tiède, 258
Tofu, 331
Tonification, 188, 241, 262, 267
Tonnerre, 50

Tonus musculaire, 370
Toucher, 46, 52, 59
Toux, 164, 177, 218, 219
Toxines, 103, 172, 266
Tradition, 13
Traitement, 179
Transpiration, 89, 101, 102, 167, 188, 207, 262
Tristesse, 43, 52, 57, 59, 147, 151
Trois Foyers, 25, 45, 46 47
Trois Trésors, 46
Trouble érectile, 244
Troubles
    comportementaux, 42
    obsessionnels compulsifs, 283, 306
Tumeurs, 199, 254

U

Ulcère, 339
Univers, 49, 52
Urines, 101, 107, 184
Utérus, 219, 220

V

Vagin, 118
Vaisseau Conception, 27, 204
Vaisseau de ceinture, 30
Vaisseau Gouverneur, 27, 204
Vaisseau vital, 30
Vaisseaux, 29, 45, 165
Veine, 93, 145
Vent, 49, 86, 104, 106, 161, 162, 170, 271
Ventre, 33, 102
Verrues, 85
Vert, 59, 72
Vertèbres, 218
Vertiges, 58, 113, 398
Vésicule biliaire, 25, 46, 59, 80, 221
Vessie, 25, 59, 107, 397
Viande, 200
Vie, 51
Vieillesse, 53
Vins médicinaux, 274
Violence, 117
Virus, 66, 140, 162
Visage, 62, 69, 76, 79, 171

Viscères, 69, 74, 82, 213
Visualisation, 236
Vitamines, 328
Vitalité, 6, 38, 40, 41, 44, 50, 70, 71, 74, 82, 83, 124, 127, 130, 132, 146, 154, 252, 279, 295, 368
Voix, 63
Vomification, 261, 263
Vomissements, 80, 89, 110, 188, 217, 396
Vue, 46, 52, 59, 69, 113

W

Wei Qi, 262

X

Xie Qi, 256

Y

Yang Qi, 40
Yang, 11, 33, 36, 140, 151, 159, 190, 200, 260, 264
Yeux, 52, 59, 63, 71, 82, 171, 216
Yin, 11, 33, 36, 140, 151, 159, 190, 200, 260, 264
Yin-Yang, 79, 264
Ying Qi, 262
Yoga, 237, 296
Yu Xue, 148
Yuan Qi, 40
Yuen, Leung Kok, 17, 101, 379

Z

Zhen Qi, 40, 45, 47, 66, 67
Zhong Qi, 40